D1055691

Ramón J. Sender
Los cinco libros de Ariadna

Ramón J. Sender

Los cinco libros de Ariadna

Ediciones Destino
Colección
Áncora y Delfín
Volumen 500

WILLIAM MADISON RANDALL LIBRARY UNC AT WILMINGTON

© Ramón J. Sender
© Ediciones Destino
Consejo de Ciento, 425. Barcelona-9
Primera edición en Ediciones Destino: abril 1977
ISBN: 84-233-0666-6
Depósito legal: B. 7808 - 1977
Impreso por Gráficas Europeas, S. A.
Botánica s/n. Hospitalet de Llobregat
Impreso en España—Printed in Spain

PQ6635
.E65
.A7
1977

*Alguien ha dicho que los antiguos tenían verdaderas razones
para vivir mientras que los modernos sólo tenemos pretextos.
Muchos de los emigrados, sólo tenemos pretextos, realmente,
aunque los míos los encuentro cada día más gustosos y si hacemos algo con una responsabilidad verdadera es porque queremos que sean lo más plausibles para uno mismo.* Ariadna *es
producto de ese estado de ánimo. Perdidas algunas raíces, quizá
las más importantes, sentimos la necesidad de compensarlas con
una floración capaz de explicar lo inexplicable o de propiciar
alguna clase de emoción virgen.*
Este libro de prosa está escrito, como otros míos, sub species
poetica. *Comentando* Epitalamio *o* La Esfera *algunos críticos
han dicho de ellos lo mismo. Ya pasada la juventud pero no el
amor juvenil por la vida me gusta comprobar que mi acento
natural era la poesía y* Ariadna *buena o mala como novela será
una prueba más. No es difícil construir algo lírico a distancia
con los detritos acumulados o esparcidos de tantas ruinas. Es
posible que el haber escrito el libro rápidamente sea la causa
de cierta monotonía y se vea en él un acento sostenido de un
mismo estado de ánimo, pero acepto el riesgo a cambio de la
espontaneidad que pueda tener y a veces tiene el primer borra-
dor. Hay quienes creen que* Ariadna *la tiene. O dicen que
creen que la tiene. Yo creo también fácilmente lo que me conviene creer. O digo que lo creo.*
*En todo caso buena o mala — yo diría que discreta y a veces
inspirada y con alguna resonancia gustosa para los lectores españoles — aquí está* Ariadna. *Con ella y con otros fantasmas
de mi intimidad espero el momento de regresar a España o de
renunciar definitivamente al regreso en una dulce calma. No se
entienda demasiado al pie de la letra. Pocas veces en estos tiempos la calma lo es. La imaginación vuela, el recuerdo la alcanza
y compensa y la inquietud y la ansiedad del futuro se les unen
turbando nuestra vigilia hasta la angustia. Que mis contrarios,
esos que me hacen el favor de obligarme con su odio a limitar
y condicionar mi panfilismo natural, se conformen con estas atenuantes abstractas mientras llegan otras contrariedades más ri-
cas y concretas. Y sepan que no les guardo rencor. No por ge-*

7

162547

nerosidad cristiana ni pagana, sino porque sé que su odio es una forma de condicionado amor que me beneficia y al cual debo no poco de lo bueno que tengo, si tengo algo.

Pero permítanme recordarles que algunos han caído en las telas de araña viscosas de los sistemas que hacen del poeta un enemigo mortal. No es necesario puntualizar (las contrariedades personales debe guardárselas cada cual) aunque es bueno repetir que se asesina al poeta en la España de hoy y en la Rusia del Vodz. Cuando no pueden asesinarlo porque los brazos no alcanzan tan lejos se intenta el envilecimiento por la calumnia. Pero a tal extremo han llegado las cosas que la víctima de este último desafuero puede ya considerar su suerte con orgullo. No soy yo solo a merecer este privilegio aunque conmigo han ido realmente demasiado lejos y quiero recordarles que eso de que la mayor mentira sea la más fácilmente creída no da resultado siempre y que hay en el orden natural de las relaciones humanas una secreta ley de compensaciones. A fuerza de acumular injurias sobre una persona no es raro verla aparecer de pronto aureolada de una pureza angélica. En las resistencias secretas del escritor y del artista hay defensas de una calidad que ignorarán eternamente los del alboroto y todavía en los momentos más críticos nos flanquean los duendes custodios de lo indiscernible. Por el contrario, los mayores elogios de la tontería adicta no logran hacer de un lerdo o de un canalla un hombre estimable. En todo caso por si hay algún lector que sorprendido en su inocencia duda de mis defectos (más bien podríamos llamarlos excesos) y de mis virtudes (no tengo ninguna que no sea una simple y natural fidelidad a los primarios intereses de mi salud moral y física) les recordaré que soy el mismo de la infancia, la adolescencia y la juventud. Pueden seguir amándome u odiándome con los mismos estímulos. Se cambia de maneras, se modifica el color del pelo y el acento verbal; quizás se llega a hablar un idioma diferente, pero uno no cambia en lo esencial.

Soy un hombre ordinario en la acepción discreta de la palabra. Mi vida ha sido siempre y sigue siendo la de un pequeño burgués con una tendencia mixta a la pereza y a la aventura. Al ensueño y al más crudo realismo. He tratado de ser un burgués sin conseguirlo. Más a menudo he tratado de identificarme con los llamados proletarios sin lograrlo tampoco. Por un azar que a veces me sorprende a mí mismo todavía a pesar del panfilismo del que hablaba he estado como casi burgués o casi prole-

8

tario en el centro de casi todos los acontecimientos *importantes* de la vida de mi país y en ellos he tomado naturalmente el lado del pueblo por una cierta inclinación a lo noble. Allí donde se alzaba la protesta, allí estaba yo. La vida era fea y alguien tenía la culpa. Nunca he creído que se pudiera hacer otra cosa en España, la clásica Iberia ferax venenorum de Horacio. No he sido un héroe aunque he sufrido a veces las desventajas del heroísmo. Durante la guerra de África, las sublevaciones contra Primo de Rivera, las conspiraciones contra la monarquía, los lamentables hechos de Casas Viejas, el alzamiento de Asturias y la guerra civil he estado siempre en medio de la refriega aunque en lo que se refiere a la guerra civil cada español estuvo, creo yo, en cada instante en el centro de cada acontecimiento. Sin embargo, como no pertenecí a ninguna congregación secreta ni pública, no me beneficié con ninguna de las victorias parciales que tuvimos y menos con las derrotas. Todo esto no quiere decir que no haya actuado en 1934-36 cerca de los de Moscú y por cierto con una lealtad a toda prueba porque desde el primer día hasta el último de nuestra corta relación les expuse todas mis discrepancias. No conseguimos resolverlas y me alejé lo mismo que me había acercado. Eso de que estuve en el partido y me echaron son cuentos de vieja ad majorem Vodzi gloriam. Si fuera verdad lo diría porque hace muchos años que eso no constituye para nadie un motivo de vergüenza sino todo lo contrario.

Pero la base de nuestras discrepancias no era política. La diferencia estaba en nuestra manera de entender lo humano. Yo lo entendía a mi modo y ellos no lo entendían de modo alguno. Además yo tenía demasiada fe en demasiadas cosas. Ellos no son gente de fe sino de trucos y martingalas con el bajo espíritu de los burócratas de todos los tiempos. Quizá con eso se puede asaltar el Estado (tampoco lo creo, porque los que lo hicieron en Rusia en 1917 eran feroces idealistas), pero hemos visto ya que ni los hombres viven mejor, ni las relaciones sociales son más justas. Al revés. Los llamados proletarios están en Rusia envilecidos por la miseria y el terror.

El único argumento con el que los rusos solían taparnos la boca era el siguiente: en Rusia todo el mundo trabaja y no hay injusticias como el paro obrero. En los últimos años se ha demostrado que hay algo peor. La población no asimilada por la economía del país es convertida en un subproletariado que trabaja catorce horas por sólo la comida, es decir en una esclavitud peor que las de la Edad Media. En esas condiciones están veinte millones de trabajadores rusos. Los hechos son más tozudos que todas las propagandas.

Creo que no puedo ver ni sentir políticamente. No soy capaz de formar en la fila de los perros de circo ladrando a compás y llevando en la boca el bastón del amo, ni por otra parte tengo el menor deseo de actuar de jefe de pista. ¿Con esos veinte millones de esclavos detrás? No, gracias. Tampoco mis experiencias de juventud fueron políticas. Ignoro lo que es una asamblea de partido o una reunión de célula. Pero sé que el poeta y el político son especímenes opuestos e irreconciliables y que las cualidades del uno y del otro se repelen. Cuando me he acercado a la política me he conducido como poeta (resultaba así un animal indefinible) y entre los escritores me consideraban a menudo un político. Unos y otros se engañaban y se irritaban al sentirse engañados. Pero un escritor no puede evitar la circunstancia social. Para mantenerse insensible a los problemas sociales en nuestro tiempo hay que ser un pillo o un imbécil.

Sin embargo esa actitud arguyente no debe ser definidora, para uno. La verdad es que cada vez que me doy cuenta de que alguien trata de definirme lo dificulto por todos los medios. Sabido es que el que nos conoce nos limita, el que nos comprende nos domina, el que nos define nos mata. Gracián dice: "Atento al primor. Todos te conozcan. Ninguno te abarque". Me parece justo que nadie pueda con exactitud definirme ya que yo no me atrevo a definir tampoco a nadie. Unos dicen que soy un idiota y no ha faltado quien diga (a nadie le falta un adepto ciego) que poseo alguna habilidad literaria. Los unos y los otros tienen tendencia a exagerar. Pero lo mismo me da una cosa que otra y a todos se nos va a llevar el diablo un día como se llevará al planeta que pisamos y al universo en el que seguimos todavía girando.

Sin embargo no hay que encogerse de hombros. Lo que hay que hacer es actuar enteramente y no fraccionariamente. No actuar como hombres de una clase social sino como un ser humano elemental y genérico. No aceptamos el truco de la conciencia de clase. Hasta ahora ha dado sólo victorias a los enemigos del hombre. Cada vez que se actúa en nombre de la clase de los explotados se les hace perder la batalla a los explo-

10

tados (en Alemania, en Italia, en España) y cuando los explotados creen haber triunfado políticamente en Rusia con su
conciencia de clase y sus fárragos doctrinarios son más explotados que antes y viven más miserablemente y con unos horizontes más turbios y menos vastos que nunca. Es natural. Una
doctrina que conduce a la guerra y al caos tiene que concitar y
atraer sobre sí la catástrofe. Por encima de los intereses de
clase están los de la especie. Cuando se actúa en nombre de
ella (cristianismo, revolución francesa, revolución americana)
los trabajadores obtienen libertades, provechos y formas de bienestar que los pobres rusos ignoran. Pero además la especie
tiene sus leyes secretas con las cuales cuida y cela su hoy y su
mañana.
Por la misma razón por la cual en tiempos de guerra o de epi-
demias aumenta enormemente la cifra de nacimientos — la especie existe y todo lo que existe quiere seguir existiendo —,
por la misma razón la especie sabrá hacer de todas las clases
una sola en el plano del bienestar y de civilidad antes de afrontar el riesgo de su propia aniquilación. Las clases que representan hoy la cultura y que tienen el poder están encontrando ya
soluciones en algunos lugares del planeta. La amenaza de la
bomba atómica (el gran mal) lleva trazas de convertirse — oh
manes dialécticos — en el gran bien.
Como cada español yo he tenido mis aventuras. Los riesgos
han sido muchos, pero me ha ayudado hasta hoy el repertorio
de los valores más simples y primarios de la gente de mi tierra. No del español de la urbe (repito que una de las cosas
que no puedo ser es un burgués y no lo siento), sino tal vez
del campesino de las tribus del norte del Ebro en la parte alta
de Aragón. No lo digo con romanticismo aunque los iberos por
la lejanía y el misterio podrían ser un mito poético, sino con
un modesto deseo de exactitud. Si los lectores conocieran a los
supervivientes de esas tribus conservados feliz o desgraciadamente en su pureza original verían que no tengo intención sun-
tuaria como el gran don Ramón cuando hablaba de los celtas y
el malpocado Baroja cuando escribe de los vascos por muy bien
que lo haga (eso, es otra cosa). Mis ilergetes tienen de la nobleza un sentido cavernícola que es compatible naturalmente
con cierta complejidad y con el deseo de lo sublime. Quiero
decir que soy probablemente algo de eso: un ibero rezagado.
El serlo no representa mengua ni privilegio. Es así, no hay

quien lo remedie y a mí no me parece mal. Otros son gallegos.
O gaditanos.

A veces tengo la impresión de haber traicionado a mi gente y
eso es un motivo de contrición. Mi abuelo, que era uno de esos
iberos ilergetes, me llamó un día a su cuarto (él tenía 97 años
y yo 23) y me dijo muy preocupado: "¿Es verdad que escribes
en los papeles? ¿Sí? ¿Y qué escribes?". Dije que escribía las
cosas que pensaba. Él no lo creía. "Nadie escribe las cosas que
piensa, sino las que quiere hacer pensar a los demás. Y es natural — añadía —, porque escribir lo que uno piensa sería una
gran imprudencia". Aunque yo insistía en que cuando escribía
para el público era sincero, mi abuelo no me escuchaba. Consideraba esa sinceridad imposible. A fuerza de acumular argu-
mentos llegué medio a convencerle, pero entonces dijo: "Si escribes lo que piensas haces que la gente se fije en ti sin necesidad y eso es una tontería". Según él, en la vida uno puede
decir lo que piensa solamente a una o dos personas, a la esposa o al hijo si está uno seguro de que lo merecen, lo que no
es nada frecuente.

Yo le dije que la gente de su tiempo tenía miedo al aire libre
y nosotros no. Esto es verdad. Aunque el aire libre nos mate
no tenemos miedo. Vivimos con las puertas y las ventanas
abiertas.

Pero tal vez en el fondo mi abuelo tenía razón y escribiendo
he traicionado a mis iberos y lo he pagado perdiendo las orillas del Segre y sus chopos y sus olivos. En todo caso escribiendo lo que pienso o lo que quiero que piensen los demás
no llegaré a los noventa y siete años como mi abuelo, con la
espina dorsal erguida y los ojos tranquilos. Tengo la ambición
de escribir algo un día — en la medida de mis fuerzas modes-
tas — sobre mis ilergetes y ojalá pueda compensar lo que habrá
de traición en este hecho con la sinceridad y la honestidad de
las revelaciones y hasta posiblemente con un poco de su grandeza natural. Soy uno de ellos. Un poeta catalán me decía un
día: "Dejemos ese iberismo selvático..." — trataba de conven-
cerme de algo tan inocente como dirigir una pequeña revista
literaria. Yo creo que aunque queramos dejar lo que constituye nuestra manera de ser y lo consigamos sólo será posible a
costa de nuestra integridad. Será como una mutilación. Otra
cosa sería que esos valores genuinos nos dejaran a nosotros,
pero entonces uno se sentiría perdido en la confusión del posi-

*tivismo y el pragmatismo de las cámaras de comercio y de las
academias. Sería triste. He corrido mundo, he tenido contacto
estrecho con las zonas burguesas más cultivadas de varios países
(Inglaterra, Francia, Estados Unidos), con los sectores más liberales — los hay aún, por fortuna — de la nobleza española
campesina, con los obreros españoles y de otros países, con la
clase media de casi todas las naciones de Europa y América,
con los moscovitas, moscularis y paravorkutistas. En ningún
caso he sentido la menor tentación de entrar en un corro deslindado y definido, aunque en todos ellos conservo amigos. Los
anarquistas son los que individualmente me parecen más cerca
de mí. Individualmente prefiero el inocente iluminado. O el
energúmeno decepcionado, pero no escéptico. Uno sólo se entiende con los hombres de fe. Deseo con toda mi alma volver
un día al lado de los ilergetes aunque sé que cualquiera que
sea el rumbo de mi vida cuando regrese me mirarán con cierta
familiaridad zumbona. Seremos los "indianos". Los que huimos de
España y no supimos ayudarles decisivamente desde fuera.
Estamos pues en que al menos uno ha salvado alguno de los
valores de tribu. Cierta violencia y aun brutalidad es inevitable. Odio cualquier forma de afectación y me encanta en arte
la simplicidad elaborada en la dirección de la naturaleza y no
contra ella. Me encanta lo primario de espaldas a lo social
convenido, sea ornamento vano o provecho brillante. Naturalmente uso del arte y del artificio como puedo (hay que vivir
con los demás) pero es secundario y lo subordino al primer
aliento virgen de mi vida que quisiera ofrecer lo más puro posible a los lectores con todos sus riesgos. Ese aliento, repito,
viene de lejos. O creo que viene de lejos. O digo que creo
que viene de lejos. (No hay que descontar en el logro la parte
de azar y de juego infantilmente peligroso.) En todo caso este
libro es la voz bastante directa y desnuda de alguien que trata
de ordenar sus pretextos para seguir viviendo. Y de dejar sub-
rayadas y fijadas la grandeza y la insensatez de nuestra guerra
civil para ejemplaridad de los que vengan mañana, si es que
alguien puede aprender o escarmentar — que lo dudo — en cabeza ajena.
En todo caso ahí está el horror con su pretendida belleza y el
deseo nuestro de escarmentar en cabeza propia.
Decía que mi vida ha sido siempre normal y ordinaria. He sido
y soy como los demás. Más que alguno quizás en sensibilidad y*

menos que muchos en inteligencia y en otras virtudes positivas.
En amor, la mujer no inferior ni superior, más bien corriente.
La sublimidad femenina está en los términos medios. No he
concebido nunca otros objetos de relación erótica aunque res-
peto las heterodoxias frecuentes en el pequeño mundo de las
letras con tal que los heterodoxos no traten de convertir el
escándalo en elemento de singularidad literaria, cosa que por
incongruente que parezca sucede a veces.
En la guerra fui un soldado como los demás. A veces valiente
y a veces cobarde (aunque mi cobardía me la tragué como cada
cual). No existió ninguno de los hechos que ha divulgado la
necedad de los secuaces de Goebbels y del Uro. Ni me degradó
nadie, ni tuve altercados con nadie y menos de la naturaleza
de•los que se me atribuyen. Esa historia de mi degradación
viene del hecho de que habiéndome obligado a trabajar en una
oficina, cosa que había logrado evitar a lo largo de toda mi
vida por no creerme con aptitudes, me quité las insignias mi-
litares y las metí en un cajón como silenciosa protesta y tam-
bién como lección. Los que debieron entenderla la entendieron.
Y perdonen los lectores la sordidez de lo anecdótico. En cuan-
to a altercados con un jefe militar bolchevique, es inexacto y
carece de toda base incluso del más mínimo malentendido.
¡Pues estaría bueno! Yo sabía lo que se guisaban conmigo des-
de 1933 (cuando estuve en Moscú) y ellos sabían que yo lo
sabía. Decir esas cosas es usual entre la gente del Uro. Es un
viejo truco para matar el carácter, *como dicen ellos, pero mi*
carácter no hay quien lo mate porque no lo he tenido nunca.
Me refiero al carácter tal como lo entienden ellos (la obstina-
ción en una forma u otra de servidumbre). El que alguna de
esas habladurías haya prosperado entre los tontos, alimentada
por miserias humanas como el resentimiento y también por la
ingenuidad y la buena fe partidaria, no modifica los hechos.
¿Qué necesidad hay de inventar todas esas cosas para tratar de
molestarme? ¿No saben que por muy mal que piensen de mí,
pienso yo peor todavía? También en eso les gano. Uno está
lleno de impurezas y por eso se niega uno a sí mismo el dere-
cho a moralizar sobre las personas. Todos somos culpables de
lo que pasó en España. Unos por tontería y otros por maldad.
El hecho de que la tontería esté de nuestra parte (de parte de
los mejores) no nos salva ni ante la historia ni ante nosotros
mismos. Sin embargo, el buen sentido de la gente y la necesi-

14

dad de reaccionar contra la abundancia de temas ingratos y contrariedades de todo orden desarrolla en cada cual a veces un deseo saludable de reír y la risa ha ido por barrios. Todavía dura y algo de eso se verá en estas páginas aunque no es la risa de las caricaturas, no es la risa de la deformidad. Tengo respeto por la criatura humana y por la sangre de la criatura humana. No es la risa del diablo, la que le atribuyen al diablo en los grabados antiguos, sino la sonrisa de la comprensión y quizá rara vez la de un desdén sobre las cosas o hechos que lo merecen o que creo que lo merecen o que digo que creo que lo merecen.

¿Para qué seguir? Sería el cuento de nunca acabar y no he de caer yo en las banalidades que censuro. Una filiación política no cambia la naturaleza humana y entre los rojos, los verdes o los amarillos ha habido gente admirable y gente indigna. El que sean mis amigos o mis contrarios tampoco influye demasiado en mis opiniones. Si supieran algunos de mis detractores la estima en que los tengo — no políticamente, no como colegas de clase, sino de especie — se quedarían espantados. Repito que soy el que era hace veinte años (lo digo a mis compañeros de juventud esparcidos por el mundo) y estoy seguro de morir un día siendo el que soy con mis defectos y mis virtudes, si tengo alguna (yo creo que sí y otros creen también y han tenido la generosidad de escribirlo, aunque nunca han coincidido conmigo en las opiniones sobre mí mismo. Ni los defectos, ni las virtudes mías son los que me atribuyen). Pero en un caso u otro ¿qué más da?

Hay algo dentro de cada cual que vino a nosotros antes de nacer no sabemos cómo, ni por dónde y que nos dejará después de la muerte, ignoramos cuándo, ni por qué camino, y ese algo es el núcleo de nuestra hombría que nadie ve y sobre el cual actúan sin embargo las fuerzas mágicas del destino. Ese algo que es nuestra verdadera individualidad escapa a nuestro conocer y también en gran parte a nuestra capacidad de determinación. Pensar que forjo mi destino porque entro en un partido o salgo de una iglesia, es de una ineptitud grotesca. Con documentos o sin ellos el caso es que nací y vivo. Si en España destruyeron según dicen mi identidad, he hallado otra ciudadanía y naturaleza civil. Ser mexicano o argentino o venezolano o ecuatoreño es ser español dos veces. Por serlo y por la renuncia altruista y el trasplante. La España que ellos represen-

15

tan — los del alboroto — ha llegado en todos los sentidos al extremo último de abyección. Lo que queda de la España decorosa, va conmigo y con nosotros y con nuestro sentido territorial de la patria. Para mí no existe la nación, sino el territorio y el mío es Aragón y a él me atengo. Por lo demás en el mundo de hoy nada de eso tiene mayor importancia. Vivo y no sé quién soy, camino y no sé adónde voy, pero he salvado una seguridad de origen y hasta cierto contento de ser y caminar. Seguiré siendo — repito — ese que no sé quién soy, persistiendo en mis errores ciertos y en mis dudosas virtudes. Y viviré probablemente tanto como mi abuelo el ilergete, si la providencia no decide otra cosa. Lo que muy bien podría suceder.

Todo lo que podemos decir de nosotros mismos — digo, los que escribimos — es lo que hemos hecho y por qué. Cada cual hace una buena tarea diciéndolo en estos tiempos de confusión y responsabilidad. Libres los demás de entenderlo como les parezca. He escrito varios libros sobre los tiempos de mi infancia y juventud, continuación de Crónica del Alba, que irán saliendo. La obra alcanzará cronológicamente a los días en que la escribo, si no se alejan demasiado rápidamente, y toda junta formará un considerable volumen de algunos millares de páginas. Me ha animado el éxito del primer volumen, del que se han hecho a estas fechas ocho ediciones en español (una en México y siete en los Estados Unidos), cuatro en inglés y dos en Italia. Es dulce recordar en la emigración, el pasado con sus tintas idílicas. Quizá tenemos una tendencia a idealizar las cosas, pero los hechos son todos ciertos.

Otros manuscritos hay en mi mesa y el orden de su publicación no tiene nada que ver con el orden en que fueron escritos. Algún día saldrán, tal vez en España cuando volvamos.

Lo mismo en Crónica del Alba que en ARIADNA he cuidado la forma, pero no en el sentido usual, claro. Es decir, no esclavizándome al prestigio de las palabras. Los indios de Nuevo México dicen que en sus artes — escultura, pintura, tapicería, alfarería — dejan siempre alguna imperfección a propósito para que por ella salga el diablo que está escondido en la materia. El diablo que duerme en la piedra, en la madera, en el barro, es invitado a salir cuando a una figura le hacen una mano con tres dedos o a un rostro le ponen un solo ojo en medio de la frente. A mí me gusta también dejar en mis escritos, como hacen los indios, una ventana abierta para que el diablo salga

16

si quiere. (El diablo de la perfección.) En cuanto a la técnica gusto de la que menos se ve. La tendencia a perfilar el detalle no es barroquismo, sino una inclinación dramática y amorosa por las cosas pequeñas y transitorias en las que me gusta buscar y destacar lo más genuino y permanente.

Un defecto que podría ser menor, según como se mire, es la tendencia a usar voluptuosamente del color. No es una voluptuosidad tan acusada como en otros españoles a quienes aplaudo y admiro (no tanto como en Valle-Inclán o en Miró) pero así y todo, esa tendencia contradice al silencio interior que quisiera expresarse en formas más ascéticas. En todo caso uno es como lo han hecho y esa voluptuosidad es legítima. Si se reflexiona un poco se verá que no es tanto el gozo del color, como el de la luz. Me gusta abusar de la luz sobre superficies frías y colores "pasivos". El amor es el deseo de la forma. El universo está trabajando en esa dirección desde sus orígenes. La música es la forma del silencio y el color la forma de la luz. El pensamiento es la forma de la muerte cuando es certidumbre y de la inmortalidad — del "devenir" — cuando es fe no comprobada con la realidad y tal vez no comprobable.

Por lo demás todo es uno y lo mismo. Valle Inclán, uno de los hombres sobre quien se han escrito ya todas las tonterías imaginables, solía decir que no hay siglo XV ni siglo XX, sino uno solo, el mismo siempre, que se repite. Yo creo que sólo hay una hora, siempre la misma. Un avión cohete puede llevarnos en menos de quince minutos a una altura en la que no existen la noche ni el día, en la que el universo vive su hora indefinida aún, siempre la misma y siempre igualmente iluminada sin relieves ni claroscuros. A nosotros nos ha sido dada la redondez del planeta y su movimiento para que con las sombras y el juego de la noche y el día podamos matizar esa luz que lo haría todo terriblemente confuso y organizar con ella volúmenes y formas. Pero es una hora única esa en la que vivimos y todo lo confundiría la crudeza de su luz si no nos refugiáramos en nuestros sueños. Esa luz de los sueños es la única que nos permite coordinar y comprender y la que nos salva de la confusión del día eterno hundido en el silencio sin voz y en la luz sin forma. El protagonista varón de ARIADNA, *Javier, se preocupa de esa cuestión en la novela aunque de un modo ligero y trivial por pudor a veces de lo trascendente.*

Todos estamos obligados a tratar de dar forma al silencio y a la luz, esos dos puntos de partida que Dios nos ofrece para que con ellos le ayudemos a poblar la nada y a redimirnos y a redimirle a él en cierto modo del horrendo caos de los orígenes. Esta creencia es religiosa. Religión y poesía son una misma cosa. Novalis ha dicho que la religión es poesía práctica y para un español la sangre derramada (primer rito de las religiones) y la canción que la sucede son el resumen de la historia de toda la humanidad. Sangre, religión y poesía (pasión, ensueño y canción) son cosas de las que el español entiende. Nuestra religión es el hombre. Y sus virtudes, aquellas en las que todos los hombres podrían coincidir. Algunas de esas virtudes para muchos serán objecionables. En su derecho están.

En ARIADNA *hay el gozo del logro y también el de la insuficiencia y fracaso. Hay muchas cosas autobiográficas (justamente las que parecerán más inverosímiles) y algunas inventadas (las que el lector creerá tal vez auténticas). Así suele ser, digo, en las novelas. No hay simbolismo ni mensaje oculto. La intención del autor es simplemente cumplir su deber de testigo de este tiempo de brisas airadas y voces descompuestas. Definir las cosas de este tiempo no es una faena ligera ni frívola. Toda nuestra vida no es en fin más que el intento, casi siempre fallido, de explicar las cosas que vemos y de ponerlas — una vez explicadas para nosotros mismos — en un orden propicio. Si ese orden mío es también el tuyo, lector, todos contentos.*

Si no, no importa. Los dos podemos tener razón y el tiempo dirá.

R. S.

Albuquerque, N. M. (U.S.A.), enero, 1956.

Libro primero

Salgo a primera hora de la mañana. El aire es soleado y tibio. En la avenida hay luces de fiesta y en los postes color de aluminio amplificadores de radio que vibran con la brisa.

Llega por los altavoces una especie de arenga de la que recojo palabras sueltas — cuando la brisa es fuerte, no se oye bien — hasta que consigo completar las frases: *Al Campo de Marte. Vayan ustedes al abadiado del Campo de Marte. En las tareas preliminares de la OMECC estará presente la infanta de Murviedro. También asistirá el marido de la testigo áulica que va a informar hoy ante la asamblea lo que dará al acto una dimensión inusual. Acudan todos a la XXVII asamblea mundial de la OMECC en el Campo de Marte. Las tareas comenzarán a las diez de la mañana.*

El marido soy yo, y mi presencia — pobre de mí — dará al acto una dimensión inusual.

Mi vida no se diferencia mucho de las otras. Deseos frustrados, ambiciones fallidas y un poco de estupor latente. Las voces de la OMECC viniendo de lo alto y duplicándose en los ángulos de las casas tienen el prestigio de los hechos que nacen en el vacío.

En la lejanía se ve el segundo cruce de avenidas. La que cruza es, según dicen los programas de la OMECC, la continuación de la clásica vía romana que usó Julio César hace veinte siglos y al parecer conserva todavía en algunos trechos el mismo encintado de piedra.

Hay en el cruce de avenidas un animal. Al principio parecía un perro, luego he visto que podría ser una cabra y por fin comprendo que es un caballo. Es un caballo rucio, es decir color gris plomizo.

Los altavoces carraspean y vuelven a decir algo. La asamblea va a ser tal vez un poco escandalosa. Se dirán cosas demasiado íntimas. No precisamente en materia sexual (siempre que se habla de intimidad se piensa en el sexo). Mi amiga Berta me dijo que me avisaría para ir juntos, pero no ha venido. Tal vez se ha enterado de que hoy no dejan entrar a las mujeres. En todo caso la veré en el museo del abadiado.

Por los altavoces se oye una marcha militar. Desde que las

guerras fueron legalmente suprimidas se oyen por todas partes marchas militares, pero ahora tienen un sentido inocente y deportivo. No comprendo que la ley pueda abolir las guerras. No hay interacción lógica entre la ley y la guerra.

Desde mi casa al Campo de Marte hay avenidas de asfalto con muchos huecos de jardinería y regueros paralelos de flores. No hay nadie por las calles. No se conciben estas avenidas tan bien cuidadas y tan desiertas. El único ser vivo que encuentro es el caballo rucio. Tal vez por superstición o por reminiscencias del terror primitivo (en realidad las dos cosas son una y la misma) me inquieta la mirada de los caballos.

Sale de un café un hombre secándose las manos en un mandil que arroja después a la hoya de riego de un árbol. Viene y me pregunta:

— ¿Adónde va usted? ¿No ha oído la emisora del cuartel cívico anunciando que la infanta llega a la ciudad?

No sé quién es ese hombre y sin embargo me habla como si me conociera.

— No. ¿Qué infanta?

Alrededor se ven algunos faroles apagados y en los barandales de las casas letreros hechos con lámparas eléctricas que a la luz del día toman un tono fluido. El desconocido quiere ir de prisa y para adaptarse a mi paso se violenta. Como no puede estar quieto pasa del lado izquierdo al derecho sin dejar de hablar:

— No hay nadie en estas calles — dice — porque la gente está en la glorieta del Mediodía. Tal vez lleguemos tarde, pero la comitiva vendrá por esta misma avenida y no perderemos el desfile. ¿Usted ha visto a la infanta? ¿No? ¿La imagina de algún modo? ¿Qué edad cree que puede tener? La infanta no puede menos de tener una edad u otra. Ahora bien, yo me declaro incapaz de calcular la edad de la infanta. Por otra parte y pensándolo bien, ¿a qué conduciría en estos tiempos? Ya no es mujer ni es nada. *Un ente.* ¿Qué edad puede tener *un ente?*

Alarga la mano y dice su nombre que es algo como Bierzo o Cieza. Para completar su presentación añade que aunque trabaja como camarero de café su verdadera profesión es la de capitán de Ingenieros. Lo expulsaron del cuerpo después de la guerra civil. Tiene ganas de saber más de mí y yo le digo que voy a la asamblea de la OMECC.

Él dice, pasando a situarse a mi derecha:

— No hay que correr. Es pronto. La asamblea no comenzará sin la infanta, que es la presidenta. Todavía no se oyen los cañones. Comenzarán a disparar cuando el tren entre en agujas.

La infanta ha debido llegar, a juzgar por los rumores de la multitud, y es posible que esté desfilando en su carroza por otra avenida. Vemos la gente agrupada en torno a la glorieta y agitando pañuelos. Algunos hombres tienen un niño en los hombros.

Un empleado de tranvías en su uniforme de prisionero de guerra dice hablándose a sí mismo:

"La infanta existe o no existe, pero la verdad es que perturba la circulación."

Se sienta en un banco y enciende un cigarrillo. En lo alto de un árbol hay otro hombre también en traje de faena. Con las piernas se asegura en una gruesa rama y gesticula queriendo llamar la atención de alguien que al parecer no le hace caso. Lejos se oye un disparo de cañón:

— Uno — dice el del árbol.

Otro cañonazo:

— Dos.

Cieza trata de subirse al árbol, también. Nos pide que le ayudemos. Lo levantamos cada uno por una pierna. Aunque es gordo tiene las piernas bastante flacas y debajo de mi mano percibo la tibia. Es un contacto repulsivo. Alcanza Cieza el ángulo de una rama y trepa flexionando los brazos. Desde su observatorio nos va informando:

— Ahora sale de la estación. La carroza es azul y plata. Detrás va la escolta con yelmos y corazas, una verdadera estampa de época. Aunque soy republicano confieso que hay cierta grandeza en todo esto.

Se oye otro cañonazo que suena como si el aire estuviera doblado y se desdoblara:

— Cinco.

Pero Cieza ya no tiene interés:

— La carroza ha desaparecido y sólo se ve la escolta...

Comienza a bajar, hablando a grandes voces:

— Vamos a buscar a mis amigos. Digo, si a usted no le importa. La asamblea de la OMECC tardará todavía en comenzar. ¿Quién es usted? ¿Qué tiene usted que hacer en la asamblea?

— Yo soy Baena. Javier Baena.

Me mira extrañado y como arrepentido:

— Ah, vamos, Baena. Ya decía yo. A este tío lo he visto antes. Es usted la *contraestantigua*. No quisiera molestarle, pero es la impresión que saca uno de lo que dice la radio. Bueno, la radio no habla de contraestantiguas, eso lo dice el cajero de mi café que es un hombre que está siempre inventando palabras. Me parece inútil, porque hay bastantes. Demasiadas palabras hay para lo que la gente tiene que decirse. Pero hablando de otra cosa con su permiso por fin he visto a la infanta. No me pregunte cómo tiene los ojos. Creo que no los he visto los ojos. En eso tiene usted razón.

Yo no he dicho nada sobre los ojos de la infanta. Cieza dice algo más:

— Al galope. Se han ido al galope.

Otro cañonazo. Y otro a continuación. Cieza ve a un conocido y le pregunta por Caviedes.

— Va mandando la escolta — dice el otro —. Con Enciso y Valseca.

Yo pienso que Enciso, Valseca y Caviedes son nombres adecuados para oficiales de la escolta de una infanta. Cieza parece todavía defraudado, pero ve pasar a un hombre extremadamente bien vestido, de andares inseguros. Lo llama:

— Ése es Rivero, antiguo oficial observador de artillería de mi brigada. Y poeta según dicen, de esos del amor y la luna. Mire usted cómo se viste. Parece un maniquí. Tú sí que la conoces a la infanta, ¿verdad, Riverito? Yo no he visto de ella más que un pañizuelo gris flotando en la ventanilla de la carroza como el ala de un pájaro. Bueno, es una manera de hablar. Comprendo que no hay necesidad alguna de decir que un lienzo es como el ala de un pájaro, pero ya que Rivero es poeta...

Y suelta a reír. Yo conozco a Rivero de nombre y he leído sus versos. Me parece más bien un *podeta,* como me decía mi padre cuando yo era pequeño y escribía versos al sol, al cumpleaños de mi madre y a la Osa mayor. Hay docenas de *podetas* como Rivero. Y todos son iguales. Con un verso de cada uno de ellos se puede hacer un poema que cualquiera de ellos podría firmar (sin gloria y sin ludibrio).

Suena otro cañonazo. Rivero, que según Cieza tiene un ojo de cristal y una pierna ortopédica desde la guerra, dice que le gusta oír los cañonazos porque le recuerdan los tiempos de su vida en los frentes.

Volvemos los tres avenida arriba. Más cañonazos. Nos detenemos al oír dos que suenan casi juntos. Rivero y yo nos miramos. La médula se me enfría. A él se le calientan los clavos de platino que lleva en la cadera, según dice. Nos sentamos en un banco al pie de un árbol que tiene un letrero con una plaquita de zinc: *populos alba*. Aunque es el nombre de un olmo parece una alusión a las multitudes blancas y sin odio de la paz. Estamos callados mientras siguen los cañonazos.

Miro a Rivero otra vez. Es un hombre de soberbias secretas que dan a su único ojo vivo una opacidad y sequedad mayor aún que las de su ojo de cristal. Un hombre austero y desleal al mismo tiempo, combinación bastante rara. Creo que es de Alicante o de Murcia o de Valencia, lo que no quiere decir nada porque he conocido levantinos muy honestos y cabales. Mira el reloj y dice que tiene que ir a ensayar al museo, pero sigue sentado.

Tal vez va a ensayar con Berta porque ella dice que tiene un amigo que le escribe sus bailes. Puedo equivocarme, pero si es Rivero me alegro de que tenga un ojo de vidrio y de que su cadera izquierda esté desarticulada. Pero ¿escribir *ballets?* ¿Cómo se puede escribir un *ballet?* No debe haber nada en el mundo más ocioso que el esquema escrito de un espectáculo que no necesita palabras.

A propósito de eso. Parece que — al menos es lo que dicen — en los movimientos rítmicos del amor a Rivero le suena el hueso desarticulado de la cadera. Debe ser un detalle grotesco y de mala sombra.

Cieza se aburre y hace dibujos en la arena con un palito.

— Pero ¿de veras existe esa infanta? — pregunto.

— Yo también he pensado — responde Cieza — que la carroza debía estar o podía estar vacía, pero he visto algo en la ventana.

A nuestro alrededor la glorieta es de una tristeza increíble a pesar de las oriflamas. Se oye galopar un caballo en nuestra dirección. El caballo con su jinete se acerca. Lleva una correa del arnés suelta y arrastrando. Cieza levanta la cabeza para mirar con un gesto de perro cazador.

— Juraría que ese es Caviedes.

El jinete desaparece por un laberinto de calles y árboles. Entonces Cieza dice que se va al café y Rivero elusivamente declara que le esperan y se marcha en otra dirección cojeando un poco. Su cojera recuerda los movimientos de los minuetos y

25

yo me oriento como puedo y continúo solo mi camino hacia el Campo de Marte.

No puedo comprender que la infanta presida la asamblea. ¿Qué tiene que ver ella con Ariadna y conmigo? Pero así es todo. Lo malo de estos tiempos es la falta de criterio en lo alto y de impulso o de resistencia en lo bajo. Los de arriba no mandan y los de abajo se irritan porque no pueden desobedecer. Si nadie da órdenes, ¿quién va a negarse a cumplirlas? Más vale así, en medio de todo, al menos por lo que a mí se refiere. Estoy de vuelta de la mayor parte de las cosas. No soy nada ni he sido nunca nadie. Me gusta ver la rama verde del árbol. Y beber un vaso de agua. Y tener a mi lado si puedo una mujer joven y hermosa. (A ser posible un ángel, es decir una niña entre los trece y los quince años. Besable, claro.) Esto último no es por acercarme a la vejez. Me gustaban así ya hace veinte años.

En todo caso tendré una oportunidad de ver a la infanta. Como falta más de una hora para la asamblea supongo que llegaré a tiempo. Me gusta ir a los sitios sin prisa.

Oigo todavía algún cañonazo. La soledad de las calles sabiendo que es un día de conmemoraciones me da impaciencia como en los lejanos tiempos de la infancia en que la gente se iba a otra parte y yo me quedaba con mi traje nuevo en el jardín de mi casa. Querría estar allí donde están los otros. Pero cuando estoy allí me decepciono un poco.

Las casas a los lados de la avenida, apretadas y sin intervalos, muestran banderitas y gallardetes por todas partes, pero están cerradas las puertas y las ventanas. Da tristeza tanta soledad dorada e iluminada.

Se ven en los balcones millares de focos eléctricos. Bajo la luz de la mañana parecen de oro y sugieren brazaletes, prendidos u otros joyeles. Algunos tienen iniciales de bulbos blancos en medio de una masa amarilla de luces. Una O, que sin duda quiere decir OMECC y a veces el anagrama entero.

Llego al Campo de Marte. Hay en el centro un bloque de mármol y una estatua encima representando un hombre panzón y pequeño con uniforme. No sé qué significado puede tener eso en un monumento a la paz. Tal vez lo pusieron como los campesinos ponen en la puerta del gallinero un esparver clavado por las alas. Para escarmiento.

En el Campo de Marte no hay sino grandes espacios vacíos. Sobre una serie de terrazas de cemento gris se ve un letrero en neón: *Abadiado del Campo de Marte*. Sobre otro edificio, a la altura del segundo piso, un letrero más pequeño: *Jornadas internacionales de la OMECC*.

En la planta baja hay porches y un túnel que desemboca en un patio. Lo llaman el Arco del Deán. El edificio que cierra ese patio, al fondo, es de piedra en unos lados gris y en otros rosácea. La diferencia se debe a la acción de las lluvias que vienen siempre de norte a sur o de este a oeste. El lado del oeste está cubierto por una torre albarrana.

Todo esto no es sino la parte posterior de la abadía de la Seo de Cervera. Allí están la capilla funeraria y el pudridero. Al lado contrario se ve el cementerio cercado de claustros del siglo XII en los que hay tumbas de piedra con las armas de las casas nobles de entonces: Urgel, Cabrera, Moncada, Cervera, Anglesola, Pons de Rivelles, Guimerá, Rocafort y Vall Llebrera. Pero siguiendo la calle privada — todas estas calles están cerradas al tráfico — voy a dar a una especie de plaza mayor, cercada también de porches. Parece un lugar encantado, es decir embrujado.

En lo alto hay terrazas grises con gárgolas y quimeras. Las ventanas tienen maineles góticos. Dicen que en el siglo XVI se celebraban ahí los autos de fe y todavía huele a veces — o es ilusión — a intestinos reventados y a carne asada. No hay jardín ni césped. Sobre las losas del pavimento y en el fondo gris de los claustros se ven aquí y allá estatuas de mármol, no blanco sino color crema. Hay cierta grandeza en todo esto, aunque no es por la historia ni la arquitectura sino por el silencio que rodea las piedras labradas.

Algunas de las estatuas tienen grabados los nombres y la segunda a mano derecha lleva al pie del apellido — Berges — la profesión en latín: *magister domorum,* es decir arquitecto.

En la plaza encuentro al primer ser humano desde que me separé del expansivo Cieza y de Rivero: un policía. Ha debido pasar de los sesenta, pero da una impresión atlética a pesar de su barba blanca. Con la mano enguantada se cubre la boca mientras bosteza. Sus guantes son de algodón y al abrir la mano forman arrugas transversales.

— ¿Voy bien para el paraninfo? — le pregunto.

— ¿No es usted Javier Baena?

— Sí, señor.

27

— Siga y al final verá un letrero que dice: *colloquii locus.*
Paso bajo un arco a una escalinata que me lleva a otra calle
en un nivel más alto. Los edificios son del siglo XV y se ve a
menudo tal o cual inscripción del siglo XII en jerga clerical y
letras carolingias. Las escaleras están bien conservadas y las
saeteras parecen construidas ayer como se suele decir. Algunos
aleros saledizos fueron restaurados y los servicios de desagüe,
las gárgolas y los arroyuelos funcionan en los días de lluvia.
Entre las piedras crece la hierba.
Encuentro el letrero: *colloquii locus.* El portal es oscuro, pero
a un lado hay otras señales indicadoras. La primera dice en
tubitos de neón rosa: *propugnandi aulæ.* A la gente le gustan
esas palabras nobles que son como la gala de nuestra cultura
positivista.
Al final del pasillo hay una rotonda cuyos muros de piedra tienen nervaduras góticas. La alfombra es de fibra amarilla y cubre
el pavimento. Puertas con cristales esmerilados se abren silenciosamente en las dos direcciones dando acceso a las salas de
lectura. Hay en las mesas ficheros y cuadernos abiertos. Comienzan a sonar timbres por todas partes.
Me acerco a uno de los cuadernos que hay en la mesa. Está
lleno de escritura ancha y grande en la que se ven a veces sig-
nos griegos. Pero aunque a primera vista no lo parece está en
español. El encabezamiento dice: «*Informe sefardí de Salónica, de fecha 18 de diciembre de 1936, hallado en los archivos
secretos del senescal de C*». El texto comienza diciendo: «*Tropo
de la madre patria i de la benganza ke io no kuidaba portanto.
La kerensia me trujo i akí bine. Arrivé a Madrid, citade grande
e rica i di pace a la ierra kon los míos labios.*»
Me molesta la ortografía y el léxico tan arcaico o tan estraga-
do. Pero hay cierta novedad en el hecho de saber que así hablan
y escriben millares de antiguos españoles por las dos orillas
— norte y sur — del Mediterráneo. Y sigo leyendo: «*La nación
es cruel oi como en dorenavante. Haze cuatro sieclos nos es-
partió a unos entre los puevlos atrazados de África i de Oriente. Oi akí vuelvo i todo en siendo reconosiente por el recibo
bien fraternal que la Spania acordóme no puedo entender por-
ké en los foburgos hai tanta giente morta con sánguine. Ke todos parescen spaniolos tambien i io tuve endenantes una tchica
intervenzione de mi parte que fué puchar fasta el posto una
carretiya kon un corpo lleno de bujeros en pechos i cabesa ke*

no tenía remedio y se yamaba tantos de Ponce de Toledo y parescía talmente un Eskenazim de Budapest por la colore i las faiciones, más ke era por el nombre uno de l'aristocrazia como Torquemada i Sisneros. Es amargo, ma la pura berdade. ¿No sería esta rasón de la sua decadensia de Spania tanta sánguine por parolas sin lavoro nenguno por el bien de la comunitade?».

Leyendo estas páginas no puedo menos de reír. Este judío a su manera dice la verdad. Su verdad no es la mía, pero todo hay que tenerlo en cuenta para acercarse al panorama de entonces, que es lo que trata de hacer la OMECC con todos sus especialistas ambulantes.

La verdad es que a veces esta gente académica y viajera me coacciona. Cuando tratan de un hecho histórico en público lo agotan, desmenuzan y pulverizan hasta volatilizar las últimas linfas del recuerdo. Porque hay linfas en el recuerdo, al menos en el mío. Luego lo explicaré. Ahora sigamos leyendo al sefardita: *«Como digo endenante io puchaba la carretiya i la iebaba al comando. I el tal Ponce de Toledo con las manos faciendo rastro en el suelo por defuera de la carretiya. Io dixe ke no es nostra la culpa si la estoria de la nazión espaniola es tan cruela, i ke en lo presente enfluenciados podrían los espaniolos ser polos puevlos más desvelopados de Eyropa i no como salvajes dando la sánguine en trokamiento de palabras ke en ninguna parte del mundo tienen la valore ke aquí. Poco meoyo en jóvenes i en viexos i mocho ceguetat ke eyos ariento de su paise se matan. Ayi estube oi i a la demaniana ayí seguía kon la carretiya, i Ponce, ca cuñado era del jefo. I ¡maravitlla! kel jefo salió i kon el suo piede dió a la carretiya i dixo: "Cabrón y como hiede a la madrugada"».*

Esta expresión nos ofende un poco pensando que se refiere a un muerto. Siempre choca además ver escritas estas palabras. El judío tenía la vena realista. Sigue el escrito en los siguientes pintorescos términos: *«Entonses io tomé los varales de la carretiya i hala, otra vegada parke alante. Kien iba a pensar, porke io vengo de los primeros shephardies i io parlo ladino i los nuestros ancestros kemados fueron por lo santo oficio i agora io yebando al Ponce en la carretiya. Kes mucho dolo y vetchamen de yamar cabrón al corpo de un morto i sin ánima. ¡Ma quen pensa!*

»Cuando ke arribamos a la tienda della cruz roja no havía per-

*sona, ma un sentinela ainda ke viellho kiso echare una mano i
sacar el muerto i io dixe:*
»— *Agora kale aprontarlo el hoyo i ir con la carretiya y echalo
adrento.*
»— *No este cura.*
»*Io no savía ke era cura. Kaser, pasencia. Ay, ni pensare. I io
echava adevante kon la carretiya».*

Alguien ha escrito con una letra distinta en el margen: «Esta
curiosa narración en español de Salónica quedó interrumpida,
pero quince o veinte días después encontramos traspapeladas
algunas hojas más». Se veía que el sefardí seguía con la carre-
tilla y que en ella llevaba un muerto. Daba el judío a ese hecho
una significación especial. ¿Cuál? Yo seguía leyendo en aquella
soledad del viejo monasterio cuyo silencio era más extraño sabiendo que en algún lugar próximo estaban reunidas cuatro o
cinco mil personas. «*Iegué al lago kon la carretiya. I dos pai-
zanos dezían: este es el eróico judío de la siudade. I me miraban kon homatches. I avía otro sentinela i io dixe: eh, home,
¿no ves l'okasión para atjudarme? I el sentinela dixo: mío lavoro es afosilar tanto ke estoy de guardia i si quieres puedo
pegarte un tiro. Entonzes io veo un paisano i digo: la notchada
se fué en baldes aki. Etcha una mano. El paisano dixo: io soi
della propaganda i si kieres puedo pronunsiar para vos un dis-
kurso. I io recordaba una cantiga:*

> »*Arvoles yoran por yuvias
> i las montanyas por ayres.*

»*I torné a tomar los varales de la carretiya i hala palante. I un
home me dixo de merkar la carretiya kon el cuerpo i aunque
era burla io preguntaba con ké buto i l'home dixo: por la buena reussita de la tua jornada. ¿I ké me das por todo? — Un
conseillho. Ke no eskuches nunca a un melitziano borracho.
Maravitlla. I entretanto las armadas se reculan enverso la ciu-
tade, ma non tengo dubio ke la problema spaniola no es ma
ke una problema sociala i culturala ke podría arreglarse».*

Sigo leyendo y tratando de imaginar al judío. Seguramente era
como tantos otros un hombre locuaz y sencillo, tal vez con una
cara que de perfil era intrigante pero de frente resultaba bondadosa y franca. Suele ser así con muchos judíos y árabes. El
documento extravagante sigue diciendo: «*Io rencontro giente*

danjeroza ke solo cuida de correr en voitura e automóvile arriva e automóvile abatcho con jóvenas en suposando: oi tengo buen tiempo i en demaniana mátenme. Ca es grande miseria i un día sí i otro no, subisimos disfechas i malhoros. I todo son sendicatos. ¿Para ké si nadie trabatcha? Io demandaba por lo sindicato de enterradores, ma kaser, pasencia. I iva kon la carretiya i el corpo de Ponce de Toledo por el parke de la casa de campo. I un melitziano ditcho:

»— No le des tantos paseos. Kon el primero tuvo bastante.

»Ke asi hablan eyos. Ma mi ladino es una parla mais pura i antigua, ke los spaniolos ekuale han detchenerado en la parla ken otras cosas. Ma ken pensa. I io demandaba donde estaba la capitllha. Ke io conozco de manaderos dignos de confianza ke los curas resitven los mortos en todas las relitgiones i paises i tiempos. Ma nadie me daba ratsone. Nadie cuidava de los enteresos comunes, de las valoras nationales. I los mortos por doquiera sin sepoltura. I io kon la carretiya i el Ponce, ca era un esquenazim por la cara i un inquisidore por el nombre. Ke nadie lo quería ver. I un sargento preguntábame si io iba kon el morto a retratarme. Kazer, pasencia. Eché palante kon la carretiya i el morto. I ansi toda la manyanada».

Otra vez aparecía una letra diferente diciendo: «Se trata de una crónica entregada para la censura de prensa». Luego el judío continuaba:

«Ca toma tiempo aprender las formas detcheneradas de la parla spaniola moderna. Por matar dizen dar el paseo, por batalla dizen haber tomate i al morto dizen fiambro. Ken pensa. I io sin saber nada aquel primero día hala pakí, payá, kon la carretiya buscando kien eche una mano. Kaser, pasencia. Maravitlla. La manqueza de piones enterradores era una honta i io aflacado con akeya búsqueda ketchábame a todos i nenguno escutchábame sino kon burla i risa.

»I un mansebico kestaba kon un livro a la porta del Quartele Generale dixome:

»— ¿Adónde vas con ese mandao, Policarpo?

»Io no so Policarpo i esto no era un mandao, ma un resivido ke nenguno kiere saver. I io dixe:

»— Mío ancestro era. Ca Ponce de Toledo es el suo nombre. I io so Ponce i él es marranen, digo converso. Maravitlla. I ay ke alebantarlo i notar suo nombre en la lista de los fiambros.

»El mansebico rió y dixo a otro kestaba de sentinela:

31

»— Échale gramática a ese tío.

»— No es tío, ma quen sabe, tal ves primo y vos tenedes un enganno de meoyo i no hai kecharle gramática, ma tierra.

»Entonces dixo el mansebico ke io era un primo alumbrao. Mentira, ke los alumbrados eran protestantes o católicos en lo século XVI i io so djudío. I io tomé los varales de la carretiya y eché palante. Kaser, pasencia. ¡A donde los marranen de l'aristocrazia del mío povlo an ido a dare! Povre Ponce de Toledo. Ainda ke no ai una huesa para el suo corpo ai mutchos fiambros primero kel mío ancestro por enterrare. Io estaba enfastiado, ma encontré un cabetsal i lo puse debatcho del suo pescoso pensando: pasencia, que todo lo negro nos viene de nosotros i la mansevez djudía es lo ke por vezes nos da sukceso. En akel instante io vide un melitziano ke s'apellaba Perets como el mí tío d'Istambul...».

Sigue el judío describiendo la falta de armamento y pidiendo al pueblo de Salónica que envíe dinero para comprar aviones de Katcha. Con eso termina la crónica.

Miro alrededor. No hay nadie. Los timbres han vuelto a sonar. En otra mesa veo un cuaderno y en la primera página el nombre de Rivero. Dibujos de gente desnuda bailando. Y algunas notas profesorales aquí y allá. Cada época tiene su estilo de cursilería y el de la nuestra es un estilo erudito. Otros dibujos tienen figuras, todas cabeza y sexo, que recuerdan a los fetos.

Miro a las puertas esperando que suceda algo, pero nadie llega. Salgo y vuelvo a la rotonda. En ella encuentro a un hombre viejo, de rostro alegre. Va vestido con un traje casero de franela. Indica con el bastón el fondo oscuro de la galería y a continuación dice:

— Vaya usted. Al entrar le harán una foto y le darán un cartoncito. Es para la identificación. Se supone que los jóvenes como usted tienen necesidad de escuchar a la testigo áulica y si es necesario ofrecerse como conejos de Indias. Por eso les hacen la foto. Y por precaución, porque dicen que va a presidir la infanta.

Tiene ese viejo una cabeza que parece desenterrada de una acrópolis griega. Y con esa cabeza tan noble no dice sino bufonerías.

— Es para estudiar la perplejidad — añade —. Ya está usted perplejo. Con sólo citarle la perplejidad ya está perplejo. Vaya usted. Va a oír las mayores tonterías del siglo. No digo yo que todo eso sea inútil. Eso, no. Airear esos temas es siempre bueno.

Añade viendo que no acabo de comprenderle:

— Se trata de la perplejidad en materia afectiva. ¿Sabe usted? En esa materia cuanta menos retórica mejor. Lo que hay que hacer es que esos organismos internacionales den más libertad a todo el mundo. Lo mismo aquí que en Australia y en las islas Baleares.

Una de sus manos tiembla un poco sobre el puño del bastón. Añade bajando la voz:

— Yo soy mallorquín, entre paréntesis. La verdad es que no he estado nunca perplejo. De la mujer me interesaba solo la parte del cuerpo comprendida entre las rodillas y las axilas. ¿Se ha fijado usted en la suavidad de todas esas curvas? Lo demás son historias. Usted dirá que me voy del mundo. Es verdad, pero tengo las encías sin dientes llenas de los besos que me dieron en mi juventud. Ahora bien: nuestras opiniones nadie las pide. Dicen que estamos fuera de nuestro tiempo. Bah, ¿no ha tenido usted toda su vida la impresión de estar fuera de nuestro tiempo? Pero es el tiempo el que está fuera de uno. ¿No le parece? ¿Qué dice usted?

Rompe a toser. Con la tos se le llena de lágrimas el ojo izquierdo y el otro se le pone rojo. Yo lo dejo, pensando: se va a morir el próximo invierno y sin embargo toda su vida está aún llena de deseo. Es verdad que de las rodillas a las axilas la mujer es dulcísima y que su dulzura sirve a nuestra necesidad más apremiante el plato suculento. Yo amo a Berta, de eso no hay duda. Pero no me considero obligado a la ternura ni a la generosidad. ¿Soy un monstruo? No sé. Yo creo que soy más bien un hombre normal incapaz de hacer daño a nadie — hombre o mujer — conscientemente. Tampoco desprecio lo que los moralistas llaman *el alma femenina*. Es que no la encuentro. Sólo la he hallado en una mujer: Ariadna. Luego lo explicaré. Yo comprendo que una institución como la iglesia católica discutiera en sus concilios si la mujer tenía alma o no. La mujer que yo quiero — si la quiero — es un ser sólo físico y sin embargo inmortal. Físicamente inmortal.

Bajo por unas escaleras que conducen a un subterráneo y por ese pasadizo voy a dar en la catedral-museo. Huele a alcanfor. Es porque se lo ponen a las momias del antiguo cabildo para que no se apolillen.

Las bóvedas del templo desaparecieron una noche en un bombardeo, pero los muros están de pie. Son tan altos que el sol no llega nunca al interior. En el coro hay cuarenta sitiales y están todos ocupados por las momias sobre cuyos hombros hay polvo de siglos. Todas parecen mirar en la misma dirección.

Las tienen ahí — según dicen — para los estudiantes y los turistas. Hasta hace algunos años — cuando la OMECC tomó acuerdos sobre el caso — había una cofradía religiosa que las explotaba y cobraba dos pesetas por dejar entrar a la gente. Decían que la vista sola de esas momias libraba a los chicos de la difteria.

En el centro hay un facistol y sobre él un pequeño ángel de alfeñique. Berta dice que no es un ángel, sino una ángela. Siempre dice Berta alguna cosa inesperada. Es una chica lozana y fragante que da la impresión de haber nacido ayer. Tan limpia y sin mancha parece su imaginación. Pero a fuerza de brillantez a veces resulta vulgar. Algunos le huyen porque para hablar con ella hay que tener genio natural o una gran paciencia. Es decir una gran humildad.

A falta de otra cosa yo tengo esa paciencia.

En el coro hay un facistol y en el facistol un cuaderno abierto que muestra algunas notas a lápiz. Leo en la primera página: *Dios del neuma. El dios de Berta es el dios del neuma y actúa en ella por la respiración.*
— Antes de presentarte al poeta — dice ella — vas a ver algo de lo que hemos hecho estos días. Anda, lee.
Yo leo:

> *Llegarás tú primero, te decían*
> *los domadores de caballos padres*
> *y tú trotabas fiera y seguidora.*

— Está sin terminar — grita una voz desde el balconcillo del órgano.
Es Rivero. Odio a Rivero más que nada por haber venido aquí solo, por haberse negado a esperarme para venir juntos. Este detalle revela que está loco por Berta. Vaya una gracia, en cierto modo yo también lo estoy. A mi manera, claro. Es decir, de las rodillas a las axilas.
— En este lado antiguo de la Tierra — dice Berta — no quedan ya enamorados. Pocos comprenderían hoy lo que sucedió contigo y con Ariadna. Anda, ayúdame a ensayar hasta que comience la asamblea. Tú sabes que no pueden comenzar sin ti. Los cinco mil moruecos esperan tu llegada, ¿no es verdad? Lee en voz alta y despacio lo que dice el cuaderno. No, ahí no. En la página siguiente.
Se quita la bata y queda casi desnuda. Yo no creo que los versos del cuaderno tengan nada que ver con la danza, pero ella da dos palmadas y salen tres niñas por detrás del sagrario. Dice Berta que son la Fe, la Esperanza y la Caridad. Yo les sonrío. Berta me mira con ese gesto escéptico que suelen tener los ciegos. El órgano comienza a tocar. Pienso que todo esto es absurdo.
No digo nada. Las niñas puras como peces bailan. Leo:

> *Tira la antorcha, enciende las orillas.*
> *¿Qué hacer? Los sacristanes impasibles*

> *de las Extremaduras y Castillas*
> *os estaban lanzando con las manos*
> *cal a la boca abierta y a los ojos.*
> *Nadie lloraba, nadie se reía...*

Al llegar aquí, Berta se inclina hacia la Esperanza y dice:
— *Nadie, ¿oyes? Nadie.* El énfasis está en *nadie.*
Ridículo. Es lo malo de Berta, que es inteligente pero puede
ser cursi hasta cuando se queda en cueros. Yo me acerco al
confesonario con la salutación mariana. Me responde desde
dentro la Muerte eterna en la forma de un pájaro de colores.
Es una cuarta muchacha vestida de pavo real. Me aproximo con
el cuaderno y la Muerte sale indignada del confesonario.
— No, no es eso, no es eso — repite —. Ahora Berta sube ahí.
Lee la página siguiente.
Obedezco mientras un gorrión cruza el espacio descubierto por
la falta de techo. Como en esas alturas hay sol la avecica parece bañada en oro. Berta entra en el coro y se arrodilla al pie
de la momia del magistral, que preside. Yo, leo:

> *¿Por qué reíste entonces?*
> *— No sabía que la risa es el diablo*
> *y ese reír sangriento*
> *es el revés, señor, de mi pureza.*
> *La momia cruje por el costillar*
> *y se desprende polvo*
> *de su cintura mientras dice* EGO
> TE ABSOLVO.

He dejado de leer. Berta me grita:
— Lee. ¿En qué piensas? No te preocupes de Riverito. Ni de
la momia. A esa momia le llamaban en vida el Gañote.
— ¿No era un cura?
— ¿Y qué? ¿No pueden tener apodos, los curas?
Yo sigo leyendo:

> *La momia abre los ojos y por ellos*
> *cae ceniza fría.*
> *En el domo sin bóveda se oye*
> *el Ave María.*

Veo en Berta una expresión de terror, de un terror discreto y como diferido. Sigo leyendo:

> El día levantado y sus alturas
> huelen a acero noble
> y las momias leñosas a la
> raíz del roble.

El órgano ahoga mi voz. Afortunadamente.

> La bailarina ahora se cobija
> en la verja del coro
> y las momias se sienten asexuadas
> sin desdoro.
> (Es un secreto en el que Dios reposa)

Berta grita:
— Más fuerte, Javier. Más fuerte, que no te oigo. A este cura cuando vivía le llamaban el Cernijón.

> Vemos la contranorma de la vida
> y el caos agitándose detrás.

Una de las momias se inclina hacia delante hasta tocar el suelo con la frente que produce sobre la madera un ruido de barro seco. Yo no sé qué hacer. En vida a ese cura le llamaban el Serondo. Parece que era un hombre muy virtuoso. (El apodo no tiene nada que ver con sus virtudes.)
No me atrevo a levantarla, a la momia. La idea de tocarla con las manos me repugna.
— Sigue — dice Berta —. Está previsto. Todo está previsto. Sigue, Javier.

> En los tristes alcores
> poblados por banderas berberiscas
> hay una luna, de colores mustia.
> Amor universal de catalanes
> se nos llevó los ojos.
> Vedlos dormir al alba de los ciegos,
> vedlos dormir de escarcha constelados.
> Oh, fallecido Dios de los gañanes,

37

> tú la has herido a Ariadna
> como los niños rompen las muñecas
> para verla por dentro y entenderla.
> ¿Sólo a ella? En sus voces
> se veía la oculta anatomía
> y yo estaba inclinado
> dormido para siempre entre rumores
> y búcaros de vidrios tembladores.

Arrojo el cuaderno y grito:
— Basta. Me voy al paraninfo. Debe haber cuatro o cinco mil hombres sentados y tal vez esperando. Esperándome a mí.
Ella vuelve a tomar el libro y lee a media voz reteniéndome con la mano:

> Yo, como tú, mi vida es de afición
> pero en la muerte soy profesional.
> Murciélagos colgados dormitando
> y flámulas oscuras se agitaban
> poco a poco. Miraba y no veía
> pero sin ver y sin oír sentía
> dentro el feto, el del hombre
> y en mi sueño secreto destruía
> el juguete de Dios, el alma mía.

Salgo del coro con el cuaderno en las manos. La Fe, la Esperanza y la Caridad seguidas por la Muerte — el ave de colores — me llevan al umbral. A mi lado, de rodillas, Berta se cubre una y otra vez el seno sobre el cual resbala un lenzuelo. Se levanta y sale al centro del templo:

> RECORDARE DOMINE QUIA PULVIS
> SUMUS ET HOMO SICUT FOENUM FLOS AGRI...
> Muñecos del perdón endomingados
> venid ahora al templo de la fiesta
> al lado de los ánades viajeros
> muertos en una y en la otra orilla.
> A pesar de que los pinares tienen
> sus ahorcados de fiesta
> los ríos van dormidos en su ala
> resbalando murciélagos se acercan...

Berta viene, pone la mano en mi cuaderno y dice:

— No, no. Aquí aparece la luna oblata. No te rías. La luna oblata no es ninguna broma y habría que repasar todo esto con los niños. Pero no han venido.

Desde el balconcillo del órgano el poeta dice con una voz terriblemente amistosa:

— Está sin terminar.

En el cuaderno hay algunos dibujos, pero no hay más texto. Berta no quiere que me marche, pero una de las niñas dice:

— Deja a Javier que vaya a donde le parezca.

Estamos en la entrada del pasadizo subterráneo. Se oye una respiración asmática. Berta tiene miedo y aprovecho su confusión para marcharme. Oigo pasos delante de mí. Deben ser del viejo que ha estado espiando a Berta en sus danzas. Camina tan de prisa que llego al final del subterráneo sin alcanzarlo.

Me encuentro otra vez delante de la sala capitular. El viejo se acerca y atrapando la manga de mi camisa con la mano donde lleva el bastón, dice:

— Baila bien, la muchacha, pero las bailarinas tienen poco trasero. A mí me gustan con buenas curvas — y cambiando de tema añade —: La infanta no ha venido aún. El arzobispo de Santiago llegó en un submarino, por el río. El pobre arzobispo está casi ciego. Tiene necesidad de un fámulo como lazarillo. Parece que en su diócesis lo llaman el Careno. Oh, la vejez. Al menos la mía está llena de sabores antiguos. Pero la infanta no ha venido aún. ¿Qué pasará ahí dentro?

Prometo al viejo contárselo y voy a la sala. A estas sesiones de la OMECC no viene prensa ni radio. El local, ocupado por un público silencioso, está envuelto en una media sombra solemne. Un joven paje me recibe sonriente y me lleva a mi sitio. Es una muchacha vestida con calzas grises y un juboncillo. Se visten así — a mí me parece un poco afectado — para los turistas. Es sordomuda.

El público está formado de gente adulta. Entre los 35 y los 50. En cuanto a mí yo estoy cerca de los cuarenta. Al parecer van a incorporar a la declaración de Ariadna el resultado de la investigación de los llamados varones decimales. Yo soy uno de ellos. Serán cerca de quinientos porque en la sala estamos cerca de cinco mil. Uno por cada diez.

Como he dicho el público llena la sala, que es una de las más grandes de los antiguos monasterios del Cister. Está pavimentada con grandes laudas de piedra. Son enterramientos de antiguos abades. Se ven algunas sepulturas en el espacio abierto entre las filas de los asientos y leo en la más próxima: *Ramiro de Calix, a. 1348.* Hay una inscripción latina y una señal heráldica: un copón con tres sierpes terminales. Más adelante se ve otra losa: *Guillén de Agulló, a. 1393.* También tiene dedicatoria latina y su escudete de cuatro losanges en cruz, el mismo que he visto antes sobre una puerta exterior. Debajo reposan en sus hábitos blancos sin ataúd los abades de este monasterio. Los veo bajo nuestros asientos con sus barbas crecidas, con sus barbas de cuatro o cinco siglos creciendo todavía como algas.

Los asientos de al lado están ocupados por hombres de media edad. El de mi izquierda dice:

— Soy francés y he venido por la vía romana: Narbonne, Tarraco, Illerda...

El vecino de mi derecha está tratando de leer la losa que tiene debajo. Es tan gordo que su vientre descansa casi en las rodillas y le dificulta la exploración. Yo leo por debajo de la silla: *Simón Trilla, a. 1623* y después del nombre de la abadía una frase laudatoria en latín: *Toto orbe christiano nulli secundum.* El francés parece un hombre discreto y de buena razón natural. Vuelve a inclinarse sobre mí:

— Me han alojado en los aposentos de la puerta Dorada. ¿Y a usted?

Marca con la uña un párrafo en el folleto que tiene y me lo da a leer. Es una descripción histórica del lugar, con la lista de los abades enterrados. Yo le digo que la mayor parte de los sepulcros fueron profanados por los monjes liberales del siglo XIX. Una parte de los frailes de ideas contrarias a las del capítulo se sublevaron. Y perseguían a los viejos sacerdotes con cirios pascuales, apagavelas y hasta con las espadas de los soldados romanos de semana santa. La mayor parte de aquellos frailes se declararon anarquistas cristianos.

En este momento se oye un rumor de alas. Desde la cornisa ha levantado el vuelo un búho. Vuela pesadamente bajo la bóveda y va a posarse sobre un capitel en el lado contrario. El frufrú de las alas hace corpóreo el aire y nos da una sensación de bienestar. ¿Será ese aire perceptible en su reposo el dios Neuma de Berta? Se ven salir por las puertas laterales del estrado varias personas. Un secretario sube a la tribuna y va presentándolas a medida que aparecen.

Sale también un arzobispo, un hombre feo y gordo con una costumbre principesca de aparecer en público. Debe ser ese a quien llaman el Careno.

Uno de los pajes que andan por la sala se me acerca silenciosamente y me da dos mensajes, uno de ellos de Berta. Enciendo el pequeño bulbo que tengo en el respaldo y leo: «Dime ahora mismo, por favor, cómo fue lo de Ariadna. La imaginación no puede sustituir la sencilla elocuencia de la verdad. Tengo que completar hoy mismo el esquema». Yo escribo en el dorso del mismo papel:

«*Primera versión.* — Ariadna, esposa de Javier, se entregó a los sublevados.

Versión segunda. — Llegaron una tarde la horrible Herculana y Quiñones, apodado el Lagarto, y la arrestaron. La casa estaba llena de papeles que les parecieron comprometedores.

Versión tercera. — Fui culpable yo, Javier, por haber dejado aquellos documentos al alcance de las autoridades palmatorias. Sin mala fe. Sólo con una especie de buena fe diferida.

Versión cuarta. — También fue culpable ella — inconscientemente — por no seguir mis instrucciones.

Última probabilidad. — Ariadna a pesar de todo sigue viviendo desgraciada y amorosa a la manera de nuestras abuelas, pero siempre joven como el día que nos separamos en Pinarel. La prueba es que va a ocupar la tribuna de un momento a otro.

Nota. — En la cornisa más alta hay una lechuza que me mira. Cada uno de los hombres que están en la sala cree que le mira a él. Y recuerda que la lechuza era el ave de los presagios en tiempos de los griegos y los romanos. Y en la Edad Media española.»

El segundo mensaje es del viejo arguyente que quedó fuera y que espiaba a Berta en sus danzas. Dice: «Estimable varón decimal, creo llegada la hora de proponer a la asamblea la creación de un lugar en cada calle dedicado a la *convivencia creadora*. El nombre de ese lugar debe ser *fornicatorium*».

Entrego la respuesta para Berta y el paje se va ágil y silencioso. Al viejo procaz no le contesto. Pero alguien sale al estrado presidencial y el francés me da con el codo:

— A ése le conozco. Es un sádico. Pero su sadismo es como el de mi padre: un sadismo de readaptación. ¿Ve usted? — añade el francés —. Se sienta al lado del arzobispo. No lo presentan porque ya lo presentaron ayer. Tampoco presentarán a ese inglés que sale ahora.

Por fin aparece en el estrado el que va a presidir. No la infanta, que será por lo visto una especie de presidenta honoraria y ornamental, sino el presidente ejecutivo. Dicen que es americano. Parece uno de esos hombres que se han pasado la vida detrás de la ventanilla de un banco. En su vulgaridad hay una energía concentrada que inspira confianza.

El secretario baja de la tribuna y el presidente golpea la mesa con un martillo de plata y declara constituida la sección androceica de la OMECC. En este momento se enciende un reflector en alguna parte y yo siento la luz sobre mi cara. La luz me impide ver. Oigo la voz del presidente:

— Haga el favor de levantarse. Este es Javier Baena. Un hombre de media edad, ordinario de apariencia como ustedes ven, ibérico, bastante evolucionado y depurado. La mandíbula inferior un poco salediza y el color cálido. Varias generaciones de campesinos le han dado un organismo sano. Ha sido convocado como varón decimal y sin embargo es la contrarreferencia de la testigo áulica. Ruego a ustedes que ponga en él su atención.

Cuando la luz se apaga yo me vuelvo a sentar y el francés que está a mi izquierda se muestra satisfecho y un poco intrigado de mi vecindad.

III

Un secretario se levanta y dice:

— La testigo hablará en español y ustedes pueden obtener la traducción en el idioma que quieran, usando los auditivos que tienen a la derecha de sus sillas.

El secretario mira al presidente como si esperara sus órdenes y entonces un altavoz oculto en una moldura de la bóveda dice: «La testigo viene a la tribuna por una escalera interior. La sesión no será interrumpida hasta que Ariadna haya terminado la primera parte de sus confidencias. Aunque llevará el rostro cubierto por un velo, los varones decimales podrán verla usando la cámara electrónica que está colgada en el respaldo de sus sillas».

Alrededor se hace un silencio completo. Ariadna está ya en la tribuna. Sin usar la cámara veo allí un lindo fantasmita con la cabeza cubierta por un velo negro. Tiene movimientos que revelan un cierto escepticismo como si pensara: «¿Qué necesidad tiene toda esta gente de conocer mi vida?».

El presidente dice unas palabras todavía:

— La testigo va a hablar. Les recomiendo que se abstengan de hacer comentarios aunque sea en voz baja.

Hay otro largo silencio durante el cual se oye al búho dar las dos notas de su canto: *guh, guh.* Al mismo tiempo hay un rumor que recorre la sala como la brisa la superficie de un lago: la infanta, la infanta. Pero no es verdad. No aparece la infanta. Sobre el estrado de la presidencia se ve un sillón con su corona en el respaldo. Está tapizado con seda azul y tiene una corona de plata encima. Miramos todos allí. Pero no aparece infanta alguna.

El arzobispo, con la cabeza baja, parece rezar. Se oye fuera un cañonazo y el presidente dice que es el disparo número cuarenta y dos y que comienza el acto.

La silueta de Ariadna es firme y sin embargo de una dulce delicadeza. Y es hoy igual que entonces. La gente calla esperando no perder una sola de sus palabras.

Dice Ariadna que nació y se crió en una ciudad grande del norte, a la sombra de una catedral. Recuerda que esa sombra era muy larga en la mañana e iba disminuyendo poco a poco. Los chicos jugaban. «Cuando el reloj de la catedral daba las horas hacíamos marcas en las piedras del pavimento señalando la linde de la sombra con un clavo y así cuando se descompusiera el reloj calcularíamos por la sombra la hora que era.» El barrio de la catedral era como una ciudad en sí mismo. Una ciudadela antigua dentro de una gran urbe comercial.

Ariadna sigue usando un acento tímido con el que parece disculparse de la prolijidad de lo que dice: «A veces no jugábamos fuera sino dentro de la catedral, y entre mis primeros recuerdos tengo el de un chico que manchaba en el órgano mientras el organista tocaba. Un chico de mi edad que aunque no tenía voz cantaba cuando cantábamos los demás. Mientras cantaba seguía pedaleando en el manchador y su voz se acomodaba más a los movimientos de sus pies que a nuestro ritmo. El cura se enfadaba.

»El chico que manchaba en el órgano ha ocupado más tarde puestos importantes en la política, pero siempre lo imagino como lo veía entonces: agarrado a una barra transversal, bailando y cantando como un becerro.

»Supongo que esto no tiene importancia, pero me han ordenado que lo diga todo, absolutamente todo.

»Aquellas noches estaba en el cielo el cometa Halley y se oía decir que iba a acabarse el mundo. Se citaban las profecías de Nostradamus y algunos veían llegar el día del juicio final y la resurrección de la carne. Yo también lo creía porque estaba muy metida en la iglesia, pero la presencia del cometa, el fin del mundo y el juicio final me parecían cosas festivas como las bodas y los nacimientos. Algunos creían que el cometa había llegado ya a la Tierra y que su cola estaba dentro de nuestra atmósfera. Los chicos respirábamos la cola del cometa, como decía el maestro.

»Yo tendría siete años, quizá. Mi madre había muerto y la tía que ocupaba su puesto en la familia era muy beata. Como es natural esa tía era mi enemiga pero no peleábamos nunca. Una criada que hacía causa común conmigo llamaba a mi tía la princesa *moño al trote*. Yo me reía, pero al mismo tiempo me parecía una irreverencia.

»La mayor parte de ustedes se acordarán de la visita del cometa Halley. Desde la terraza de mi casa — una casa moderna en el barrio antiguo — lo veíamos por la noche y mi padre, que tenía un telescopio roñoso y viejo, me permitía mirar. Mien-

44

tras yo miraba él ponía sus manos al lado de mi cara para gra-
duar el aparato y su mano izquierda olía a tabaco. Ese olor es
el recuerdo sensitivo más antiguo de mi vida. Un olor a hombre, para mí. Desde entonces me impresiona el olor a humo
frío de tabaco.

»Me gustaba encontrar en la calle a Ramón, un chico más grande, hijo del carbonero de la esquina, que fumaba ya. Era ancho
y huesudo, todo pelos. Cuando blasfemaba nos dejaba mudas
de admiración. A veces decía que pronto iría a trabajar a una
mina que había al sur de la provincia, en las montañas. Lo
decía como si una mina fuera un lugar de lujo sólo para los
privilegiados. Hablando del cometa decía con sorna:

»— Esas son socaliñas que inventan los curas.

»Pegaba a todos los chicos y a algunas chicas del barrio. A mí
en cambio me trataba con respeto. Pero se atrevía a decir picardías a mis espaldas. El hecho de que sólo se atreviera a decirlas cuando yo no estaba delante me parecía bien. Mi presencia le cortaba el aliento. Más tarde había de encontrar a Ramón
en la vida en condiciones muy raras.

»A veces oía yo hablar de la cabellera del cometa. Si tiene cabellera larga — pensaba — el cometa debe ser una mujer. Como
mi madre había muerto, esa mujer podía ser ella. Yo sospechaba que mi madre había muerto a consecuencia de ciertos hechos
que tenían relación con el olor de las manos de mi padre.

»Veía la cabeza del cometa, pero no hallaba su rostro. Entonces pensaba: Está de espaldas. Madre se ha enfadado y está de
espaldas con la cola de su traje tendida. Aquel enfado de un
cometa flotando en el aire — que podía ser mi madre — parecía encerrar los misterios y milagros de la creación.

»Otros hablaban del gran tamaño del cometa y de los millones
de kilómetros que medía de punta a cabo. Si tenía larga cabellera y larga cola se trataba sin duda de mi madre vestida
de novia. Tal vez se había casado con otro hombre después de
muerta. Con un hombre que se llamaba Halley, seguramente
un muerto de importancia porque mi madre, aunque hija de
comerciantes modestos, era una mujer distinguida.

»En aquel tiempo todos me trataban como si yo fuera un ser
perfecto. Mis parientes, los amigos de casa, los vecinos. Y sin
embargo yo era un pequeño animal ansioso y ávido, con las
naricitas en el aire buscando por un lado y otro colores y superficies voluptuosas. Tenía trozos de seda blanca por los que

45

pasaba la mano y los ponía en mis labios y en mis mejillas.
»No me hacía la menor idea del hombre. Es decir pensaba en
él como en una mano grande y velluda que olía de un modo
raro y un día me atraparía, me llevaría a otra casa y me daría
dinero. Tal vez entonces me pondría gorda y daría a luz un
niño, pero de esto último era mejor no hablar.

»Repito que no sé si estas tonterías pueden interesar a la asamblea aunque sé que hay comités especiales de la OMECC que
prefieren los detalles más nimios y obvios. A veces dudo de
que tengan valor, pero a mí no me disgusta hablar de mí misma. Lo que pueda haber de impudicia en mis confidencias no
será muy escandaloso. Yo fui una mujer vulgar en mis miserias
igual que en mis grandezas si es que puedo ufanarme de alguna. Lo malo es, repito, que puedo resultar demasiado trivial. Pero ¿no es la vida — toda la vida — trivial? ¿O no es
la vida — toda esa misma vida — dramática?

»Volviendo a mi infancia, a pesar de las sombras de la catedral
mis recuerdos son luminosos. Días llenos de luz y noches mágicas. Nuestra casa era grande y había desvanes sin muebles
donde jugábamos.

»Estaba entonces dejando los juegos sexuales que eran cosa
de niños más pequeños. No sé cómo hablar de ellos sin ser im-
púdica. Entre los seis y los ocho años habíamos jugado, como
todo el mundo supongo, a las enfermitas y los doctores. Siempre era un niño el doctor y nosotras las enfermas. Nos escondíamos para esos juegos porque teníamos la sospecha de que
había algo delictivo y podríamos ser castigados.

»El doctor nos reconocía y nos ponía cuidadosamente una pa-
jita en el sexo — el termómetro —. A mí no me daba vergüenza, pero cerraba los ojos por creer que en una enferma era lo
más adecuado. No recuerdo que obtuviéramos placer alguno.

»Cuando apareció el cometa Halley ya no jugábamos a las enfermitas aunque de vez en cuando nos escondíamos para otras
cosas clandestinas menos graves. Es curioso cómo todos los chicos encuentran su camarada para esos juegos por mucho cuidado que pongan los padres en la vigilancia. Las bellaquerías
detrás de la puerta las ha conocido casi cada cual y cuando
más tarde pensamos en ellas nos dan a pesar de todo una sensación angélica de pureza.

»También teníamos una especie de reuniones misteriosas a las
que asistían mis tres primos y varias amigas. Ramón el carbo-

nero no venía porque a nuestro lado resultaba demasiado grande. Con intervalos de silencio que hacían la cosa más solemne los chicos iban diciendo en aquellas reuniones palabras feas. Nosotras también. Muchas de ellas no sabíamos lo que querían decir.

»Era Ramón el único chico del barrio con quien no había tenido yo aquellos juegos, pero era también el único que se jactaba con sus amigos de haberlos tenido. Yo lo odiaba y al mismo tiempo me sentía atraída por él.

»De aquella época recuerdo cosas extrañas. Cuando mi tía decía: esa gente no corresponde a tu esfera, yo creía vivir dentro de una esfera de vidrio o de aire condensado, una esfera muy grande. Esa esfera era azul o blanca o incolora y fuera de ella aullaban los lobos, lloraban las personas mayores y los guardias ahorcaban a los ladrones.»

Ariadna hace una pausa. Yo vuelvo a sentir el reflector en los ojos, y una voz, que sale de no sé dónde, pregunta:

—¿Intervino usted en los juegos de Ariadna?

—No. Yo no la conocía entonces, aunque vivíamos en la misma calle.

—¿Y Ramón? ¿Lo conocía usted a Ramón?

—Sólo de vista. Algunos chicos creían que era un criminal nato y evitaban pasar por su calle. Yo conocí a Ramón más tarde. A mí me parecía un chico violento y salvaje, pero buena persona en el fondo.

Desde el estrado presidencial el arzobispo vuelve el rostro hacia mí —aunque es ciego— como si me viera. El búho se esponja en un saliente del domo y canta tres veces: *guh, guh, guh*...

Se apaga el reflector y en ese momento se oye una voz airada que llega del otro extremo de la sala:

—Podría dedicar la OMECC su atención a cosas más importantes. Yo, Natalio Cienfuegos, protesto y pido que mi protesta conste en acta. Creo que las confesiones de la testigo áulica ofenden un poco el recato de la virtuosa mujer española, sobre todo delante de los delegados extranjeros.

El que habla es un viejo calvo, de piel apergaminada, flaco y con un par de bigotes flotantes que se mueven en el aire:

—La testigo áulica dice esas cosas —añade— y la asamblea las escucha plácidamente, pero al mismo tiempo suceden en el Campo de Marte hechos incalificables. Yo hago a la OMECC responsable del crimen que está cometiéndose en el Campo de Marte desde hace varios lustros. El crimen que yo llamo «lapidario» y «taliónico» por razones que explicaré a la asamblea si quiere oírme.

Se oyen varios «no» aquí y allá. El viejo dice con un súbito respeto:

— Bien, está bien. Yo acato siempre la opinión de la mayoría.

Algunos ríen y el presidente golpea la mesa con el martillo. El francés que tengo a mi izquierda dice:

— Ése es Natalio. También lo llaman el *Lucero del Alba*. Siempre interrumpe en las asambleas diciendo que su voz es la del decoro de todos los españoles unidos en el mismo plano histórico de la altivez. En Basilea quiso explicar lo que entiende por «taliónico», pero no lo dejaron. Y aquí está otra vez. *Quelle barbe!*

El presidente advierte que las intervenciones fuera de programa están prohibidas.

— No es una intervención — grita el Lucero del Alba — sino una cuestión de orden de la cual la Asamblea tiene la obligación de ocuparse. Hundido bajo los mármoles está nuestro salvador, materialmente hundido bajo su propia estatua, lo que es el colmo del escarnio. Ahora bien — dice en un tono de voz más bajo —, yo acato la voluntad de la mayoría.

Otra vez se oyen risas. Luego se hace el silencio. Ariadna lo aprovecha para continuar:

— Conozco a ese hombre. Más tarde hablaré de él. Su recuerdo no es agradable. Pero volviendo a mi infancia, estaba familiarizada con la idea de que era bonita. Recuerdo que solía pensar: Bien, todos quieren besarme, pero a mí, ¿qué me va en eso?

Ariadna hace una pausa. El arzobispo apoya el codo en la mesa y se cubre la boca con la mano para ocultar tal vez la sonrisa. Ariadna continúa: «Yo era una chica sociable, amiga de todos en aquel barrio de la catedral que tanto se parecía a este en el que estamos. El único que me coaccionaba era Ramón, el carbonero. Estaba a menudo en la puerta de su almacén y al verme pasar daba un ligero gruñido nasal y sin dejar de gruñir se tocaba cortésmente la visera de la gorra.

»Padre tenía su oficina con otros asociados — banqueros y abogados — en una calle céntrica de la parte moderna de la ciudad, hacia el río. Yo preguntaba: ¿Para qué va tanto a la ofi-

48

cina? Para ganar dinero y compraros vestidos y juguetes, me decía la cocinera. Entonces, cuando iba yo a su oficina veía a veces en la mesa algunas monedas o billetes — el cambio de algo que había mandado a comprar — y pensaba: eso es lo que ha ganado hasta ahora. Luego, en el resto del día, ganará más. Había en la manera de ganarlo algo milagroso que no trataba de comprender y que relacionaba sin embargo con el olor de sus manos. Si no veía dinero alguno en la mesa me ponía triste y pensaba para mí: pobre padre.

»Recuerdo también que en los días de elecciones oía hablar de si habían votado o no habían votado. La expresión "votar" sonaba igual que *botar* y para los chicos botar era arrojar al suelo una pelota y ver la altura que alcanzaba el rebote. Andaban los chicos discutiendo: mi pelota bota más que la tuya. Y seguían probándolas. En el día de las elecciones no había clase porque las escuelas eran colegios electorales. Llegaba mi padre y decía:

»— Todavía está la escuela llena de gente votando.

»Yo imaginaba a las personas mayores dando botes por la escuela, brincando como gatos o como machos cabríos. ¿Para qué?

»— Pues, hijita — decía mi padre —. Para elegir diputados. Es la democracia.

»Durante algunos años la democracia para mí era una colección de hombres dando brincos como los carneros. Nadie se cuidaba de explicarme estos errores. También oía que una mujer era medio negra y yo creía que de la cintura para arriba era blanca y para abajo negra.

»Un recuerdo persistente de aquellos años es el de mi primera comunión. Iba muy bien vestida y por el hecho de haber tomado la comunión me creía semidivina. Con todo esto no me atrevía a orinar en ninguna parte. Llevar a Dios en el cuerpo y tener que orinar era horrible.»

— Irreverencia — grita Natalio.

El presidente golpea la mesa y dice que si se repiten sus intervenciones lo expulsarán de la sala.

Continúa Ariadna:

— A los trece años miraba y oía lo que la gente hablaba a mi alrededor sin perder detalle. El cometa Halley había desaparecido hacía tiempo y me quedaba un recuerdo en que la idea de la maternidad y la de los cuerpos celestes iban juntas.

»Por entonces, como digo, no creía que en la vida hubiera nada feo ni merecedor de ser prohibido. Nuestros cuerpos funcionaban como perfectas maquinitas y nuestras almas también. Cuando yo amaba a una persona estaba segura de que ella no tardaría en darse cuenta y en quererme también. Los colores eran para mis ojos, las brisas para mis sienes. Siempre esperaba algo. No sabía qué.

»Veía gente por la calle y hombres y mujeres feos, demasiados feos. Yo creía que aquello se podría evitar un día. Culpaba al rey y al sumo pontífice de la gente fea y de las injusticias sociales y suponía que tal vez a fuerza de rezos y de difíciles heroísmos — como se veía en los cuentos infantiles — podría yo hacer algo para remediarlo.

»Hacia los doce años me sentía vagamente atraída por los hombres. Había dos tipos de hombres: el joven sin experiencia con el que me entendía fácilmente y el adulto que parecía hablar otro idioma. Los jóvenes de mi edad eran como muchachas. Con excepción de Ramón, claro. Pero el hijo del carbonero desapareció pronto de la ciudad porque se fue a su mina. A veces volvía por cortas temporadas y alzándose la camisa decía a sus amigos con orgullo:

»— Mirad, llevo carbón hasta en el ombligo.

»Debía tener alrededor de quince años cuando peleó con Javier. Todavía tiene hoy Javier una cicatriz en la frente y Ramón el hueso de la nariz roto. Bueno, Ramón en la sepultura, porque el pobre no vive ya. Es raro hablar de un muerto con las mismas reacciones que teníamos cuando vivía. Pero yo no he creído nunca que los muertos merezcan un trato especial. La muerte no me parece nada catastrófico y tampoco un acto esforzado y meritorio como a la mayor parte de la gente. Más tarde comprenderán ustedes por qué.»

El presidente golpea la mesa con el martillo y me pregunta a mí si mi pelea con Ramón tenía por causa alguna clase de rivalidad en relación con Ariadna.

— Yo creo que no — respondo.

Ariadna dice que sí. Yo lo único que recuerdo es que en mis peleas con Ramón gozábamos mucho. Más que el odio o la ira sentíamos el placer de una buena pelea en sí misma. Creo que Ramón sangrando y con el hueso de la nariz roto me agradecía que fuera su contrincante. Cuando terminó la pelea me dijo:

—Años hace que no había tenido una riña tan buena.
Ariadna continúa:
—Hay hombres que parecen haber venido a la vida a consumir lo que hallan ya hecho: dinero, bienestar, prestigio de familia. Y a avanzar si pueden en la escala social. El obrero quiere ser burgués, el burgués aristócrata. Otros en cambio se desentienden y tratan de crear algo nuevo, cada cual en su esfera. Esto lo veía a menudo en los jóvenes.

»A medida que pensaba en la gente vieja no veía sino personas dominadas por pequeños intereses de rebaño, personas consumidoras. Me miraban a mí también como a un objeto de consumo. Algunos me consideraban ya mujer y yo lo notaba en la manera de mirarme. Era el *ángel besable*.

»Vivíamos en una calle muy ancha, de grandes edificios apoyados los unos en los otros. A los lados, hileras de balcones. Era una calle en la que por una razón u otra se veía a menudo algún regimiento en traje de gala con bandera y música. Detrás de mi casa había calles estrechas empedradas en canto rodado que subían retorciéndose hacia la catedral. Ligaban entre sí por largas escaleras de piedra gastadas por los siglos entre las cuales crecía la hierba.

»El barrio de la catedral era como en otras ciudades también el barrio de la prostitución. Al lado de la catedral el palacio del obispo con ventanas maineladas. Detrás, otro laberinto de calles medievales lleno de tabernas y de casas de mala nota. Las calles estaban siempre desiertas, con el suelo de piedra lavado por la lluvia. Yo cuando pasaba por allí y veía personas hablando en los portales aguzaba el oído. Nunca oí nada interesante.»

Recuerdo que un tabernero decía a una mujer:
»—En este negocio lo que deja es el copeo.

»Las personas viejas de la ciudadela—el barrio de la catedral—tenían manías conocidas de todos. Había un pobre canónigo que no podía tolerar una mosca en su casa. Vivía en un entresuelo y solía dejar al anochecer entreabierta la ventana, por el fresco.

»Dos chicos ya mayores iban a las tabernas con un saco, metían dentro los ramos de regaliz a donde se acogían las moscas por millares, los sacudían cuidadosamente y cuando habían hecho esa maniobra una docena de veces iban con el saco debajo de la ventana del canónigo ya de noche. Lo abrían y salían las

51

moscas en una columna imponente hacia la luz del cuarto del canónigo, que leía sus oraciones.

»Había también un profesor del Instituto que hizo un viaje a Suiza y estaba satisfecho del reloj comprado en Berna. Aquel profesor decía en clase: mi hora es la más exacta de la ciudad y si ustedes quieren poner su reloj con el mío no tienen más que decírmelo.

»Algunos estudiantes al volver del cine pasaban a veces por la casa del profesor, que estaba ya acostado. El profesor los recibía con una bata sobre la camisa de dormir. Y uno de ellos se disculpaba:

»— Perdone por venir tan tarde, pero querríamos poner nuestro reloj en hora.

»Entre ofendido y halagado el profesor les mostraba el cronómetro.

»A veces le llamaban a las cuatro de la mañana por teléfono con el mismo fin diciendo que tenían un enfermo en casa y querían estar seguros de darles las medicinas a la hora exacta.

»El profesor hablaba en el casino de la popularidad que su reloj estaba adquiriendo entre la población. Aquel hombre tan inocente en apariencia prestaba dinero con usura y tenía dos abogados de aire sacristanesco que llevaban el palio en las procesiones.

»Si fuera a decir todas las bromas juveniles de las que me acuerdo no terminaría nunca. Cuando las bromas eran más frecuentes era en tiempo de feria con motivo de la presencia de los aldeanos. Pero las víctimas de las bromas más pesadas eran los curas.

»Javier tenía ya entonces la misma naturaleza de hoy. Era una especie de fraile herético. Cuando, más tarde, yo le preguntaba si creía en Dios, decía: "A veces creo y a veces no. Veo a Dios en la naturaleza de los hombres. Unas veces creo en los hombres y otras no. Unas veces los quiero y otras no. Y lo uno y lo otro por las mismas razones o mejor dicho sin razón alguna".

»Despertaba Javier cierto respeto en los otros. Cuanto más fuertes de carácter eran los muchachos más creían en Javier, a quien consultaban las cosas difíciles. Un día — muchos años después — me decía Javier que odiaba la tendencia extremista de los demás a idolatrarle o a envilecerle. A besarle o a escupirle. La verdad es que Javier parecía más vital y de una presencia más absorbente que los otros. A su alrededor se agitaban ondas de encanto o de maleficio. A mí al menos me sucedía eso con él.

»En general el tono de las relaciones entre la gente joven era de una frivolidad ligera. Nuestra frivolidad era como una fórmula de cortesía. Por debajo de aquella frivolidad podíamos tener secretos graves, pero sabíamos que cada cual es importante para sí mismo y nulo para los demás. A medida que crecían, la mayor parte de los chicos parecían dispuestos al conformismo. Menos Javier.

»Yo creo que Javier había aceptado el destino humano que consistía en nacer, sin expresa voluntad de nacer, amar sin ser nunca correspondido sino en la medida de lo necesario para propagar la especie y morir — sin expreso deseo de morir y sin motivo aparente —. Una vez aceptadas estas cosas lo demás tenía sólo una importancia *referencial*, como él decía.

»Era difícil que la vida engañara a Javier porque para él la vida entera estaba, según me dijo, en la conciencia permanente de ese engaño que era la base de sus reacciones.

»Yo creo que era capaz de grandes pasiones, pero estaba siempre alerta contra ellas. Alerta instintivamente y no por reflexión. Javier odiaba las causas, los motivos y las conclusiones. ¿Qué motivo tiene la vida misma? — decía —. Y si es así, ¿por qué han de tener motivo las cosas que integran la vida?

»Claro, en cierto modo esto era infantil aunque revelaba una tendencia importante de su carácter.

»Yo tenía una institutriz: María Jesús. Era sólo tres años más vieja que yo y aunque fuera mi institutriz en cierto modo yo la educaba a ella. Yo tenía ideas, buenas o malas. Ella, no. Ella sólo sabía lo que había aprendido en los libros y no podía pensar por su cuenta.

»Nunca he visto nada más sugestivo que aquella mujer, aunque a veces me inquietaba el volumen de sus pechos.

»Mi padre le hacía la corte. El día que ella me lo dijo sentí en su voz algo nuevo y sospechoso. Hablaba en serio, sin burlarse de las pretensiones de mi padre. Había en ella como una reserva cínica. No me gustaba aquello:

»— Cásate con él si quieres — le dije —, pero no juegues a las odaliscas.»

Ariadna hace una pausa. En la sala del abadiado las sombras mantienen su gravedad. El trono de la infanta sigue vacío. Yo no veo por ninguna parte a la infanta. Algunos dicen que ha venido pero no pueden decir dónde está. Sospecho que el trono vacío no tiene otro valor que el de un símbolo. El búho vuelve a cruzar la sala dejando un rumor delicado en el aire. Ariadna continúa:

—María Jesús estaba con mis amigos y conmigo en ese plano en el que se ama a la gente con una completa inconsciencia del sexo. Entre paréntesis, yo siempre he creído que ese amor sin sexo según el cual se ve a la amada en una nube, en una flor o se la siente en su ausencia como a Dios mismo, es el único digno del prestigio que tiene todavía el amor en la humanidad. Los demás son como el hambre y la sed, deseos localizados. Mi padre la asustaba, a María Jesús, según observé.

»Con María Jesús yo sentía una mezcla de gratitud, repugnancia y curiosidad. La miraba pensando: tiene demasiado pecho y por eso ha estado a punto de irse al lado de las manos que huelen a tabaco y de los hombres que quieren devorarlo y disfrutarlo todo. Ella se daba cuenta de que su reacción con mi padre no era la que yo esperaba. Un día me dijo:

»—Tú quieres que me burle de tu padre, pero no puedo. Mira la carta que me escribió ayer.

»Era una carta donde le decía que estaba enamorado de ella y que no podía hacerse a la idea de la vejez y de la renuncia a la vida. Para él la vida era María Jesús. Decía también que sólo pretendía vivir con ella un año o dos y después morir. La capacidad de amor de mi padre debía ser la misma de su juventud, pero naturalmente a su edad eran peligrosos los excesos. No me importa —decía él— morir después de la luna de miel. Luego añadía ladinamente que tenía un poco de dinero y que sería para ella el día de su muerte. María Jesús se ponía muy seria y repetía:

»—¿Cómo quieres que me burle de un hombre así?

»Era la carta de un hombre sincero. Llamar a mi padre *un hombre* me sonaba muy incómodo y un poco indecente.

»Vinieron un día a casa mis amigos para ver en la pantalla una colección de fotos en colores del primo de María Jesús que había hecho un viaje por Sudamérica.

»María Jesús era la única entre nosotros que trabajaba y eso le daba cierta autoridad. Carmen, otra de mis amigas, había decidido aquel día — ella, sí — burlarse de mi padre. Era Carmen un poco rara. No podía ver a ningún hombre de más de cuarenta años — decía — sin sentir repugnancia. Los llamaba *cos-*

cones y estaba muy lejos de suponer lo que esa palabra quería decir. Su cara era fragante, entre marfil y fruta como suele ser la de las levantinas. Tenía miedo a los animales y la presencia de un perro en la calle bastaba para hacerla retroceder y volver a su casa. Era de un egoísmo terrible. De un egoísmo tan tremendo que resultaba angélico. Vivía en la parte moderna de la ciudad, la parte que Javier llamaba *colonial* — porque allí vivía la gente más o menos de su trabajo —. A los que habitaban en la ciudadela Javier los llamaba *castrenses*.

»Carmen criticaba a la gente por cualquier cosa, pero en cambio Fausta — otra de mis amigas — disculpaba a todo el mundo. Era morena pálida con un reflejo de ladrillo en su piel. Parecía un poco aturdida y atropellada y solía decir de sí misma que hacía las cosas en la vida un poco antes y un poco peor que los demás. También vivía en la parte *colonial*.

»Fausta tenía un aire natural de prostituta y sin embargo era una chica honesta y razonable. Ella misma se daba cuenta y se vestía de colores oscuros para compensarlo. Entonces parecía, como me decía en voz baja y aguantando la risa, una *puta de frailes*. No he visto nunca a nadie tan libre de lenguaje y tan dispuesto a reírse de sí mismo.

»Todas mis amigas se casaron. Unas dulces y apasionadas, otras frías y virtuosas. Alguna libertina y calculadora. Pero todas acabaron igual. ¿Es que hay alguna otra manera de acabar? Es la misma manera que tendrán ustedes. Y yo. Aunque mi caso como verán más tarde es distinto.

»Aquel día estaba en casa Javier Baena, que me escucha en este momento desde la sala. Entre aquellos chicos era el único que no estudiaba, que no iba a la universidad. Esto le daba prestigio. Era de una familia humilde de la clase media. Su padre administraba la hacienda de un marqués que era un beato carlistón contrario a las ideas de mi padre. Enemigos mortales. Javier los odiaba a los dos, a su padre y al marqués.

»Se había marchado de casa Javier varias veces, a la ventura. Los castizos de la ciudad lo llamaban el *Marchoso* y yo creía que era porque tenía aires desenvueltos y masculinos. Luego supe que era porque se marchaba del hogar y mientras fue menor de edad la policía lo devolvía desde lugares remotos como Sevilla o Badajoz con cierto escándalo.

»Escribía cosas sombrías y tremendas en un semanario que publicaban sus amigos y que se titulaba *Germinal*.

55

»Javier tenía amigos fuera de nuestro grupo: albañiles, tipó-
grafos y también un médico y dos o tres maestros. Eran todos
violentos y en la ciudad les tenían miedo.

»Una vez Javier escribió un poema antimilitarista y quiso leerlo a los nuevos reclutas en el acto de la jura de la bandera.
La policía lo impidió y Javier fue arrestado. Estuvo tres semanas en la cárcel.

»Creo que poco a poco Javier fue civilizándose y tal vez influí
yo algo en eso. Sin embargo se civilizó sólo por fuera y por
dentro siguió siendo el de siempre. Leía mucho con una especie de secreta furia. Ciencias, Letras, Filosofía. De todo. Se
apasionaba especialmente por algunos aspectos de las ciencias
modernas, sobre todo, la electricidad. De esto sabía tanto como
un buen ingeniero. Del magnetismo decía que era el alma de
las cosas inertes.

»También leía novelas. Siempre iba con algún libro debajo del
brazo, abierto y desdoblado. De Unamuno decía que era un far-
sante y que todos sus problemas eran falsos. A Pío Baroja lo
consideraba un cursi porque en sus novelas sólo tenía razón la
gente bien vestida. El Valle-Inclán de los *esperpentos* le gustaba mucho. Y algunos novelistas franceses e ingleses — Javier
leía esos idiomas — cuya ideología política le tenía sin cuidado.
Un reaccionario como Stendhal le parecía muy bien. O George
Eliott. O el americano Faulkner. Javier era sencillo y taciturno
y aunque podía ufanarse de algunas cosas lo único que le daba
orgullo — un orgullo secreto — era aquel poema antimilitarista
que quiso leer a las tropas el día de la jura de la bandera.

»Yo tenía ya dieciséis años cuando hablé con Javier por vez
primera, aunque habíamos sido siempre vecinos. Me pareció al
principio un animal taciturno, torpe y un poco desairado. Después, un semidiós. Siempre algo más o algo menos que un hombre. Aquella tarde María Jesús, que era la heroína desde que
mi padre le hacía la corte, trataba de ponerse a la altura de su
propia importancia. Carmen hablaba ligeramente y decía que no
comprendía a los coscones. No comprendía que los hombres de
más de cuarenta años se condujeran de un modo secreto y violento. Y añadió: "Parece que al pasar de los cuarenta la gente
toma un aire *morueco*".

»Aquellas bromas eran la continuación de la infancia. A los
niños les gusta jugar con las palabras.

»En la pantalla había una catedral barroca, toda blanca como un pastel de boda. El primo de María Jesús seguía el diálogo con Carmen:

»— Es verdad. Y el morueco tiene facciones apretadas y taciturnas, expresión impenetrable y secretas intenciones. Secretísimas intenciones. A veces escriben cartas erótico-místicas. ¿Verdad, María Jesús?

»En lugar de ella respondió Fausta:

»— Sí, en el tiempo de la brama.

»Todos nos volvimos a mirarla y ella enrojeció un poco. Yo pensé: María Jesús enseña también a su primo las cartas de mi padre. Los chicos clasificaban a su manera a las mujeres. Había odaliscas y huríes y entre ellas algunas especialmente *muslímicas* según el primo de María Jesús que lo decía chascando la lengua.

»La catedral había desaparecido de la pantalla y en su lugar había unas flores muy raras flotando en el agua quieta de un estanque. Parecían de madera. Los pétalos eran gruesos y amarillos. Pero nadie miraba a la pantalla. Carmen preguntaba qué era una odalisca.

»— Está claro — dije yo —. Es la mujer depilada, ondulada y perfumada que llama a su novio mi prometido y a casarse tomar estado. Y cuando el novio es presentado a la familia dice que ha formalizado las relaciones y al matrimonio le llama el dulce yugo. Y a la preñez estado interesante.

»Yo no me habría atrevido a decir aquella palabra — preñez — a plena luz, pero el cuarto estaba en sombras. Los chicos formaban aparte sus consistorios y tenían palabras raras, algunas de las cuales nos ocultaban por respeto. Sin embargo algo se había filtrado hasta nosotras. Sabíamos que a la muchacha que cela y conserva la virginidad pero es complaciente y pasa de mano en mano por novios sucesivos le llamaban *putidoncella*.

»El primo de María Jesús ponía otra foto en la linterna. Flores tropicales. Javier dijo que tenía una tía que perfumaba las flores con esencias artificiales pero que lo hacía discretamente y a las rosas les ponía esencia de rosa y a los claveles de clavel.

»Poco después comenzó Javier a trabajar como ingeniero, sin serlo, en una empresa alemana que se llamaba si no me equivoco AEG de electricidad e iba a lugares lejanos de la provincia a montar turbinas y dinamos por cuenta de aquella casa. Lo hacía sencillamente y como un juego. La empresa estaba contenta con él porque le pagaba menos que a un ingeniero.

»Seguía Juan maniobrando en su lintera cuando oímos bajar a mi padre. Saludó con cierta coquetería patriarcal y vino a mi lado. Delante de las flores de la pantalla se puso a hablar del androceo, gineceo, de los estambres y los pistilos.

»Juan hizo dos o tres comentarios un poco impertinentes y mi padre se alarmó. Saben — debió pensar — que le hago la corte a María Jesús. Tal vez han leído mi carta. Uno de los chicos imitó en las sombras el balido de un macho cabrío. "¿Es un verdadero animal ese que ha balado — preguntó Carmen — o un sátiro?"

»Todos rieron menos yo, que sentí en mi cabeza frías y distintas las raíces de cada cabello. Mi padre se calló. Luego, sintiendo que su propio silencio le hacía sospechoso, dijo a Carmen:

»— ¿Es usted? No sabía que estaba aquí.

»— Sí, señor — dijo ella —. También está María Jesús.

»Hubo rumores. Mi padre buscaba una fórmula para marcharse sin perder la cara. A mí me daba pena. Dijo que comprendía la alegría de la juventud pero que hasta los cincuenta años nadie tenía derecho al sarcasmo. Yo pensaba: ¿por qué habla de sarcasmo? ¿Quién trata de ser sarcástico? Nuestra inclinación al escándalo era más bien infantil y alocada. Me extrañaba esa falta de exactitud en la manera de hablar de mi padre.

»Había otra flor en la pantalla:

»— Este es el heliotropo del Perú — decía Juan —. Y no sean sarcásticos, por favor.

»Mi padre me dedicaba una larga mirada con la que parecía preguntarme: ¿por qué tus amigos me declaran la guerra? Y añadió en voz baja con una expresión desolada:

»— Tus amigos no me quieren. ¿Qué les he hecho yo? Nunca me han querido tus amigos, hija mía.

»Inició la retirada silenciosamente sin volver a hablar. Yo vi que María Jesús estaba triste con una tristeza de odalisca. Era como si dijera a mi padre: "No creas que yo tomo parte en las impertinencias de los amigos de tu hija".

»Cuando vi que mi padre se había marchado pensé: lo hemos echado. Lo hemos echado de su casa. La verdad es que considerando a mi padre bastante fuerte yo no creía hacerle daño compartiendo una broma de mis amigos. Pero llovía sobre mojado porque le habíamos hecho otras picardías la semana anterior. Y esas pequeñeces duelen más que las grandes ofensas.

58

Fausta decía: "A juzgar por todos los indicios hemos metido la pata". Lo que pasaba en el fondo era que el grupo defendía su propia integridad contra la voracidad de los viejos consumidores. Era la virginidad defendiéndose de la voluptuosidad experta de los coscones.

»En aquellos días hubo uno de esos escándalos que de vez en cuando conmueven hasta las raíces de las ciudades españolas. Fue una cosa siniestra y sucia. En el jardín del convento de monjas de clausura que la gente conocía con el nombre de las Canónigas — en la ciudadela — un perro desenterró el cuerpo de un niño recién nacido. Intervinieron las autoridades. Los diarios liberales se escandalizaban y daban la información con grandes titulares en la primera página. Los conservadores la disimulaban en las páginas interiores entre los anuncios.

»La gente hablaba del *crimen de las canónigas*. La instrucción judicial resultaba terriblemente acusadora. El capellán, que era un viejo sacerdote simple y virtuoso, cayó enfermo del disgusto y estuvo a punto de morir.

»El médico forense decía que el niño había sido estrangulado pocos minutos después de nacer y que llevaba enterrado unos dos meses.

»La vista de la causa fue sensacional. Quisieron hacer recaer la culpa en el viejo jardinero del convento, que era como el chivo expiatorio. El juez le preguntaba:

»— ¿Ese niño era hijo suyo y de su mujer?

»— No, señor. No puede ser nuestro porque yo estoy estropiado desde que hace dos años me dio un frío a los riñones.

»— Bueno, pero podría ser hijo de su esposa... y de otro padre.

»— Hombre, no lo creo, pero en fin..., al que es buey y no lo sabe, Dios lo ampare.

»Las monjas acusaban al médico forense de ateo y querían otro médico que tuviera temor de Dios. La cosa tomaba vuelos grotescos y encanallados y la audiencia provincial condenó a los dos jardineros a cadena perpetua aunque todo el mundo estaba convencido de su inocencia. Entonces Javier publicó un artículo titulado: *El segundo crimen de las canónigas*. El arzobispo excomulgó a Javier, quien anduvo aquellos días feliz y honrado entre nosotros.

»El haber estado Javier en la cárcel dos semanas por su poema antimilitarista hacía de él un blanco fácil para la burguesía de buenas costumbres. Javier solía repetir: "Yo no soy político ni creo que lo seré nunca. Pero es una cuestión elemental de humanidad". Las chicas lo considerábamos un héroe. Sobre todo Fausta, que andaba hablando de las porquerías y de los crímenes que las canónigas cometían *en el nombre de Dios*. Era atrevida, Fausta.

»Padre sólo hacía un comentario, siempre el mismo:

»— Las pasiones humanas son más fuertes que las leyes.

»Sin duda pensaba que él habría afrontado también cualquier crimen por María Jesús, a la que perseguía todavía secretamente.

»Tal vez alguno de ustedes dirá que en lo que estoy contando hay mucho sexo, pero yo creo que era así en aquella época de nuestra vida. Y no es que hubiera sexo sino deseo de mostrar libertad y atrevimiento en las palabras. La obsesión sexual es cosa de la vejez y no de la adolescencia.

»Fausta le gustaba a Javier. Él mismo me lo confesó, pero me dijo que le atraía en ella sólo el deseo de hacer el mal, de envilecerla de algún modo.

»No es que tuviéramos un concepto cabal del mundo, pero necesitábamos ir contra lo que nos parecía arbitrario y sin motivación natural. Para Javier no había motivación alguna digna de ser tomada en cuenta ni natural ni artificial. Quería vivir sin motivos ni intenciones, según decía. Éramos rebeldes — más inocentes que rebeldes — y habíamos hallado una manera de ejercer nuestra barbarie juvenil escandalizándonos nosotras mismas con motivo o sin él. Estábamos entrando en una vida que ignorábamos.

»Indignaba a Javier la miseria de los campesinos y los trabajadores que en algunas provincias de España vivían peor que los cerdos. Decía que si pensaba en aquello no podía dormir en paz. Yo, sí. Cualquiera que sean las condiciones extraigo de ellas un mínimo de calma y sosiego para mi uso particular como esos pájaros que hacen su nidito en las zarzas. Además, yo no tenía la culpa de las condiciones económicas de España. Sin embargo, comprendía la sombría exaltación de Javier, y el dolor de su perplejidad cuando se daba cuenta de que no podía hacer nada.

»Me aficioné más a Javier después de un incidente que dio lugar a nuevas habladurías. Fue como una aventura de la mitología griega. Había ido a nadar al río con sus amigos. Todos tenían caballo o bicicleta menos Javier, quien pidió prestada su yegua a un teniente de carabineros. Éste le dijo: "Llévatela, pero mira que está un poco loca".

»Salió Javier con la yegua del teniente. Fueron a un lugar del río donde por hallarse éste a cubierto de la carretera — tras un bosquecillo de álamos — podían nadar en cueros. Cuando Javier decidió vestirse fue a la yegua y montó en ella para secarse al sol. El animal al sentir encima al jinete dio un salto y se dirigió al galope a la ciudad. Javier, que era mal jinete, no pudo refrenarla y pasó por la calle principal de la ciudadela completamente en cueros desbaratando una pequeña procesión de Hijas de María. Castigaron a Javier con una multa. El arzobispo intrigó con el gobernador para que lo metiera otra vez en la cárcel y habló de los escándalos del liberalismo. Los periódicos moruecos que habían tratado de encubrir el crimen de las canónigas dieron vuelo a aquella ocurrencia. Javier decía:

»— Creen que lo hice a propósito para escandalizar a las beatas.

»Algunas viejas decían que al pasar Javier desnudo a caballo las había insultado con palabras soeces. Javier envió una nota a los periódicos jurando que no había dicho nada, pero aceptando que aquellas palabras podía haberlas dicho la yegua misma, a quien la gente del barrio de la catedral miraba desde entonces con un respeto supersticioso. Esa superstición alcanzaba al teniente de carabineros, que acabó por pedir el traslado.

»A partir de aquel incidente Javier se acercó a mí y no tardamos los dos en conocer el amor. Fue un gran descubrimiento. Mis sensaciones eran muy curiosas. La primera de un ligero frío interior que pasaba pronto. Después, de una desintegración que parecía encender luces dentro de mí. Javier salía de aquellos abrazos nuestros taciturno y evasivo. Yo, alegre y parlanchina. Era yo completamente feliz y se lo decía a Javier. Javier me respondía:

»— Yo también, pero lo malo de la felicidad es que no basta.

»Le hacían la vida difícil a Javier en la ciudadela y se fue a la parte nueva de la urbe, a la parte *colonial*. La casa AEG tenía allí sus oficinas. Nos veíamos menos. A veces tenía miedo a perderlo y a quedarme sola con mi tristeza de mujer fácil que se ha entregado a un hombre sin matrimonio. Yo no hacía nada por verlo, a Javier. Mi padre estaba enfermo y me quedé a su lado hasta que murió algunos meses más tarde. Murió sin haber conseguido a María Jesús y sin luna de miel alguna, el pobre. La muerte no fue dolorosa a pesar de que la causó un cáncer de hígado. Me quedé sola y libre con un poco de dinero que él me dejó. No podía menos de reconocer entre mis sentimientos de huérfana cierta alegría. Huí de la ciudadela castrense y me fui al lado comercial de la urbe. Interiormente me alegraba de la muerte de mi padre y eso me hacía sentirme culpable. Javier me explicaba que era natural y que suele suceder cuando muere un familiar. Según Javier, cuanto más se quiere a una persona más se alegra uno en el fondo el día que esa persona muere.»

La voz del Lucero del Alba vuelve a oírse en la sala. Grita desde algún lado:

— Esa es una declaración depravada. Pido que intervenga el señor arzobispo y fije los términos de la discusión.

El presidente hace un gesto de rechazo. Se le oye decir entre dientes: «Aquí no hay discusión alguna».

Y Ariadna sigue:

— Javier y yo no vivíamos juntos, pero nos veíamos a diario y además hacíamos excursiones a la montaña. A veces Javier tenía algo que hacer en las aldeas por cuenta de la AEG y otras íbamos a esquiar a los Pirineos del lado español, árido y seco. Algunos de nuestros amigos, entre ellos Fausta, venían también, pero a Javier y a mí nos gustaba estar solos. Fausta se ofendía y decía: "¡Qué barbaridad! Parece que han inventado ellos el cariño y que antes no existía en el mundo". Lo que les ofendía a todos era que gozáramos del amor sin habernos casado. La gente de la ciudadela habló mal de nosotros y luego nos dejó por imposibles.

»Decidimos, sin embargo, casarnos. Hicimos una boda civil que duró diez minutos — el tiempo de firmar el acta. Todos los gastos de la boda no llegaron a quince pesetas.

»Pero no encontrábamos un piso que nos gustara y seguimos algún tiempo viviendo separados. Esto también indignaba a la gente. Todo lo que hacíamos parecía ofenderles. Fausta decía para hacer reír a sus amigas descubriendo un lado maligno de su propio carácter: "Javier va a ir a París, él solo, en viaje de novios". Quería decir con eso que habíamos tenido nuestra luna de miel antes de casarnos.

»El lugar mejor de esquiaje era Candanchú — corrupción de Charles d'Anjou — en la misma frontera, donde la mayor parte de la gente era francesa. A veces íbamos hasta Biarritz y San

Juan de Luz, que nos gustaban más en invierno que en verano porque sin los veraneantes ricos aquellas ciudades tomaban un aire brumoso y norteño muy romántico. Yo descubrí allí que Javier era dado a la tristeza.

»En Bayona conocimos un matrimonio suramericano y nos hicimos amigos. Andaban por Europa en un coche pequeño que habían comprado en París. El coche era tan pequeño y ellos tan altos que al meterse allí parecían plegarse en tres o cuatro dobleces. Él se llamaba César y era ingeniero. Hablaba de un modo curioso, con giros antiguos y maneras cosmopolitas. Más tarde vinieron a vernos a España. Estaban tan enamorados que los demás — incluso Javier y yo — nos sentíamos culpables a su lado. Culpables de nuestra frialdad.

»Lo mejor de nuestros viajes por la provincia en invierno era la visita que hacíamos a Orna, el pueblo natal de Javier, donde había, según decían, una casa con duendes. Allí tenía Javier un pariente rico, de barba blanca, piel sonrosada y aspecto juvenil. A mí me llamó la atención un hecho curioso: Javier al llegar a su tierra tomaba una actitud más hosca y evasiva que nunca. En Orna era Javier más natural, es decir más violento y adusto. La cortesía era considerada en Orna tal vez como una debilidad. Al decírselo a Javier él afirmaba y decía que en sus años de infancia cuando algún chico empleaba diminutivos en la conversación los otros lo insultaban y lo llamaban tirilla y también *pijaíto*. Si esos diminutivos eran en *ito* o *ita* a la manera burguesa de las ciudades lo apedreaban al salir de la escuela.

»Yo preguntaba a Javier más cosas de su infancia y me contó una sola, pero muy graciosa. Cuando tenía siete años decía como otros chicos que quería ser cura. Un zapatero de ideas anarquistas le dijo que si quería ser cura lo sentía por él porque tendrían que castrarlo. Javier lo creía de veras y cuando llegaba a la aldea el capador de perros y gatos y pasaba por la calle Mayor haciendo sonar su caramillo Javier se escondía en lo más hondo y oscuro de la casa. Cuando salía de allí decía a sus padres:

»— No quiero ser cura.

»— ¿Y eso?

»— He cambiado de opinión.

»Nunca explicó a nadie por qué. Habría sido una explicación indecente. Cuando se lo dijo al zapatero el buen hombre contestó: "Te alabo el gusto, muchacho. Lo que hay que ser es hombre como los demás".

»Delante de su tío Laguna, como lo llamaba para evitar el nombre propio que era un poco humorístico — Timoteo —, se conducía Javier con una gran sequedad.

»El tío Laguna nos recibió con sorpresa y no sé si alegría y nos destinó una habitación que daba a una galería de cristales. En la galería había un órgano eléctrico y un muro cubierto de estanterías y de álbumes con discos musicales.

»Era el nuestro un dormitorio muy raro. En la mesita de noche había una lámpara hecha con un águila disecada que tenía las alas abiertas. Del pico le colgaba una linternita. Y en la cama había calentadores eléctricos por todas partes. Javier me decía:

»— Mi tío nos va a electrocutar.

»En la planta baja había un salón y una chimenea con fuego. Uno de los muros del salón era de grandes cristales protegidos por un alero muy saledizo. Desde aquel lugar se veían las laderas de las Tres Sorores que descendían pobladas en su base de grandes pinares. A la luz de la luna aquellos bosques parecían petrificados. La niebla bajaba cada día rápidamente a la misma hora arrastrándose por el suelo y dejando las alturas limpias y cristalinas. Se instalaba la niebla en el valle cubriéndolo con un inmenso manto de algodón, por debajo de nuestra casa.

»A mí todo aquello me daba una tristeza enorme. Le decía a Javier que si viviéramos allí me pasaría el día llorando.

»— No de tristeza — aclaraba — ni de felicidad.

»Al tío Laguna le gustaba atizar el fuego. Javier le recordaba que sólo pueden hacer buenos fuegos los enamorados y los locos. Y el tío Laguna gruñía y seguía tizoneando sin decir nada. La luz rojiza de la chimenea llegaba de abajo arriba y hacía su rostro más juvenil. Su cabello y su barba eran blancos y sin embargo parecía a veces más joven que Javier. No pude menos de decírselo. El tío Laguna dejó las tenazas sobre un leño ardiente:

»— Hum…, no hay que adularme, muchacha. No es necesario que me adules.

»Javier me miraba con ironía. Yo me acerqué a la ventana y me dediqué a ver cómo la niebla tomaba posiciones. El tío decía volviéndose a medias:

»— He oído que en la ciudad hablan mal de vosotros. Bueno, yo no digo nada. También han hablado mal de mí.

64

»La casa del tío Laguna estaba fuera del pueblo, en unas colinas apartadas. Nosotros queríamos ir al pueblo para ver la casa de los duendes. Esperábamos que el tío Laguna se burlaría de aquellos duendes y fantasmas, pero no hubo nada de eso. Me miró de un modo frío y distante y dijo:

»— Yo los he oído, los ruidos, también. A veces se oyen voces humanas. Pero es aburrido. Sólo dicen dos o tres palabras y siempre las mismas.

»— ¿Cuáles? — preguntaba Javier.

»— Las mismas siempre. Se oye una voz que no se sabe si es de hombre o de mujer y que repite: *Aquí estoy.* Otras veces dice: *Ya he venido.* Pero la primera frase es la que repite más a menudo: *Aquí estoy.* No sé qué interés tiene la gente en escuchar esa tontería.

»El tío Laguna quería que los duendes además de serlo tuvieran talento oratorio e hicieran grandes discursos, lo que no dejaba de tener gracia. Yo le pregunté si creía en aquellas cosas y él mirando al techo y rascándose debajo de la barba respondió:

»— No he creído nunca en eso, pero tampoco he dejado de creer.

»Fuimos Javier y yo a la casa embrujada. El coche del tío Laguna era un Hispano casi nuevo, bajo de capota y muy largo. Sonaba el motor de un modo compacto y sólido, como un avión.

»Media hora después estábamos delante de la casa. Había un comercio de telas en la planta baja. El comerciante era un hombre rubiáceo, alto y de aspecto discreto y servicial. La tienda, estrecha y profunda, tenía un largo mostrador en el costado izquierdo. Había buena luz gracias a una claraboya que daba a un patio interior. Encima del portal se veía un escudo de armas con los blasones borrados por capas sucesivas de cal.

»La única curiosidad de la casa era un balcón de hierro con faroles en los ángulos, algunas ventanas con reja y en lo alto un alero saledizo que según Javier tenía mérito. Al lado de la puerta de la casa se abría la del comercio con vitrinas y piezas de tela de varios colores.

»El portal de la casa y las escaleras eran limpios y de altos techos. En cada uno de los rellanos de los tres pisos había un lucernario que vertía sus claridades sobre las escaleras de piedra. Estos lucernarios tenían vaporosas cortinas blancas.

»En aquellas escaleras era donde se oían más a menudo los ruidos, según decía la gente. Era como si golpearan en el pasamanos con una caña. De pronto aquellos ruidos que eran intermitentes cesaban y entonces se oía claramente el de piedras, ladrillos rotos, grava menuda cayendo escaleras abajo. Y sin embargo las escaleras seguían tan limpias como siempre. Eso decían. Nosotros no oíamos nada.

»Los comerciantes habían habitado la casa hasta hacía poco, pero ya no se atrevían a dormir en ella. Contaban cosas muy raras. La cocinera vio una noche entrar en su cuarto la cuna donde dormía el niño. La cuna, sin que nadie la empujara, entró en el dormitorio de la cocinera y fue a ponerse a los pies de la cama. Javier reía:

»— ¡Qué fantasía tiene esta gente!

»Los duendes son, según los aldeanos, amigos de bromas inocentes. Todo el mundo sabía cuentos humorísticos y Javier contaba el siguiente: Una familia se cambiaba de casa porque la anterior estaba embrujada. Iban en un carro con muebles y la señora dijo, suspirando: "Gracias a Dios que hemos perdido de vista a esos malditos duendes". Entonces se oyó una vocecita entre los colchones que decía: "No, señora, que aquí vengo trayendo la escobita del orinal".

»Según decían, en la alcoba de los señores de la casa llamaron una noche a la puerta. Fueron a abrir, temerosos. No había nadie en el pasillo. En aquel momento cayó a sus pies una cucharita de café sonando en las baldosas de un modo delicado. Volvieron a su casa y estuvieron oyendo rumores extraños dentro del cuarto. Y de vez en cuando aquella frase ya conocida: *Aquí estoy.* O bien: *Ya he venido.*

»Por fin los comerciantes no pudieron aguantar más y se marcharon. Pero acudían a la tienda durante el día.

»Hablamos también con el cura, quien dijo que iba a exorcizar el edificio uno de aquellos días.

»Estuvimos dudando si quedarnos o no para ver los oficios del exorcismo, pero decidimos que sería una tontería y nos fuimos.

»En el coche yo veía a Javier muy triste. Cuando le preguntaba por qué, parecía despertar y me decía:

»— La misma tristeza es natural y no hay que preguntar sino la causa de la alegría. Los animales están siempre tristes. ¿Tú te has detenido a mirar los ojos de los animales? Hay una tristeza de siglos, de milenios. Eso no quiere decir que en la naturaleza no exista también la alegría. Pero no hay que confundirla con la risa. Y la risa sin alegría, ¿sabes tú lo que es? Es lo que las beatas llaman *el diablo*. Al menos en España, país donde todos los pecados y los crímenes — acuérdate de *las canónigas* — se cometen *en el nombre de Dios*.

»Luego, comentando lo de los duendes de Orna, decía que aquellas cosas eran siempre interesantes como poesía práctica y la gente llegaba a sugestionarse con ellas y a oír ruidos y voces porque necesitaba romper de algún modo la rígida y obstinada y torpe lógica en la que vivimos.

»— ¿Pero tú crees en eso?

»— No creo, pero me gustaría creer, que es más importante.

»A veces yo no entendía a Javier y cuando se lo decía él sonreía y me replicaba:

»— Ni falta que hace.

»Volvió a hablar de la tristeza y de la alegría. También dijo que la radio — la difusión de la radio — acabaría con los duendes en las aldeas. Llevaría a los últimos rincones de las montañas palabras, ruidos y preocupaciones que harían movediza y elástica aquella realidad aldeana siempre rígida e inerte.

IV

»Creía Javier que era mejor no investigar la alegría de nadie y menos la propia porque detrás de ellas había a menudo una vasta desolación.

»— Ahora bien — decía — uno puede aprender a gozar de la desolación. Eso es lo que hacen muchos.»

Al llegar aquí se oye en la sala del abadiado un rumor de multitud. Algunos asambleístas alzan los pies y miran al suelo. Es como si pasara entre las sillas una rata o un gato, pero eso no es probable y le digo al francés en broma: «Los viejos abades resucitan». El francés sonríe.

Un secretario se levanta y dice:

— La comisión que se ocupa de la vida de Ariadna pide que la testigo se ajuste más a los hechos y evite las digresiones en lo posible.

— Es lo que voy a hacer — dice Ariadna —. Dos veces estuve en peligro. Una en los Pirineos y otra en Gredos. Debía perseguirme alguna bruja montañesa de pies de oca. O tal vez nuestro amor ofendía a la Providencia. Caí en un pozo de nieve y cuando me sacaron estaba medio insensible y sonreía por la contracción de las mejillas con el frío. Días después una campesina me dijo que el año anterior había caído un hombre en una sima de nieve y que como iba sin esquíes y cayó perpendicularmente bajó derecho hasta el fondo. Allí murió helado. No pudieron hacer nada por él, porque tenía más de cuarenta metros de nieve encima. Al llegar los deshielos de la primavera apareció en el fondo de la sima el pobre hombre sentado, muy bien conservado, con los ojos abiertos y la sonrisa en los labios. Llevaba cuatro meses muerto. Los chicos iban a verlo y lo tocaban con un palo a distancia hasta que llegó el médico forense. Aquel hombre había pasado su vida huyendo del calor. Durante el verano subía a las crestas de las montañas y vivía con los pastores de su casa, que era una casa rica de ganaderos. Le gustaba el frío.

»— Bien fresquito pasó los últimos días — decían los campesinos.

»El Secretario del Ayuntamiento le escribió un poema.

»El segundo accidente fue más grave. También en las montañas, pero esta vez durante el verano. Yo me había descalzado porque estaba orgullosa de mis pies. También lo estaba de mis manos. Y de mis senos. Y de todo mi cuerpo. Javier tenía la culpa porque sus caricias eran como una constante y especiosa adulación. En aquel abandono a la sensualidad había como un peligro, no sé cuál.

»Al cruzar una pequeña vaguada en cuyo fondo había piedras y restos de humedad de la última tormenta me picó una víbora. Era pequeñita y delgada, color de tierra. Mi pierna mostraba encima del tobillo dos pinchacitos ensangrentados.

»Javier me dijo que me sentara en tierra y me quedara quieta y se fue corriendo. Poco después volvió con dos campesinos y un caballo. Javier recordó que era bueno chupar la herida y se puso a cuatro manos, aplicó los labios, succionó y escupió un poco de sangre. Entre los tres me levantaron y me dejaron sentada en el caballo. Javier montó también y yo me recliné en su pecho. El caballo iba despacio, pero cuando el terreno era llano aceleraba como si se diera cuenta del peligro.

»Uno de los campesinos, de cara aniñada y ojos feroces, recordaba:

»— El año pasado tal día como hoy le picó una víbora a una señora como usted y a las cinco de la tarde estaba de cuerpo presente.

»El otro campesino dijo:

»— Cállate, boceras.

»Yo sentí que Javier se estremecía. Me besó en el pelo y me oprimió suavemente la cintura, lo que hizo salir aire de mi estómago con un pequeño eructo. Javier me besaba en la nuca. A mí no me importaba gran cosa el peligro y me preguntaba si aquella muerte sería dolorosa o no. Miraba las nubes, las cimas de los árboles, la cinta del río en el hondo valle y todo me parecía nuevo. Javier debió darse cuenta y me dijo al oído:

»— Lo que sea de ti será de mí, Ariadna.

»Nunca me había hablado con un tono de voz tan conmovido. Yo sentía vibrar su pecho contra mis espaldas, al hablar. Pensaba: "¿Me diría esto si estuviéramos frente a frente?". Una promesa como aquella no se podía hacer sin sentirse un poco excedidos e impúdicos. Pero no lo veía, a Javier. Aquellas palabras tenían un sentido raro en un hombre que no había usado nunca conmigo tonos ni acentos sentimentales.

»Yo me sentía en un peligro sin salida. La voz de Javier me

había hecho cosquillas en la nuca y me produjo algunos escalofríos.

»— Si me muero — dije en voz alta, riendo — dos meses después tendrás otra mujer.

»— Esta señorita — dijo el campesino que llevaba las riendas — se ve que conoce el género humano.

»Javier me decía en voz baja y neutra:

»— No pienses. Trata de no pensar en nada.

»— ¿Por qué? — le decía yo.

»— El pensamiento activa la circulación también. Y eso no es bueno ahora.

»Llegamos a la aldea a tiempo como se puede suponer, pero aquellas palabras de Javier — *lo que sea de ti será de mí* — habían dejado una resonancia honda.

»Volvimos a la ciudad. Vivíamos ya juntos, en una buhardilla que se salvaba de la sordidez gracias a dos ventanas sobre los tejados de un barrio moderno. Desde las cuatro de la tarde comenzaba a impacientarme esperando a Javier, que seguía trabajando en la AEG.

»Al atardecer veía desde mi ventana encenderse sobre el cielo los primeros letreros de neón azul y rosa. Estaban en los tejados de enfrente y las letras se encendían mal y el sentido de algunas palabras cambiaba, lo que a veces era cómico.

»Hicimos otras excursiones y al pie de la sierra encontramos un día a Ramón el carbonero. Se había casado y vivía en la aldea minera. A su mujer, que era gallega, la llamaban la Riveirana. Ramón era mi amigo más antiguo. Un galán de cara tiznada y ojos brillantes, dulce y sumiso que a veces se rebelaba contra mí en secreto.

»Javier y Ramón se miraban amistosamente, pensando: "Éste es aquel con quien peleé a puñetazos y mordiscos un día. Buena pelea. ¿Por qué no hemos de reñir otra vez con el mismo entusiasmo?". El recuerdo parecía que les gustaba a los dos. No era hombre de odios sostenidos Javier. Ramón lo miraba casi con delectación y luego me decía a mí:

»— Desde que me casé soy otro hombre.

»Yo no veía que fuera otro hombre. Nos habló del trabajo de la mina. Estaba orgulloso de ser capataz.

»En aquellos días conocimos a algunos a quienes Javier llamaba *paramoscovitas,* que hacían elogios incondicionales de Rusia. Javier les decía:

70

»— Si sabéis que aquello es un fracaso, ¿por qué habláis de ese modo?

»Siempre había alguno que contestaba:

»— ¿Qué mérito tendría decir la verdad? Lo importante es inventar la verdad.

»Javier pensaba que aquello podría ser interesante, pero la mentira no la inventaban ellos sino que se les daba inventada ya. "No sé — decía — cómo esos tíos de los Urales van a liberar la humanidad comenzando por envilecer y encadenar a los hombres."

»Tenía yo mi paraíso en un recuerdo de infancia en el que figuraba Javier. De niña vivía yo en la misma calle que él y frente a su casa. Eran las fiestas de la ciudad — en octubre — y estábamos en nuestros balcones viendo pasar la cabalgata de todos los años. Mi presentimiento de la vida era entonces grandioso. Aquellos días yo no sentía mi cuerpo. Era yo una especie de voluntad superior encendida y alerta.

»Javier veía las contradicciones, las injusticias, los crímenes de la estupidez y estaba siempre taciturno. Yo sólo veía un camino inmenso, florido y mío. Todo para mi voluntad encendida.

»En aquellas cabalgatas de todos los años había gigantes, bandas de música y carrozas con mármoles de cartón. Delante de las carrozas abriendo la marcha iban hasta doce gigantes cuyos brazos caídos se separaban un poco al dar las vueltas cuando bailaban. Porque los gigantes bailaban delante de las casas donde vivían el gobernador, el alcalde, el obispo y otras autoridades.

»Los gigantes pasaban despacio por la calle ancha y enarenada. Había música que la brisa acercaba o alejaba y que nos mostraba en el ir y venir las secretas dimensiones de aquel silencio de ciudad en fiestas.

»Miraba yo al balcón de Javier pensando: "¿Me verá desde allí?". A veces Javier entraba y volvía a salir con unos gemelos de teatro. Entonces yo me hacía la distraída. Pero luego fuimos amantes.

»Tenía yo mi paraíso secreto y Javier su infierno. Preguntábase Javier a solas — no hablaba, pero yo adivinaba sus preguntas —: "¿De dónde me han traído con este cuerpo y esta alma tan desacordados? ¿Qué lejanías son aquellas de donde vengo? ¿Vengo de aquellos lugares y de aquellos tiempos en que los hombres rugían o gañían como las raposas y se alzaban del suelo peludos y sangrientos apoyándose en una rama del árbol? Si es así, ¿qué traigo yo de allí?". Creía oír estas y otras cosas y pensando en ellas me quedaba en un arrobo idiota o sublime — o ambas cosas juntas — esperando las respuestas en vano. Por los espacios de la espera iba y venía la voz burlona de Javier:

»— Eres una amante transida. Transida. En trance.

»— Pero... ¿eso está bien?

»— Ni bien ni mal. Es un hecho.

»— ¿Te gusta?

»Él me besaba sin hablar.»

Ariadna sigue en su tribuna. A la derecha, en el estrado y más arriba del nivel de la presidencia, se ve el trono de la infanta. El trono vacío. Ariadna vuelve a hablar:

— Javier conspiraba contra el rey. A veces la policía le seguía los pasos y teníamos que escondernos en casas distintas y pasar muchos días juntos y solos. Recorría yo entonces en mi imaginación los rincones de mis campos Elíseos. A las estatuas de escayola y arcos romanos y custodias de oro necesitaba añadir cosas más actuales. Se lo dije a Javier y él me habló del hombre de los Pirineos sentado, helado y sonriente, conservado tres meses en el fondo de una sima. Aquella imagen representaba la perplejidad que da a los hombres cara de sabios y de payasos al mismo tiempo. Y que si se descuidan los mata de frío.

»Cuando dos años después el período conspiratorio terminó con la proclamación de la República, que fue como una gran verbena popular, fuimos a Pinarel a sesenta kilómetros de la capital y alquilamos una casita fuera del pueblo con su pequeño jardín delante cercado por alta verja. Durante cuatro o cinco años pasábamos los veranos allí. El tiempo era ideal y a media tarde hacía frío. No estábamos solos en Pinarel. Frente a la casa, al otro lado de la carretera, teníamos un extenso prado que subía hacia el bosque y en lo más intrincado de aquel bosque había un espacio sin árboles, con un campamento de tiendas de campaña donde pasaban sus vacaciones o fines de semana hasta veinticinco o treinta hombres. Eran conocidos nuestros y algunos antiguos amigos de Javier. Trabajadores de la ciudad. Dos o tres extranjeros, también. Muchos eran del grupo de *Germinal,* aquella revista donde Javier colaboraba en su adolescencia.

»Soy bastante hábil para deducir el origen social de una persona con sólo mirarla dos veces a la cara, pero aquellos hombres unas veces me parecían obreros de fábrica y otras ingenieros o jefes de empresa y hasta a veces aristócratas. Entre aquellos hombres no había moruecos ni coscones ni matutanes. En cambio entre las mujeres había una odalisca que a veces acercaba su nariz a mi hombro, aspiraba discretamente y decía: "¿Qué perfume llevas? ¿Ese que llaman *medianoche?*". Yo nunca había usado perfumes.

»Iba Javier al bosque y volvía con papeles, revistas y observaciones sobre las personas nuevas que había visto. En el bosque aquellos hombres tomaban baños de sol, leían, jugaban al balón y tiraban la barra. Por la tarde se reunían. A menudo había conferencias. Algunos de ellos, interesantes por sí mismos o por sus viajes y experiencias, hablaban durante una hora u hora y media bajo el cielo estrellado.

»Entre aquellos hombres del bosque algunos hacían cosas raras como andar siempre descalzos para sentir la radiactividad de la Tierra, según decían. Otros no hacían comidas regulares. Tenían en el bolsillo almendras y avellanas secas y de vez en cuando se llevaban un puñado a la boca. Cuando tenían mucha hambre comían dos o tres manzanas. Nadie bebía vino y sólo dos o tres fumaban. Parecían todos estallantes de salud.

»Aunque la situación del país era otra — la monarquía había desaparecido — el sistema social continuaba siendo el mismo y las ventajas no pasaban de ser teóricas. Aquellos hombres consideraban a Javier un burgués radical de buenas ideas. Lo querían pero lo creían un heterodoxo, un hereje que conoce la verdad y no quiere servirla.

»Ninguno de los hombres del bosque tenía lo que se suele llamar conciencia política. Pero eran hombres de instintos. Opinaban con sus instintos. Por eso — decía Javier — no se equivocaban en cosas importantes. "Tal vez podamos hacer algo con nuestros instintos — decía — y tal vez no". Si los hombres del bosque no hacían nada al menos nadie se atrevería a negarles el ánimo, como a don Quijote.

»— No. Nadie tiene la verdad. Sólo tenemos opiniones — decía Javier.»

Ariadna se calla un momento y parece quedar indecisa. Repite las últimas palabras: "Sólo opiniones". Por fin vuelve a hablar diciendo que alguna vez asistió a las reuniones del bosque. Tratando de fijar su memoria añade:

— Eso fue después. ¿Después de qué? Había hombres caídos en tierra. Unos heridos y otros durmiendo nada más. Más tarde..., bueno, veo una iglesia rota. Igual que el museo religioso del abadiado. Ese museo que está aquí, en la ciudadela al lado del paraninfo. Hay varias imágenes rotas. Un viejo arrodillado bajo los fanales del siglo xv. Un niño también que se murió sin que se supiera de qué. Ahora..., ahora...

Trata en vano de seguir. Las imágenes se le confunden. El sillón del trono sigue vacío. Después de un largo silencio se enciende en el brazo derecho de mi butaca un pequeño bulbo. Oigo una voz:

— Ha perdido Ariadna el puente que la ligaba al bosque. Dígale lo que usted sabe, con el acento de ella. Pinarel. Estaban en Pinarel. Ella iba al bosque, habló un día con la gente del bosque.

Yo digo en voz baja llevando a mi garganta el pequeño micrófono y apretándolo contra las cuerdas bucales:

— Fuiste al bosque varias veces. Estábamos entonces quemando a fuego lento los ramos de las lejanas tribus.

— No — dice Ariadna —. Las tribus estaban cerca. Y la infanta.

— ¿La infanta?

— ¿No recuerdas que ya entonces estábamos familiarizados con ella? Le habíamos puesto un apodo también.

Es verdad. La llamábamos la *Infanta Palmatoria*. Pero al llegar aquí se oye otra vez la voz del viejo Natalio pidiendo la palabra. El presidente le dice que tiene un minuto para hablar y le advierte que no le permitirá volver a hacerlo hasta que Ariadna termine su informe. Natalio se excusa y habla apresuradamente:

— Como dije antes, señores, se está cometiendo en el Campo de Marte un crimen histórico. Están sometiendo un hombre a una agonía lenta que lleva trazas de no acabar nunca. ¿Ese hombre quién es? El que concedió a la unidad militar a la que yo pertenecía un Trofeo, un Guión y un Corbatín. Y ahora está ahí, lo tenemos condenado a una agonía eterna. Porque la ciencia moderna puede conservar la vida de un hombre mucho tiempo y en ese caso digo..., con la venia de la presidencia, que ese hombre, orgullo de nuestra juventud y galardón de nuestra estirpe, está purgando un delito que no cometió. Aquí, en este lugar, debo ser yo quien levanta el estandarte.

74

Ah, señores. Tenía que ser este humilde ciudadano... Bueno, ha pasado ya el minuto. Nunca he sido yo tachado de rebelde. No quiero rebasar el tiempo concedido por la presidencia. Así es que me retiro aunque con el propósito de regresar y consumir un nuevo turno cuando me parezca oportuno y posible.

El Lucero del Alba vivía en la época a la que se refiere Ariadna cerca de Pinarel en un pueblo realmente campesino — no como Pinarel, que era un lugar de veraneo de la aristocracia — llamado Los Juncos. Y el Lucero del Alba conocía a muchos si no a todos los hombres del bosque. Ariadna pide que lo saquen de la sala y a continuación tres de los pajes femeninos van a buscarlo. Él se levanta y sale delante agitando los brazos:

— No se molesten, que me voy *motu propio*. Pero allí estaré, en el centro del Campo de Marte. Allí al pie del monumento, y el que tenga ojos que vea. No digo que no regrese ocasionalmente bajo los dictados de mi conciencia. El señor presidente debe prepararse una vez más a ejercer conmigo la tolerancia.

Ariadna reanuda su informe:

— Entre los hombres del bosque había uno pequeño, de ojos verdes, curtidor de cueros. Era el menos leído y culto de la pequeña colonia. Estaba haciendo siempre juegos de palabras con la profesión: *Nosotros, los que trabajamos en cueros...* Era riojano, malo como un gato, es decir como un gato capón. Era también presumido como un gitano. Y doctrinario. Siempre estaba hablando de la libertad de la mujer, que debía ser la misma que la del hombre. Javier no lo tomaba en serio y como la indiferencia de Javier lo volvía loco se puso a hacerme la corte. A mí me daba risa, pero por esa inconsciencia y abandono que se ve a veces en nosotras durante los años primeros del matrimonio no rechacé al de los ojos verdes. Tampoco lo acepté, como es natural. Quería darle celos a Javier. No me parecía difícil. Los del bosque eran hombres. Nada más, pero nada menos. Y Javier era una especie de dios clandestino con todas sus debilidades. Era también un espléndido animal. Pero nunca un hombre en el sentido en el que los del bosque lo entendían. Javier lo sabía. Lo sabía por su incapacidad para ligar con ellos en las cosas de la vida ordinaria. Casi nunca suscitaba Javier amistad sino adoración o inquina.

»Javier tenía teorías curiosas sobre la fidelidad y la libertad en el amor. Según Javier los hombres y las mujeres que mantienen la virginidad del deseo — la misma de la niñez — no pueden

75

dejar de ser fieles aunque tengan relación con otros. Yo pensaba intrigada en qué consistía exactamente aquella virginidad. Se lo pregunté un día y me dijo:

»— Es inútil. No te lo diré nunca. Si tú tienes esa virginidad y te digo en qué consiste la perderás. Cuando sabemos que tenemos una cosa la perdemos, querida.

»Yo me recluía en mis recuerdos de infancia. En mi paraíso. El día que percibí por primera vez y fuera de mí aquel paraíso tenía Javier trece años y yo nueve o diez. La tarde mostraba cuatro o cinco niveles distintos: el del cielo, el de las nubes, el de los tejados, el de las capas próximas del aire — donde la música encontraba un eco tímido — y el del asfalto cubierto de arena amarilla. Todo, color topacio. Distintas tonalidades de topacio. Así era en aquella ciudad. En esta ciudad donde estamos tengo a veces la misma impresión.

»Una de las carrozas se había detenido delante de nuestros balcones. En el momento de detenerse pasaban por el cielo dos cigüeñas como barquitos antiguos. Javier decía que yo tenía entonces la tendencia de todos los chicos a inmovilizar las cosas que ven. Podía ver yo todo aquello quieto en mi memoria cuando quería, incluso los barquitos antiguos, y el sentido de aquella escena lo ligaba a las celebraciones funerarias que tanto me habían impresionado en mi infancia. La cabalgata era un inmenso cementerio ambulatorio. Es posible que Javier tuviera razón.

»Los detalles nuevos que veía cuando me detenía a pensar en mi paraíso eran tan inocentes como los ya sabidos: un guardia de gala con guantes blancos, una muchacha en la primera fila del público sobre el encintado de la acera, con la boca abierta. Otra detrás, rubia, saltando para alcanzar a ver algo más sobre los hombros de la gente. No debía tener más de once años. La chica saltaba y al descender sentía su falda amarilla llena de aire. Entonces aquella niña tan delicada decía:

»— Mira, parezco una malparida.

»Seguía saltando y mostrando su falda henchida de aire. Llevaba una chaqueta elástica también amarilla y en el pelo un lazo del mismo color.

»Yo le pedía a Javier que escribiera aquello de la virginidad del deseo y comenzó, pero dejaba la pluma diciendo que cuando escribía se producía dentro de él un cambio curioso. Iban acudiendo al recuerdo las cosas desagradables, tristes o vergonzosas de su pasado. Era como si alguien se obstinara en dificultarle la armonía interior para que no escribiera.

»— ¿Hay cosas vergonzantes? — decía yo, intrigada.

»— Sí, Ariadna. Todos las tienen. Tú también.

»Es probable. Yo en este momento quiero decir a ustedes todo lo que he hecho y hasta lo que he pensado, pero tal vez quedan otras cosas que mi memoria ha suprimido por decoro o por una tendencia natural defensiva. Y no las recuerdo. Me di cuenta de que la virginidad del deseo era muy importante para Javier. Le pregunté también sobre el ritual funerario de las cabalgatas.

»— Eso es otra cosa — me dijo —. Aquel día de las cabalgatas tú te sentías en el centro de una especie de cementerio ambulatorio. Querías estar muerta y que los demás hablaran en voz baja, contemplaran tu rostro adorable y se acercaran a besarte. Una reminiscencia del beso de tu tía en la cama cuando eras niña. Porque a veces ella iba a verte y tú te hacías la dormida y ella, que en general era seca, adusta y autoritaria, te besaba. Todavía ahora te haces la dormida a veces para que yo te bese despacito.

»— ¿Yo?

»— Sí. No lo niegues. Bueno, cuando estabas tú en el balcón y me veías a mí en el mío tenías exactamente ese deseo. La bella durmiente del bosque.

»Había algo veraz en esas palabras de Javier. Diciéndomelas parecía crecer Javier delante de mí de un modo impresionante.

»— ¿Cómo lo sabes? — le pregunté.

»— Lo recuerdo muy bien. Tu balcón estaba lleno de flores. El mío tenía un letrero enorme que ocupaba todos los balcones de nuestro piso y decía: *La Previsión Nacional*. Mi padre era el gerente de aquella compañía de seguros en la provincia. Y yo te miraba. Tú estabas sentada en un sillón de mimbre con la cabeza echada atrás, los ojos cerrados y los labios propicios por decirlo así.

»Yo reía a carcajadas oyendo a Javier. También aquello era verdad. Los recuerdos de Javier completaban exactamente los míos. Pero volvamos a Pinarel. Nuestra casa era grande. Tenía tres pisos y vivíamos en el principal. Como había dormitorios que no usábamos, Javier traía a veces a algún amigo para pasar el fin de semana.

»Un día vino el joven matrimonio suramericano que habíamos

conocido en San Juan de Luz. Los dos eran tan hermosos que su belleza tomaba el lugar del carácter. Se parecían el uno al otro y eso hacía a veces una impresión cómica.

»Era aquel matrimonio la pareja ideal, según lo que se entiende por tal en las novelas rosas.

»Una noche Yolanda — así se llamaba ella — me hizo una confidencia gracias a la cual me salvé de aquella idolatría boba en la que estaba cayendo. Me dijo que dos años antes viajando por Europa en el cochecito enano se puso César melancólico y triste y deteniendo súbitamente el coche en medio de una llanura desierta le dijo:

»— Mira, querida, he estado pensándolo en los últimos tiempos y veo que no hay más remedio. Ha llegado el momento de la verdad. Ahora tú tienes que bajar del coche.

»— ¿Yo? ¿Por qué?

»— Haz el favor. Ya hemos vivido bastante tiempo juntos, Yolanda. Ahora tienes que bajar y dejarme a mí solo. Solo para siempre. Toma cinco mil francos. Anda, preciosa, baja. La vida es la vida y ha llegado el momento.

»Repetía aquello con una obstinación de loco. Estuvieron discutiendo más de una hora bajo el cielo gris sobre la tierra desnuda. Él hablaba y ella lloraba:

»— ¿Pero, por qué?

»— Lo siento, Yolanda, uno de los dos tiene que sobrevivir.

»Por fin las lágrimas de Yolanda convencieron a César y siguieron juntos el viaje. No fueron sólo las lágrimas sino unas palabras infantiles de ella:

»— Pronto será de noche — dijo —. Y llegarán los lobos. ¿Qué haré yo sola contra las manadas de lobos que vendrán a la luz de la luna?

»César no habló más en todo aquel día. Yo no entendía bien el sentido de las palabras de César sobre la supervivencia. Cuando se lo dije a Javier él sonrió pérfidamente y no dijo nada.

»Yo me propuse atraer la atención de César. No sé. Era yo imbécil en aquellos días. Es decir, no era yo sino mi cuerpo, mi carne. Me mostraba voluble y querenciosa. Javier no perdía detalle. Por la noche me preguntaba: "¿Tú te das cuenta de lo que haces con esos coqueteos o lo haces inconscientemente?". Yo le dije que me daba cuenta. Javier se lamentaba y me miraba con lástima, pero sin rencor. Yo pensaba: es difícil entender a los hombres.

»En aquellos días estaba yo en la confusión más completa. Debía haber tenido un hijo y no lo tenía. La extenuación amorosa sin objeto — la orgía por la orgía — me alejaba de la realidad. Era como una persistente locura. Los locos no son en definitiva sino gentes que han perdido el sentido de lo real. Y yo lo había perdido al menos en parte, pero era locamente feliz.

»Javier iba poco al bosque y menos a Pinarel, la pequeña ciudad veraniega. A veces pasaba temporadas de hipocondría en las cuales su conducta se prestaba a grandes malentendidos. Algunos amigos creían que de pronto los odiaba o los despreciaba.

»— Esa cara tormentosa te costará un día la vida — le decía yo.

»El matrimonio ideal se fue al bosque tal vez porque se dieron cuenta de mis manejos. Aquello me ofendió mucho, pero naturalmente no dije nada. No necesitaba decir nada para que Javier se diera cuenta.

»Entre los que vivían en el campamento había un obrero tipógrafo alto, delgado, de profundos ojos enigmáticos. Un hombre interesante al estilo del siglo pasado. Conmigo cultivaba una especie de cinismo bondadoso. Yo le llamaba el *Doncel*. A veces venía a vernos y traía a su mujer, que era una muchacha despreocupada y alegre en apariencia, pero sólida por dentro como una roca. Hablaba poco, pero solía decir cosas inesperadas e inolvidables.

»Hablábamos de los aristócratas o burgueses ricos que vivían en Pinarel. Entre ellos y nosotras había una muralla invisible. Igual que nosotras, las mujeres de Pinarel trataban de superar de algún modo lo elemental, pero no lo conseguían. Javier decía que todo el mundo, hasta la oruga que se arrastra, hace algo por superar su animalidad. La burguesía organizaba tómbolas benéficas, rezaba y fornicaba, pero no conseguía como la oruga que le salieran alas.»

Al llegar aquí se calla y yo siento otra vez el reflector sobre mi cara. Oigo la voz del arzobispo que dice:

— ¿Quiere el varón Javier... — lee un papel donde está mi nombre —, Javier Baena aclarar esto de la superación de la animalidad?

Yo digo que todo lo que ha nacido y adquiere alguna forma de conciencia de su propio ser trata de alejarse lo más posible de su animalidad de origen.

— ¿Pero para qué? — vuelve a preguntar el arzobispo.

— Bien, la naturaleza no tiene fines. Al menos eso dicen. Pero con la razón y con la imaginación nos alejamos cada día más de la inercia fatal de la materia.

— ¿Y adónde vamos?

¿Quién soy yo para decir adónde vamos? ¿Quién soy yo para imponer a la asamblea mi fe religiosa o mi escepticismo? Además yo sé que las palabras esterilizan mi fe, esa fe que coincide con la virginidad de nuestro deseo en esos planos adonde Ariadna quiere ir y no puede ir. Al ver que no contesto apagan el reflector. Ariadna vuelve a hablar:

— A veces pensaba: ¿qué es lo que yo le he traído a Javier? No conseguía ver más que mi pereza voluptuosa. Cuando lo decía delante de Javier y del Doncel se reían los dos de un modo un poco infantil. Sin duda tenían para esas cosas palabras más masculinas. No estaban casi nunca de acuerdo Javier y el Doncel, pero cuando se trataba de ponerme a mí nerviosa coincidían.

»Entre los del bosque había también un abogado joven, gordo, de gran papada y cara romana. Se llamaba García Pérez, pero Javier lo llamaba Justiniano. Se sentía el joven abogado con los del bosque en una actitud rara, como gallina en corral ajeno, pero todos los fines de semana llegaba de la ciudad y se instalaba en una *tienda de solteros,* con otros cuatro o cinco. Estaba siempre tratando de adoctrinarles.

»— Vosotros tenéis razón — decía — y sois gente honrada y valiente. Pero cuando se trata de intervenir en la cosa pública no tenéis sentido de la eficacia.

»Esa era la flaqueza de Justiniano, que llevaba muchos años soñando con ser elegido concejal, había andado de partido en partido y en todos se había dado de baja cuando veía que a la hora de las elecciones designaban a otros candidatos. Justiniano se acercaba a los del bosque tratando de hacer trabajo político.

»La estatura de Justiniano era imponente y su gordura no era del todo vulgar sino que recordaba a las figuras de la mitología griega. Podía representar a Baco o a Dioniso. Sentía por Javier la estimación que un hombre trepador tiene por otro a quien considera generoso y desinteresado.

»Justiniano era el que percibía mejor los peligros que iban cuajando en aquella atmósfera cargada de corrientes secretas. Repetía a veces que a él no lo sorprenderían sus enemigos. Los problemas de la *eficiencia política* lo traían perturbado.

»Una noche vino alguien a casa y en lugar de llamar arrojó

piedrecitas al cristal del balcón. Era muy tarde. Aquello nos intrigó, pero era uno de los del bosque, un muchacho gallego que se llamaba Novaes. Dijo que arrojaba las piedrecitas porque no quería molestarnos en caso de que estuviéramos dormidos.

»Tenía aquel joven el dedo índice de la mano derecha cortado por la segunda falange, de un accidente en el aserradero de madera donde trabajaba. Cuando lo supe me extrañó un poco. No daba aquel chico la impresión de ser obrero. A Javier no le pareció extravagante que viniera a aquellas horas de la noche.

»Javier me pidió sábanas y mantas. Al verme sacar la ropa de un armario la tomó de mis manos y me dijo que volviera a mi cuarto a dormir. Yo insistí en preparar la cama y él se impacientó un poco y dijo alzando la voz:

»— Te he dicho que vuelvas a tu cuarto.

»Aquella voz y aquel acento me descubrieron algo vulnerable en él. "Hay un lado por el cual puedo hacerle daño", pensaba. No había podido imaginarlo hasta entonces.

»Javier fue al cuarto de Novaes, estuvo hablando con él un largo rato y luego volvió. Yo me hice la dormida. Javier se quedó un instante como dudando — yo me daba cuenta por los movimientos indecisos de su cuerpo en la cama — y por fin me besó en los labios suavemente. El amor de Javier me disminuía, me convertía poco a poco en un animalito o en una cosa. A veces me parecía bien. Otras sentía ganas de rebelarme. Otras aun pensaba desaparecer y aniquilarme con delicia.

»Se iba Javier de vez en cuando a pasar el día a la ciudad. No sé cómo se las arreglaba, pero siempre que iba encontraba a Fausta *por casualidad.* Esta casualidad llegó a ponerme a mí en guardia.

»Decía Javier que la paz del campo le fatigaba. Iba a la ciudad a descansar del campo. Un día vino diciendo que estaba en Pinarel la familia de Alvear, un político que había sido ministro con la monarquía y amigo de mi padre. A mí me conoció Alvear siendo niña. Valdría la pena ir a verlo, pero lo dejábamos de un día para otro.

»Trabajaba mucho Javier a su manera. El trabajo literario o científico — ¿cómo definirlo? — de Javier era muy particular. Y se dedicaba a él de lleno. La empresa donde estaba empleado le había dado dos meses de vacaciones, el primero con sueldo. Y Javier se ocupaba febrilmente de cosas raras que él llamaba en broma *antecedentes para la magia del futuro*. Anduvo algún tiempo preguntando a sus amigos si conocían algún ciego de nacimiento porque le intrigaba qué clase de luz era la que veían los ciegos en sus sueños ya que por no haberla experimentado carecían de antecedentes. Las formas, sí. Podían tocarlas con las manos y oír referencias y descripciones. ¿Pero la luz? ¿Qué forma tiene la luz? ¿Qué definición de la luz podría dar nadie? ¿De dónde vendría el atavismo de la luz en los ciegos? Javier a vueltas con todas estas preocupaciones decía que había manera de hallar un camino entre la física y la poesía.

»Las raras experiencias a las que se dedicaba tenían por objeto forzar el misterio, romper la apariencia hermética en la que se envuelven las cosas.

»Novaes, el galleguito del dedo cortado, había venido a traer unas placas fotográficas con las que estaba haciendo Javier experimentos. Vino a aquella hora — en plena noche — por indicación de Javier. En lo más hondo de una mina abandonada y en la más completa oscuridad había dejado días antes seis placas fotográficas descubiertas, una en cada rincón y dos en el suelo. Estuvieron allí siete días. Eran placas ultrasensibles y Javier esperaba hallar en ellas alguna imagen o insinuación de imagen. Le había dicho al galleguito que las sacara envueltas en papeles opacos y por la noche para que los rayos ultravioleta de la luz solar — que podrían atravesar tal vez el envoltorio — no interfirieran en su experimento.

»Revelaron las placas al día siguiente. En una se veía algo como una foto de rayos x. Un costillar, la forma vaga de un corazón. Los bordes de esta última imagen eran imprecisos y daban la idea de un corazón latiendo. No podía ser un costillar ni un corazón, pero entonces ¿por qué aquellas formas? El galleguito decía que las minas de plomo tienen radium y que éste había impresionado las sales de plata. Javier volvía a preguntarse: ¿por qué da el radium la imagen de un costillar?

»Las otras fotos tenían cosas no menos raras. Una ala desplegada. Una mano. Se veían las nervaturas de las falanges, las uñas rematando los dedos. No sólo la mano era perfecta, sino que lo mismo que el corazón parecía animada. Había en ella algo sacerdotal y antiguo. Las otras dos placas se veían completamente negras. El galleguito Novaes iba y venía diciendo:

»— Muchas cosas pasan en la vida que no se pueden explicar. Yo tengo una tía-abuela que habla con las gaviotas de la mar y ellas le contestan como verdaderas personas. Después de oírlas la abuela dice: éstas han comido carne de náufrago y aquéllas otras, no.

»También la abuela estaba fatigada al parecer de la lógica de las cosas.

»Javier me hacía preguntas a veces en relación con mis sentimientos para los otros hombres.

»— ¿Sabes? —le dije un día—. En el amor de las mujeres no se puede ver claro, pero no es porque seamos falsas e hipócritas, sino sencillamente porque tampoco vemos claro nosotras.

»Yo pensaba a veces que aquella confusión tenía algo que ver con la virginidad del deseo. Pero no decía nada. Unas veces me parecía Javier un fraile y otras un loco. Tal vez en el fondo era entonces un hombre bastante parecido a un fraile loco.

»Andaba ocupado con sus placas. Los problemas de la luz le apasionaban siempre. Buscaba algo concreto, yo no sé qué. A veces cuando le preguntaba me decía:

»— Ninguna de las cosas que vemos es como parece. Yo trato de buscarlas en su verdadero ser si es que existe.

»— ¿Pero para qué?

»— Para nada, querida.

»Hablando Javier con el Doncel que era bastante culto les oía decir palabras como *noumeno,* que yo no comprendía. Detrás de aquellas cosas había en ellos una ambición que a veces me parecía infantil y a veces demoníaca. Noumeno. Vaya una palabra. Tenía algo indecente.

»Javier me dijo un día que yo parecía una mujer distinta en Pinarel y que estaba resentida con él. Como todo se lo explicaba a su manera añadió que en aquellas alturas y en medio de los bosques cargados de ozono los nervios se irritaban más fácilmente que en la ciudad.

»En aquellos días hubo dos o tres tormentas y llovió torrencialmente en el bosque. Javier fue a buscar a César. El suramericano era un buen ingeniero y Javier quería que le ayudara en uno de sus experimentos. Como otros hispanoamericanos tenía César una especie de diletantismo cosmopolita compatible con cierta estrechez mental provinciana. A mí me resultaba incómoda la conversación con él. Yo lo trataba en aquellos días de un modo indiferente y desdeñoso, pero él no se enteraba. Nunca se enteraba de las reacciones de las mujeres. No había más que Yolanda, para él.

»Javier dijo a César que se trataba de ir al bosque después de la tormenta — al bosque lleno de rumores — y captar los de las raíces en expansión, los del agua encerrándose en los peciolos, los de la distensión de las lianas. Poniendo micrófonos muy sensitivos a flor de tierra o enterrados y escuchando en la noche con amplificadores tendría que oírse la absorción de una gota de agua por la tierra seca, la apertura de una semilla, la ligera eclosión de un fruto maduro, el escindirse de un nudo para hacer salir un brote nuevo. Los rumores tal vez producirían sonidos articulados y éstos dirían algo parecido a las palabras. Algo comprensible en algún idioma. A César le parecía una tontería.

»— Suponiendo que se formen esas palabras — decía — se formarán por casualidad. Lo mismo te da tomar un alfiler e ir pinchando al azar en un periódico las letras para unirlas luego y ver qué dicen.

»Javier negaba. No había casualidad porque aquellos sonidos no podían dejar de producirse quisiera él o no. Añadía que no daba a aquellas experiencias más valor del que tenían: una broma poética relacionada con lo que él llamaba *la magia del futuro*.

»— ¿Pero qué magia? — decía César un poco irritado —. En el futuro no habrá magia.

»— ¿Cómo que no? La habrá siempre. Cada día más.

»Con la tierra todavía húmeda de lluvia instalaron en el bosque los micrófonos y se pusieron a escuchar. César se aburría. Pero Javier se pasó allí la noche entera y después grabó en la ciudad con las cintas sonoras veintiocho discos pequeños. Tomaba nota de algunas palabras que a veces sonaban a inglesas o francesas y si no las entendía las buscaba en los diccionarios. Creía encontrar en algunas frases sentidos ocultos. César decía:

»— Supersticiones.

»En cambio el Doncel tomaba aquello en serio. El Doncel no quería al americano y discrepaba siempre con él. Para asustarlo decía que las alarmas de las que hablaba Justiniano eran ciertas y que estábamos rodeados de peligros aunque por el momento nadie sabía realmente en qué consistían. César y Yolanda hacían planes para marcharse, pero se quedaban porque era la primera vez en su vida — según decían — que se sentían a gusto en alguna parte.

»Javier había formado con grupos de palabras francesas, españolas e inglesas oídas en el bosque frases casi lógicas. Una de ellas era... *suitably sulk elha ceroferario emmbarca au moine et au moineau kon los diennnthes.* La traducción era absurda y en español más o menos exacto venía a decir: dulcemente aburrido el hombre que lleva el cirio encendido embarca al monje y al gorrión con los dientes. Javier creía que la frase no terminaba ahí y escuchaba los sonidos siguientes. Creía oír *unsparing.* Es decir que la frase terminaba: ... con los dientes agrios.

»A veces Javier se retiraba a un cuarto del último piso y escribía. Yo creo que escribía versos porque encontré un día en sus bolsillos estrofas sueltas. Resultaban monstruosas, con luces súbitamente inspiradas aquí y allá. Le pregunté lo que era y él me las quitó de las manos:

»— Tú sabes — dijo —, los borradores literarios son ventanas abiertas sobre el horror.

»— ¿El horror?

»— El caos.

»— ¿Qué caos?

»— El caos de los orígenes.

»César y Yolanda seguían creyendo que los juegos de Javier con las palabras del bosque eran tonterías. Javier se enfadaba y llegaba a insultarlos, pero sus insultos solían tener algún aspecto halagüeño para la víctima. Llamaba a César y a su mujer *oceánidas.* Lo más curioso era que César se ofendía.

»— No me molesta la palabra — advertía —, sino el tono.

»César sabía que yo le había contado a Javier lo del desierto y la supervivencia — cuando echó a su mujer del coche — y andaba sensitivo e irritable aquellos días sospechando que nos habíamos reído a su costa.

»Un día Javier fue a Pinarel a comprar tabaco de pipa y volvió diciendo que había encontrado en la calle a Alvear, el ex ministro del rey.

»El Doncel ayudaba a Javier en sus manías. Creía como Javier en la importancia de las cosas aparentemente casuales y vanas. Y daba una gran significación al trabajo literario. Un poeta o un escritor de veras originales podían tener influencia destruyendo prejuicios y creando nociones y normas nuevas.

»Se pasaban el día en el cuarto abuhardillado del último piso. Había en el muro estampas de mujeres con miriñaque.

»En las voces del bosque encontraron cosas terribles pero yo no sé si las había dicho el bosque o las inventaban ellos. Cuando me veían demasiado escéptica me llevaban al gramófono y me hacían escuchar. Realmente el bosque parecía hablar. Y un día bajaron los dos dando voces. En el último disco se oía mi nombre claramente. Yo creía que era una broma, pero la voz no era la de César ni la del Doncel ni la de Javier. No sonaba como la de ningún ser humano. Y de veras se oía mi nombre. A Javier le decepcionaba que la selva no hubiera dicho también el suyo, pero se dio cuenta de que el bosque no podía pronunciar la jota española del nombre de Javier. Eso de que la naturaleza no pudiera pronunciar una consonante resultaba gracioso.

»Un día que fui con Javier a Pinarel a poner un telegrama encontramos en la calle a Alvear. Se alegró de vernos. El viejo, que se llamaba Nicolás de Alvear, nos dijo que tenía en Pinarel su casa de verano. Vestía una camisa de seda cruda con cuello blando y sin corbata. Pantalón gris claro, de franela. Cuando hablaba me miraba a mí, pero pensaba en Javier, que parecía intrigarle.

»Nos invitó a ir a su casa al día siguiente. Aquel señor me había tenido en sus rodillas muchas veces según decía. Yo tenía una vaga idea de él. Recordaba de los tiempos de mi niñez que sus manos no olían a tabaco y que suponía que las partes ocultas de su cuerpo debían ser de alfeñique, porque mi padre solía exclamar a veces: "¡Esos políticos de alfeñique que nos representan en las Cortes¡".

»Un asiduo del bosque de quien no he hablado aún, era un asturiano a quien llamaban Avelino. En todas partes hay un asturiano que se llama Avelino. Era minero y había sido muy amigo de todos los cabecillas políticos de la región, sobre todo de los republicanos federales, que eran los que hacían mejores migas con nuestros amigos del bosque.

»Avelino era poco hablador, cosa rara en un asturiano, muy adicto a Javier, aunque de vez en cuando discutían ásperamente, y un poco sectario. Javier solía gastarle bromas:

»— Yo soy un intelectual y tú un proletario. En la sociedad nueva no tendréis más remedio que darnos algún privilegio para poder salir adelante con nuestra ayuda.

»Avelino miraba de reojo y gruñía:

»— Colgaremos un intelectual de cada farol. Ese será vuestro privilegio.

»Detrás de esas bromas había algo cierto. Otras veces Avelino daba consejos a Javier:

»— Ten cuidado — le decía —, porque tú eres demasiado honrado para andar con nosotros en tiempos de lucha. Hombres como tú suelen ser las víctimas de los unos y de los otros. Porque tú haces imprudencias y después no sabes cubrirte.

»— También tú las haces.

»— ¿Yo? Dime una.

»— El nacer. ¿No naciste un día? Todos los que nacen acaban malamente, Avelino.

»— ¿Eh?

»— Muy malamente. Y no se salva ni uno solo.

»Esto dejaba a Avelino pensativo todo el día. Tenía Avelino tan poco sentido de humor como Justiniano y menos sentido filosófico.

»Al día siguiente fuimos a casa de Alvear. Tuvimos que esperar que abrieran la puerta del parque. A través de la verja cerrada se veía una avenida de grava menuda y glorietas y pequeños bustos de mármol de aire dieciochesco. Sobre la puerta había dos iniciales de hierro dentro de un óvalo. Y encima una pequeña corona de marqués. Javier me preguntó si Alvear lo era y yo le dije que debía serlo su hermano mayor porque la familia tenía un marquesado adscrito al mayorazgo. Eso del mayorazgo le hizo reír. En aquellos tiempos todo eso sonaba de un modo anacrónico.

»Javier no tenía nada contra Alvear. Un monárquico liberal — decía — es un hombre agradable cuando no está en el poder. Lo que pasaba con ellos según Javier era que España no es un país para monárquicos liberales por la desigualdad económica y la pobreza y la incultura del pueblo. Según Javier el carácter utópico de aquellos viejos políticos los hacía amables y ligeramente tontos cuando estaban fuera del Gobierno y falsos y reaccionarios cuando mandaban.

»Todo esto no era obstáculo para que yo estuviera impresionada al llegar a la casa. Javier llevaba gafas oscuras y no quería quitárselas. Con ellas tomaba un aire casi siniestro.

»Un lacayo nos condujo a una terraza cubierta con un toldo color naranja. Allí estaba Alvear. Había varios sillones de cuero rojo, una mesa y una estantería con libros. En el cuarto inmediato se oían los rumores de una partida de ping-pong entre dos personas jóvenes que reían cuando perdían la pelota.

»Alvear dijo que tenía noticias indirectas de nosotros. Yo veía en sus maneras cierta solemnidad autoritaria que no había visto cuando lo hallamos en la calle. Y pensaba: "Está en su casa y se siente más seguro. Eso mismo les pasa a algunos animales domésticos, sobre todo a los gatos, que en la calle son tímidos y en el umbral de su hogar, serenos y altivos".

»Nos preguntó si estábamos bien instalados, si íbamos a menudo a la ciudad y si pensábamos quedarnos en Pinarel hasta septiembre o sólo hasta que el calor aflojara. Él iba con frecuencia a la ciudad, pero al mediodía estaba de regreso. Le gustaba Pinarel. Su familia fue una de las primeras en construir su casa de verano en aquel lugar cuando nadie creía en las virtudes del clima. Compraron la casa por una bicoca y la reconstruyeron. Allí había estado la infanta Isabel varias veces de paso para Francia. Tenía un cuarto donde solía descansar y acostarse cuando se fatigaba del viaje. Y decía a Alvear:

»— Tu tío Álvaro era un barbián en sus años mozos.

»Viendo yo a su tío en un retrato con una enorme barba me decía: es natural. Un barbián debe tener barba. Era una reflexión como las de mi niñez. Pensaba Alvear que sus relaciones con la familia real nos debían parecer de muy buen tono porque no le cabía en la cabeza que cualquiera que fueran las ideas políticas de la gente se pudiera desestimar la importancia de una princesa o un rey. Y conmigo tenía razón. A mí me gustaba oírle hablar no sólo de las infantas, sino de sí mismo. Porque Alvear parecía un príncipe también.

»A medida que pasaba el tiempo Alvear se daba cuenta del silencio de Javier. Le ofreció en vano té, café y por fin acertó con un brandy que trajeron en bandeja de plata. Alvear hablaba de las glorias políticas de su propia familia.

»Había cigarrillos egipcios sobre la mesa en una cajita de nácar junto a una foto de mujer con marco de cristal labrado.

»Era Alvear un hombre discreto. Se sentía importante y sin duda lo era para sus criados y para sus clientes — era abogado —, pero no lograba impresionarnos con los nombres que citaba como amigos y vecinos.

»Todo era allí de un gusto sólido y costoso. Hasta las gafas y la boquilla de ámbar. Alvear trató de averiguar las ideas políticas de Javier, pero después de algunos escarceos sin resultado volvió a hablar de su propia familia.

»— No olvidaré nunca cuando mi tío Álvaro tuvo que preguntar a la reina regente después de la muerte de Alfonso XII si estaba o no embarazada. No es tan fácil para un ministro debutante como era mi tío preguntar a una reina una cosa así. Pues bien, mi tío lo hizo. Y lo hizo con las siguientes palabras que recuerdo de memoria: "Señora, deberes de Estado me obligan a expresarme con una desenvoltura enojosa. El Gobierno me ha encargado que pregunte a Vuestra Majestad si Dios ha bendecido a España con la promesa de un hijo de sus amados monarcas". La reina, que era un portento de buen sentido y de llaneza, respondió: "Sí, señor ministro. Estoy preñada de tres meses".

»Alvear no comprendía que no nos entusiasmáramos y repetía:

»— ¿No es sublime? *Estoy preñada de tres meses*. Era una mujer de un buen sentido directo y casi brutal. Ah, si hubieran escuchado a la reina madre en los últimos años. Si Alfonso XIII la hubiera escuchado en 1923 nos habríamos evitado todo esto. *Todo esto* era la República. Javier tenía ganas de reír. Yo lo veía en la manera de esforzarse por evitarlo y de acentuar su seriedad.

»Seguía Alvear hablando en un tono un poco engolado: porque cuando el rey quiso establecer en 1923 la dictadura, su madre le dijo: "Alfonso, si sigues por ese camino, dentro de algunos años tendrás que caminar por los tejados cada vez que quieras salir de Palacio". Porque la reina madre hablaba de un modo breve y expresivo. Por desgracia nadie la escuchó y la pobre murió en plena dictadura, repitiendo que a la dinastía se la llevaba el diablo. Y vaya si se la llevó. Ninguno de nosotros, los jefes de partido, quisimos hacer nada para salvarla. Javier lo escuchaba como diciendo: " Bueno, ¿y a mí qué?". Se dio cuenta Alvear y dejando a Javier se dirigió a mí:

»— A tu padre lo estimaba yo mucho. No era nada sectario y a veces votaba por nosotros. (Yo recordaba cuando de niña creía que mi padre daba botes por la escuela.) Sí, votaba por nosotros, por mí. Un mal menor, decía. Con todo lo doloroso de su muerte yo prefiero que haya desaparecido tu padre antes de conocer estos tiempos porque se habría decepcionado terriblemente. Lo malo de la República es que no tiene grandeza. Ni símbolos, ni tradiciones, ni doctrinas. Todos andan a la greña como las verduleras en la plaza pública. Se dicen horrores. En los peores tiempos nuestros no ha habido nunca esa avilantez ni esa disposición vejatoria. He oído decir atrocidades de

Lerroux en los pasillos del Congreso. Las dicen para minarle el terreno. De Azaña y de su vida privada dicen también barbaridades. No las creen, pero las repiten y, claro está, si las dicen ellos mismos sus enemigos se apresuran a creerlas. Todo esto sucede porque en España se ha perdido el principio de autoridad. Todo el mundo cree que puede ser ministro, que puede ser presidente. Si lo es Rodríguez, ¿por qué no yo? Y nadie piensa más que en esto. Siquiera en mis tiempos el orden jerárquico estaba sólidamente fijado. Cuando a uno de nosotros se le incluía en una combinación ministerial el interesado se ponía a temblar. Ahora todo el mundo cree que le hace un favor al país dejándose nombrar ministro. Lo mismo pasa con la religión. Nadie cree en el papa ni en el cardenal primado y si me apuran ustedes nadie cree en Dios. Y hay una serie de contrasentidos pintorescos. ¿Cómo van a creer en un dios que ha permitido la proclamación de este régimen? Eso piensan. Y por otra parte, ¿no a nacido el régimen con una debilidad congénita? Si es una democracia y yo no lo niego, ¿por qué tantas leyes de defensa? Leyes de emergencia, leyes de estado de alarma. Nunca existieron esas cosas en mis tiempos. Bastaba con el estado de guerra cuando las cosas llegaban a hacerse intolerables.

»Javier intervino:

»— Ustedes disolvían las Cortes cuando querían y...

»— Ah, amigo mío .Esa era una prerrogativa que le correspondía a la corona.

»— Yo creo — dijo Javier — que con cualquier régimen el problema es el mismo. En España ser un hombre del pueblo es considerado todavía como una desgracia. Y el que se acerca a la política lo hace con la idea de ser algo más. Un cabo del ejército puede pegarle a un soldado. Un gobernador puede meterle a uno en la cárcel. Un cura es un hombre que mira de reojo y parece decir: "Desdichado, no olvides que puedo mandarte al infierno". Así como en otros países es un orgullo pertenecer al pueblo y la política es el servicio del pueblo y el Estado es el vigilante de una armonía de intereses en la que el pueblo tiene la parte mayor, el político español que consigue ser nombrado concejal o gobernador o ministro tiene el convencimiento de que lo ha sido para ejercer alguna especie de mando sobre los demás, tal como se entendía la autoridad en la Edad Media y tal como se entiende hoy todavía en las tribus del Líbano o del Atlas. Es decir contra el pueblo. Automóvil oficial, garrotazo y tente tieso.

»— Rechazo estas últimas palabras, pero es interesante lo que usted dice — admitió Alvear.

»Y seguía mirándolo, intrigado. Le sirvió más brandy y Javier llevando la copa bajo su propia nariz y oliéndolo con una expresión reflexiva dijo:

»— Como consecuencia de todo esto va usted a ver la que se arma cualquier día.

»— No, no lo creo — dijo Alvear repeliendo en el aire con la mano abierta aquella hipótesis —. Yo conozco a los jefes de la oposición y puedo asegurarle que no pasará nada.

»Javier lo miraba pensando: "¿Será sincero?". No podía aceptar que lo fuera porque aquello suponía una inmensa tontería. Alvear ofrecía fuego para el cigarrillo de Javier:

»— ¿Es usted republicano federal? — preguntó.

»Javier negó con la cabeza. Alvear dejó a Javier y se puso a hablar otra vez de mi padre:

»— Era un hombre de conciencia. Un día vino a verme durante una de mis visitas electorales, lo que me extrañó un poco, ya que todo el mundo sabía que tu padre era de ideas antidinásticas. Pues bien, vino a verme. Y después al marcharse dijo en la puerta: "Don Nicolás, usted sabe que puede contar conmigo". Lo dijo en voz alta y lo oyeron otras personas que estaban en el vestíbulo. La frase en un hombre como él tenía importancia. ¿No le parece?

»Yo le dije que mi padre lo admiraba como persona, pero no como político y que aquellas palabras no eran probablemente más que una forma de cortesía. Alvear se obstinaba:

»— No, Ariadna, por favor. No me niegues que en los últimos años de su vida tu padre era partidario mío. No me quites esa ilusión.

»Yo tenía ganas de reír recordando que mi padre decía de Alvear: *"Esa ave canora..."*. Aunque es verdad que lo decía con simpatía. Se puede querer a una persona y burlarse de ella. Yo contenía las ganas de reír. Pero Alvear seguía:

»— Tu padre era el liberal más significado entre la gente pudiente de la provincia. Que un barbero sea republicano, no cambia el orden del universo. Que lo hubiera sido tu padre hasta el fin de sus días habría sido para nosotros los jefes políticos un caso de conciencia. Los más íntimos detalles de la vida de tu familia tenían repercusión en la ciudad. Yo recuerdo cuando naciste tú y te registraron en la lista civil con tu nombre pagano: Ariadna. Bueno, la gente corregía el error piadosamente llamándote Adriana, dándote el nombre de un santo emperador de origen español, Adriano. Recuerdo que la gente en la vieja ciudadela hablaba de eso con escándalo.

»— Perdone usted — dije yo, divertida —. Si mi nombre fuera Adriana no vendría del emperador romano, sino de algún papa que canonizaron con ese nombre. Me gusta enmendarle la plana a un ex ministro del rey.

»— Juraría — dijo Alvear — que Adriano fue emperador y santo.

»— ¡No! — intervino Javier —. Yo he leído recientemente *Los emperadores de la decadencia* de Donald R. Stinner y no dice nada de eso.

»La cita de Javier era falsa. A menudo Javier hacía pequeñas bromas. Aquel nombre — Donald R. Stinner — lo había usado otras veces. El nombre hizo efecto. Javier añadió:

»— Adriano era un emperador de origen hispánico, homosexual y amante del hermoso Antínoo.

»Alvear parpadeó nervioso, volviendo la cabeza en la dirección del cuarto donde jugaban los chicos. Por un instante buscó un lápiz con la idea tal vez de apuntar los datos de Javier, pero desistió y siguió hablando:

»— Como sea, tu nombre, Ariadna, causó revuelo en la ciudad. Eran otros tiempos aquellos, es cierto. Eran tiempos en que los campesinos de las aldeas se arrodillaban al oír la marcha real.

»Los ojos de Alvear brillaban mojados por la nostalgia. Detrás de sus evocaciones el señor — como llamaba al rey — tomaba proporciones mitológicas. El Palacio de Oriente resultaba más palacial y majestuoso. Pero después añadía: Por desgracia todo eso ha tenido su momento y ha pasado. Yo no espero la restauración. Nadie la espera, aunque algunos digan otra cosa. No se trata de restaurar nada sino de sacar de la cantera de la tradición formas nuevas.

»Alvear se dejaba llevar fácilmente de la tendencia retórica. Javier lo miraba, pensando: "Por lo menos esta gente tiene estilo. Los republicanos no lo tienen todavía. Tal vez no lo tendrán nunca".

»La casa de Alvear respiraba esa discreta solidez de las grandes casas españolas. Sin ornamentos ni alardes. Una grandeza de cimientos, de techos, de espacios vacíos con ecos ancestrales. Esa era la palabra: ancestrales. En los ojos de Javier había cierta ironía callada. Alvear la veía también.

»— ¿Es usted socialista? — decía el ex ministro.

»Javier negaba con la cabeza y no añadía nada, lo que comenzaba a resultar violento. Cada vez que Alvear dejaba de hablar con Javier volvía al mismo tema conmigo:

»— Tu padre era un ogro. Un ogro bien educado, claro. Muchos cortesanos habría querido yo que fueran tan discretos y agudos.

»Explicaba que al decir *el ogro* aludía a su sinceridad un poco enfática. Yo no reconocía ninguna de aquellas cualidades en mi padre. Tal vez eran ciertas y yo las ignoraba. En todo caso era igual. Alvear se lamentaba de la desaparición de mi padre como si hubiera muerto el día anterior.

»Volvieron a hablar de política. Javier repitió que íbamos a la catástrofe y Alvear insistió en su optimismo:

»— No pasará nada.

»— ¡Que no! Antes de tres semanas las cosas se habrán puesto de tal forma que tal vez me fusilará a mí o yo le fusilaré a usted — dijo Javier.

»Alvear se quedó congelado. No era aquél su estilo. Uno de los chicos que jugaban al ping-pong se asomó con la paleta en una mano y en la otra la bolita de caucho.

»— Papá, ¿me dejas el coche?

»— No, hijo. ¿Para qué?

»Nos presentó el padre. El muchacho preguntó a Javier:

»— ¿Ese *Cadillac* que hay delante de la puerta es suyo?

»— No — dijo Javier.

»— Anda, hijo, no nos molestes. Sigue jugando.

»— ¿A quién dicen que van a fusilar?

»— Vamos, no seas importuno.

»El joven desapareció. Poco después se oían de nuevo la bolita de caucho y las risas.

»Alvear debía pensar que Javier era un hombre sin sentido de las proporciones. Y seguía hablando: la animadversión y el odio no pueden llegar muy lejos. Hay que recordar que vivimos en un país civilizado. Cambió otra vez de tema dirigiéndose a mí:

»— Tu padre era un hombre de genio. Un arquitecto con manos mágicas, que transformaba lo que tocaba.

»Y miraba a Javier sin saber qué pensar. Le parecía un joven culto y de buena familia. Sin embargo hablaba de fusilar a sus enemigos. No parecía republicano, Javier. No conseguía clasificarlo. Alvear abandonó el tema de mi padre y volvió a hablar del rey:

»— Alfonso XIII no ha sido el mejor monarca que hemos tenido, es verdad — concedía —. Pero bueno o malo era el rey. Esa es la diferencia. Ustedes pueden censurar, calumniar si es preciso, a un presidente. En el juego sucio de la política la calumnia parece estar consagrada por las costumbres. Nosotros en último extremo aceptamos que el rey es el rey. No crea usted que todo es rosas y frases floridas en la corte. No crea usted que personalmente todos los monárquicos tienen motivos de gratitud y admiración y reverencia por la persona del rey. Pero ¿qué mérito tendría adorar a un rey adorable? No. Lo que reverenciamos es la institución de la monarquía. Yo le contaré a usted una anécdota que no es nada halagüeña para el rey. Pero a mí no me duelen prendas. En los tiempos de la dictadura de Primo un día estaba Su Majestad en el tiro de pichón de Puerta de Hierro. Yo jugaba pares con Miranda y con el señor. Y dije al rey: "¿Vuestra Majestad paga dieciséis?". Y el rey se volvió hacia mí con la escopeta al brazo y me dijo: *"¿Dieciséis? Que te los pague tu madre"*. No es muy cortés, verdad. Pero era el rey. Así y todo yo no podía quedarme callado. Dije al rey con un acento humilde, pero firme: "Señor, mi santa madre murió hace diez años. No podría pagarme nada". Luego me retiré y no volví a apostar en sus jugadas. Viana se acercó a darme las explicaciones que no había querido darme el rey. Y otro de la alta servidumbre me felicitó y me dijo: "Alvear, ha estado muy bien. Ciertas cosas no debe decirlas nadie, ni siquiera el rey". Pero es lo que yo digo. ¿Vamos a renegar por eso de la monarquía? No, ni mucho menos, aunque acepto que el regreso de los Borbones es históricamente imposible.

»Parecía estar pensando, Javier: "Qué curiosa manera de hablar la víspera de jugar pares con la muerte". Y sonreía evocando la figura de Alfonso XIII que en aquella pequeña anécdota de Puerta de Hierro aparecía tal como era en realidad. Yo dije:

»— Usted que va a la ciudad con frecuencia y ve gente, ¿qué impresión tiene de la situación?

»Alvear se recogió un momento en su butaca:

»— La respuesta es fácil. No va a pasar nada. Alguna algarada, pero las bases del orden social son inconmovibles. Conozco gente en todos los sectores. Los míos son unos buenos chicos que juegan al hombre terrible. Estoy de acuerdo con ellos en todo menos en la violencia. Se lo decía el otro día a Muriel. El respeto a la ley ante todo. ¿Qué será de nosotros si se pierde ese respeto? Muriel es un abogado y debería saber todo eso tan bien como yo, pero en la capital y en estos momentos se ven las cosas de otro modo. Le digo a usted, Ariadna, lo que le decía a su padre que en paz descanse: "Las aguas del río de la historia son densas y calmas y llevan su camino. Un poco de sangre, un poco de ruido en las orillas no alterarán su curso".

»Javier se levantaba y sin el menor convencimiento decía:

»— Ojalá tenga usted razón.

»Pensaba en Muriel, que era uno de los jefes moruecos más pugnaces. Alvear nos acompañó a la puerta. Seguía haciendo los mayores elogios de mi padre creyendo halagarme. Los políticos son gente poco sagaz. No comprenden que una persona puede tener una idea muy precaria de su padre y sin embargo quererlo. Alvear insistía en las virtudes de mi padre. Yo no sabía a qué virtudes se refería. No le conocí ninguna como no fuera la adhesión paternal a su casa y a los suyos.

»Dijo Alvear a Javier que si algún día quería ir a la ciudad lo llevaría con gusto en el coche, pero tendría que madrugar. Él salía muy temprano.

»Javier salió pensando: "Espera todavía conquistarme. Conquistarme tal vez para las elecciones futuras aunque no crea en la restauración de los Borbones".»

Al llegar a esta parte del informe Ariadna calla unos minutos. Luego añade:

— Olvidaba decir que Alvear nos invitó a un baile y tómbola benéfica que celebraban dos días después en Pinarel las familias notables. Es cosa de mi hija, decía. Ella es la secretaria de organización del patronato antituberculoso. Lamentaba no poder presentárnosla porque estaba pasando unos días con los condes de Arán en una finca que tenían a unos seis kilómetros de Pinarel. ¿Vendrán ustedes?, nos preguntaba.

»Le dijimos que decidiríamos al día siguiente porque esperábamos amigos aquel fin de semana, pero que en todo caso le agradecíamos la invitación.»

Ariadna vuelve a callar. En el fondo del estrado sigue vacío el sillón de la infanta Palmatoria. ¡Vaya un nombre! El trono de la infanta es también grotesco. Desde mi sitio se ve por debajo un muelle roto en espiral.

— Volviendo a casa Javier decía: "Primero esos aristócratas se divierten creando la tuberculosis en las clases humildes y después vuelven a divertirse con sus tómbolas a beneficio de los sanatorios antituberculosos. Todo lo aprovechan". Yo decía a Javier:

»— ¿Y si fuéramos a esa fiesta?

»Javier vacilaba. ¿Qué dirían los del bosque? Me gustó que Javier no considerara disparatada la idea. Yo pensaba que tendría gracia ir allí y bailar con marqueses monárquicos. Me hice el propósito de convencer a Javier.»

Ariadna se calla. En la sala del abadiado hay un silencio grave. Un secretario que había salido vuelve con una carpeta y habla con el presidente. Mi vecino francés dice:

— ¿Qué le pasa a Ariadna? ¿Por qué no sigue?

— No sé.

— ¿Diría usted que Ariadna es una española típica?

— Es posible, pero no olvide usted que no hay españoles típicos.

Se oyen ocmentarios en el estrado, susurros y algunas risas contenidas.

Ariadna de pronto vuelve a hablar:

— A veces Javier iba a la ciudad y nos dejaba solos al Doncel y a mí en nuestra casa. Los dos teníamos tentaciones pecaminosas, pero nunca las llevamos a cabo. Yo lo quería de veras, a mi marido. Claro que esa no era la principal razón. Esa razón en este momento no sabría decirla. Quiero decir la razón de mi fidelidad.

»Tenía el Doncel una tendencia natural a la tristeza. Venía, se sentaba en el extremo de un sofá, echaba un brazo por detrás del respaldo y se disponía a dar suelta a sus nostalgias. Éramos jóvenes, seguíamos viviendo más o menos en la misma atmósfera de nuestra adolescencia y sin embargo parecíamos recordar algo mejor y anterior. Algo anterior que no era la infancia. Javier solía decir que sentíamos la nostalgia de la nada original de donde habíamos venido.

»Aquella tarde había niebla, esa niebla de verano que lo mismo que en Orna aparece en la montaña y se extiende a veces como una inundación por carreteras, colinas y valles. El Doncel miraba la niebla con un gesto experto de navegante.

»Habíamos estado el Doncel y yo solos desde la primera hora de la tarde, que comenzaba a caer. El Doncel decía que Javier no tenía razón si creía que la nada estaba en el período anterior a nuestro nacimiento y posterior a nuestra muerte. La nada estaba a nuestro lado, nos envolvía, entraba por los intersticios de nuestro ser y toda nuestra vida consistía en una lucha continua para no dejarnos dominar por ella. Yo pensaba: "Los que mejor consiguen defenderse contra la nada son los ricos como Alvear".

»La niebla parecía traer sobre la casa una desolación de aldea. La lámpara del jardín — la bombilla dentro de un farolito sobre la verja que había quedado encendida — parecía de sorbete de limón. El Doncel dijo:

»— La nada nos envuelve lo mismo que esa niebla. ¿Cómo puede uno salvarse de ella, de la nada? Afirmando. Como sea, pero afirmando. Con el odio, con la fe, con el amor, con el crimen. Mejor es ser malo que no ser. Hasta los santos practican a veces el mal para defenderse del no ser. Inconscientemente, claro. Javier lo sabe. Lo sabe mejor que nosotros.

»— Es posible — decía yo contagiada por la melancolía del Doncel y de la niebla montañesa.

»— Javier lo sabe todo, lo intuye todo.

»Los dos nos agradecíamos a nosotros mismos el respeto que teníamos para el marido ausente.

»La niebla parecía ir descendiendo al valle y adaptándose a las depresiones como si buscara en ellas un lecho donde descansar. Lo que me impresiona en los fenómenos de la naturaleza es la impasibilidad. Esa indiferencia móvil y actuante me da miedo. Yo me entendía con el Doncel a través de mi melancolía. Y con Novaes el galleguito a través de mi ingenuidad. Con César a través del plano más frívolo de mi razón: el deseo de agradar. Con Yolanda usando de mi tontería femenina. Con el *gato capón* a través de mis atavismos dañinos. Con Ramón el carbonero, que apareció de pronto en el bosque, no me entendía de ninguna manera. Toleraba su hirsuta presencia porque de pronto salía de las vagas sombras de la infancia y llegaba hasta mí como diciendo:

»— Eh, aquí estoy. ¿No te acuerdas?

»A veces pensaba en Alvear y recordaba: "Me tuvo de niña en

las rodillas". No veía, sin embargo, la manera de que Alvear y yo fuéramos amigos. Pero la idea de ir a su tómbola benéfica me parecía estimulante.

»Seguía yo con el Doncel casi a oscuras. Lejana se oyó la bocina de un automóvil. En la niebla los ruidos sonaban de un modo diferente. También las ruedas de los coches que pasaban a veces por la carretera hacían sobre el asfalto mojado rumores como los de la ciudad.

»Durante aquellos días nos fijábamos mucho en los pequeños detalles físicos. Javier decía que vemos esos detalles sólo cuando nos sentimos desgraciados. En los días de grande o de mediocre felicidad pasan desapercibidos.

»Había en el suelo un periódico doblado cuyos titulares decían: *"Otro crimen político del que es víctima un te..."*. El resto de la frase desaparecía debajo de mi sillón. Los periódicos llegaban aquellos días llenos de atentados y de alarmas.

»El cuarto estaba casi en sombras. En una mesa al lado de dos vasos vacíos se veía uno de los cuadernos de Javier abierto y lleno de notas sobre la *luz de los ciegos*. El Doncel creía en aquellas cosas. Miraba a Javier como a un hombre de talentos secretos. De vez en cuando se enfadaba con él, pero nunca censuraba sus manías.

»La niebla era más densa. Sólo en Orna había visto niebla como la de Pinarel. El Doncel la miraba a través de las vidrieras y decía:

»— Creo que además de defendernos de la nada debemos pensar en defendernos también de lo que se nos viene encima.

»Tenía yo la impresión de que la catástrofe estaba acechándome detrás de la niebla montañesa. Flotábamos en la niebla que rodeaba la casa y entraba por las ventanas. La casa parecía moverse en la niebla como un barquito.

»— Si llega el momento y nos atrapan de uno en uno estamos perdidos — decía el Doncel.

»Se oyó el gañido lejano de una vulpeja. En aquel gañido percibía yo el sopor de la vida de la aldea durante el invierno. A mí me entristece la llamada inesperada del invierno en un día de verano. Es como si me mostraran de pronto que en cada cosa está viva la semilla de la contraria: en el día la noche, en la vida la muerte.

»— Ese gañido de raposa — dijo el Doncel — me recuerda a un tío mío guardabosque con el que iba a pasar temporadas en el

98

verano. Era ya viejo. Tenía ideas raras. Un día fuimos a la aldea próxima a visitar a su hermana. Íbamos en dos caballejos. Estábamos ya montados cuando él bajó, volvió a entrar en la casa y salió con una carabina. Yo le pregunté para qué la quería y él dijo: "Muchacho, a donde va el hombre allí va la muerte".

»Añadía el Doncel mirando a través de los cristales:

»— La montaña es siempre misteriosa. ¿Sabes lo que dice Javier? Que todas las religiones han nacido en la montaña. En el Himalaya, en el Olimpo, en el Líbano, en el Sinaí… El valle es para los comerciantes y los leguleyos. La montaña, para los dioses.

»Entonces llegó la mujer del Doncel. Se extrañó de encontrarnos casi a oscuras y el Doncel repitió las palabras de su tío montañés: *A donde va el hombre allí va la muerte*. Ella dijo:

»— No habléis de eso, que da mala sombra.

»Seguía el Doncel recordando los veranos de su aldea. Su tía campesina hablaba de un modo pintoresco. A veces trepaba con él por las colinas y cuando no podía seguir al muchacho le gritaba: "Eh, espera un poco, que se me juntan los alientos". Entonces el Doncel se sentaba a esperarla. Hablaba el Doncel de todo aquello de un modo prolijo. Imitaba la voz de su tía de tal modo que su mujer y yo no podíamos menos de reír. Y seguía hablando: "Oh, éste es un pillo *entrador*". Nunca pudo saber el Doncel por qué su tía lo llamaba *entrador*. En casa del guarda había cinco perros y la tía los señalaba de uno en uno: "Aquél lo tiene mi marido pa rastrear las perdices, éste pa el jabalí, el otro pa guardar el hato del ganado, el mohíno aquél pa vigilar la casa". El Doncel le preguntaba por el quinto perro y la guardesa decía muy seria: "Ése lo tenemos *pa perro*".

»— ¿Por qué no encendemos la luz? — preguntó la mujer del Doncel —. Mi abuela decía que en la oscuridad las palabras crían barbas.

»Nadie se levantó. La niebla parecía reflejar sobre los cristales la última claridad del día. Yo recordaba mis veranos en el campo, también de niña.

»Cuando llegó Javier encendió la luz. Entró diciendo que había encontrado en la ciudad al ciego que andaba buscando. Un ciego de nacimiento.

»— ¿Dónde? — pregunté yo.

»— ¿Dónde ha de ser? En un asilo. Había una fiesta, un baile. Y allí fui. Tardé en hacerme amigo de uno de los ciegos y tuve que rendirle servicios bastante particulares. Me decía tomándome del brazo: "Señor, usted debe ser hombre de buen gusto. Póngame delante de una mujer que esté buena". Yo lo llevaba delante de una mujer de caderas muy anchas. Allí lo soltaba y el ciego iba y la sacaba a bailar. Cuando terminaba la pieza volvía yo a su lado, me ponía a hacerle preguntas y al poco rato me interrumpía otra vez: "Sea usted amable...". En fin, que tuve que estar toda la tarde sirviéndole de alcahuete para sacar algo en limpio. Por fin cuando las mujeres que estaban buenas lo fatigaron demasiado se sentó conmigo. Dijo que la luz viene de las cosas que queman, es decir del fuego. Y según el fuego así es la luz. Cree que el fondo del día es *espeso*. Y cuando dice espeso piensa en la oscuridad de sus propios ojos, en su ceguera. Lo espeso es lo negro, entonces. Un punto de partida tan bueno como otro cualquiera, ¿no es verdad? Cree que el cielo es espeso, es decir negro lo mismo que la noche. Cada hombre lleva su luz en su pequeño o grande fuego e ilumina con ella las cosas sobre un fondo de eterna negrura. No teniendo la menor evidencia de la luz, ¿qué clase de luz será ésa? Porque ese hombre cuando sueña, ve. En sus sueños no es ciego. ¿De qué milagroso atavismo le viene la luz? ¿La inventa? ¿O la recuerda? ¿De dónde viene su recuerdo?

»Era tarde. El Doncel y su mujer se marcharon.

»Yo le pedí a Javier que me llevara al baile de los Alvear.

»— ¿Hablas en serio?

»A primera vista parecía Javier un hombre obstinado en sus malquerencias. La verdad era distinta. Todo lo veía Javier *sub species amore*. Los aristócratas le parecían seres humanos como los demás. Era capaz de tener amigos entre ellos como los tenía también entre los curas. No era hombre de rencores.

»Traía papeles con notas tomadas durante su conversación con el ciego y antes de acostarse los guardó con las fotografías del fondo de la mina y los discos del bosque. Su archivo de cosas insignificantes y mágicas iba creciendo. Tenía otras cosas igualmente raras en las que intervenían nociones de física y de bioquímica. Había hallado relaciones misteriosas del magnetismo con el deseo sexual y del amor con la divinidad — del amor físico —. Y no sabía cuándo sus observaciones eran ciencia o poesía o humor. Estuvo algún tiempo diciendo que la Tierra y la Luna eran respectivamente un protón y un electrón y que respondían a las mismas leyes del átomo de hidrógeno y que ese hidrógeno — todavía — es lo que la gente llama Dios y la base de toda la vida conocida. Una de las cosas que repetía a menudo sobre el hidrógeno era que se producía a sí mismo en el vacío. Esto no lo decía a todo el mundo, de lo cual yo deduzco que lo tomaba en serio.

»Si hay una verdad en el mundo, es que las mujeres no sabemos lo que somos hasta que hemos conocido el amor. Es el amor el que forma nuestro carácter. Y hasta hoy he visto dos casos: el de la virgen capaz de ir limpiamente a donde el deseo la lleva y el de la mujer corrompida por lo que vulgarmente llaman virtud — algunas antes de conocer el amor. Corrompidas por el presentimiento de la virtud en el amor.

»Javier fue a buscar las invitaciones para el baile a Pinarel. Alvear no estaba y se las dio su hija, que era una muchacha con aire de colegiala y que tenía noticias de él, por su padre. Las invitaciones estaban impresas en unas cartulinas verdes con una cinta verde también en la esquina izquierda. Costaban cincuenta pesetas. Me pareció mucho dinero.

»El día de la fiesta Javier estaba de mal humor. Se había resignado a ir sólo por llevarme a mí. Muchas veces aceptaba Javier cosas que representaban pequeñas molestias y cuando llegaba el momento se arrepentía.

»No habíamos dicho nada a los amigos del bosque porque yo sabía que algunos habrían protestado. Javier se sentía un poco inquieto y me decía:

»— Ten cuidado. No digas a nadie dónde vivimos ni quiénes somos. No digas nada que pueda parecer una opinión política. Hay bastantes moruecos pugnaces entre los aristócratas que pasan el verano en Pinarel.

»La fiesta era en el parque de los Alvear. Al fondo había una pista de baile y una orquesta. Calculamos que habría unas ciento cincuenta personas pero llegaban más, constantemente. Recibían a los invitados dos señoras viejas y la hija de Alvear. Ésta se llamaba Asunción y la llamaban Chona, lo que le parecía a Javier un poco absurdo. Era esbelta, graciosa, andaba con los hombros un poco echados hacia adelante y evitando erguirse demasiado para que no resaltaran los pechos.

»Sin embargo Chona no parecía tímida. Era dueña de sí y tenía una desenvoltura de colegiala que juega seriamente a las muñecas. Se veía en sus ojos a veces la firmeza de las mujeres de los Pirineos según decía Javier.

»Las mujeres viejas eran muy distintas entre sí. Una alta, de pelo blanco: la marquesa de Loarre. Otra más pequeña y gorda era la duquesa de Sanginés. Al presentarnos las dos dieron la mano a Javier para que la besara, pero Javier la estrechó nada más. Cuando seguimos adelante después de haber pagado otras cincuenta pesetas por una tira de papel con números para el sorteo, se oyó a la vieja Sanginés preguntar:

»— ¿No es ese joven un Azcona?

»La hija de Alvear estaba muy atenta a sacarle el dinero a la gente. Su padre no se veía por el parque, aunque llegó más tarde. El que se nos acercó fue uno de los hijos, un muchacho que vestía chaqueta blanca cruzada y corbata negra. Vi en seguida que estaba a medios pelos. Se hizo muy amigo nuestro y comenzó a instruirnos sobre la gente que andaba por allí:

»— ¿Ven ustedes que todos llevan lazos verdes? Es el color monárquico. Las iniciales de *Viva el Rey de España* juntas forman la palabra *verde*.

»Javier dijo:

»— No es muy original. Los italianos hacían lo mismo el siglo pasado con Verdi y su música y el rey de Italia.

»— Anda, morena — dijo el chico, que se llamaba Vicente —. Ya sabía yo que estos gaznápiros no hacen más que copiar. No tienen fósforo para inventar nada.

»Javier reía. Vicente nos había adoptado y no nos soltaba. Dijo a Javier:

»— Yo le recuerdo a usted muy bien. Usted es el del *Cadillac* que estuvo la semana pasada a ver a mi padre.

»Se había empeñado en atribuirnos un coche que estaba frente a la puerta mientras hicimos la visita. Vicente, que como digo estaba a medios pelos, quería invitarme a bailar. Yo no me separaba de Javier y el chico nos miraba como si rompiéramos las normas de la etiqueta ya que era de mal gusto que los matrimonios siguieran juntos. Lo correcto era separarse al entrar y no volver a reunirse hasta la hora de salir. Javier miraba a Vicente con humor:

»— Veo — le dijo — que ha bebido a la salud de los huérfanos tuberculosos.

»— No. No lo crea. Yo no bebo aquí. Voy adentro, a mi casa, para beber. Usted comprenderá que es una primada pagar diez pesetas por una copa de jerez. Cosas que se le ocurren a mi hermana y a la Sanginés. ¿Sabe cómo la llaman a la Sanginés?

La Rabicortona. Le va bien, ¿eh? Bueno, yo no estoy borracho aunque lo estaré Dios mediante dentro de media hora. El próximo viaje a la cocina será la puntilla. Le recomiendo a usted que me acompañe. No vaya al bar de los Cotas, que es el verdadero huerto del francés. Por un coñac quince pesetas cuando en la calle no cuesta más de dos reales. Claro es que mi hermana lo hace a beneficio de los niños tuberculosos. ¡Vaya con los niños! Yo creo que deben morirse cuanto antes. Es su obligación. Angelitos al cielo. Ustedes no deben gastar un céntimo más en esta noche. Mi hermana les ha sacado ya cien pesetas.

»Pasaba otro joven con una mujer de aire populachero que se fingía más alegre de lo que estaba. La mujer dijo:

»— Así, así, Vicente. Emborracharse hoy es un acto virtuoso.

»Vicente se encogió de hombros:

»— Creen que he dejado ya mil pesetas en el bar de los Cotas. Ni un real, no faltaría más. Y como la entrada no me cuesta nada porque estoy en mi casa, pues lo dicho: ni una roñosa peseta republicana. No crea que a mi hermana le importa mucho que se curen o no los niños tuberculosos. Ella también cree que se pueden morir sin que se pierda nada, pero con ese pretexto hacen un despliegue de cintas verdes. ¿Usted ha visto la tarjeta de invitación? Verde. Todo es verde. La fiesta es una cursilada monárquica. Mi padre es un cursi también, pero diciendo las cosas como son, la idea de la fiesta ha sido de mi hermana y de la Rabicortona. Y de los curas, claro. No he permitido entrar más que a dos curas importantes: un canónigo y el familiar del obispo. El párroco de Pinarel es un pobre diablo mugriento. No lo invitamos nunca. Bien, yo empiezo a resentirme de la tajada. ¿Qué voy a hacer? Vivo aquí como una ostra. Mi padre me ha sacado de la ciudad porque dice que hay peligro para los que llevan su nombre. Bien, aquí estoy. Soy joven. Cada día es como una tarta de boda, pero se pasan muchos sin que yo pruebe la tarta. Hoy voy a comer un poco. Es decir, le he metido ya el diente a fondo.

»Me gustaba aquel chico, tan joven y aparentemente contrario al ambiente que nos rodeaba. Las impertinencias que decía las atribuíamos al vino. Estábamos sentados en unas sillas de metal. Teníamos encima farolillos a la veneciana y al lado un arbusto con lamparitas de colores entre el follaje. Vicente decía a Javier:

»— Ayúdeme usted a buscar los nombres que tiene la borrachera. En este momento sólo se me ocurren tres: cogorza, merluza y pítima. Yo creo que tiene ocho o nueve nombres, ¿no le parece?

»— Más. Tiene quince o veinte, creo yo.

»— Vamos a ver: borrachera, merluza, pítima.

»— Tablón, curda, melopea, tajada.

»— ¡Turca! — dije yo.

»— Filoxera, papalina, tranca, trúpita..., castaña, moscorra, jumera, trompa. Debe haber más — dijo Javier —, pero no recuerdo.

»Vicente con la pesadez de los borrachos quería apuntar los nombres y aprendérselos de memoria. Luego dijo que cada nombre correspondía a una clase especial de embriaguez. Entre la melopea y la tranca había muchas diferencias. Entre la merluza y la moscorra también.

»— ¿Cómo definiríamos la mía? — preguntaba.

»— Eso es cosa de los vinos — dijo Javier —. ¿Qué es lo que ha bebido usted?

»— Manzanilla y coñac.

»— Entonces la clásica jumera andaluza.

»Vicente se entusiasmaba y comenzaba a tutearnos:

»— Mira — decía —. Vosotros sois gentes de veras bien, no como la Rabicortona y los Cotas que dan la monserga a la humanidad inteligente, es decir a nosotros. Creen que todo lo que se refiere a los príncipes y a la casa real es sagrado. La mudez de don Jaime les parece un don divino. La hemofilia del príncipe de Asturias el colmo de la distinción. Lo sublime en el género augusto. Bueno, cada nombre de borrachera corresponde a una clase de vino. La merluza, al Valdepeñas, claro. Pero ¿y la moscorra?

»— Es la borrachera que da el chacolí, el vino vasco.

»Vicente dijo:

»— Genial.

»Con todo esto Vicente no se separaba de nosotros. La borrachera no le daba una apariencia innoble, al revés, parece que por precaución exageraba la cortesía. Javier se sentía a gusto con él, pero se preguntaba: ¿qué política será la suya? ¿El yugo y las flechas? ¿O la hoz y el martillo? Cualquiera de las dos era igualmente posible.

»Pasaba la marquesa de Loarre con otra vieja lagarta y un hombre de bigotes pintados y engomados vestido como un figurín, que se inclinaba y le hablaba en voz baja. La de Loarre respondió:

»— Anda, rico, que te frían un huevo.

»Vicente explicaba:

»— ¿Veis esa vieja de Loarre? No sabe lo que dice. Repite lo que oye por la calle a los chóferes borrachos. ¿Cómo se llama la borrachera de los chóferes? Y creo que es la más genuina.

»— Entonces hay que reservarles el nombre castizo: borrachera.

»— Es verdad. Tus palabras habría que esculpirlas en mármoles. ¿Y tú, Ariadna? ¿Sabes cómo llaman a la Loarre? La Chusca. Porque siempre anda repitiendo lo que dice la gente baja y tratando de hacerse la graciosa. En Palacio daba la norma. Bueno, el príncipe de Asturias llamaba a su hermana mayor la Gorriona.

»— Eso — dijo Javier — lo había hecho antes Fernando VII.

»— Lo creo, ya digo que esta gente no sabe inventar nada. Tú sabes mucho, ¿cómo es que no nos hemos conocido antes? Bueno, Ariadna, estoy borracho pero todavía en condiciones de bailar. ¿Quieres bailar conmigo?

»Javier seguía pensando: "¿Qué ideas políticas serán las de Vicente?". Como es natural no se atrevía a preguntarlo, es decir, a mostrar curiosidad en ese sentido.

»Salimos a bailar. Había en la pista veinte o treinta parejas. Los músicos, de frac, estaban en una tribuna que tenía un tapiz con los colores de la casa de Borbón. Vicente me galanteó, pero sin demasiado entusiasmo a pesar de su jumera. Luego me aconsejó otra vez que no fuera a beber al bar de los Cotas.

»— Dejemos a los niños tuberculosos. Es lo que yo le digo a mi hermana: si los curamos le quitamos ángeles al Sempiterno. Bueno, cuando quiera tomar una copa dígamelo y yo la llevaré a la cocina.

»Me preguntó dónde vivíamos, qué hacía Javier. Yo contesté con vaguedades y observé que tampoco ponía él interés en oír mis respuestas. Aleccionada por Javier no decía nada que pudiera orientarle.

»— ¿Y tú? — le preguntaba —. ¿Por qué no te deja tu padre ir a la ciudad?

»— Porque los nuestros andan a tiros con los *chíviris*.

»Yo me preguntaba: ¿quiénes serán los chíviris? Suponía que eran los jóvenes socialistas que volvían los domingos de la sie-

105

rra cantando canciones con un estribillo donde se repetía esa palabra estúpida. Y Vicente añadía:

»— No creas que le importa a mi padre gran cosa que me den un balazo. Pero le molesta el escándalo sin causa justificada. Es lo que él dice: "Todavía si fuera por el rey...". Yo puedo batirme no importa por quién menos por el rey, claro. No soy tan lila.

»La de Loarre pasaba cerca de nosotros y dejando de bailar decía a un invitado que llevaba también corbata negra y chaqueta blanca:

»— Ay, mamá, qué noche aquélla.

»Vicente volvía a explicar:

»— Quiere hacerse la chula y dice las cosas que oye en las verbenas.

»Seguía disculpando a la vieja marquesa. Yo le pregunté:

»— ¿Y su marido?

»— Él vive para los caballos y los perros de casta. No se pueden ver. ¿Sabes quién es? Ese que sale ahora de la pista de baile. Parece que debían entenderse. Hay todo lo que debe haber para que un matrimonio como ése esté de acuerdo. A él le interesan las perras y a ella los toros.

»Vicente soltó a reír. Seguíamos bailando cuando de pronto vi a Javier con el viejo Nicolás de Alvear en conversación animada. Le dije a Vicente que su padre estaba en el parque y el chico pareció incómodo. Vimos que se les acercaba un cura y Vicente dijo:

»— Ya está. Nunca faltan en estos saraos las aves de mal agüero. Un cura. Pero ése no es de aquí. Usted debe ser un poco beata — dijo aún — como todas las mujeres bonitas y su marido ateo.

»— No exactamente — dije yo —. Ni yo soy beata del todo ni mi marido es del todo ateo.

»Vicente me hablaba unas veces de usted y otras de tú.

»— Ah, vamos. Liberales.

»Yo me callé. Vicente me sujetó por la cintura para dar una vuelta y dijo:

»— Nunca he podido comprender en qué consiste la autoridad y la popularidad de los curas. Hasta los chíviris los respetan.

»— ¿Sabe usted lo que dice mi marido de eso?

»— ¿Qué?

»— Dice que los queremos porque nos insultan, nos amenazan

y nos castigan. Nos dicen: "¡Arrodíllate, pecador inmundo! ¡Eres polvo en el polvo y miseria y maldad!". Y la gente dice: "Caramba con este tío". Y se arrodillan y los quieren y les obedecen.

»Vicente meditaba:

»— Tu marido — dijo por fin — debe ser un gran tipo. Un hombre extraordinario. ¿Entonces, según él, para que lo quieran a uno no hay nada mejor que pegar? Es posible que tenga razón. En el fondo yo creo lo mismo. No con ciertas personas, como dices tú, sino con toda clase de personas. Pero no había pensado que la autoridad de los curas se basara en eso, la verdad. Bueno. ¿Qué gente conocéis aquí?

»— Tu padre, tu hermana... Creo que a nadie más. Hemos venido porque tu padre y el mío eran amigos.

»— No te disculpes por haber venido. Hay mucha gente que ha hecho la misma tontería. La gente es absurda. En tiempos de la monarquía ni los Arán ni los Cotas ni los Sanginés habrían acudido a una fiesta organizada por mi hermana. Éramos poco importantes. Un ex ministro, bah. Ahora que el señor ha volado las gallináceas estrechan las filas en el corral. Ya los Alvear son alguien. Pero no creas. Esta gente nos desprecia. Bueno, ellos se desprecian entre sí. Y yo los desprecio a todos. Dentro de unos días se van a poner las cosas claras.

»— ¿Tú crees que va a pasar algo?

»— ¿Cómo algo? ¿Ves a toda esta gente alrededor? Dos terceras partes no están en Pinarel permanentes sino que van y vienen a Burgos, a San Sebastián y algunos hasta a París. Veremos dónde les pilla la hecatombe. Yo creo que dos terceras partes van a perder la cabeza en un lugar u otro. Para lo que les sirve... En confianza te digo que nuestros enemigos harán bien. Esta gente no sirve para nada. Pero la verdad, viendo las cosas despacio, también nosotros haremos algo. Haremos lo nuestro. En fin, que yo veo bailar a toda esta gente no un vals boston, sino la danza macabra. Mira a Sanginés. Es ya un esqueleto al que han metido en un baño de cera. Tiene un poco de cera amarilla pegada a los huesos, ¿verdad? Y el conde de Sirio, que se ganó el título quizás en una batalla de alcoba con el aguador Chamorro y con el sargento mayor del reino don Fernando VII por la gracia de Dios. Me divierte pensar que dentro de unas semanas y quizá sólo de unos días van a estar la mayor parte de esta gente criando malvas, bajo tierra. A esa condesa de Arán que camina como una pantera no le pasará nada. Ha salvado la cabeza ya tres o cuatro veces. Tiene suerte. Su marido, ahí donde lo ves, pequeño y brillante como una figurita de plata sobredorada, es también un tío que sabe capear las borrascas. Pero estoy borracho. El baile me pone más borracho todavía. Vamos con tu marido. Me gustáis tu marido y tú. Lástima que no nos conociéramos antes. Porque ahora ya es tarde. Se acerca la hecatombe. ¿Y vosotros? ¿Qué vais a hacer?

»Salimos de la pista. Vicente dijo al cura y a Javier que si querían un coñac se les daría. No un coñac benéfico sino hospitalario. Fuimos hacia la casa. Don Nicolás se había apartado para atender a una vieja de aire deportivo que le contaba con la voz temblorosa y lágrimas en los ojos cómo habían tenido que matar a la yegua *Ravissante* porque la pobre se había roto una pata en una caída durante las últimas pruebas de saltos. Una yegua que había ganado carreras importantes en todas las capitales de Europa.

»— *Ma pauvre Ravissante!* — decía la vieja.

»Alvear la consolaba:

»— Usted sabe que todos lo sentimos.

»Tomamos el coñac en la terraza. Un criado llevaba en una bandeja varios telegramas a Alvear. Javier me hizo una seña y yo me acerqué distraídamente a ver si pescaba algo. Los telegramas eran todos para la condesa, a la que el ex ministro llamaba Delia. Ella abrió el primero y comenzó a gimotear:

»— Es de Ginestal, del barón: *Desolado por Ravissante te envío mis cariñosos recuerdos y me asocio a tu justo dolor.*

»La condesa se sonaba, llorosa, y hacía extremos muy raros de amistad y de gratitud:

»— ¡Este Antoñito de Ginestal, que es un mariconazo, pero que tiene un corazón como una casa!

»Yo oía a veces palabras como aquélla, que sonaban impúdicamente en el aire quieto de la noche. A un lado de la avenida central Chona peleaba con su hermano. Tal vez le recriminaba por su embriaguez. Yo conté a Javier lo que había oído a Vicente mientras bailábamos. Parece que Vicente tenía un hermano mayor que se llamaba Nicolás, como el padre. Algunos preguntaban a Vicente dónde estaba su hermano.

»— En el puesto de honor — decía él, cómicamente exaltado.

»Javier me dijo en un aparte:

»— ¿Te ha hecho preguntas Vicente?

»— Sí, pero sin intención, curiosidades tontas.

»— ¿Le has dicho dónde vivimos o cómo pensamos?

»— No.

»Un poco más lejos la condesa propietaria de *Ravissante* enseñaba el telegrama del barón de Ginestal a sus amigas y repetía la expresión anterior.

»Ni Javier ni yo llamábamos la atención, por fortuna. Pregunté a Javier si había oído algo interesante.

»— No — dijo —, pero no es necesario. Está en el aire. Supongo que entre esos telegramas sobre la yegua debe haber alguno que habla de otras cosas, pero sería imposible enterarse. Para eso habría que quedarse aquí toda la noche y es peligroso llamar la atención. Creo que habría que pensar en marcharnos. Separémonos y dentro de un rato, cuando me veas en este mismo sitio, ven y nos iremos.

»Vicente venía a buscarme:

»— Soy el pobre de la fiesta y no puedo mostrar mi buen corazón en donativos y otras larguezas. Por ejemplo, comprando besos a las viejas caducas. Las hay que siguen creyendo con sus dientes falsos que sus besos valen millones. Verás, si la Rabicortona subasta un beso, yo voy a ofrecer seis reales.

»— No, por Dios — dije yo.

»— Bueno, dos pesetas. Lo haré por ti.

»Me llevó al centro del parque donde había dos pequeños bombos, uno con las bolitas de madera que tenían los números y otro con las que correspondían a los regalos. El sorteo no había comenzado aún. Iban y venían hombres llenos de ese vulgar amor a sí mismos que da la conciencia de ser ricos.

»Me vi de pronto en un grupo de gente a quien no había sido presentada. Vicente me dijo en voz baja:

»— A esa rubia la llaman la Perinola. Es pariente de los reyes. De la rama humilde de los Borbones. Los que la acompañan son el Gazul y el Vito, dos andovas de postín, los dos casados y cornificados *ad majorem Dei Gloriam* porque el rival del uno es el nuncio de Su Santidad y el del otro el obispo de Madrid-Alcalá.

»Precisamente en aquel momento llegó la hermana de Vicente y me preguntó si quería yo subastar un beso.

»— ¿Yo? — dije, perpleja —. ¿Por qué yo y no usted? Usted es más bonita.

»— No — advirtió —. Las solteras no cuentan en estas cosas.

»— Eso es, nosotras no contamos.

»— La verdad es que no sé qué contestarle — dije yo tontamente.

»A mí aquello me parecía escandaloso y deprimente. Al verme dudar, Vicente dijo:

»— Di que no, chica. Eso es una cursilada. Además, tu marido se enfadará. Si fueras mi mujer yo me enfadaría.

»Chona esperaba mi respuesta.

»— ¿Nadie se decepcionará si digo que no?

»— No, nadie. Yo tampoco.

»Me negué y le di las gracias. Venían dos muchachas. Riendo decía una de ellas:

»— Mira, Merche. Déjate de virguerías.

»Yo pensaba que aquella chica pertenecía a la escuela de la marquesa de Loarre. Virguerías. Vinieron hacia mí:

»— Usted no lleva lazo verde — dijeron.

»— No.

»— ¿No es usted de las nuestras? ¿O es que no da importancia a esos detalles?

»Yo sonreía sin decir nada. Me prendieron la cinta en el pecho cerca del hombro y se fueron riendo y bromeando. La noche estaba alta y quieta. Por encima de los faroles venecianos se veían las estrellas temblorosas. De los bosques llegaba olor a pino y a resina. Yo con mi lacito verde pensaba en lo que dirían mis amigos del bosque si me vieran. Pero no me veían.

»Iban y venían dos viejos de pelo blanco hablándose en voz baja y al parecer cada uno muy escandalizado con lo que le decía el otro.

»El sorteo había comenzado. Había tantos regalos que seguramente a cada invitado le correspondería uno. Javier pasó cerca de donde yo estaba, con una mujer del brazo, y en su mirada vi una resignación irónica. Iban a bailar.

»De pronto un hombre borracho se acercó a Javier y dijo a grandes voces como ofendido:

»— Ahí lo tienen sin lazo verde. Sin cinta verde.

»Vicente acudió al quite:

»— Vamos, Urgel — le dijo —. No metas la pata.

»— A mí no me gusta que vaya sin cinta verde en el ojal. A ti te lo permito porque estás en tu casa y eres el anfitrión. Pero a ese tío, no. Y menos bailando con mi prima.

110

»Vicente lo llevó al bar, le hizo beber un whisky doble y al ver que no se tenía de pie lo acompañó a un sillón de paja donde lo dejó medio dormido. Poco después vimos que roncaba.

»Suponía que habría que salir de allí antes de que aquel hombre — que parecía un sapo con sus ojos abultados, su camisa verde y su traje verde botella — despertara. Yo me decía a mí misma: "La taciturnidad de Javier ha ofendido a ese borracho".

»— ¿Cómo llamaríamos — decía Vicente — la borrachera de ese tío? Ah, sí. Trompa.

»Sus ronquidos parecían de una trompa de caza.

»Yo seguí tratando de atrapar frases sueltas a mi alrededor y de darles un sentido. Había visto que algunos hablaban como si estuvieran preparando un largo viaje. Sonaban nombres de ciudades del norte de España y del sur de Francia. Vicente dijo:

»— Sí, es que huyen de la quema. Muchos de estos salen mañana para San Sebastián y la semana próxima celebrarán allí una reunión para fundar una sociedad que llaman *Los Nietos del Ángel*. Usted dirá: ¿qué Ángel? Nada. Los nietos de los absolutistas de Fernando VII, que tenían una sociedad secreta llamada del Ángel Exterminador para perseguir y asesinar a los constitucionales. Con todo eso no pudieron evitar que viniera la República del 73 y luego Alfonso XII y después su hijo y ahora la Segunda República. Esta gente todo lo resuelve con lacitos y verbenas. No digo que no sean capaces de cargarse a un tío si se les llevan atado de pies y manos. Es lo que hacían los *ángeles exterminadores* en 1829. Pero son estúpidos y cobardes.

»Yo oía todo esto con gusto y un poco asombrada. Iba a decir algo, pero Vicente continuó:

»— Cobardes. Ahora van a San Sebastián a fundar una sociedad secreta que antes de existir no puede ser más pública. Pero esa no es toda la verdad. Se van a San Sebastián para acercarse a la frontera por si el levantamiento sale mal. Son bastante tontos para pensar que esta vez habrá escape para el vencido. No tienen olfato. Ése es el peor mal de España, que la aristocracia es imbécil. No han escapado ya todos porque el señor, como ellos dicen, ha ordenado que estén en España a la hora de la verdad. A mí me extraña que el rey sea capaz de dar una orden tan inteligente. Yo digo que eso no ha venido de él, sino del co-

111

mité político. Todo está a punto. ¿Sabe usted cuál es la señal de que todo está a punto? El Braguetón ha pedido sus uniformes desde Lisboa. Sus uniformes de general de división o de teniente general, no sé. Con las insignias bordadas de la laureada de San Fernando. Está en Lisboa y lo van a llevar a Burgos en el momento adecuado. Pide sus uniformes. Otros en su caso pedirían estadísticas de armas, de gente adicta, mapas, pruebas de que la ayuda de Alemania y de Italia está a punto y va a llegar cuando sea necesaria. No. Él pide sus uniformes. Como una *vedette* de ópera. ¿Usted se ha dado cuenta de que los generales son como los cómicos? Se matarían por tener su nombre en el cartel con letras un poco mayores. Ahí lo tiene usted al Braguetón pidiendo sus uniformes. Seis baúles con polainas, gorras a la prusiana, fajines azules con borlas, guerreras azules también consteladas de pedrería y oro. Pantalones rojos con trabilla, ros charolado con plumero blanco, yelmo de oro con penacho. Y toda la bisutería en la espetera. Eso es lo que pide el Braguetón cuando media España está lista a dar la vida por una idea.

VI

»Vicente seguía hablando. Yo tenía una gran simpatía por aquel muchacho aunque había algo que no lograba comprender del todo.

»— El Braguetón ha pedido sus uniformes — decía — y el gallinero espantado vuela hacia San Sebastián cerca de la frontera. Van a fundar la sociedad secreta según dicen, pero lo que hacen es prepararse para la *espantá.* Traerán al Braguetón en una avioneta. Lo imagino poniéndose los calzones al pasar la raya de Portugal. Porque el Braguetón es un tío de reglamentos y leyes. No se vestirá hasta que pase la frontera y entre en territorio, es decir en atmósfera nacional. El avión cruzará la raya en Ciudad Rodrigo y el Braguetón pasará su pata corta, flaca y peluda por la pernera izquierda. Luego al bajar le rendirán honores. Una compañía con bandera y música. Entretanto aquí nosotros batiéndonos el cobre.

»— ¿Tú tienes alguna misión en todo esto?

»— No exactamente. Mi hermano, sí. Pero él desprecia a esta gente. Los desprecia y yo creo que no merecen siquiera su desprecio. Mi hermano es un hombre valiente. Mi padre lo tiene entre cejas porque se llama Nicolás, lo mismo que él, y dice que sus imprudencias le comprometen. Nicolás de Alvear. Cada vez que suena su nombre algunos creen que es mi padre y por eso mi padre se enfada. No quiere ver su nombre en los periódicos desde que cayó la monarquía.

»Yo veía a Javier al otro lado del parque con dos o tres hombres de calva marfileña, que tenían vasos en la mano. Hablaban animadamente, accionaban y a veces oíamos sus voces lejanas a través de la música. Yo pregunté a Vicente qué edad tenía.

»— Para diciembre cumpliré veinte — dijo él —. Estudio segundo de Derecho. Me preguntas si tengo alguna misión. No. Aquí no hay enemigo que valga la pena. Dos docenas de *chíviris* en el bosque. Nada.

»— ¿En qué bosque?

»— Allá, a la izquierda de la carretera de Pamplona. Ellos saben que no tienen fuerza y en cuanto comience la fiesta escaparán. Así como estos carcamales se irán para el norte, los del bosque irán hacia el sur. Ahí — y señaló las crestas de la montaña — es donde se armará la sarracina. Yo, la verdad, preferiría estar en otra parte cuando llegue el momento.

»— ¿Y cuándo crees que llegará?

»— Pronto. Los uniformes del Braguetón se los han mandado a gran velocidad a Lisboa. ¿Sabes? Yo estoy en edad militar y me han prometido hacerme alférez provisional. Ya se sabe lo que se dice: *alférez provisional, cadáver efectivo.* No me importa. Puedo ser soldado, pero nada más que soldado.

»Yo seguía lamentando que no estuviera Javier con nosotros. En aquel momento llegaba Chona con dos jóvenes que buscaban a Vicente. De los dos chicos uno trataba de hacerse el ingenuo. Iba diciéndole a Chona:

»— Mira, Chonita, Merche dice que Charito y Concha están hartas de que no les toque nada en las tómbolas. A ver si puedes hacer algún truco.

»— No, aquí somos honrados — decía ella.

»Yo recordaba las opiniones de Javier sobre los nombres de las personas y las cosas. Según él el sonido *ch* representa siempre alguna forma de alusión voluptuosa. A las muchachas (dos *ch*) les cambian el nombre poniendo alguna *ch* al principio o en medio. Jesusa, Chucha; Rosario, Charito; Asunción, Chona; Mercedes, Merche; Concepción, Concha; María, Marichu; Consuelo, Chelo o Chelito y todos así. Dice que las partes del cuerpo que tienen relación con la voluptuosidad amorosa se nombran con palabras que tienen *ch.* Me hacía yo esas reflexiones para darme un aire distante y frío.

»Vicente se fue a buscar a dos muchachas que pasaban cerca y las trajo. Después se fue con sus amigos. Aquellas chicas eran muy diferentes entre sí. Una morenita y espigada, otra con el pelo castaño claro y la piel tostada del sol. Debía tener la morenita alguna deficiencia de salud. Era bonita pero sus ojos demasiado grandes y su piel demasiado translúcida. Se llamaba Chinta (Jacinta) y al parecer estaba enamorada de un hombre que no había venido a la fiesta porque se había roto la clavícula el mismo día y en las mismas pruebas en que se rompió la pata la yegua *Ravissante.* Chinta suspiraba y decía:

»— ¡Cómo lo cuidaría yo al pobre si me dejaran, pero mi madre es una mujer a la antigua!

»Yo dije por hablar:

»— Puritana, ¿eh?

»— No. Es una sinvergüenza mi madre, pero a la antigua. Yo

trato de ser una sinvergüenza a la moderna. Por eso estamos siempre peleando. ¿Y tú? ¿O es que tú tienes *manías?*

»Tardé en comprender que llamaba manías a las reservas de pudor o de modestia. Aquella manera de mostrarse en seguida confiadas y de tutearse se usaba mucho entonces. Toda España se tuteaba y sin dejar de tutearse la mitad se preparaba a matar a la otra mitad. En muchos casos sin odio, con la fría convicción de estar haciendo algo de veras virtuoso e inevitable. La morenita insistía:

»— ¿Y tú qué piensas?

»— Bueno — dije yo —. Mi caso es distinto porque soy casada.

»— ¿Tienes manías de casada?

»No sabía a qué se referían exactamente. Por decir algo contesté:

»— No muchas, creo yo.

»Ellas tenían novio para casarse, pero estaban enamoradas de otros hombres.

»— Es una lata — decía la morenita — lo que pasa en nuestro mundo. A mí tienen que casarme con un título del reino. ¿Qué te parece? Mi hermano que lleva el título puede elegir y casarse si quiere con una pescueza de buen ver. Pero yo tengo que casarme con un grande porque no puedo ser la señora de Gutiérrez. ¡Y qué Gutiérrez hay por ahí, mi madre!

»La otra le advirtió:

»— No digas *Gutiérrez.* Ése es el nombre que los chíviris dan al señor.

»Chinta soltó la carcajada. Luego tosió un poco.

»— No digas, chica, le va muy bien.

»Ella misma comentó:

»— Los españoles no haremos nunca nada. ¿Ves? Aquí voy con el lacito verde, pero soy la primera en burlarme del rey. Así somos todos.

»Yo pensaba que tal vez tenía razón.

»Vinieron Javier y don Nicolás a rescatarme de aquellas chicas.

»Detrás de ellos venía Vicente con un hombre entrado en años, pálido y muy cargado de espaldas. Según como se le mirara parecía jorobado aunque se veía que su joroba no lo era de nacimiento. Venían hablando animadamente. El jorobado negaba y repetía:

»— No, no. Está bien ese tipo y podría hacer algo importante, pero le falta energía para el crimen. Porque yo digo...

»Calculé que estaría hablando del Braguetón. Al llegar a nuestro lado se formó un grupo numeroso. Don Nicolás decía al jorobado:

»— Oiga usted, Ontiveros. El padre de esta muchacha, republicano histórico, votaba por mí en los últimos años de su vida.

»Vicente decía:

»— Pero ella no. A ella no la conquistas fácilmente.

»Don Nicolás dejaba caer despacio estas palabras:

»— Cállate, Vicente. No dices más que tonterías.

»El joven le decía que tenía que ir al día siguiente a la ciudad y el padre respondía:

»— Tú irás a donde te mande yo.

»— Sin duda, pero...

»— Dentro de unos días saldrás para San Sebastián.

»Por la manera de mirarme Ontiveros pensé que debía ser un terrible conquistador. Tenía gracia. Un galán jorobado. Pero en aquel momento me di cuenta de que había entre los invitados mar de fondo. Don Nicolás se llevó aparte a Javier y tuvieron este diálogo:

»— Le ha tocado a usted una carterita de piel en el sorteo, ¿verdad?

»— Sí.

»— ¿Ha mirado usted lo que contiene?

»— No.

»Javier sacaba la cartera y la mostraba. Don Nicolás la abrió. Tenía un retrato de Alfonso XIII con la firma al pie. En otro compartimiento se veía una tarjeta postal con la foto del presidente de la República, pero era una foto compuesta, lo que se llama un fotomontaje. El presidente aparecía desnudo y con una camisa de mujer. El efecto era grotesco y vulgar. La cabeza calva del presidente con sus aladares y sus gafas negras era más grande de lo que correspondía a las proporciones del cuerpo. La camisa de mujer le quedaba por encima de las rodillas. Era un truco torpe con una intención procaz. Don Nicolás dijo:

»— En mi casa se puede tolerar cualquier forma de sátira, pero no una grosería como ésa. Eso es innoble.

»— No tiene importancia — dijo Javier.

»— para usted no, pero para mí, sí. Ésta es mi casa y alguien está abusando de mi hospitalidad. Repito que es una grosería. Se puede insultar al presidente de la República en el plano político, pero no en el plano personal y menos con indecencias.

»Ontiveros miraba la postal y reía como un conejo:

»— Está bien hecha — dijo.

»— Yo creo — opinó Vicente — que es una impertinencia. Estoy de acuerdo con mi padre.

»Sin una palabra más fue al lugar donde tenían los regalos y se puso a inspeccionar una por una las carteras y a sacar de ellas las fotos del presidente. Una jovencita protestaba:

»— ¿Qué haces? — decía —. Es lo que tiene más éxito en la tómbola.

»— Es indecente — insistió el hijo de Alvear.

»— Pero es verdad — decía la niña alzando las cejas.

»— ¿Qué es verdad?

»— Que *el faenas* es así.

»— ¿Cómo?

»La chica no sabía qué decir. Por fin, como si no estuviera segura de tener la expresión justa, dijo:

»— Pues... hermafrodita.

»Vicente le dijo que más le valía callarse y que se guardara sus opiniones sexuales para el tiempo en que tuviera nietos. Vicente gustaba de humillar — como todos los chicos de diecinueve años — a los amigos o amigas que mostraban algún rasgo infantil en su carácter. Volvió al lado de su padre y le dio las fotos, que eran más de treinta. Javier prefirió guardar la suya aunque don Nicolás se la pidió.

»— Eso es repugnante — dijo el ex ministro.

»— Sí, pero revela un estilo en política.

»— Un estilo vergonzoso.

»— En la política dicen que todo está permitido — insistía Javier.

»— Todo, no. Le aseguro a usted, Baena, que nosotros los liberales dinásticos no hemos recurrido jamás a esos procedimientos.

»Vicente volvió a invitarme a bailar. Me decía:

»— En eso mi padre tiene razón. Envilecer la autoridad está bien, pero hay unas maneras limpias y otras sucias.

»— ¿Quién es ese Ontiveros de la joroba?

»— Pues... uno de tantos que ha perdido su fortuna a fuerza de demostrar a los demás que es más rico que ellos. Se ha pasado la vida diciendo: "¿Ven ustedes cómo me sobra el dinero?". Ahora vive de las viejas viudas y se queja diciendo que el amor sin amor le va mal al hígado. Mira, mira aquel curita cómo se

117

ríe con la foto del presidente en la mano. Sabe que es una calumnia, pero se ríe. Así son ellos. Es la parte sucia del cotarro: los abates. Ese curita suele decir que de estas fiestas salen los obispos. Quizás espera que a fuerza de reírles las groserías a los Sanginés y a los Loarre van a hacerle obispo algún día. Así es la vida. Mi padre nos envía a San Sebastián también con los nietos del Angel Exterminador. Mi padre tiene su política. Un hijo anda con el yugo y las flechas. La hija en la Acción Católica. A mí me manda con los ángeles exterminadores. Y él se queda a la expectativa. Por cualquier lado espera ganar algún día el gran premio. Para él ese gran premio consiste en ser presidente del Consejo de ministros porque el no haberlo sido lo considera como el fracaso de su vida. Nunca le perdonará al marqués de Estella el golpe de Estado de 1923 que interrumpió su carrera. En eso mi padre está frente a los del yugo, ¿comprendes? Pero no del todo. Porque ve con buenos ojos que mi hermano ande con ellos.

»Yo estaba asombrada. No pude menos de preguntarle:

»— ¿Hablas tú así con todo el mundo?

»— No, sólo contigo. Porque tú y tu marido sois gentes como yo, es decir no contaminadas de toda esta mugre. Estoy borracho, pero distingo y sé con quién se puede hablar y con quién no. ¿Quieres ver una cosa de veras interesante?

»Me tomó de la mano y me llevó al interior de la casa. Yo iba un poco preocupada. Fuimos a su cuarto, donde tenía un bargueño antiguo recamado de marfil. De un compartimiento secreto sacó una cajita de sándalo, la abrió y me mostró una abeja de oro. Una hermosa abeja de oro del tamaño de una cigarra, es decir unas cinco veces su tamaño natural. Estaba incrustada en un trozo rectangular de piel blanca, pero de tal modo que se podía sacar y volver a poner. Yo tuve aquella abeja en mi mano. Era una filigrana. Tenía por ojos dos perlas y las alas eran de un transparente color azulado. Vicente dijo que esas alas eran cuatro láminas de lapislázuli. Y añadió:

»— Si mi padre supiera que la tengo me mataría.

»— ¿Por qué?

»— La robé del manto real. Tú sabes que el manto de la coronación es de armiño mosqueado. Las moscas son en realidad abejas, como ves. Fui un día con varios turistas a ver los tesoros reales y llevé una hojita de afeitar escondida en la mano. Aproveché el primer descuido y la abeja vino a mi bolsillo.

118

Aquí está. Un buen trofeo. Nadie sabe que la tengo yo. Bueno, nadie más que mi hermano Nicolás y tú. Bueno, pero esto vale un brindis. Vamos a la cocina. No es necesario ir tan lejos. Aquí al lado tiene papá su bar.

»Bebimos otra vez. Vicente declaró que por mucho que bebiera nunca se emborracharía como el cerdo de Urgel.

»Salimos. Yo llevaba en la imaginación la abeja real, que era un trofeo delicado. Me habría gustado robársela a Vicente como él la robó al tesoro real después de caer la monarquía.

»En aquel momento vi a Javier en el sitio donde me había dicho que me esperaría cuando creyera llegada la hora de marcharnos. Antes de separarme de Vicente le pregunté:

»— ¿Cuándo crees que comenzará la cosa?

»— Él qué, ¿la hecatombe? El tiempo que necesite el Braguetón para hacerse planchar sus calzones en Lisboa.

»Yo contenía la risa. Antes de separarnos Vicente me dijo:

»— ¿Dónde puedo veros a tu marido y a ti? Creo que debemos ser amigos.

»Dudé un momento y por fin le dije:

»— Mañana iremos a la ciudad y al volver te llamaremos por teléfono.

»Fui con Javier y poco después salíamos de la casa. Al llegar a la puerta vimos una larga hilera de coches y algunos chóferes que nos miraron un instante pensando que eran sus amos los que salían. Al aparecer alguno de los aristócratas los chóferes solían pasarse la voz diciendo los nombres sin tratamiento alguno:

»— ¡Loarre!

»O bien:

»— ¡Arán! ¡Sanginés!

»Se veía acudir al lacayo con la gorra en la mano. Los Loarre, Arán y Sanginés encontraban bien aquella costumbre recordando que la toleraban desde hacía siglos los Fernán Núñez, los Medinaceli y los Alba.

»Fuimos a casa paseando. Javier se volvía a veces a mirar, para ver si nos seguían. Cuando salimos de Pinarel, convencidos de que nadie se interesaba por nosotros, avivamos el paso. Como ya he dicho nuestra casa estaba a un kilómetro de la aldea.

»Repetí a Javier lo que había oído. Él sabía más, pero tampoco había podido pescar ningún informe que nos permitiera hacer planes seguros. Javier decía:

»— No es que oculten sus planes. Es que no los hay todavía. Y si los hay los ignoran.

»Al hablar yo del Braguetón y de los uniformes lo hice riendo a carcajadas, pero Javier no reía:

»— Así ha sido siempre en España. La muerte se viste de carnaval. La catástrofe se disfraza vistiéndose con sedas grotescas y cascabeles.

»Coincidíamos los dos en que Vicente era un gran muchacho y decía Javier que en tiempos normales habríamos podido atraerlo fácilmente a nuestro grupo. Pero era ya tarde y tal como estaban las cosas, Vicente sería una víctima más. Javier, con aquel don de síntesis que era lo más característico en él — y que tenía también Vicente —, decía:

»— Ese chico está en la edad militar. Lo movilizarán y lo matarán en los primeros choques. Entonces su padre cotizará de algún modo su buena fortuna de padre que ha dado el *mejor hijo* a la causa.

»— El chico lo sabe. Dice que lo harán alférez provisional y cadáver efectivo.

»Llegamos a casa y nos acostamos. Javier sacó el fotomontaje del presidente de la República y estuvo contemplándolo con media sonrisa en el rincón de los labios.

»— Hasta en la calumnia son tontos esta gente.

»Al día siguiente recordábamos la fiesta en casa de Alvear como un sueño absurdo. Entretanto los del bosque venían, como siempre.

»Había en el bosque un estudiante de química que discutía con Javier sobre las cosas más extrañas. Eran dos caracteres opuestos. Para el estudiante, que parecía un golfillo callejero, pero que tenía un carácter firme y una enorme ambición, no había fuera de la ciencia experimental nada que valiera la pena.

»Me gustaba en el estudiante su falta de ideas sobre sí mismo y la serenidad con que decía las mayores barbaridades. Por ejemplo, recomendaba la antropofagia como la mejor y más racional forma de alimentación. Salimos dos o tres veces solos mientras Javier estaba en la ciudad. El estudiante hizo algunos tanteos conmigo — tanteos galantes — y al ver que no resultaba no insistió. Ese estudiante se equivocaba con nosotros viendo que besábamos a la gente tan fácilmente como otros dan la mano. Así, yo besaba al Doncel, al galleguito Novaes y a César cuando nos encontrábamos y Javier hacía lo mismo con sus mujeres. Nos besábamos sin cuidar demasiado dónde. A veces en los labios, pero sin apoyar ni sostener el beso. No le dábamos más importancia que la de un saludo amistoso. El galleguito, que era soltero, me besaba a mí al llegar a casa y miraba a Javier con una ironía inocente.

»Una vez le dijo:

»— Eh, Javier. Tú no puedes besar a mi mujer.

»Sólo se afeitaba el estudiante de química los días que iba a verme a mí, y los demás parecía un vagabundo. Alguna vez lo sorprendí en el campamento con sus barbas. Al afeitarse pasaba del género patibulario al arcángel San Miguel. Con aquel rostro seráfico decía que el no comer carne humana se debía sólo a la supervivencia de bárbaros tabús. Era una forma de humor, de un humor truculento y bestial. Oyéndolo pensaba en la fiesta de los Alvear, en Vicente — que seguramente escucharía con gusto aquellas cosas — y en los uniformes del Braguetón.

»Durante aquellos días Javier hizo en el bosque una nueva relación bastante pintoresca. Un americano fuerte e ingenuo que se llamaba Michael Hacket, hijo de un irlandés y de una rusa, había caído en el bosque entre los nuestros por casualidad. Se hicieron amigos Javier y él. El joven americano hablaba inglés, español y ruso. Su madre había huido de Rusia en 1906 y aunque enemiga de la política de los soviets tenía, según decía su hijo, añoranzas y nostalgias.

»Michael era fuerte y joven y hablaba un español defectuoso con el que decía sin embargo todo lo que pensaba. Por una casualidad inesperada su influencia entre los del bosque fue enorme en aquellos días. Para Michael viajar, correr mundo y cambiar de estado y de situación era el más alto fin de la vida humana. Había vivido en Rusia un año.

»Javier lo trajo a comer. Durante la comida habló el americano constantemente. Nos contó su vida en América:

»— Mi madre — decía — vive en Brooklyn. Mi madre es rusa emigrada y siendo yo niño me enseñó el ruso. A los diez años hablaba yo como un cochero de la Twerskaia. Salvo los juramentos, claro.

»Yo estaba asombrada viendo la facilidad de aquel hombre para la amistad. Luego pensé que aunque era la primera vez que yo lo veía Javier lo había tratado bastante en el bosque.

»Durante la comida decía el ruso-americano:

»— Mi madre se ha pasado toda la vida suspirando por Rusia.

121

Creo que exagera al elogiar las cualidades de los rusos como exagera mi padre al hablar de las cualidades de los irlandeses. Cuando mi madre se enfada llama a mi padre *Faraón*, porque mi padre es guardia en Brooklyn y en Rusia insultan a los guardias así. Yo los escucho con la lengua en la mejilla y creo que las cualidades y virtudes que atribuyen a la gente de sus países se pueden aplicar mejor al pueblo de Brooklyn. Y no es porque yo haya nacido allí.

»Michael decía que no había hecho nada importante en la vida aunque había intentado muchas profesiones diferentes. Esperaba que podría hacer algo un día. Era exigente consigo mismo. Esto le gustaba a Javier. Quiso ser ingeniero y no pudo aunque aprendió bastantes cosas de mecánica. Luego fue actor, hombre de negocios, marinero y trató de escribir para los periódicos. Lo malo de todas estas profesiones era que el éxito dependía del público y que a él esa clase de éxitos no le interesaba. Buscaba al parecer algo que representara una forma de superioridad ante sí mismo. Y como para justificarlo solía repetir una frase que a mí me parecía graciosa:

»— Al fin — decía — uno tiene que aprender a vivir consigo mismo, ¿eh?

»En Europa se daba cuenta de que las habilidades que en América tiene casi todo el mundo y no sirven para nada, como conducir un coche, arreglar un motor, pueden bastar para ganarse la vida. Pero no se trataba de ganarse la vida, sino de "vivir uno consigo mismo". Por otra parte Michael tenía mala suerte y sólo le ofrecían empleos inferiores a los que realmente merecía.

»Había ido a Rusia como chófer de la embajada americana, pero el empleo le duró poco tiempo. Siempre salía mal de todos sus empleos. Y estuvo en Moscú viviendo y trabajando como un ruso. Esto le interesaba terriblemente a Javier.

»Michael admiraba al pueblo español. Para él todo el planeta se podía limitar geográficamente a tres países: América — especialmente Brooklyn —, Rusia y España. Y la humanidad entera a los españoles, los rusos y los americanos. Lo demás era *hoipolloi*. Nosotros no sabíamos lo que quería decir con esa expresión, pero lo suponíamos por su gesto de desdén.

»No era ningún niño. Debía tener ya treinta y cinco años, pero parecía no haber rebasado los veinte. Tal vez no los rebasaría nunca. A mí me gustaba y también a Javier.

»Cuando Michael se fue me dijo Javier que había que hacerle dar una conferencia en el bosque.

»Yo seguía extrañada de todo aquello:

»— Ese hombre — decía a Javier — habla como un borracho. ¿No te has fijado?

VII

»Javier afirmaba muy tranquilo:

»— Y lo está. Está borracho, pero no de vino sino del aire y de la atmósfera de España. Siente la fuerza de todo esto y no sabe en qué consiste. Se da cuenta de que todo le empuja a la confidencia y a la amistad y habla dejándose caer con cada palabra, vertiéndose entero en cada recuerdo. Hay que hacerle dar una conferencia en el bosque. Habla mal el español, pero dice todo lo que quiere decir y además yo estaré al quite.

»Algunos como el galleguito Novaes lo miraban con recelo. "¿Será un moscutero?", decía también el Doncel. Pero se veía en seguida que no, por sus maneras abiertas y su falta de pedantería y afectación.

»Vino varias veces a vernos. A mí me miraba con curiosidad de turista como diciendo: *Una española. Ésta es una española. No está mal.*

»Javier le preguntó por su vida amorosa en Moscú si la había tenido. Michael dijo que en Moscú había mujeres y mujeres. Algunas le perseguían a él. Las que le perseguían según decía eran viejas histéricas. En cambio a él le gustaba una mujer encantadora que tardó mucho en conquistar. La conquista tuvo caracteres complejos, risibles y también dramáticos.

»En Rusia a Michael lo consideraban ruso y lo llamaban Mikhail. Hablaba muy mal de Moscú. Luego parecía aclarar con el deseo de ser justo:

»— No crean ustedes. Rusia no es Moscú. Allí no hay más que empleomanía y picardía. Alta picardía política. En Moscú todo el mundo habla y nadie cree en lo que dice. Fuera de allí es otra cosa. Fuera de allí está la Rusia eterna.

»Cuando hablaba de esa Rusia se mostraba con nosotros un poco arrogante y como superior y protector. Javier cultivaba la amistad de Mikhail como algo delicado y precioso. "Ese hombre — decía — quiere aprender a vivir consigo mismo y va a aprenderlo en España." Le propuso que diera una conferencia en el bosque. Mikhail parecía asustado:

»— Una conferencia..., ¿y qué voy a decir?

»— Nada, lo que me dices a mí, lo que nos dices en este momento. Lo que has visto, lo que has oído.

124

»Se quedaba Mikhail un poco receloso.

»— ¿Yo?

»— Sí, hombre. Cuenta tus dificultades, tus amistades, tus amores. Todo.

»Él sonreía:

»— Si lo cuento hay para rato.

»— No importa. El tiempo es lo que nos sobra aquí.

»Se sentía a sí mismo Mikhail romántico por el hecho de ser solicitado a hablar en público sobre sus aventuras de Rusia. Y sus incidentes con el consulado americano en Moscú, con cuyo secretario tuvo rozamientos graves. En vista de eso le aconsejaron dejar su empleo y volver a Nueva York. El consulado le pagaba el viaje. Pero Mikhail estaba indignado:

»— ¿Quiénes son ellos para disponer adónde debo ir yo? — repetía.

»Decidió dejar su empleo y quedarse en Moscú, pero eso lo consideraban algunos empleados subalternos como una deserción y le dijeron que si se quedaba en Moscú estaría prácticamente fuera de la ley. Así y todo Mikhail, después de reflexionar seriamente, había decidido quedarse algún tiempo en Rusia. Hablaba de su incidente con el secretario del consulado como si su caso tuviera una importancia internacional. La verdad es que por algunas semanas los rusos se la daban. Consideraban a Mikhail como un instrumento de propaganda política.

»Javier organizó la conferencia de Mikhail, que se celebró pocos días después, los necesarios para que el americano escribiera y ordenara sus recuerdos.

»Estaría en el bosque toda la población bosquimana. Era un día quieto, poco antes del anochecer. La gente aguardaba en la pequeña avenida que formaban las tiendas.

»Había antorchas y un candil de acetileno que hacía lívidas nuestras caras. Ramón el minero salió a recibirnos. Parecía más hirsuto y violento que nunca. A Javier lo saludaba con un gesto y un gruñido y a mí llevándose dos dedos a la frente como si quisiera tocar la visera de una gorra que no existía. En los últimos tiempos había estado en la cárcel y no por delitos políticos.

»La mayor parte de aquellos queridos bosquimanos se habían sentado en el suelo. Algunos sin camisa llevaban en los hombros un jersey asegurado con un solo botón bajo la barba. Las mangas caían vacías sobre los brazos desnudos. Javier de pie

125

detrás de una caja de madera que hacía de mesa, presentó a Mikhail entre bromas y veras. Dijo de él que era un hombre de gestos magnéticos y que se conducía de un modo tan simple que era capaz de volver tarumba a la gente más complicada. Terminó diciendo que aunque era extranjero podía ser considerado un bosquimano por derecho propio, tan bosquimano por lo menos como Ramón. Éste al oírlo enseñó los dientes.

»Algunos escuchaban todavía con recelo. Javier añadió que Mikhail ni era moscutero ni *paramoscovita* y que era ni más ni menos una conciencia libre y un testigo sin par. Debíamos escucharlo con la mayor atención. Aunque pareciera extraño Mikhail no hablaría de política.

»Comenzó Mikhail contando su ruptura con el consulado. Yo voy a repetir sus palabras haciendo uso de todo este material que me ha dado la comisión y que he separado y puesto en orden antes de venir a la tribuna. Decía Mikhail:

»—Cuando dejé mi empleo vinieron los rusos y me dijeron que tenía un espíritu progresivo, me dieron seiscientos rublos para primeros gastos y me nombraron traductor de las ediciones del Estado con doble sueldo que un obrero, es decir con setecientos rublos al mes. Como tenía también algunos dólares ahorrados, la cosa no estaba mal. Me dieron un cuarto cerca del hotel Moscova, donde hay una colonia de emigrados británicos y de renegados americanos que se dedican a escribir un diario en inglés. Los americanos escriben los ataques contra Inglaterra y los ingleses contra los Estados Unidos. Los dos juntos satisfacen al Kremlin más o menos.

»Al principio aquellos americanos y yo fuimos amigos, pero todos parecían tristes y amargados. *Sad sacks.* Un día peleamos porque me dijeron que me mostraba demasiado *cheerful* y porque según dijeron yo no tenía conciencia de clase. Y sin embargo yo era el único verdadero obrero de la colonia.

»Tonterías. Pero los rusos son magníficos. Les gusta el lado exagerado y romántico de las cosas. No les importa ser desgraciados si su desgracia es patética y tremenda. Esto se llama idiosincrasia. Pero quiero evitar las palabras de cinco dólares. En serio, la primera condición de un hombre, según Samuel Butler, debe ser la sencillez. Yo comencé a usar el nombre de mi madre: Bulkin. El portero del consulado me dijo que ponerme nombre ruso era una traición. Tonterías. ¿Qué tiene que ver el nombre? En América hay tipos que se llaman Mitenka y Davidof y son excelentes americanos. Además algunos días yo me sentía más ruso que americano. ¿Por qué no? En el club de tranviarios adonde comencé a ir porque era el único lugar limpio de Moscú, me llamaron pronto Mikhail Bulkin. Tovarish Mikhail. La primera en tomarse esa confianza fue Aniska, la chica encargada de la biblioteca. ¿Era bonita? Yo creo que era más que bonita. Era lo que en Brooklyn llamamos *swell,* aunque con menos curvas en la parte posterior que las chicas de Brooklyn, lo que no sé si es bueno o malo. Eso va en gustos.

»Al llegar aquí, los oyentes soltaron a reír. Javier, que estaba a mi lado, me dijo: "Ya está. Ya los ha conquistado. Hablar del trasero de la gente es cómico y es también íntimo y familiar". Ramón reía como un energúmeno. Más seguro de sí, continuaba Mikhail:

»— El segundo día que vi a Aniska le pregunté si tenía novio y ella dijo que su novio era el plan de industrialización del Ural. Pero no hay que precipitarse ni juzgarla de un modo ligero. Cada cual es como Dios lo hizo — esta alusión a Dios le pareció mal al Doncel, que estaba en primera fila y torció el gesto. Aniska era Aniska. Y la primera impresión no suele ser definitiva. Yo iba poco al club aunque tenía tiempo sobrado porque en las oficinas de las ediciones de Estado no me daban trabajo alguno. Me pagaban cada mes o cada quince días y no me encargaban traducción alguna. Esto no me gustaba. Uno tiene su dignidad.

»Yo iba al club de tranviarios de tarde en tarde a sacar algún libro. Esto de sacar libros de las bibliotecas no está permitido en Rusia. Ningún ruso puede llevarse un libro a casa. Vaya una confianza proletaria. Pero a mí me habían dado tres tarjetas especiales. Además sé hacer amistades. Siempre he hecho amistades fácilmente en todas partes porque, según dicen, tengo poco *ego.*

»El ruso americano pronunciaba *ego* en inglés y decía *igo,* lo que sonaba como higo. Tenía poco higo. Claro, las risas volvieron a desencadenarse y Javier intervino y explicó el equívoco.

»Luego el conferenciante siguió:

»— Aniska fue la primera amistad verdadera que tuve en Moscú. A fuerza de oírle hablar a Aniska de los Urales me enteré de que son una cadena montañosa que separa Asia de Europa. Hay bosques, minas y un animal antiguo parecido al búfalo americano. El uro. Pero, qué cosas pasan. Digo, en la imaginación de uno. Ese animal atrajo desde el primer momento mi atención por una razón muy particular y bastante fantástica. En una enciclopedia vi un dibujo del uro, cuya cabeza se parecía mucho a la del Vodz, el amo del Kremlin. Quién iba a pensar. Comprendo que es una observación extravagante, pero todavía hoy cuando hablan de él por la radio me da la impresión de que llega de los montes Urales un mugido terrible y amenazador. Amenazador para los rusos. Los pobres rusos son como los chicos, que les gusta ser asustados. El contraste entre una niña tan delicada como Aniska y el uro, animal sucio, lanudo y encornado, parece demasiado chocante. Una incongruencia. Un día pregunté a Aniska la edad que tenía, porque allí se puede preguntar eso a las mujeres. Ella me miró de una manera fría y dura y luego sonrió con un rincón de la boca. *Hace ya tiempo que escribí mi biografía, camarada.* Porque allí lo primero que le piden a uno es su autobiografía. Yo he escrito la mía cuatro veces. Una para la casa editorial, otra para los sindicatos, otra para el Comintern y otra para la NKVD. Y siempre dije la verdad. Sólo me callé que mi padre es guardia en Brooklyn, porque eso sería un antecedente funesto. Mi padre un *faraón.* Era mejor callarse. Bien, yo necesitaba saber más de Aniska, pero no pude averiguar sino que sus padres habían sido *kulaks* en Ucrania. Enseñé una foto mía hecha en Brooklyn. "Si la quieres te la doy", le dije a Aniska. Ella la miró y dijo que estaba convencida de que la ropa que llevaba en Brooklyn era de capitalista y ella sabía muy bien cómo visten los obreros americanos desde que vio un film hecho en América titulado *Tiempos Modernos.* Aniska creía que los obreros americanos van vestidos como Charles Chaplin, viven en unas chozas da madera cuyas vigas les caen en la cabeza y duermen detrás de las vallas. Tonterías. Añadía Aniska que esa manera de vestir de negro con chaquet, sombrero hongo y bastón fue abolida en 1917 por el espíritu progresivo de Marx, Engels, Lenin y Stalin. Yo trataba de convencerla de que Chaplin era un *clown,* pero ella dijo que no, que era un representante de las masas oprimidas americanas. La revista *Konsomol* lo había publicado. Aniska quería enseñármela. Yo me puse a hablar de la vida de los obreros americanos. Aniska decía: "Estás recitando como un loro la lección que te han enseñado tus amos, los capitalistas de Wall Street". Y añadió: "Camarada, ahora no tienes por qué temer. En Rusia puedes decir la verdad". Creía que yo hablaba bien de América por miedo a los esbirros del podrido imperialismo yanqui, como ella decía.

»Aquel día salí de la biblioteca con un humor del diablo. Imaginando a cien millones de obreros americanos por las calles con sombrero hongo y bastón como Chaplin no podía menos de reírme e indignarme.

»Oyendo en el bosque a Mikhail yo recordaba que Vicente de Alvear me había dicho: *Los únicos enemigos que hay aquí son dos docenas de chíviris en el bosque*. Allí delante estaban aquellos chíviris que no eran dos docenas, sino cerca de cuatro.

»La luz del candil hacía el cráneo de Mikhail duro como el estaño. Yo, sentada en un tronco de árbol derribado, miraba a nuestros amigos. El galleguito escuchaba a Mikhail y se miraba a mí sin verme, atento a la conferencia.

»En aquel momento pasaba un avión sobre nuestras cabezas. En los extremos de sus alas se encendían y apagaban dos estrellitas.

»Mikhail siguió hablando:

»— Es verdad — dijo con un aire cómicamente resignado — que yo estaba enamorado de Aniska. Yo no sé si esto les interesará a ustedes mucho, pero a mí me traía loco. Ella me invitó a su casa. Me dijo que fuera a las tres de la tarde. Ya se sabe lo que quiere decir la invitación de una chica soltera. Al menos en Brooklyn. Vivía Aniska en una casa muy pequeña de dos pisos con la fachada de color amarillento. A los dos lados de la puerta principal había columnas grises como en una decoración de teatro. Subía yo con un pequeño regalo en la mano. Había comprado por cuarenta centavos de dólar en un almacén de productos para la exportación una caja de chocolates. Ella tomó la caja y entramos en un lugar que parecía un vestíbulo con huecos que daban a diferentes pasillos. Aniska se sentó en un diván que de noche debía servir de cama y yo fui a sentarme en una silla próxima, pero ella dijo asustada: "No, esa silla no es mía". Volví a levantarme. Aniska señalaba un lugar del muro con los brazos abiertos y decía: "Mi casa comienza aquí y termina aquí". Era un espacio de menos de dos metros. ¿Qué les parece? Vivían en aquel cuarto una artista de teatro, una empleada de oficina y una chica que trabajaba en un hospital. La del hospital no era doctora, sino encargada de las sanguijuelas. Eso de estar encargada de las sanguijuelas es absurdo, ¿eh? Bueno, había más gente por allí, en otros cuartos. Sesenta o setenta personas más. ¿Qué les parece? En una casa como una caja de zapatos. Aniska tomó un chocolate. No sé si les interesa a ustedes oír estas cosas con tanto detalle, pero siempre he creído que los detalles son importantes. Había mordido Aniska el bombón cuando vio la marca de la tienda. Era una tienda para la colonia diplomática donde sólo se puede comprar con dólares y otras divisas. Dejó en la caja el medio bombón que tenía en la mano y se puso pálida. Yo le dije que mis cuarenta centavos habían ido a engrosar la reserva de divisas del Estado soviético. Aniska parecía ofendida por esta broma. Acerqué mi taburete a su cama. Ella me dijo: "Te conduces como si estuvieras en Brooklyn. Mikhail, di la verdad, tú estás tratando de conquistarme". Yo le cogí la mano. Ella no pareció disgustada, pero la retiró para buscar fotos y estadísticas sobre la industrialización del Ural. Vuelta de espaldas con una rodilla encima de la cama les aseguro a ustedes que el cuerpo de Aniska estaba muy bien. Iba yo a rodear su talle con mi brazo cuando se oyeron pasos en el corredor y apareció un individuo flaco y alto con grandes melenas blancas. Pasó como un fantasma sin decir nada y se perdió escaleras abajo. Aniska dijo: "Es un poeta o cosa así. Está siempre resfriado y parece que llora. A veces resulta cómico, a veces dramático".

»En el pasillo se oían discutir dos personas y ladrar un perro. Dije que haríamos mejor yendo a un cine. "¿No sabes — dijo ella — que hay que comprar las entradas cuatro o cinco días antes?" Me mostraba fotografías del Ural. Las chimeneas rectas y humeantes la entusiasmaban. Comí el medio bombón que había dejado y comprendí que aquella caja nos separaba en lugar de acercarnos. Un poco resignado hice elogios de la industrialización del Ural y besé a Aniska en la mejilla cerca de la oreja. Ella dijo: "Camarada Mikhail, tú eres un decadente burgués". ¿Qué les parece? Un decadente burgués porque le di un beso. En aquel instante — la verdad es esa — ella habría podido hacer de mí lo que quisiera. Hasta un miembro del partido. Hasta un agente de la NKVD, donde según decían había muchos extranjeros. Pero está claro que no se proponía nada de eso. Yo me puse a hablar de cosas indiferentes pensando: "Para poder vivir uno consigo mismo necesita una mujer como ésta". Tenía yo la obsesión sexual, claro. ¿Qué va uno a hacer? Me puse a contarle lo que decían las mujeres de los distintos países después de hacer el amor. Las francesas decían: *Encore*

Las inglesas: *¿Te sientes mejor, querido?* Las alemanas: *¡Tengo hambre!* Y las rusas: *Has tenido mi cuerpo pero nunca tendrás mi alma.* Cuando yo decía estas palabras me daba cuenta de que estaba vengándome por lo que Aniska había dicho antes sobre los obreros americanos y Chaplin.

»Al llegar aquí la mujer del Doncel, que no podía contener la risa, estalló en una carcajada. Mikhail se sentía halagado y continuó:

»— Aniska me preguntó, rencorosa: "¿Por qué te atreves a hablarme a mí de ese modo?". "Perdona —le dije—. Otras muchachas de Berlín y de París se rieron mucho con la misma historia. Creí que en Rusia se podía hablar como en Europa." "Bien —dijo ella—, pero eso que dices de las rusas era antes. A nosotras no nos importa el alma. ¿Qué es el alma? ¿Quién la ha visto? ¿Es verde, es colorada?" Yo le dije que era una broma y ella insistió: "Una broma para desprestigiar a las mujeres soviéticas. Tú no lo haces con esa intención, eso no". Menos mal. Aniska me protegía. Yo tenía ganas de preguntarle qué decían ahora las mujeres rusas después del amor, pero la verdad es, y dicho sea con todos los respetos, que no había renunciado yo a averiguarlo. Ella me decía todavía: "¿Y la mujer americana?". Yo creí hallar una respuesta: "No sé. Tal vez dice: *let's have a coke*". Y no le hizo gracia. Es natural. Yo miraba alrededor calculando las probabilidades. No había ninguna. El cuarto era inadecuado, la atmósfera contraria y Aniska no podía estar más fuera de situación. Yo estaba perdiendo la tarde.

»Aquel cuarto era de veras feo y triste. Y superpoblado. No era siquiera un cuarto sino un lugar de paso, como ya dije. En aquel lugar vivían cuatro personas más. Había que verlo para creerlo. Apareció el viejo de la cabellera blanca. Miró la caja de dulces, juntó los pies, se excusó y se invitó a tomar un bombón. Lo cogió con dos dedos versallescos y yo le dije que debía convencer a Aniska de que aceptara la caja. El viejo alzó la mano como si fuera a bendecirnos y dijo:

»— Hay quien sigue creyendo que todo está en Rusia lleno de peligros. ¿Qué peligros? Yo no creo en el socialismo. Yo no soy más que un patriota ruso. Comprendo que el Vodz da gloria y grandeza a Rusia y por eso lo sirvo. Hay quienes no entrarían por nada del mundo en los almacenes de objetos para la exportación. Hay encantadoras muchachas como Aniska

131

que no tomarían uno de estos chocolates deliciosos —y tomó dos más—, pero el peligro no está en lo que uno hace, sino en lo que sucede en el santuario de las almas. Yo no tengo nada de doctrinario ni de revolucionario. Yo soy un patriota ruso que sin comprender lo que sucede cierra los ojos y sirve al régimen sencillamente porque el Vodz hace más por nuestra patria que hicieron Pedro el Grande y Catalina II juntos.

»El viejo tomó la mano de Aniska, la besó e iba a marcharse cuando yo le llamé para ofrecerle la caja entera. Pálido, el poeta no se decidía a tomarla. En el santuario de su alma había un combate entre la necesidad de azúcar y la sospecha de un peligro. Por fin tomó los dulces, volvió a inclinarse y dijo en éxtasis: "¡Juventud, tesoro de un día, de un día eterno como el mundo!". Luego se fue.

»Aniska hizo avanzar su labio inferior:

»—No es tan tonto como parece. Un patriota. ¡Menudo patriota! Con eso de que no cree en el socialismo todos tienen confianza en él.

»Había en las palabras de Aniska no sólo desdén, sino también una sombra de envidia.

»Iba yo a abrazar a Aniska cuando...»

Pero al llegar aquí en el Paraninfo del Abadiado se hace el silencio. Ariadna ha interrumpido las evocaciones de Mikhail. Ariadna ha callado. Luego, dice:

—Como ven ustedes recuerdo muy bien lo que decía Mikhail. Además tengo anotadas sus palabras en todos estos papeles que me ha entregado hace dos días la comisión de archivos.

»Aquella noche yo estaba sentada cerca de él, en el bosque, cara al público. Por el lado derecho recibía la luz de la antorcha. Por el otro, la del gas. Ésta parecía lunar y la otra dorada como el sol. Sus reflejos en los árboles próximos y en los conos de las tiendas eran fantásticos. Me gustaba pensar que los hombres me miraban. Justiniano, el hombre gordo con la cabeza romana, parecía pensar: "Lástima que no esté yo en la tribuna porque soy mejor orador que Mikhail, mejor que Javier. Soy mejor orador que cualquiera de los que están presentes". Avelino el asturiano, a su lado, tenía también una expresión crítica, pero de otra clase, como si pensara que las palabras eran odiosas y que estábamos rodeados de demasiados peligros para entretenernos en aquellas historias de otros países y otras gentes.

132

»Pero voy a seguir con la referencia de Mikhail, quien decía:
»— ... Iba yo a abrazar a Aniska cuando apareció una mujer vestida según la moda de nuestras abuelas. Llevaba además una condecoración sobre su pecho izquierdo. Se sentó en otro extremo de la habitación, cruzó las piernas secas y huesudas, encendió un cigarrillo, echó su cabeza atrás y dio un grito muy agudo. Después otro más agudo todavía. De su boca salía con cada grito un chorro de humo. Yo acudí en su auxilio, pero Aniska dijo:
»— No hagas caso. Es que está ensayando.
»La vieja seguía dando gritos en diferentes tonos — contándolo Mikhail los daba también entre la risa de los oyentes —. Perdonen ustedes, yo he sido actor y a veces me gustan estas imitaciones. Bueno, pues la vieja creyó que debía explicarse y dijo:
»— Soy cantante y estoy vocalizando.
»Yo pregunté a la cantante si el tabaco no perjudicaba a su voz y ella dijo que no. Fumaba cuatro paquetes diarios. Diciéndolo mostraba un promontorio de colillas en un plato. Añadió con retintín:
»— Aniska no fuma, no bebe. Es una mujercita con la manía de hacerse necesaria y ser elegida para un comité nacional. Supongamos que lo consigue. ¿Qué será entonces Aniska? Una burócrata. Yo soy otra clase de mujer. Mire — mostraba su condecoración —. Yo soy una mujer cabal y como Rusia las necesita. Yo soy cabo de ametralladoras.
»Aunque aquella mujer era flaca colgaban opulencias por algunos lugares de su cuerpo. Aniska me pidió un cigarrillo, se puso a fumar con aire soñador y dijo:
»— Yo también fumo a veces, pero no me gusta esclavizarme a ninguna costumbre.
»La vieja se puso otra vez a hacer gorgoritos. Los pulmones de aquella mujer debían ser sólidos como los fuelles de una fragua. Se golpeó el pecho con el puño — contándolo se golpeaba también Mikhail — y la condecoración hizo un ruidito contra un botón del vestido. Al mismo tiempo que se golpeó cambió de escala como si tuviera un resorte mecánico en el pecho. Luego se levantó sin dejar de gritar y comenzó a dar paseos por la habitación. Sonaban las articulaciones de un tobillo. Se detuvo delante de mí y dijo:
»— ¿Qué le parece? Aniska dice de mí que soy vieja.
»— Yo no digo nada — protestó ella.

»— No lo dices pero lo estás pensando — contándolo, Mikhail imitaba la voz de la cantante de tal forma que algunos reían a carcajadas y Mikhail hizo un paréntesis para volver a explicar que en su adolescencia había sido actor y que conservaba el gusto de aquella profesión, pero que si molestaba... Todos dijeron que no y Mikhail siguió imitando la voz de la cantante —. Fui joven. Y tuve en mi juventud algo más de lo que tienes tú. Yo me casé en San Basilio. Hace treinta y cinco años. La comida la sirvieron en el hotel imperial de la Twerskaia, en lo que es ahora cooperativa de extranjeros. Mi novio era un guardia blanco. El primer beso que cambiamos se lo di yo. Yo, media hora antes de la boda. Esto es — y ahora se golpeaba uno de los muslos — una mujer. Como homenaje a la memoria de mi marido me hice cabo de ametralladoras. Mi marido era coronel.

»— Vamos, Sofía Alexandrova — dijo Aniska —. No seas vanidosa. Era teniente.

»— ¿Negarás que mandó un regimiento en la revolución? Ah, eso es lo que te duele. También yo tengo mi regimiento. Y sin embargo soy artista. La revolución necesita también sopranos. Siempre he dicho que una artista está por encima de las cosas que hace la gente menuda.

»A continuación Sofía volvió a dar alaridos. Con cada grito pronunciaba una vocal diferente. De vez en cuando se interrumpía unos segundos y escuchaba hacia el interior de la casa como si esperara alguna respuesta. Aniska dijo muy tranquila:

»— Si cree usted, Sofía Alexandrova, que dando esos gritos va a conseguir un cuarto para usted sola, está equivocada.

»La soprano la miraba con perfidia:

»— Sobre eso yo podría decir algunas cosas que usted no sabe. Si no tengo un cuarto para mí sola es por un bonzo arribista burócrata bujariniano distraccionista cornudo burgués cuyo nombre me callo. ¿Qué hizo él durante la deskulakización de 1933? Emboscado en Vladivostok. La trinchera de Vladivostok también es importante, decía. Pero esa trinchera estaba sólo en su sucia imaginación. ¡La trinchera! Más vale que me calle. Tengo un archivo que hablará por mí algún día. Sí, yo, un archivo. Aquí lo llevo y un día irá a las manos de quien yo me sé y entonces veremos si me dan o no me dan un cuarto.

»Se golpeaba una cadera y debajo de sus ropas sonaban efectivamente papeles.

»— Usted dirá: ¿Por qué lleva su archivo encima? Ah, ésa es la pregunta que yo esperaba, pero no la contestaré.

»Yo quería decirle que no le había preguntado nada, pero la vieja cambiaba de parecer y respondía mirándome a los ojos:

»— Los llevo encima porque no puedo fiarme de nadie. Dos veces han querido robármelos mientras dormía. ¿Eh? ¿Qué dice usted?

»Luego se levantó, sacó de debajo de su cama un bastidor plegable y lo puso de pie, de modo que en un instante quedó aislada. Pero se puso a mirar por algunos pequeños agujeros de la tela.

»Aniska señaló el bastidor con un gesto de desdén y la cantante que se dio cuenta gritó:

»— Sé lo que estás pensando. Piensas que soy una individualista. Pero me dieron una condecoración. Me la dieron a mí y no a ti. Los artistas estamos por encima de las clases, como dijo Lenin.

»— Lenin no dijo nunca eso, Sofía Alexandrova — negó Aniska ofendida.

»La soprano salió a medias del biombo — al parecer estaba cambiándose de ropa — e insultó a Aniska con una palabra sucia, que Mikhail dijo en inglés. Javier la tradujo al español después de vacilar un poco. Mikhail volvió a decirla en francés. La traducción exacta en español sería *merdillona*. O como dijo Mikhail en francés *merdillonne*.

»— Bueno, bueno — dije yo, creyéndome obligado a intervenir —. Tranquilícese usted, señora.

»— ¿Quién, yo? Yo estoy tranquila. Y no soy señora, sino cabo de ametralladoras.

»La cantante se escondió detrás del biombo. Se oía el frufrú de las ropas y a veces llegaba hasta mis narices un ligero olor de sudor humano. Tenía yo ganas de reír, pero no me atrevía porque estaba seguro de que ella me espiaba por los agujeritos del biombo. Sofía Alexandrova tomó otra vez la palabra:

»— Hace tres años estuve a punto de conseguir un cuarto, pero habría tenido que tomar el tranvía para ir a mi trabajo. En los tranvías hay piojos. Los tranviarios tienen un club modelo donde trabaja Aniska, pero los tranvías son focos de infección. Se puede viajar en tranvía si una lleva bolsitas de alcanfor colgadas de las rodillas, de la cintura y del cuello. Con el alcanfor una huele a muerto, pero más vale oler a muerto que estar muerta de veras. Y más vale tener piojos que vivir en el mismo cuarto con gentecita de más o menos.

»Volvió a sus alaridos. Debía estar inclinada sobre sí misma, calzándose las medias, y sus gritos no eran tan agudos. En cambio, por ser roncos resultaban más dramáticos. Parecía que la estaban degollando. Yo no me atrevía a respirar. (Cuando Mikhail imitaba los ronquidos de Sofía parecía que estaba en los estertores del coma. Aquello era demasiado y Javier en lugar de reír fruncía el entrecejo.)

»Por fin la soprano, que se había callado, plegó de pronto el bastidor y lo metió bajo la cama. Apareció vestida con franjas de oralina por todas partes. Sobre el pecho brillaba la misma condecoración. Llevaba zapatos de purpurina resquebrajados con tacones altos y miraba con orgullo como diciendo: ¿Qué te parezco ahora? Al mismo tiempo se metía por un lado de la falda — tenía una abertura — varios sobres llenos de papeles. Sin duda su archivo secreto. No concibo cómo ni dónde lo sujetaba.

»En Brooklyn hay mujeres enérgicas, pero no tanto ni tan libres de palabra. La soprano se dejó caer en la cama, que era un diván como el de Aniska. Sin embargo no podía menos de haberse vestido de aquella manera para ir a alguna parte. Cuando ella se fuera yo me quedaría solo con Aniska. Estaba pendiente de los menores movimientos de la soprano en los que ponía mis esperanzas. Pero éstas se acabaron cuando vi llegar de la calle otra mujer fea, con pelos de gitana echados hacia la frente. Llevaba un libro rojo en la mano. Saludó con un gruñido nasal y se sentó en el diván tercero. Luego vino otra mujer y un hombre viejo con aire de mendigo. Éste se sentó en el único lugar vacío. Sacó un pañuelo sucio, se secó la frente y dijo a la de los pelos:

»— Katia Seminova, la vi a usted en la calle. Muy de prisa camina usted, hermanita Katia. Es joven aún y anda de prisa. Es bueno ser joven.

»El viejo miró a la soprano y se esponjó la ropa despacio, con gestos parecidos a los de un pájaro que mueve las alas. Ese viejo sacó una varita de marfil rematada por una pequeña mano muy bien labrada. La metió entre la camisa y la espalda y estuvo rascándose y suspirando. La de los pelos de gitana mordía en un pedazo de pan negro y mascaba indiferente.

»En una habitación interior se oía una disputa entre un hombre y una mujer. La de los pelos de gitana parecía escuchar con

136

una oreja porque interrumpía la masticación de vez en cuando. La disputa cesó. Yo no sabía qué pensar. ¿Por qué me retenía Aniska en un lugar tan absurdo? El viejo se puso a tararear una canción en voz baja. Llevaba el compás con el pie. Luego preguntó si tardaría mucho en llegar su hija. Su hija vivía en aquel cuarto y dormía en el diván donde estaba sentado el viejo, quien decía cosas obvias con una expresión de niño:

»— Aquí espero a mi hija y toso y fumo tranquilo.

»Se oyeron pasos de hombre y Aniska se puso un poco impaciente. Apareció un individuo flaco y alto, de aire aburrido. Aniska se levantó:

»— Tovarish Fedor, quiero presentarle al camarada Mikhail Bulkin.

»En aquel momento la soprano volvía a gargarizar. Por esta razón yo no pude oír lo que decía Fedor, pero alargué la mano. Fedor miraba a Aniska y no sabía qué decir. Antes de hablar parecía hacer un gran esfuerzo para despertar, cosa que se ve a menudo entre los rusos.

»— Entonces usted es... — dijo Fedor.

»Al llegar aquí se hizo el silencio alrededor. Calló la soprano y dejó de masticar la que comía y de rascarse el viejo. Todos querían saber quién era yo. Fedor se dio cuenta y se quedó sin terminar la frase. Al percibirlo la soprano comenzó a decir entre dientes frases ofensivas para Fedor, al que llamaba bonzo y arribista. Por fin Fedor puso una mano en el hombro de Aniska y dijo:

»— Vengan conmigo por aquí.

»Seguía hablando el americano Mikhail en medio del bosque bajo el cielo estrellado. Su léxico era a veces torpe, pero sus ideas claras. Yo le escuchaba con gran interés pensando: "Ha dicho varias veces que debe aprender a vivir *consigo mismo* y luego se conduce aquí, delante de la gente, como un *clown*". No entendía bien a aquel hombre.

»El gallego Novaes me miraba sin verme porque no podía ver y oír al mismo tiempo. Ramón en cambio no escuchaba. Me contemplaba con voracidad. La brutalidad masculina a mí como a cualquier mujer no me ofende. Yo sentía la impaciencia bárbara de Ramón. Lo conocía muy bien a Ramón. Desde niña me había dado la impresión de un *consumidor* hambriento y exasperado.

»Y Mikhail el americano seguía:

137

»— Entramos en un cuarto miserable. Nos sentamos y el hombre soñoliento dijo: *Usted es el camarada Mikhail Hacket*. Encima de una repisa había un busto barbado. Un busto de Marx, al parecer. Pero podía ser también de Gambetta o de san Pablo. Lo habían pintado dando al rostro colores naturales. Parecía el busto de un muerto disecado.

»Fedor era secretario político de una célula de fábrica que tenía más de ocho mil miembros. Me miraba con una expresión benévola y ausente y dijo con un gesto de desdén, mientras buscaba algo por los bolsillos:

»— América es un país materialista. Podrido de materialismo.

»Yo creía que en Rusia era una buena condición el materialismo. Fedor acudió a reparar el desliz mostrando a través del vidrio de las gafas sus ojos aumentados monstruosamente y llenos de sueño.

»— Nosotros somos materialistas dialécticos y ustedes materialistas empíricos, es una cosa que se cae de su peso.

»Dirigió un destello de sus gafas hacia Aniska y ella dijo:

»— Ya le advertí a usted, camarada Fedor, que el camarada Mikhail no tiene base cultural.

»Yo no sabía lo que era materialismo empírico, aunque lo suponía. Fedor sacaba de un bolsillo tres o cuatro lápices, elegía entre ellos el que tenía punta y anotaba algo en un cuadernito. Luego se quedó con la mirada perdida en el aire. Parecía estar pensando: "¡Que una cabeza como ésta tenga que convertirse un día en vil polvo!...". Por fin preguntó de qué estábamos hablando. Aniska se apresuró a decirle que hablaban de América. Y Fedor atrapó el hilo otra vez:

»— Ah, sí. El pueblo americano oprimido admira al gran pueblo soviético. Por eso los mejores hijos de América, como usted, camarada, vienen aquí a escucharnos y a aprender. Todos los americanos saben muy bien que nosotros somos los únicos en el mundo que amamos realmente la paz y la democracia.

»Yo dije que los americanos no tenían ejército permanente y que los militares no gozaban en mi país de privilegio alguno. El camarada Fedor dejó de escribir en su cuaderno y dijo:

»— No niego que la mayor parte de los americanos son pacifistas, pero a su manera. Hay que tener en cuenta, camarada Mikhail, que nuestro pacifismo es diferente. Es dinámico y de naturaleza defensiva. Un pacifismo defensivo es una cosa y otra muy distinta un pacifismo derrotista. Tenemos tanques, aviones de bombardeo. Tal vez se nos acusa fuera de las fronteras de bombardear a los campesinos chinos. Bien, es verdad. Pero todos esos hechos revelan nuestro sentido dinámico de la paz. Mientras que ustedes son pacifistas burgueses, es decir estáticos. Ese pacifismo está prohibido aquí, tiene razón. De todas maneras estoy seguro de que usted llegará a comprender las cosas con el tiempo.

»Sobre la mesa había un ejemplar de *Pravda* cuyo editorial tenía el siguiente título: *La mejor defensa es el ataque.* Un pacifismo defensivo debe, pues, atacar. Viendo aquellos titulares yo comenzaba a comprender *el ataque defensivo del pacifismo dinámico.* El artículo era un elogio de la táctica militar alemana. Yo contemplaba a Fedor y pensaba: "Pobre hombre. Más vale dejarlo hablar. Un día lo mandarán a Siberia como a otros secretarios de célula anteriores a él. O lo enviarán a los sótanos de la Lubianka y allí le darán el tiro en la nuca. Él pareció darse cuenta y dijo a Aniska, receloso:

»— ¿Qué clase de persona es este camarada?

»Yo me adelanté a responder:

»— No se moleste, Aniska. En *Pravda* han dicho que soy un héroe, camarada Fedor. No es que yo lo crea, pero si lo dice *Pravda* tal vez lo creerá usted.

»Esto hizo parpadear a Fedor, quien preguntó:

»— ¿Cuándo?

»— Hace una semana.

»Volvió Fedor a parpadear, esta vez sólo con el ojo izquierdo. En una semana no era fácil que hubieran cambiado de opinión en el partido sobre mí. Fedor pareció de pronto iluminado.

»— Ah, vamos, usted es Bulkin el americano.

»Yo afirmaba. Después hubo un largo silencio. Las gafas se le cayeron a Fedor — una de las asas estaba rota — y las cazó en el aire a la altura de la barba. Arregló el asa y se las volvió a poner. Luego preguntó a Aniska:

»— ¿Cuándo salió de Rusia la madre de este camarada?

»— En 1905.

»— Lo digo porque hay una diferencia entre un judío que huye de los zares y un obrero que sale del país para continuar la lucha en el plano internacional. Con esto yo no digo que usted sea judío. No tiene ningún aspecto semítico. Pero todo hay que considerarlo, camarada.

»A mí no me gustaba Fedor y no por sus ideas ni por su torpeza aparente detrás de la cual parecía que había grandes preocupaciones y problemas, sino porque Aniska lo admiraba. El bonzo seguía hablando y en sus palabras se veía una estimación y consideración por mí mayor que antes. Se oían lejos los gorgoritos de la soprano. Como aquellas voces nos distraían, Fedor fue a la puerta y la entornó. Después vino a sentarse más cerca de mí y se disponía a decir algo confidencialmente cuando se oyeron al otro lado de la puerta las voces de un hombre medio loco. La puerta había sido cerrada, pero no con llave. Se abrió y apareció un individuo de unos cincuenta años sin afeitar, con los ojos irritados y el cabello revuelto. Tenía en los labios una mancha amarilla de la nicotina de la pipa.

»— Tovarish — dijo gritando —. Se trata de la reputación y del honor de un ciudadano soviético.

»— Camarada, usted ve que estoy ocupado.

»— Mi esposa Wladia — siguió el vecino, sin oírle — quizá va a denunciarme. Su primer marido murió. ¿Cómo murió? Ejecutado por la NKVD. Digo, por la GPU. No, digo bien, por la NKVD. ¿Comprende? Antes de dar este paso he meditado mucho. Tres noches sin dormir, tres noches pensando si tengo o no derecho a decir la verdad. ¿Es que la verdad puede ser contraria a los intereses de la revolución? No. Si alguien lo cree es un cerdo saboteador. Sólo quiero eso. Que se oiga la verdad. Wladia me ha amenazado. Me sigue amenazando cada día. Ella denunció a su primer marido y lo mataron. Yo no digo que denunciara también al segundo, pero la verdad es que desapareció y...

»Fedor trataba de atajarlo:

»— Cálmese, camarada.

»— No tengo que calmarme. Estoy muy tranquilo — y temblaba de pies a cabeza —. Sangre del corazón me cuesta esta tranquilidad. Tal vez tendré un aneurisma y caeré redondo a sus pies. En ese caso mi última palabra será de recuerdo para el gran Vodz, reformador de la naturaleza y genio del progreso humano. Pero quiero advertir a usted, camarada, que en un rapto de celos Wladia acaba de amenazarme. No sé en qué consiste la amenaza, pero es capaz de todo. No sé si su primer marido era un saboteador o no. Lo ejecutaron y por lo tanto había hecho algo. En cuanto al segundo marido..., quiero advertir al camarada Fedor que no me importa morir. Pero si muero que sea sin que mi honor, es decir mi honor de ciudadano soviético, sufra mácula ni tacha. Sepa usted que si caigo seré víctima de una mujer histérica y que...

»— Perdone, camarada — dijo Fedor rascándose otra vez con el lápiz en la barbilla —, según parece se trata de un asunto personal y usted ve que en este momento estamos ocupados. Por grave que sea un problema personal no es más que un problema personal.

»— Ya le digo que mi trabajo en el laboratorio se resiente.

»Detrás de él en la puerta apareció una mujer. Hablaba no sólo con calma, sino con dulzura:

»— Conejito, no tengas miedo. Deja en paz a los demás, que éste es un asunto entre tú y yo.

»Por lo bajo y entre dientes añadió en alemán: *Schwein!* (marrano). Cuando oía esta palabra el marido parecía perder el poco ánimo que le quedaba.

»— Ya sabe usted, camarada Fedor, lo que sucede. Si soy denunciado no se debe a traición ni sabotaje ni desviación alguna, sino a la mala sangre de una mujer celosa.

»La mujer echó a reír de un modo sardónico. Le parecía humillante que la consideraran celosa:

»— ¿Qué? ¿Qué dices, *mon chou?* Pobrecito, tal vez tiene razón. Ven pronto, pichoncito, y deja en paz a estos camaradas.

»El marido se dejaba arrastrar por una manga gritando:

»— Camarada Fedor, mi sangre caerá sobre su conciencia.

»Su voz se alejaba por el pasillo. Fedor decía:

»— Todo el mundo en esta casa acude a mí. Y yo no puedo ser más de lo que soy. Por grandes que sean nuestras responsabilidades, un día no tiene más que veinticuatro horas.

»Después de aquel incidente condescendía Fedor a preguntarme qué hacía en América, cuál era mi trabajo. Conté yo mi vida a grandes rasgos. Al hablar de mis años en *High School* — equivalente al Instituto español — traduje estas palabras al ruso como Escuela Superior. Lo hice sin intención y vi que aquello me dio prestigio. Había visto que Aniska me miraba como si estuviera orgullosa de mí. Entonces yo me dejé llevar de la vanidad. ¿Qué hacer? Es como el que se ve en el agua y comienza a nadar sin darse cuenta. Quise obtener alguna ventaja con Aniska y dije que había estudiado física y trabajado después algún tiempo en una planta secreta. Debajo de las gafas de Fedor sus párpados temblaron.

»— ¿Cuánto tiempo trabajó en esa planta? — preguntó como por cortesía y sin interés aparente.

»— Oh, unos dos años.

»Parecía Fedor más despierto que nunca. Se arregló el nudo de la corbata, se alisó el pelo con las manos y preguntó a Aniska:

»— ¿Qué pensaban ustedes hacer hoy?

»Aniska dijo que queríamos ir al cine pero que no hallaríamos entradas en ninguna parte. Fedor sacó otra vez su cuaderno y estuvo consultándolo. Luego abrió el cajón de su mesa y trató de recordar algo con los ojos cerrados. Por fin dijo:

»— Yo saqué el viernes ciento cuarenta entradas para la sección XB de mi fábrica, pero quince obreros han pasado a la brigada disciplinaria y diez más han sido castigados sin teatro por tres meses. Entonces me sobran entradas, como ven. Aquí tienen dos. Si quieren ir tienen el tiempo justo para llegar.

»Di las gracias a Fedor y él dijo en la puerta, más soñoliento que nunca:

»— Es posible que nos veamos a la salida.

»Mikhail en el bosque estaba completamente familiarizado con nosotros y se veía que hablaba a gusto y que ejercitaba su talento de actor. A veces se dirigía a mí como si yo pudiera atestiguar lo que estaba diciendo. También me miraba el Doncel, pero de un modo superficial y frío. Su mujer en cambio parecía recelosa y crítica. Ramón tenía la cara de un gorila a medio afeitar. El Doncel parecía un poeta decadente con su mano principesca apoyada en el hombro de su mujer y ella, con el reflejo de las antorchas, tenía luces cambiantes en la frente, la nariz y la barbilla. Su belleza era más de estilo — es decir de movimiento y gracia — que de estructura. La mía era — creo yo — más bien de carne y hueso. Todos aquellos hombres habían estado alguna vez en la cárcel por sus ideas, menos Ramón, que lo estuvo por sus instintos. Todos eran capaces de alguna forma de grandeza, de generosidad y de heroísmo.

»Pero Mikhail volvía a hablar:

»— Salimos. Al llegar a la calle, Aniska me dijo:

»— ¿Has visto qué hombre es Fedor? Le viene de familia. Su padre fue el que les quitó el velo a las mujeres del Turquestán.

»Yo no podía explicarme qué clase de velo sería aquél. Aniska añadía conmovida:

»— Fedor es una figura del partido. Todos los que vivimos en la casa estamos orgullosos de él.

142

»— Me parece — dije yo — que esa cantante de los alaridos no quiere mucho a Fedor. Yo vi que lo llamó bonzo, arribista y otras cosas.

»— ¿Quién, Sofía? Tú no conoces a los rusos. ¿Recuerdas lo que esa mujer ha dicho de mí? ¿Tú has visto que me ha insultado? Pues me adora, a su manera.

»Recordaba yo algunos rasgos de carácter de mi madre, que me quería mucho y de la que siendo chico no he recibido más que golpes. Tal vez es así entre los rusos.

»Seguía Mikhail hablando a nuestros queridos bosquimanos, que parecían oírle en éxtasis. Había entre ellos uno regordete y con mejillas sonrosadas que se llamaba Martín y daba la impresión de un hombre sencillo y saludable, pero era un pozo de maldades y de envidias. Yo no comprendo de dónde sacaba su apariencia inocente. Había otro a su lado, flaco y amarillo, que parecía materializar la falsedad misma y que era sin embargo honrado y espontáneo. Se llamaba Lucas. Éste a veces oyendo a Mikhail imitaba con la cara los gestos del conferenciante sin darse cuenta.

»El gordo Martín era socialista y pensaba en los paramoscovitas con cierta secreta simpatía. Pensaba que diciéndoles amén y obedeciendo a todo el mundo en el partido en pocos años se convertiría en un profesional político con los privilegios de un paramoscovita de altura. Pero no pasaba de la tentación. El desprecio de los demás bosquimanos para la gente inspirada por Moscú le impresionaban demasiado. Y escuchaba a Mikhail entre divertido y escéptico.

»Lucas, como digo, era por fuera la estampa misma de la maldad y la perfidia, y sin embargo tenía una naturaleza abierta y noble. Creía en la comuna libre y en la educación por el ejemplo moral.

»El público escuchaba, pero parecía menos entusiasta que al principio. Mikhail dudaba si seguir o no con su historia de Aniska. Yo tenía curiosidad. Javier parecía absorto.

»— Lo que voy a decir ahora — advertía el americano — no lo van a creer ustedes. Fuimos de prisa al teatro y llegamos en el momento de comenzar. Hacían *La Dama de las Camelias,* pero con algunas modificaciones. La heroína era una víctima del capitalismo corruptor y al final no se moría, sino que era salvada gracias a la intervención de un médico soviético. Los actores se conducían de una manera muy rara. Daban grandes brincos en la escena y hacían unos gestos tan extraños para decir la cosa más nimia que yo tenía la impresión de estar en el circo más que en el teatro. ¿Qué les parece la dama de las Camelias curada al fin por un médico soviético? Fantástico. Al lado de mi asiento había otro vacío. Aniska miraba con alguna inquietud aquel lugar desocupado. Yo pensaba: "Esta chica está enamorada de Fedor y no de la industrialización de los Urales". Poco después llegó alguien y ocupó el lugar vacío. Aniska conocía a aquel individuo y nos presentó. Se llamaba Rusenko. Tenía la cabeza afeitada como una bola de billar y era pequeño y macizo.

»Seguían los actores dando brincos por la escena y gritando de un modo epiléptico para decir las cosas más simples. Yo creía que todo aquello era presunción y tontería. Rusenko rectificó y dijo que era *teatro psicológico de masas*. Yo no podía menos de comparar a aquel hombre con Fedor y pensaba: "Éste es del género mondo y lirondo y el otro del género peludo". Nadie lleva en el mundo tanto pelo o tan poco como la gente rusa.

»Mikhail seguía hablando. Escuchándolo yo miraba a la mujer del Doncel, que parecía en éxtasis. El Doncel seguía atentamente las palabras del americano con la sombra de una sonrisa en los labios. Y Mikhail continuaba:

»— Rusenko vestía una rubasca gris debajo de la chaqueta y parecía bastante brutal con su ancha nariz y su pescuezo de boxeador. Dijo que en América el teatro era fascista y que se dedicaba a embrutecer a las masas oprimidas. En Rusia hablar de las masas oprimidas es como hablar del tiempo. Nadie pone atención y todos están de acuerdo.

»Añadió Rusenko:

»— El teatro que ha visto usted hasta ahora en su país es el convencional teatro realista.

»Yo recordaba que todo lo que se hace en Rusia debe ser realista para que el Gobierno lo tolere. Rusenko se apresuró a señalar, como había hecho Fedor antes con el pacifismo, las diferencias entre realismo socialista y realismo burgués. No explicaba estas cosas tan bien como Fedor. Parece que el realismo socialista es el que insulta a América y a Francia y a Inglaterra, y el burgués el que no se preocupa de insultar a nadie y dice las cosas más o menos como son. Pero Rusenko hablaba de realismo dialéctico. (El dialéctico era el que nosotros estábamos presenciando.)

»Aniska tendía su linda oreja hacia Rusenko. La atención de Aniska era al mismo tiempo distraída y atenta como la de los gatos.

»Rusenko me preguntó si los americanos tenían entre sus invenciones algún tipo nuevo de motor eléctrico.

»— Hombre — dije yo —, no me extrañaría. Allí cada día inventan algo importante.

»— ¿Cree usted que en América se inventan más cosas que aquí?

»— Creo que sí.

»— ¿Cuáles, por ejemplo?

»Pareciéndome Rusenko bastante estúpido por su nariz ancha y su cabeza afeitada, me puse a recordar las revistas seudocientíficas a las que era aficionado. Los inventos de los que hablaban como de cosas posibles yo los daba por hechos y logrados para impresionar a Rusenko.

»Dije que se habían inventado aviones capaces de subir a una zona del espacio donde ya no ejerce influencia la gravedad y de quedar allí inmóviles días y meses y años esperando órdenes para bajar como flechas. De ese modo podía América tener cinco o cincuenta mil aviones de remoto control suspendidos en el espacio, inmóviles y dispuestos a caer sobre el lugar que indicara por radio el mando central.

»— ¿Y los pilotos?

»— No hay pilotos. Son controlados a distancia por radio.

»Los ojos de Rusenko crecían.

»— ¿Cómo se llaman esos aviones?

»— Estratoritos — dije feliz de poder recordar aquel detalle leído también en la misma revista, y añadí —: No tienen alas. Son como plataformas circulares con el mando en el centro. Tienen motores electrónicos que se cargan en la misma atmósfera. Bueno, usted comprenderá, yo no sé gran cosa. Se cargan los motores con la electricidad estática, en el aire.

»Rusenko estaba excitado. Se notaba en su manera de pasarse la mano por la cabeza monda desde una oreja a la otra y desde la nuca a la frente. El esfuerzo para disimular su excitación lo hacía irritable. La piel de su cabeza rosácea jaspeaba bajo la luz. Se levantó, se volvió a sentar. Los de atrás protestaban. Se inclinó por delante de mí para mirar a Aniska y de pronto dijo:

»— ¿Dónde ha leído esas cosas?

145

»—Yo iba a decir: en una revista seudocientífica, pero pensando hacer méritos con Aniska mentí otra vez:

»— En los archivos de la dirección de mi fábrica.

»Rusenko me miró como si estuviera pensando en asesinarme, volvió a acariciarse la cabeza con la palma de la mano y añadió:

»— No diga a nadie una palabra de eso. Volveremos a hablar.

»En aquel momento terminaba el drama y cayó el telón. Fuimos saliendo. En el vestíbulo nos esperaba Fedor, quien daba como siempre la impresión de hallarse perdido en sus sueños. Al vernos se acercó a Aniska y le dijo algo en voz baja, un poco impaciente. Luego Rusenko y Fedor se apartaron y comenzaron a discutir. Rusenko subrayaba sus palabras dando golpes verticales en el aire con el puño cerrado.

»Aniska estaba nerviosa y atendía desde lejos a los movimientos de Fedor y Rusenko, que seguían discutiendo. Rusenko añadía al movimiento de las manos y la cabeza el del pie derecho, con el que daba patadas en el suelo. Luego escupió por encima del hombro. No escupió realmente, sino que hizo ese gesto con el que los rusos quieren mostrar su desdén por algo.

»— Quizás he oído demasiado — dijo Aniska muy preocupada.

»La gente en Moscú procura evitar ciertas confidencias, porque si oyen algo que no debieran haber oído corren el riesgo de ser encarcelados y tal vez suprimidos. Por eso el viejo de melenas blancas que vivía en la casa de Aniska se adelantaba a decir que él no era comunista — para evitar que nadie le hablara confiadamente, es decir peligrosamente.

»Aniska tenía miedo. Rusenko y Fedor seguían hablando aparte. Fedor con suavidad y Rusenko de un modo atropellado. Fedor se limitaba a repetir una y otra vez: *Horoshó, horoshó*, afirmando al mismo tiempo con la cabeza. Pero de pronto alzó la voz indignado:

»— Perdone, camarada, pero eso de los estratoritos... Bueno, eso es demasiado trivial.

»— Usted no está en antecedentes.

»Aniska se retiraba más lejos para no oír. Yo me apartaba con ella. Convencida de que Rusenko maltrataba a Fedor miraba Aniska a este último con cierta melancolía. Fedor se nos acercó y dijo a la muchacha:

»— No me espere. Nos veremos a la noche cuando vuelva. Vayan ustedes a mi cuarto y espérenme allí. Yo no llegaré hasta la una.

146

»Salimos. Detrás quedaban Fedor y Rusenko dando voces. En la calle Aniska me tomó del brazo. En los lugares oscuros se ponía confidencial y cuando había luz volvía a su indiferencia. Aniska era tímida e impresionable. En uno de los espacios iluminados se detuvo y me miró de frente:

»— ¿Estás seguro de que le has dicho a Rusenko la verdad?

»Yo afirmaba. En la estrategia del amor todo está permitido. Ella me pidió que reservara mis informes para Fedor. Para obligarme más se colgó de mi cuello y me besó en los labios. Luego explicó:

»— Te lo digo porque Fedor es un genio político, pero le falta voluntad y fuerza para imponerse. ¿Sabes? Otros hombres con menos merecimientos le pasan por encima y...

»Yo no la escuchaba. Le dije:

»— Vamos al cuarto de Fedor. Podemos estar allí solos hasta la una.

»Ella negaba:

»— No, Mikhail, ven mañana a la biblioteca, pero antes dime que me quieres. Esta noche necesito saber que alguien me quiere.

»Me separé de ella pensando que estaba más lejos que nunca de poder vivir conmigo mismo. Había mentido a Rusenko y aquel embuste me irritaba.

»El americano Mikhail se calló un momento y en el claro del bosque hubo un silencio lleno de dulces brisas. Por el cielo pasaba otro avión. Todos alzaron la cabeza. Oyendo a Mikhail yo me daba cuenta de que cualesquiera que sean las palabras que diga el hombre siempre son menos elocuentes que su presencia física. Lo importante en aquel momento era para el público la figura de Mikhail, el timbre de su voz, la dirección de su mirada y de su gesto. Con ellos decía Mikhail cosas sin querer. El estudiante de química fumaba su pipa maloliente. A veces la brisa me traía una tufarada de tabaco y las aletas de mi nariz vibraban reconociendo un olor que me era familiar desde la infancia. César y su mujer escuchaban con la misma expresión y con las manos enlazadas. El cielo era color violeta oscuro y en un extremo del claro del bosque se veía a Sirio.

»Mikhail continuó:

»— En Rusia la gente está incomunicada con el resto del mundo y expuesta a todo género de hipótesis y de fantasmagorías.

147

Un pueblo que cree que los obreros americanos visten y andan como Chaplin puede creer también — ¿por qué no? — cualquier otra extravagancia. No tenían la menor idea de lo que era posible o imposible fuera de Rusia. Fedor y Rusenko se habían tragado lo de los estratoritos.

»Pero entre los compañeros del bosque alguien alzaba la mano para hacer una pregunta:

»— ¿Es verdad — preguntaba Martín — que los rusos se conmueven con las estadísticas de producción y lloran igual que si leyeran una novela sentimental?

»El estudiante de química añadía:

»— Yo también he leído que los rusos se apasionan con las cifras de la producción industrial. ¿Es verdad?

»Mikhail sonreía escéptico, pero afirmaba:

»— Es verdad. La gente se conmueve con esos números, pero no creen en ellos. Nadie cree en ellos. El Vodz del Kremlin quiere que los rusos finjan creer en los números. Y los rusos lloran de emoción para convencerle al Vodz de que creen. Ustedes dirán: ¿Al menos cree el mismo Vodz? No. Tampoco. Nadie cree en eso. Y ustedes preguntarán: ¿Para qué esas estadísticas entonces? Hay un elemento útil, pero no está en los números. Ya lo he dicho: el Vodz necesita que los rusos crean en esas estadísticas. Y les agradece su buena fe aparente. Los pobres rusos se conmueven con el agradecimiento del Vodz. Todos saben que las estadísticas son mentira, pero se conmueven con ese juego de reciprocidades y de fidelidades. Así es la gente, allí. El más miserable miembro del partido se dice: "¡Qué un hombre como el Vodz, que puede disponer de mi vida ahora mismo, me enseñe unos números y me diga: Camarada: hazme el favor de creer que son verdad! ¡Qué sencillez, qué humildad, qué grandeza!". Y por su parte el Vodz a solas piensa: "¡Qué los cinco millones de miembros del partido finjan creer en esos números para hacerme feliz! ¡Qué lealtad!". Seguro que por los dos lados hay a veces lágrimas. Y esa *sinceridad* es la fuerza de las estadísticas soviéticas. ¿Comprenden ustedes? — Nadie contestaba. Se veía que la imaginación del galleguito Novaes trabajaba.

»Decía Mikhail, soñador:

»— Yo he creído siempre que los hombres miran al Vodz como a un genio milagroso pero también con una emoción que me recuerda la de las mujeres por el macho y la de los SA por

148

el *führer* alemán. Dios me perdone si me equivoco. —Esta alusión a Dios volvió a poner incómodo al Doncel—. Pero creo que ese prestigio del Vodz viene del hecho de haber matado a todos sus enemigos y a la mitad de sus amigos sin pestañear. ¿Hay en esto un misterio? Claro que sí y no es el único en Rusia, aunque tal vez es el más grande. Todo esto me importaba a mí muy poco entonces. Yo iba a ir al día siguiente con Aniska al parque Máximo Gorki. El día siguiente era de descanso para ella. Cuando fui a buscarla estaba muy emocionada porque el periódico daba la foto del Vodz y lo llamaba corifeo de la ciencia mundial. La causa era que gracias a su inspiración, un naturalista de Moscú había conseguido producir un nabo gigantesco. A mí me daban ganas de reír, pero me aguantaba porque aquel día me parecía lleno de oportunidades y no quería ofender a Aniska y malograrlas.

»El tiempo era dulce y el sol lucía en lo alto. Fuimos al parque en el metro. Había muy poca gente porque la entrada en el parque era de pago y costaba dos o tres rublos.

»Al ver el nombre de Gorki coronando la verja de acceso no pude menos que recordar que aquel escritor había sido asesinado por los mismos que honraban públicamente su memoria. Pero a veces dudaba yo de ese cinismo y creía que habían sido sinceros en los dos casos: al matarlo y al honrarlo. Así son los rusos.

»Medio en broma comencé a hacerle ver a Aniska las ventajas de casarse conmigo. Primero una vivienda para nosotros solos. Siempre estaría mejor conmigo que con Sofía y sus compañeras. Pero Aniska veía un riesgo detrás de cada posible ventaja. No se atrevía a moverse de su triste agujero sospechando que fuera de allí había demasiadas amenazas.

»— ¿Es que estás enamorada de otro? —le preguntaba yo.

»Ella negaba con la cabeza. Llegábamos junto al río, que era ancho y caudaloso, y nos metimos en una lancha. Aniska comenzaba a reír y tocaba el agua con la mano.

»Yo estaba leyendo en la mente de Aniska, quien seguía mirando al agua, abstraída. Creía adivinar sus pensamientos: "No quiero casarme. Me gusta vivir como vivo. Cada día trabajo en la biblioteca, después peleo un poco con Sofía Alexandrova y luego duermo toda la noche de un tirón. Al levantarme veo la luz y la gente y todo me parece bien".

»Ella seguía mirando al agua. Estábamos en el centro del río y parecía muy feliz viendo la distancia que nos separaba de las orillas. Aniska no oía a nadie. Exploraba el paisaje. No perdía detalle del cielo ni de la tierra. Yo, remaba. En el aire había un olor de raíces húmedas y de hojas podridas. Fuimos acercándonos a la orilla. Trataba de hacer reír a Aniska contando cuentos americanos, pero ella no se reía, sino que buscaba el lado político de aquellos cuentos y hacía comentarios raros.

»Seguía hablando el americano. Yo, Ariadna, observaba la impresión de aquellas palabras en los oyentes. En cada uno había como una atención dividida en tres direcciones: hacia las palabras de Mikhail, hacia los rumores del bosque y hacia mi propia persona. En la cara de Novaes había una especie de confianza mineral — de roca — que podía ser alterada por ráfagas súbitas de alarma. Brisas cargadas de electricidad contraria pasaban y volvían a pasar por el bosque. Los antiguos habrían dicho que el temible Pan andaba cerca.

»Mikhail decía:

»— Por primera vez me di cuenta de que aquel parque era triste. Demasiado grande, demasiado vacío, con avenidas de asfalto deshabitadas, con ríos dramáticos de agua rojiza y violenta.

»Vimos aparecer entre los árboles una forma humana. Se acercó a la orilla y se quedó mirándonos con curiosidad. Era un hombre en cueros. Un hombre de unos cuarenta años, ancho y bajo, completamente calvo. Estaba desnudo como el día que nació y desde la orilla, junto al agua, nos miraba de frente con las manos en las caderas. Su desnudez era repugnante. El cuerpo parecía fuerte, pero al mismo tiempo tenía algo enfermizo. Todo él era estómago y sexo. En el rostro se veía una indiferencia animal, con anchas mandíbulas y pequeños ojos hundidos. Yo masculló unas palabras de disgusto en voz baja. Aniska dijo:

»— Camarada, no puedes negar que vienes del mundo capitalista. En Rusia esas cosas no tienen importancia.

»Yo dije que tampoco tenía prejuicios, pero que la fealdad de aquel cuerpo era ofensiva. La exhibición de formas feas en las cuales la falta de armonía iba unida a la idea de la desnutrición y tal vez del vicio — porque yo pensaba que allí había un cierto placer exhibicionista — envilecen al hombre. Aniska insistía:

»— Yo soy mujer y sin embargo a mí no me ofende.

»Exageraba su indiferencia. Yo dije:

»— A mí, sí. Muchas veces he visto desnudos en los museos, pero son hermosos. Las estatuas griegas tampoco se cubren el sexo, pero no hay en ellas ofensa alguna.

»En aquel momento el hombre de la orilla, que tenía piernas flacas y velludas, muslos cortos, caderas y vientre anchos y la piel del color de la patata cruda, dijo algo. Preguntaba la hora.

»— Las once — dije yo al azar.

»Él se nos quedó mirando sin dar las gracias. Aniska quería todavía mostrarse superior. Me propuso salir de la lancha y charlar con aquel monstruo. Yo no dije nada, pero ella debió entender que la idea no me sugestionaba y haciendo un mohín, dijo:

»— Perdona, no quiero herir tu delicadeza.

»Aniska identificaba a aquel hombre con Rusia. Me acerqué a la orilla con dos golpes de remo y salté a tierra. Sujeté la lancha y saltó también Aniska. El hombre se acercó a ayudarnos y entre los dos embarrancamos la lancha en la orilla. Los esfuerzos que hacía aquel antropopiteco para empujar acusaban sus músculos bajo la piel enfermiza. No sé cómo Aniska podía mirarlo sin que se le revolviera el estómago. Aquel hombre indiferente a nuestras reacciones se ponía las manos en las caderas y se aprollaba en un pie o en el otro, satisfecho de sí y de su desnudez. Miraba mi corbata, mis zapatos, mi camisa, calculando el precio. Por fin dijo:

»— ¿No se desnudan ustedes?

»— No, gracias — y me volví a Aniska —. Es decir, ¿quieres desnudarte tú?

»Ella apretó mi brazo sin decirme nada. Nos sentamos los tres en un tronco de árbol derribado. Por decir algo pregunté al ruso si tenía frío, pero él no contestó. En cambio dijo:

»— El agua está muy sucia para nadar. Yo no nado, pero me gusta estar en cueros.

»Aquello era evidente. Luego añadió:

»— ¿Es usted ingeniero? — yo afirmé para no meterme en mayores explicaciones —. Pues yo no soy más que obrero. Trabajo en las obras del metro. Hoy estaba libre y dije, pues me voy al parque. Y aquí estoy. Me estoy redimiendo por el trabajo. Antes era maestro de escuela. ¿No ha leído usted a Rousseau?

»— Sí.

»— Digo si ha leído a Rousseau.

»— Digo que sí.

»— Es que estoy un poco sordo, camarada. ¿Sabe usted? — repitió dirigiéndose a Aniska —. Digo que estoy un poco sordo.

»Aniska afirmó con la cabeza. El hombre roussoniano tenía ganas de hablar. Repetía que era maestro de escuela, pero que había hecho una imprudencia un año antes y lo echaron del partido. Protestó y entonces le quitaron la escuela y lo enviaron al metro de Moscú como peón. Parecía contento de poder contar sus aventuras.

»Desde que perdió la escuela hasta que consiguió trabajo en el metro estuvo cinco meses sin tener qué comer ni dónde dormir. No se quejaba. Lo merecía porque la imprudencia que cometió fue tremenda.

»— ¿En qué consistió? — preguntó Aniska dándose cuenta de que el hombre quería a todo trance contarlo.

»— Aparentemente fue poca cosa, pero las pequeñas causas traen enormes consecuencias. Un olvido. Una mañana fui a la escuela sin haber leído el periódico y sin haber escuchado la radio. Lo de la radio era disculpable porque no la tenía en casa, pero el periódico debía haberlo leído. Además tampoco hablé con nadie antes de ir a la escuela. Es decir que desde la cama me fui al trabajo. Todo eso reveló después a los camaradas de la NKVD que yo era un individuo nocivo. Eso decían: individualista nocivo. Y tenían razón a su manera.

»Parece que las rugosidades de la corteza del árbol le picaban en la piel y se levantó un momento. Volvió a sentarse y continuó:

»— Fue el mismo día que en Berlín los comunistas votaron con los nazis en el Reichstag contra los socialdemócratas. Yo no lo sabía. Y en la escuela dije a los chicos: "Nunca el glorioso partido de Thaelman estará al lado de los nazis". Toda la mañana escribieron los chicos sobre ese asunto. La *Pravda* de aquel día traía la noticia en la primera página. Los comunistas y los del *führer* habían votado juntos contra el Gobierno socialdemócrata. Por la tarde vinieron a la escuela tres agentes de la NKVD. Uno de ellos sin decir nada me dio un golpe con el revés de la mano en la boca. Más tarde pude demostrar que no había leído el periódico. Y entonces me declararon individualista pasivo y podrido burgués provocador y diversionista. También me acusaron de agente del imperialismo inglés.

»El pobre maestro seguía contando sus cuitas. En los cinco meses que estuvo sin trabajo y sin la carta de pan, pasó unas hambres horribles. Creyó varias veces que iba a morirse, pero se defendió comiendo raíces de hierbas que arrancaba con las manos. Un día vio en la huerta de un colectivo algunas higueras cargadas de frutos. Cuando llegaba la noche se arrastraba como un animal y a cuatro manos iba tanteando por el suelo bajo los árboles. Nunca tomó un higo de los que estaban en las ramas, eso no.

»— De ningún modo — decía con la mano sobre el pecho velludo —. Yo no robaba. Sólo cogía los higos caídos y en su mayor parte deteriorados.

»En la oscuridad se hartaba de higos maduros o podridos. Una vez — lo contaba con aire muy potético — tanteando por el suelo, en lugar de un higo atrapó un pequeño sapo. Al tacto era lo mismo que un higo. Se lo llevó a la boca, le dio un mordisco y se lo tragó. Al pasar el sapo por la garganta dio un gruñido. El pobre maestro de escuela creyó que había sido un rumor gutural suyo producido por la impaciencia y la glotonería. Luego sintió ese gruñido en su estómago al mismo tiempo que algunos movimientos convulsivos. El animalejo se agitaba en vano. Y con la mano sobre el vientre, el maestro decía:

»— Un sapo. ¡A qué miserias nos puede conducir el olvido de nuestras obligaciones políticas!

»Yo no me atrevía a reír viendo a Aniska tan seria. El hombre desnudo añadía:

»— Desde entonces lo primero que hago cada día al despertar es leer el periódico.

»Le pregunté tímidamente si había digerido el sapo y dijo:

»— Supongo que sí. Se agitó en mi estómago un rato y luego quedó quieto y no volví a saber más de él.

»El nudista no había satisfecho del todo sus ganas de hablar. Y seguía. Era feliz. Tenía trabajo. Por la noche dormía en un cuarto mucho mejor que el que tenía cuando era maestro, aunque en el rincón opuesto había una cabra que daba leche para los niños de un colectivo. Prefería estar solo con la cabra que en un cuarto con cinco o seis personas más. Trabajaba en el metro como había dicho. Solía estar semanas enteras sin ver la luz del sol y aprovechaba el día de vacación para hacer vida primitiva y saludable y gozar de luz natural. Por eso estaba en cueros.

153

»Nos parecía bien aquello y se lo dijimos. No tenía mujer ni hijos. Cuando llegara a remidirse por el trabajo y le devolvieran su escuela se casaría con una muchacha de Minsk, maestra también.

»Le escuchaba Aniska con respeto. Parecía pensar: "Éste es un hombre y no los decadentes americanos".

»Yo no comprendía que el trabajo fuera tan malsano y el hombre desnudo advirtió que la mayor parte del tiempo trabajaba con agua a la cintura. Yo le dije que en mi país, cuando un obrero está obligado a trabajar en esas condiciones, lo hace con ropas impermeables de modo que el agua no le llega al cuerpo, pero que lo más frecuente era que desaguaran el lugar de trabajo con bombas aspirantes.

»— ¿De qué país es usted? — preguntó el nudista.

»No pude evitar una debidiad de vanagloria y dije la verdad:

»— De Brooklyn.

»— ¿No es usted de Rusia?

»— No. Mi madre era rusa, pero yo nací en América.

»El hombre se levantó asombrado, nos miró y luego balbuceó: "Es tarde y tengo que marcharme".

»Dio media vuelta y se fue mostrándonos su trasero, en el que estaban grabadas las arrugas y las irregularidades del tronco del árbol.

»El americano hizo otra pausa. Yo miraba al público. El estudiante de química me contemplaba con los ojos dormidillos. En las sombras de la noche, lejos, mugía un toro. Yo pensaba: "El Braguetón". Aquél debía ser el Braguetón, que se había planchado ya los pantalones de gala. En lo espeso del bosque le contestaba otro toro, detrás de mí. Yo pensaba: "Ese que responde debe ser el Ángel Exterminador".

»Siguió hablando Mikhail:

»— Yo tenía ganas de reír, pero no debía irritar a Aniska. Además, pensaba: "Estoy dándole a entender a Rusenko que sé física y que entiendo de estratoritos. Estoy engañándolos. Tal vez si se descubre mi engaño mis amigos tendrán que pagar también por mí". Y me dolía pensar que Aniska, Fedor y otros podían ser mis víctimas. Callábamos. Yo besé a Aniska. Poco después el hombre rousoniano apareció en la orilla opuesta del río frente a nosotros. Se había excusado diciendo que era tarde, pero allí estaba. Nos miraba desde lejos con el ceño fruncido como si le pareciéramos sospechosos.

»Pasaba el día lentamente. Había, como siempre, cierto desnivel emocional entre Aniska y yo. Comimos un pequeño almuerzo sobre el césped bajo la vigilancia del nudista, que nos miraba desde el otro lado del río.

»Después Aniska y yo entramos en el bosque. Desde los altavoces lejanos que se arracimaban en lo alto de unos postes color aluminio, llegaba la música de una danza campesina. Aniska y yo caminábamos en dirección contraria a aquellos postes. Yo le dije:

»— ¡Qué felicidad estar a solas contigo!

»Pero ella sonreía sin decir nada. Al poco rato fuimos a parar a una plazoleta asfaltada donde había una biblioteca y una especie de pequeño bar de los *komsomols* donde servían rosquillas y limonada. Aniska iba allí muy decidida. Al entrar vi en un rincón a Fedor y a Rusenko. En aquel momento comprendí la sonrisa de Aniska cuando le hablaba de estar solos.

»Rusenko dijo: "¡Qué casualidad!" y me dio un golpe en el hombro. Luego me preguntó si en la fábrica americana donde construían los estratoritos era yo un simple obrero o algo más importante.

»— Yo..., bueno, yo ajustaba los motores — mentí.

»Fedor, que parecía adormecido contra una esquina al lado de la ventana, intervino:

»— Vamos, camarada Rusenko — dijo —. Un ajustador no es más que un ajustador.

»Rusenko alzó la cabeza:

»— Usted es un ignorante.

»Luego se puso a hablar del tiempo, de las masas oprimidas y de la vida *elegante* que yo me daba en Rusia.

»De pronto preguntó a Aniska:

»— ¿Cuándo comienza usted a gozar de sus vacaciones?

»— Pasado mañana, camarada.

»Entonces Rusenko sacó una llave pequeña del bolsillo, me la mostró como se le muestra un hueso a un perro y dijo:

»— Esta es la llave de un apartamento en el edificio 83 y este es el *propus* para que le dejen entrar los vigilantes de día y los de noche.

»Aniska no comprendía. Rusenko añadió:

»— Es para el caso de que piensen ustedes contraer matrimonio.

»Soltó una carcajada tan fuerte que la vibración repercutió en

155

los cristales de la ventana. Yo no quitaba los ojos de Aniska que parecía turbada e indecisa, pero no disgustada. En cuanto a Fedor miraba a Rusenko: "¿Es posible que este individuo tenga tanta autoridad? ¿De dónde habrá sacado ese apartamento?". La escena debía ser bastante tonta, según pienso ahora.

»Lejos se oía la música de los altavoces.

»Aniska miraba lánguidamente a Fedor. Sin embargo y suponiendo yo que ella me aceptaba aunque no había dicho nada, abrí los brazos y fui hacia ella. Aniska no sabía qué hacer y se dejó abrazar. Entretanto Rusenko puso en mi bolsillo la llave y dijo entre carcajadas:

»— La vida elegante, ¿eh?

»Cuando yo comenzaba a tranquilizarme volví a oír la voz de Rusenko:

»— No olvide que esto lo debe usted a la patria del proletariado mundial.

»Fedor, todavía en el hueco de la ventana, parecía pensar: "Una boda no es más que una boda. Y en Rusia menos que una boda". Luego Fedor y Rusenko se fueron y nos dejaron solos.

»Fuimos a nuestra vivienda. Y Aniska fue mía. Al día siguiente me esperaba una sorpresa. *Pravda* hablaba de mí. La publicidad política — y no hay otra en Rusia — está graduada sabia y cautelosamente. Al citar los nombres de las personas que asisten a una reunión o a una fiesta los ponen por orden riguroso de importancia. El último se puede considerar en una categoría denigrante. Cuando no quieren hacer daño a la reputación de ninguno de los que han asistido ponen al final de la lista de concurrentes un nombre falso, un nombre que no corresponde a persona alguna. El lugar donde ponen la noticia, el tipo de letra y las veces que repiten un nombre tienen un valor tan efectivo como una letra de cambio aceptada en la ventanilla de un banco.

»Decía el periódico que yo había optado por la patria de los soviets y desertado del decadente capitalismo americano. Yo quise protestar, pero era tan feliz con Aniska que acabé encogiéndome de hombros.

»Aniska y yo vivimos juntos y felices. A veces yo tenía problemas ridículos, como suele suceder con la gente feliz. Por ejemplo quería a todo trance hacerme alguna fotografía en las calles, de modo que se viera detrás de mí algún monumento ruso y sobre todo si era posible algún letrero en caracteres rusos.

Para mí esta clase de letreros, cualquiera que fuera el contenido del texto, era una alusión a la revolución rusa y esta revolución, buena o mala, humanitaria o criminal, inteligente o estúpida, había sido un acontecimiento en la historia del mundo. El alfabeto ruso tenía para mí un sentido romántico. Y sabiendo que llegaría el día de dejar el país tenía ganas de hacer fotografías de mí mismo con algún letrero eslavo detrás. Un documento que hiciera evidente que había estado en Rusia. Encontré en la plaza de Pushkin varios carteles anunciando la próxima olimpíada atlética. Llevaba conmigo un pequeño trípode plegable. Lo instalé, puse el disparador automático y fui a situarme delante.

»En otros lugares hice más fotografías. Unas veces con Aniska y otras yo solo. Pero un policía se me acercó y me llevó a un puesto de la NKVD, donde se incautaron de los negativos. Me preguntaron qué interés tenía en retratarme. Creían tal vez que era un hombre vano y ridículo. Traté de hacerles comprender que quería una prueba inequívoca de que había estado allí. Las letras soviéticas tenían para mí un gran sentido romántico. Pero nadie comprendía que aquellas letras tuvieran algo romántico.

»Entretanto Aniska no era feliz. Parecía como si echara en falta su antigua vivienda maloliente y sus peleas con Sofía Alexandrova. Me miraba más agradecida que amorosa. Y todavía era un agradecimiento político.

»Yo comprendía que ella *no vivía conmigo* a pesar de todo y que yo no vivía *conmigo mismo*. Unas veces yo me admiraba y otras me despreciaba. Admiraba y despreciaba a ese americano o ese ruso que vivía dentro de mí y lo curioso es que a veces tenía ese sentimiento contradictorio al mismo tiempo. Yo tampoco era feliz.

»Durante tres días estuve visitando fábricas, clubs, casas colectivas, koljoses. Sólo veía a Aniska por la noche. En todas partes me recibían con vítores y sobre todo con fotografías. Cuando preguntaba por qué me hacían tantas fotografías me decían que era un huésped muy importante. Creían que tenía el delirio de las fotos y lo atribuían a una especie de atraso mental que no extrañaba a nadie en un americano.

»Yo le decía a Rusenko que sólo quería una foto, una de las que me había hecho en la calle delante de un letrero ruso, pero creían que en aquella manía había un misterio intrigante. Tal vez un peligro para el régimen.

»Rusenko se había convertido en una especie de empresario mío y repetía a veces mirándome con aire triunfal:

»— La vida elegante, ¿eh?

»Yo no veía elegancia alguna. Me parecía todo bastante sórdido aunque comprendía que podría ser confortador para los pobres rusos pensar que fuera del país los obreros estaban peor. Si se dieran cuenta de su propia miseria serían más desgraciados. Y cuando me hablaban de la vida elegante poniendo en mis manos un horrible sorbete de frambuesa yo guiñaba un ojo como si estuviera de acuerdo.

»A todo esto me habían pedido más datos sobre los estratoritos y yo exprimía mi cerebro en vano. Por fin prometí dibujar la máquina entera. Esto me daba un respiro de algunos meses durante los cuales gozaba de mi amor.

»Pero los rusos no son tontos. Un día se dieron cuenta de que sucedía una de dos cosas: o yo era un ignorante o no quería traicionar a mi país. Y allí comenzaron las dificultades. A mí no me decían nada, pero Aniska se conducía conmigo de un modo diferente.

»Por fin comprendí que la muchacha me era infiel. Tal vez por encargo y orden superior. Por mandamiento de la NKVD. Casi a diario iba a buscar a Fedor a su cuarto sombrío en la vieja casa donde vivía antes.

»Lo que hice fue volver al consulado americano y pedir perdón contando mis desventuras de enamorado. Me perdonaron y me devolvieron mi pasaporte. Organizaron mi salida de Rusia y volví a Francia. Luego vine a España y aquí estoy. Necesitaba yo venir a un país como éste para curarme de toda aquella extravagancia.»

»Con estas palabras terminó el americano, pero la reunión se prolongó hasta casi la medianoche. Le hicieron muchas preguntas. Unas inteligentes y otras estúpidas o más bien brutales. Ramón le decía:

»— ¿Al parecer la niña le ponía los cuernos?

»Y reía. Esto hacía reír siempre a Ramón, que vino a mi lado, me tomó del brazo — lo que representaba un avance en su confianza — y añadió:

»— A mí que me den una pistola y carta blanca. Pronto veréis adónde van a parar los Rusenkovitches.

»Luego hablaba de los cuernos de Mikhail. Yo le dije que él debía ser el último en hablar de aquel modo.

»Trataba yo con dureza a Ramón. Diga lo que quiera Javier siempre repugna un poco el criminal de sangre. El crimen de Ramón había sido bastante sórdido. En el pueblo inmediato, al otro lado de la montaña, había trabajado Ramón como capataz de mineros. Un día, al llegar a casa, sorprendió a su mujer, la Riveirana, con un desconocido y mató al rival de una puñalada. Luego se presentó a la policía. Durante la vista de la causa Ramón se enteró por el relator de que su rival muerto era un vagabundo. Su mujer ignoraba de él hasta el nombre. Estos descubrimientos llenaban a Ramón de asombro y le hacían estallar en comentarios y exclamaciones que irritaban al juez. Fue condenado a seis años de presidio.

»Consiguió Ramón reducciones de pena y salió de la cárcel a los tres años. Como era natural no volvió a ver a la Riveirana, aunque según decía tampoco le guardaba rencor.

»Ramón, aludiendo a la conferencia de Mikhail, decía que era lo mejor que había oído en su vida sobre *la Rusia,* pero no comprendía que habiendo estado en Moscú no hubiera tratado Mikhail de cargarse al Vodz.

»Después de aquella noche el peligro creció como si Mikhail lo hubiera convocado con sus palabras.

»En una reunión, dos días después, Javier les advirtió a todos que debían estar listos para disgregarse o reunirse con armas en lo alto de la montaña adonde habían ido ya muchos campesinos. Les dijo lo que sabía, que no era mucho porque lo que había oído en casa de Alvear lo suponía todo el mundo. A Mikhail le aconsejó que se marchara, pero él decía que no y que prefería correr la suerte de todos.

»— Estoy harto de escapar — repetía — y esta vez voy a dar la cara como los demás.

»Se había enamorado de España y de los españoles y repetía lo de aprender a vivir consigo mismo.»

En este momento vuelve a oírse en la sala del abadiado un revuelo de expectación y sorpresa. Todos se vuelven a mirar hacia atrás. Es el viejo inconformista Natalio. Ariadna se calla y la voz de altos registros de ese hombre suena en la sala de un modo escandaloso:

— Lo que dice Ariadna no es más que una sarta de necedades. ¿Qué nos importa la gente del bosque, Mikhail, el Uro, Aniska, los uniformes del general y el crimen de Ramón? Bagatelas. El problema verdadero está fuera de esta sala. Ahí, en el centro del Campo de Marte y debajo del monumento que conmemora la gran efemérides. La estatua está arriba y el hombre debajo. Sí, el hombre mismo al que esa noble estatua representa. ¡Debajo de su misma efigie el gran epígono, cabeza de linaje, honra de la raza! Comprendo que algunos de ustedes se niegan a concederle importancia alguna. En todo caso yo no soy como ese Mikhail que se atreve a presentar a un jefe de Estado desde un ángulo grotesco. Porque aunque no se ha referido directamente a la persona de una autoridad... se sobrentiende el vejamen. Ya lo dicen los cánones: toda autoridad, cualquiera que sea, viene de Dios.

Arianda vuelve a hablar:

— Increíble. ¿Cómo se atreve ese hombre a entrar otra vez? Yo me niego a continuar mientras Natalio siga en la sala.

Sacan al Lucero del Alba entre cuatro hombres, en vilo. El pobre diablo va pataleando y repitiendo que tiene parientes que testificarán por él. El búho de la cornisa se ha asustado y ha volado a una moldura más alta, en el domo.

Libro segundo

VIII

— La conferencia de Mikhail en el bosque no tuvo mucho éxito, creo yo, aunque Javier encontraba divertido que la NKVD le hubiera dado a Mikhail la esposa y se la hubiera quitado según las necesidades políticas.

»El americano repetía que desde su reconciliación con el consulado los rusos comenzaron a odiarlo a muerte.

»— El Vodz — decía — me haría picadillo si me atrapara.

»Y al parecer seguía enamorado de Aniska.

»Aquella tarde vinieron a casa el Doncel y Ramón. Nunca venía Ramón por la puerta principal, sino por la de servicio.

»— No me gusta comprometeros — dijo —. Uno tiene mala fama.

»Era extraño en Ramón un rasgo de delicadeza. Al mismo tiempo vino hacia mí:

»— ¿No me besas, Ariadna? Tú te besas con todo el mundo menos conmigo. ¿Por qué?

»Me ponía colorada y mi propio rubor me parecía indecente y me indignaba. Javier se dio cuenta, pero no dijo nada. Entonces el Doncel declaró que si no salíamos en seguida de Pinarel estábamos perdidos.

»Llegó también el galleguito, muy excitado. Según dijo estaba organizando la defensa del campamento en el bosque, lo que a Javier y a mí nos puso la carne de gallina. ¿Qué defensa podría organizar aquel muchacho? ¿Y con qué?

»Habían subido a la montaña varios grupos de campesinos armados de escopetas cargadas con bala. Pero nadie sabía por dónde iba a presentarse la amenaza mayor. En la duda la gente buscaba las alturas, es decir que huían hacia arriba.

»Yo pensaba en los peligros de Pinarel. Debía haber allí mucho morueco, incluido Alvear. En cuanto a los otros, los Sanginés, los Loarre, los Arán, habían salido de naja como diría la de Loarre. No huían verticalmente, a las cumbres, sino horizontalmente hacia la frontera. La fuga de los aristócratas era el síntoma que más me asustaba a mí.

»Ramón bizqueando un poco proponía varios planes al final de los cuales yo debía quedarme en algún lugar con él esperando la llegada improbable de Javier. El Doncel lo escuchaba asombrado y divertido. Javier miraba con humor la nariz rota del minero:

»— Yo te conozco, Ramón. Tu nariz te da un aire imbécil, pero yo sé que no es verdad.

»Los que estaban en antecedentes reían.

»Los telegrafistas de Pinarel habían recibido varios partes militares dirigidos al alcalde. Llegaban tropas. Una división, nueve mil hombres. Muchos hombres para las cuatro docenas de *chíviris* del bosque. Pero no venían contra nosotros. Iban sobre la ciudad.

»— Yo creo que es hora de largarse — repitió el Doncel indolente.

»Javier prefería esperar. La situación era confusa. ¿Adónde ir? Lo sabría cuando el enemigo descubriera un poco más sus movimientos e intenciones. Yo opinaba igual que Javier, pero sin saber cómo me encontré defendiendo el mismo plan que Ramón; quedarme sola con el dinero en alguna parte. No sé cómo pasó aquello. A mí no me interesaba Ramón. Cuando me di cuenta me asusté.

»Javier mostraba su impaciencia cargando la pipa, encendiéndola, dejándola apagarse para volver a encenderla. Aquella tarde partió la caña con los dientes y la pipa cayó al suelo. Fue una sorpresa para todos, especialmente para mí.

»La fractura de la pipa tomó una significación enorme. De pronto me parecía que había en Javier no sólo cosas secretas e ignoradas, sino cosas muy meritorias que yo no había logrado entender. Y me sentía culpable.

»Entretanto Ramón me miraba con una codicia de jabalí o de oso. Y me di cuenta de que aquella codicia me gustaba. Cuando se marcharon todos — Ramón el último — yo dije:

»— Hago cosas que yo misma no entiendo y si me detengo a pensar en ellas es como si estuviera sola en el mundo, Javier.

»El recogía la cazoleta de la pipa que había caído al suelo y pisaba las briznas encendidas, tranquilo.

»— Sí, tú estás sola. Yo también estoy solo. Todos estamos solos, querida. ¿Qué te pasa con Ramón?

»Lo decía con una ironía que no era de ser humano, sino de un dios sabio y odioso.

»— No sé — dije yo —. A medida que crece el peligro parece que Ramón es un hombre diferente. En un momento de confusión y caos podría hacer algo.

164

»— Podría acostarse contigo. Desde que le rompí el hueso de
la nariz no piensa más que en eso.
»Yo sentía cierta necesidad vengadora — ¿vengadora de qué? —
viendo aquella reacción de Javier. Y acababan de marcharse todos cuando llegó Mikhail:
»— La cosa se pone muy fea — dijo, y se sentó como si no pensara marcharse nunca.
»Se puso a hablar otra vez de Rusia y de su conferencia en el
bosque. Tenía la impresión de que había gustado su *speech*
pero no se atrevía a preguntarlo una vez más y decía que tal
vez los compañeros no habían entendido su español. Javier le
aseguró que lo habían entendido muy bien. Mikhail quería saber una vez más qué decían los compañeros. Nadie decía nada.
Estaban ocupados en otros problemas candentes. Javier le aseguró que su conferencia había hecho buena impresión y pensaba: "Tiene la vanidad de los oradores primerizos".
»— Podía haber sido mejor — dijo él —, pero no lo conté todo.
No dije sino frivolidades y pequeñeces.
»— ¿Qué más podías contar?
»— Muchísimo más. Pero uno no sabe quién le escucha, en
esos casos. Y hay que ser prudente.
»Calló. Nosotros también. Después de una pausa en la que se
oía borbotear una cafetera puesta al fuego en un infiernillo de
gas, dijo Mikhail desperezándose:
»— Hablé con el mismo Vodz, en Moscú. ¿No lo sabías?
»Los dos lo mirábamos sin comprender.
»— Algún día os lo contaré. Pero no pongáis esa cara. No es
dramático ni trágico, el Vodz. Es cómico. Bueno, yo diría cómi-
co-siniestro. Algún día os lo contaré.
»Luego sin transición se levantó y se fue. Cuando ya estaba
fuera volvió a entrar y preguntó a Javier:
»— ¿Tienes un arma?
»— Tengo sólo una.
»— Bueno, está bien — dijo Mikhail con el acento del que renuncia —. Yo encontraré en algún lugar una pistola.
»Aquel día estaba nervioso Mikhail. Sus nervios se notaban en
su manía ambulatoria. Había venido aquel día tres veces a casa
para sentarse como si no se fuera a marchar nunca y decir dos
palabras y volverse a marchar divagatorio y errático.
»Javier se puso a cuatro manos otra vez en el suelo para buscar algunos restos de su pipa que faltaban. Aquel incidente de

la pipa rota fue para mí extremadamente revelador. Habría guardado yo los fragmentos de aquella pipa rota como reliquias. Esto puede parecer incongruente, pero hay muchas cosas de ésas en nosotras, las mujeres.

»La situación se definió al día siguiente agravándose de un modo incalculable. El peligro se presentó de pronto en forma de una legión de genízaros, matutanes, gamberros, bucardos sublevados con banderas y tambores.

»— La vieja historia — decía Javier oyendo las trompetas en Pinarel —. Cuando uno de los moruecos vestidos de uniforme sopla en un tubo de cobre, los curas se ponen a matar a los vecinos librepensadores.

»Esa palabra — librepensadores — me parecía muy del siglo xix.

»Las tropas pasaron en camiones hacia Pinarel, donde se instalaron. Algunos campesinos armados, amigos nuestros, subieron más arriba de Pinarel a la cresta de la montaña. Un pastor, a quien llamábamos Lucas, un campesino que venía a vernos a veces sin tener nada que decir y sin decir nada. Venía sólo "por venir" y luego, según decía, le gustaba la idea de "haber estado", lo que a mí me parecía muy simpático. Pero no todos eran tan simples. Había obreros del ferrocarril, tres o cuatro socialistas con educación política y varios mineros amigos de Ramón. No sé las armas que tenían. Escopetas de caza, supongo. Desde sus trincheras podían dominar la carretera que subía laboriosamente en zigzag a través de los pinares. Esperaban. No serían más de cincuenta, pero bien atrincherados podían tal vez resistir el primer choque. Todavía no se oían tiros. Las tropas no habían rebasado el pueblo ni tratado de seguir adelante. Esperaban al parecer fuerzas auxiliares.

»Yo imaginaba a los oficiales bebiendo en casa de Alvear, quien tal vez les contaba las dificultades de su tío para preguntar a la reina si estaba preñada. En cuanto a Vicente debía estar en Pamplona vistiéndose el uniforme de alférez provisional y guardando la abeja de oro en un cajoncito de un mueble antiguo. Javier no sé lo que pensaba. No decía nada.

»Estábamos solos Javier y yo. Javier se abstenía de encender las luces de la carretera y usábamos sólo las del lado contrario de la casa que daban hacia la estación de Los Juncos.

»Javier miraba alrededor y decía: "Debemos irnos". Pero no era todavía una proposición, sino una reflexión. Nadie sabía en aquellos momentos qué hacer ni adónde ir. Javier parecía gozar

166

de su propia perplejidad. Yo le dije que no quería salir de allí. En aquellos días huir no era salvarse porque tal vez en la ciudad estaban las cosas peor. Y en Pinarel no se oían tiros todavía.

»Revisaba Javier una vez más sus papeles con cara de maniático. Las fotos de la mina mostraban un ala, una caja torácica, un corazón. Había también un cuaderno extraño que hasta entonces no había visto yo sobre las abejas, con un alfabeto de señales porque las abejas, según decía Javier, hablaban con gestos. Tenían danzas diagonales.

»Nunca me había hablado de aquello y eso me hizo pensar que tenían para él las abejas una importancia excepcional. Pero Javier pensaba en otra cosa:

»— ¿Tú crees que es posible que Mikhail hablara en Rusia con el Vodz?

»— Mikhail no es hombre que mienta.

»— No. No lo es.»

Sigue hablando Ariadna en su tribuna de la sala capitular del abadiado. El sillón de la infanta continúa vacío. Debajo del asiento el muelle roto se hace más visible. Hay un rumor entre la gente y pienso que es otra vez Natalio, pero se trata, al parecer, de una delegación de Lituania que acaba de llegar.

— Yo estaba — sigue diciendo Ariadna — en uno de los cuartos que daban hacia Los Juncos. La luz salía por las ventanas e iluminaba la niebla, sólo la niebla.

»Comenzaron a llegar baterías y tanques. Hasta entonces sólo habíamos visto infantería.

»Al día siguiente por la mañana, Javier se puso a trabajar en el jardín como si lo que sucedía no tuviera relación con él. Por la carretera habían pasado dos brigadas con material mecánico. Emplazaban baterías por todas partes, igual que en las ferias de aldea se emplazan carruseles y otras maquinarias. Javier buscaba una pipa nueva por los cajones de la cocina. Yo tenía ganas de llorar, no por el peligro que nos rodeaba, sino por la ternura que adivinaba en los silencios de Javier.

»Vino Mikhail otra vez, al caer la tarde:

»— Muchos — dijo — se han marchado a lo alto. Yo no sé qué hacer.

»Nadie contestaba. Por la mirada de Javier deducía que estaba pensando una vez más —Javier era hombre de fijaciones—: "Será verdad que vio en Rusia al Vodz?". Le preguntó si había conseguido un arma y Mikhail sacó una pequeña pistola del bolsillo.

»— Tú — le dijo Javier — debías dejar esa arma aquí, irte a Madrid y presentarte en la embajada de tu país.

»Tuvo Mikhail un gesto de desdén:

»— Yo no quiero protección. ¿La necesitas tú, Ariadna? ¿La necesitan Ramón, Novaes, César, el Doncel? No. ¿Por qué voy a necesitarla yo? ¿Es que soy menos hombre que vosotros?

»La verdad es que en aquel momento y hablando de ser un hombre parecía un niño. Un niño encantador.

»Se quedó a dormir en casa — en el segundo piso — y le encargamos que no encendiera la luz.

»Aquella noche Javier y yo estuvimos despiertos. Yo le preguntaba si me quería. Javier me miraba de reojo y sonreía sin responder. Parecía decir: "A una pregunta tonta, un silencio inteligente". Además, él sabía que sus silencios me gustaban. Yo adoraba a Javier. Era el resumen de todo lo que no era yo. Era Javier *todo lo demás*. Y cuidaba yo de que Javier siguiera siendo todo lo demás. No sé cómo explicarlo porque lo mejor de la vida amorosa no ha tenido, ni tiene, ni tal vez tendrá nunca explicación. Yo mantenía una cierta distancia *exterior*. Quiero decir que tenía un cuidado instintivo con Javier para evitar que su vida y la mía se mezclaran demasiado. Debíamos ser siempre dos y no uno. Eso de los dos cuerpos y un alma es una simpleza peligrosa. El hombre pone el infinito en la mujer. Nosotras sólo ponemos en el hombre nuestro deseo y nuestra esperanza. Una esperanza concreta. Si el hombre y la mujer mezclan su vida moral demasiado, lo primero que ve el hombre es que en nosotras no hay infinito alguno. Somos humanas y no divinas. Una decepción.

»Pero nuestras orgías parecían transformarlo todo a nuestro alrededor. La noche se hacía día, el día era turbio y parecíamos flotar en el aire de la mañana como dos fantasmitas. Repito que yo adoraba a Javier, pero a fuerza de excesos amorosos, en el fondo más secreto de mi pasión nacía un poco de rencor. Y era un rencor que podía crecer. En los repliegues más oscuros del ser crecían hierbas venenosas igual que en los rincones oscuros y húmedos del bosque.

»Yo había leído no sé dónde — tal vez en los cuadernos de Javier — algo sobre:

168

las cosas peligrosas que crecen en la sombra.

»Es decir, los hongos mortales o las víboras juguetonas. Pero pensaba que al final de nuestros excesos se revelaban dentro de mí rincones nuevos con silencios dañinos.

»Aquella noche me puse a llorar sin saber por qué. Me sucedía a veces con la saciedad amorosa. Javier me miraba sonriendo. Yo le pregunté:

»— ¿De qué te ríes? ¿Cómo puedes reírte viéndome llorar?

»— Bah, ese llanto no quiere decir sino que has tocado el fondo del gozo.

»— ¿Quieres decir que todas lloran? — preguntaba yo sentada en la cama. Javier afirmaba —. ¿Y dónde has aprendido tanto, cochino?

»Javier fue a sus cuadernos y sacó un papel. Leyó un soneto que dijo que era de un tal Aldana que vivió en los tiempos del rey Carlos V. Yo le agradecí mucho a Javier que lo hubiera copiado cambiando el nombre de la amada a quien iba dedicado. El lugar de Filis puso Ariadna.

»El soneto decía:

> *¿Cuál es la causa, Ariadna, que aquí estando*
> *en la lucha de amor ambos trabados*
> *con lenguas, brazos, pies encadenados*
> *cual vid que entre el jazmín se va enredando,*
> *y que el vital aliento ambos tomando*
> *en nuestros labios de besar cansados,*
> *en medio a tanto bien somos forzados*
> *llorar y suspirar de cuando en cuando?*
> *Amor, mi bella Ariadna, que allá adentro*
> *nuestras almas juntó quiere en su fragua*
> *los cuerpos ajuntar también tan fuerte*
> *que no pudiendo como esponja el agua*
> *pasar del alma al dulce amado centro,*
> *llora el velo mortal su avara suerte.*

»Me extrañó comprobar que aquello que me sucedía a mí sucediera también a las mujeres en tiempos de Carlos V.

»A menudo a lo largo del día, cuando Javier miraba mis perfiles, la comba de mis pechos, tendía los brazos y se desperezaba. Ese desperezo era una declaración de amor. Al mismo

169

tiempo me miraba vorazmente. Yo no necesitaba más, porque mi lámpara ardía siempre para el esposo.

»El día amaneció turbio pero dulce, y la mañana estaba llena de intimidad.

»Las puertas exteriores, incluso la verja del jardín, estaban cerradas. Habíamos oído que en Pinarel mataban gente. Se hablaba de expediciones de limpieza y corría la sangre. Nos lo dijo Mikhail, que se había levantado al amanecer y que acudió a la hora del desayuno lleno de noticias. Dijo que iba a marcharse en seguida a la montaña. Todavía se podía llegar por un camino de resineros sin llamar la atención.

»Desde nuestra casa no se había oído un solo disparo. Javier en los momentos de peligro hacía cosas frívolas. Por ejemplo, jugábamos a las cartas y yo ganaba. Javier tenía la pistola al alcance de la mano. De vez en cuando suspendía el aliento y escuchaba. Preguntaba a Mikhail de pronto por su entrevista con el Vodz en Moscú.

»— Éste no lo cree — dijo él. Y sacando su pistola la puso también en la mesa con un cargador de repuesto al lado y añadió —: La entrevista con el Vodz vino como consecuencia de una cosa que sucedió de veras extravagante. ¿Quieres que os la cuente?

»A mí me parecía absurdo en aquel momento, pero Mikhail estaba tan decidido y tal vez tan inspirado como la noche del bosque. Y la contó. Javier le escuchaba con una sonrisa beatífica que de vez en cuando se convertía en una carcajada. Creo que vale la pena contarlo también aquí. Yo dudaba a veces de la verdad de lo que contaba Mikhail. Javier lo creía y decía que en Moscú todo aquello era perfectamente natural. Pero dejemos hablar a Mikhail, quien decía:

»— Llevaba algunos días viviendo con Aniska cuando una tarde apareció Rusenko, el de la cabeza afeitada, y sacando un lápiz me pidió que escribiera en un papel el nombre de Brooklyn. Yo lo hice y él consultó mi escritura con una nota que llevaba en un cuaderno y se puso a hacerme preguntas. Todas eran a cuál más disparatada. Me preguntaba si había perros en Brooklyn, si eran muy inteligentes los perros de Brooklyn, si eran de veras perros geniales, si pertenecían a una raza especial obtenida por los laboratorios y otras extravagancias. Yo no sabía adónde iba a parar. Días antes había sucedido una cosa fantástica. No sé si la creeréis. Lo mismo me pasaba a mí, entonces. Parece que ocho días antes un avión americano, volando sobre la frontera del Irán entró en *panne*. Era un B-26. Los tripulantes se arrojaron al espacio con paracaídas después de dejar puesto el piloto automático. Sin tripulación alguna el avión siguió volando, entró en territorio ruso y por casualidad hizo un aterrizaje perfecto. Cuando llegaron los rusos encontraron dentro un perro que tenía un collar y su nombre — *Brooklyn* — grabado en él. Al entrar los rusos en el avión el perro estaba sentado tranquilamente en el sillón del piloto. Parece que algunos creyeron que el perro conducía el avión.

»— Vamos, vamos — dijo Javier, excedido.

»— No, no. La cosa es más complicada. Fueron con la historia al Vodz, y cuando le dijeron que el aterrizaje había sido perfecto y que sólo había dentro un perro, el Vodz dijo en broma: "Los americanos han enseñado a los perros a pilotar aviones de bombardeo. Necesito un informe del idiota Livtsof en cuarenta y ocho horas, sobre ese animal". El Vodz se aburría sin salir del Kremlin y a veces decía cosas inesperadas y daba órdenes humorísticas con la expresión más dura y tormentosa del mundo. Lo bueno es que la NKVD no sabía nunca cuándo el Vodz hablaba en broma o en serio. Por eso no es raro que una broma del Vodz cueste la vida a cuatro o cinco burócratas y cuando eso ocurre le parece al Vodz una buena broma completa. Te juro que es como lo oyes. El Vodz tenía sentido de humor, a su manera. Y lo sigue teniendo, claro.

»— Vas demasiado lejos, Mikhail.

»— Como lo oyes.

»Nos quedamos los tres callados al oír ruido en la calle, pero eran voces campesinas. Voces inocentes. Un soldado o un policía, aunque sean de origen campesino, nunca darán los tonos directos y descuidados de la voz campesina. Yo dije:

»— Es el dueño del prado de enfrente, que de vez en cuando viene a segarlo con un hijo suyo.

»Tranquilizado Mikhail volvió a hablar:

»— Rusenko me citó en la Academia de Ciencias a las siete de la tarde del día siguiente. Aniska estaba sobresaltada. Estábamos llamando la atención demasido, según decía. Y me daba instrucciones minuciosas. No debía llegar tarde a la cita porque llegar tarde se considera sabotaje, ni tampoco demasiado pronto, porque si iba antes de la hora lo considerarían adulación pequeño burguesa. Ni tampoco debía llegar en punto porque eso podía ser entendido como formulismo burocrático. Yo reía y le decía: "Lo mejor será no ir". Pero ella hablaba en serio: "No. Si no vas te acusarán de absentismo". Quedamos en que lo mejor sería llegar un minuto o dos después de las siete.

»Entré en la Academia a las siete en punto pensando que necesitaría un minuto para identificarme en la portería, pero allí estaba Fedor y no tuve que enseñarle el *propus*. Luego Fedor se fue. Me quedé con dos individuos que llevaban atraillados quince o veinte perros. Algunos ladraban y no fue fácil hacerlos entrar a todos por los pasillos oscuros.

»Entramos en un cuarto que tenía una plataforma en el fondo ocupada por una larga mesa. Sobre ella había jarras y vasos. Detrás se sentaban algunos hombres y otros estaban de pie hablando. En el muro presidiéndolo todo un retrato del Vodz con una mano entre los botones de la chaqueta militar y otra a la espalda, lo que le daba un aire napoleónico. Pero tenía un esbozo de sonrisa. Una sonrisa de conejo, contenida. Al lado del retrato había un cartel rojo con letras blancas que decían, refiriéndose al Vodz: *Gloria al modificador y rectificador de la doctrina leninista y padre genésico de todos los hombres progresivos del mundo*. Ah, pensé. Este es el instituto de Genética.

»Vi a los perros atraillados y a los guardianes en un extremo de la sala. Se me acercó un hombre flaco de pelo gris y cara huesuda con una nuez prominente sobre el nudo de la corbata, que subía y bajaba a menudo. Debía tragar aire porque de vez en cuando disimulaba un eructo bajo los bigotes caídos. En la mano izquierda llevaba una pipa aunque se veían letreros en la sala prohibiendo fumar. Se presentó: *Soy Ilia Livtsof, camarada*. Entretanto se acercaban otros y el hombre de la nuez tragaba aire y se llevaba la mano a los bigotes, escupía disimuladamente un poco en los dedos y alisaba las guías con amor. Yo me encontraba en medio de aquella gente y me preguntaba: ¿qué es lo que vamos a hacer?

»Mientras Mikhail contaba aquellas cosas estupendas y escuchaba Javier en éxtasis yo iba y venía a las ventanas y tendía mis cinco sentidos para atrapar el más leve rumor en los alrededores. En la cocina goteaba la llave del agua produciendo un ruidito que nos enervaba y corrí a cerrarla, pero no se podía cerrar más y colgué un trapo de modo que el agua siguiera saliendo pero silenciosamente. Mikhail volvía a hablar:

»— Livtsof se sentó en el escenario detrás de la mesa, sonaron timbres en los pasillos y una multitud inesperada entró por diferentes puertas y ocupó todas las sillas de la sala en torno a una especie de pequeña pista vacía. Con Livtsof había detrás de la mesa otras personas todas muy graves y un poco amenazadoras y Livtsof comenzó a hablar: "Camaradas, antes de iniciar nuestras tareas gritemos: *¡Gloria al Vodz, cerebro director del trabajo científico en todos los niveles y esferas del saber!*". Todo el mundo se puso de pie y comenzó a aplaudir. Los perros ladraban. Los que estaban en la mesa presidencial eran de la NKVD y miraban gravemente al público. Con esto nadie se atrevía a dejar de aplaudir y la ovación llevaba trazas de no acabar nunca.

»Livtsof escupió disimuladamente en sus dedos, se atusó el bigote, alzó la mano en el aire, hizo subir y bajar su nuez tres veces y reclamó silencio. El retrato del Vodz sonreía cazurro entre desdeñoso y complacido. Entonces Livtsof dijo que algunos secretos de la ciencia soviética nacidos de las sugestiones e inspiraciones del Vodz — aquí otra ovación — habían salido de las fronteras rusas y llegado con toda probabilidad al mundo capitalista quien estaba haciendo uso de ellas. Así se comprendía que los americanos hubieran podido obtener un perro con aptitudes mentales extraordinarias. Sólo habían podido conseguir aquel ejemplar aprovechando las teorías rusas del medio dirigido para cambiar la naturaleza vegetal o animal. Había caído en poder de la Academia de Ciencias uno de los perros americanos llamados *broklynitas* gracias a la vigilancia del glorioso partido del Vodz — otra vez aplausos.

»No tardaría en mostrarlo, el perro excepcional. Pero había que tomar precauciones. Las tareas de la Academia eran secretas. Al oír esto vi que algunos rostros cerca de mí palidecían. Y que la mayor parte me miraban con recelo. El silencio en la sala parecía invitarme a hablar y los agentes de la NKVD que estaban detrás de la mesa presidencial parecían mirarme y esperar algo, también. Yo entonces me levanté tímidamente y dije que me consideraba un ciudadano soviético antes que americano. Confieso que mientras lo decía me sentía un poco avergonzado porque pensaba: algunos creerán que es el miedo el que me hace hablar así. El silencio seguía siendo tremendo. Por fin Livtsof comenzó a aplaudir discretamente y siguieron los demás.

»El Vodz desde su retrato parecía decir: *Ojo, galopines, mangantes, hijos de cerda.* A ver si os portáis bien. Uno de los policías que estaba en el escenario salió de prisa y fue a alguna parte. Al retrete tal vez o al teléfono. El presidente hablaba de la importancia de sus propios estudios sobre la propagación hereditaria de los caracteres adquiridos. Yo no entendía aquello y un vecino me dijo: "Eso quiere decir que hay la posibilidad — y perdone la vulgaridad de la comparación — de que un perro cuyo rabo haya sido cortado, engendre otro perro y éste nazca sin rabo o con el rabo disminuido".

»Mientras Mikhail hablaba yo iba y venía y me acercaba a un balcón que daba sobre la carretera general. A veces se oían coches, que pasaban de largo. Otras se oían motocicletas cuyos escapes de gas sonaban como ametralladoras. Las motocicletas me inquietaban más que los coches. Mikhail se daba cuenta de que su historia comenzaba a pesar un poco y abreviaba:

»— Todavía acordaron enviar al Vodz un telegrama de salutación que decía: "Prometemos a usted, nuestro querido jefe, trabajar sin descanso en la línea establecida por su poderosa cultura para corregir cuanto antes los errores en que hayamos podido caer y si es preciso reconstruir la totalidad de nuestro trabajo científico para borrar de nuestras mentes la última sombra de la influencia extranjera. ¡Gloria al reformador de la naturaleza, nuestro glorioso Vodz!".

»Luego comenzó el trabajo. Los que llevaban los perros de circo los hicieron desfilar, evolucionar y subir y bajar por una escalerita móvil de siete peldaños. *Brooklyn,* sentado a mis pies — yo le había hablado inglés y reconoció en seguida al compatriota —, miraba, escéptico. Quisieron obligarle a hacer lo mismo, pero *Brooklyn* se negó y el domesticador dijo que era un perro demasiado bien alimentado y que para hacerle obedecer sería indispensable primero someterlo a una dieta insuficiente por tres o cuatro meses. Entonces habría que emplear el paternalismo educador. La amenaza en una mano y el pan en otra. Entretanto desde su retrato el Vodz sonreía y parecía decir: "Estos hijos de perra tienen memoria".

»Me hicieron muchas preguntas sobre la alimentación de los perros en Brooklyn. El sabio Livtsof se acercaba al animal y comenzaba a medirle la cavidad craneana, el ángulo facial y la distancia entre los ojos. Hubo mil cosas más. Las conclusiones fueron las siguientes. El perro era vulgar aunque podía ser extraordinario. Su eventual superioridad no sabían hasta dónde podía llegar. Revelaba aptitudes para la acción que llamamos "inteligente". Pero aquellas conclusiones eran provisionales y sujetas a nuevas experiencias.

»Antes de declarar terminada la reunión, Livtsof se me acercó y me dijo misteriosamente:

»— Detrás de todas estas experiencias aparentemente frívolas está el Kremlin, no lo olvide. El interés personal de alguien en el Kremlin. Y las deliberaciones de esta tarde son secretas. No lo olvide, camarada.

»Mientras hablaba Mikhail, yo esperaba ver entrar en cualquier momento a los moruecos cívicos que acompañaban a las tropas. Y tal vez Javier esperaba también a Ramón. No hablábamos de Ramón, pero los dos pensábamos en él.

»Cuando Mikhail se dio cuenta de que su narración no nos interesaba porque estábamos demasiado pendientes de los peligros del exterior, dijo:

»— Estáis distraídos. Otro día os contaré el resto.

»Añadió que iba a subir aquel mismo día a la montaña, con los campesinos armados.

»— ¿Y tú? — preguntó a Javier.

»Javier me miró a mí.

»Por fin dijo:

»— No hemos decidido todavía.

»Mikhail recogió su pistola y su cargador y se fue después de abrazarnos y desearnos buena suerte. Lejos seguían oyéndose a veces trompetas militares. Cerró los ojos Javier un momento y su cabeza se inclinó a la izquierda. Yo le pregunté qué pasaba.

»— Hay momentos en los que siento girar el planeta debajo de mis pies y cuando me pasa eso me mareo un poco.

»Yo no lo creía y él se daba cuenta:

»— Como lo oyes, Ariadna. No es una manera de hablar. Me doy cuenta de la velocidad de rotación del planeta debajo de mis pies y de que yo mismo voy lanzado por el espacio. La cosa es incómoda y un poco tonta, es verdad.

»Javier no sabía mentir cuando hablaba de sí mismo, pero ¿cómo entender aquello? Nos acercamos al balcón y vimos a Mikhail perderse hacia el bosque. Buscaba los caminos de la montaña apartándose de la carretera.

»— Es un buen muchacho — dijo Javier — que está harto de la seguridad y del orden burgués de su país. Y un poco borracho con todo esto que respiramos en España.

»Añadió Javier que la última vez que había sentido girar el

planeta bajo sus pies fue el día de la viborita en la montaña, conmigo.

»Hicimos nuevos planes de defensa, pero no vino nadie, lo que resultaba desairado. No me extraña porque Javier se había conducido con tacto en Pinarel adonde no había ido desde la fiesta de Alvear. Nadie sabía en la colonia veraniega quiénes éramos ni qué hacíamos. Alvear mismo ignoraba las ideas políticas de Javier, lo que no es raro porque Javier no tenía ideas políticas de ninguna clase.

»Recordaba yo a Alvear con sentimientos encontrados de recelo y de esperanza. Preguntaba a Javier: "¿Tú acudirías a Alvear para salvarte en un caso extremo?". Él negaba. Además, Alvear, según él, carecía en aquel momento de influencia para salvar a nadie.

»Al día siguiente fuimos hacia el lugar donde solían acampar nuestros amigos, pero no llegamos porque encontramos en el camino el cuerpo del hombre pequeño de los ojos verdes — el que *trabajaba en cueros* — caído boca arriba sobre un charco de agua enrojecida.

»Javier se puso muy pálido:

»— No debe ser éste el único que ha caído — dijo.

»Pensaba yo que aquellos hongos que rodeaban el cadáver debían ser venenosos. Seguía mirando al muerto y descubrí que tenía lágrimas en la cara. Estaba afeitado y tenía dos lágrimas en una mejilla, debajo del párpado. Pensé que podían no ser lágrimas, sino el rocío del amanecer. Las dos cosas eran igualmente poéticas y parecían ennoblecer a aquel pobre hombre por el que no habíamos sentido estimación alguna mientras vivió.

»— ¿Vienes a la ciudad conmigo? — dijo Javier en voz baja.

»¿Por qué bajaba la voz? Hablaba como si los que habían matado a nuestro amigo estuvieran escondidos vigilándonos. Repitió su pregunta:

»— ¿Vienes o no?

»Allí, delante de aquel muerto, dije que no. En la ciudad todo el mundo nos conocía políticamente menos Alvear, que pasó los últimos años — los de nuestra adolescencia — en Madrid. En la ciudad el peligro sería mayor. Volvimos a casa seguros de que el campamento del bosque estaba destruido y sus habitantes en fuga. Pobres *chíviris*.

»Al llegar a casa vimos que aunque todo parecía tranquilo las cosas inertes se habían animado y una pequeña mata de ortigas quería hablar y la piedra del guardacantón junto a la esquina parecía un perro sentado.

»Aquella mañana llovió. El hombre que estaba segando el césped en la explanada frente a la casa se cubrió la cabeza con una manta. La lluvia arreciaba y el hombre acudió corriendo al portal de nuestra casa con la dalle en la mano, lo que le daba un aire siniestro y alegórico.

»— Ese hombre envuelto en la manta y con la guadaña es *la muerte* y viene a nuestra casa.

»— No — decía Javier —. Es Cronos, el tiempo. ¿Vienes conmigo?

»— ¿Adónde?

»— A la montaña.

»— ¿Con los otros?

»— Sí, con los nuestros. Con Mikhail y los demás compañeros. Al otro lado de las montañas tú estarías segura. Digo más segura que aquí.

»— Pero tú te quedarás en las trincheras, ¿no es eso? ¿O piensas seguir a la ciudad?

»— Me quedaré en las trincheras si hay un rifle para mí.

»— ¿Y yo?

»— Puedes seguir a la ciudad, tú.

»En la ciudad me conocía todo el mundo y en Pinarel no me conocía nadie. Pensaba en mi salvación independientemente de Javier y reconozco que ése era mi primer delito. Dudaba.

»— ¿Vienes o no? Hay que decidirse pronto.

»Yo seguía dudando. Decía la radio que en la ciudad se combatía. La ciudadela era de los moruecos y la parte baja nuestra. Me parecía más segura nuestra casita de Pinarel.

»— Cuando no han venido a buscarnos aquí — dije yo — ya no vendrán.

»Pensaba Javier en el hombre muerto a cuyo alrededor crecían los hongos. Yo no recuerdo ahora en qué pensaba. Estaba un poco loca. Estaba de veras loca aquellos días. Había que elegir entre dos o tres clases de peligros — Pinarel, la montaña y la ciudad — y aquellas tres perspectivas me inmovilizaban.

»— ¿Vienes? — insistía Javier.

»— No sé. Creo que no. Creo que voy a quedarme aquí.

»Era posible que la ciudad estuviera en manos de los nuestros pero no era seguro. El hombre de la guadaña seguía en el portal.

»Se despejó el cielo y volvió a salir el sol. Hubo incluso un conato de arco iris que Javier miró con ironía sin decir nada.

»No habíamos oído aún un solo disparo de artillería, pero sí fuego de fusil y de ametralladora en la cima de la montaña. Rechazadas las vanguardias de la columna morueca éstas esperaron la llegada de la artillería y los morteros. Todo aquello sucedía a más de diez kilómetros de distancia. Nuestra casita estaba tranquila.

»Callaba Javier y yo sentía la presencia de mi paraíso infantil en cada uno de sus silencios y también en las cosas de su pequeño mundo mágico: las fotos de la mina, los discos con las palabras del bosque y las observaciones sobre la luz de los ciegos y sobre la Luna y la Tierra — el protón y el electrón. También sobre el extraño dios gaseiforme y sobre las danzas dialogales de las abejas. De vez en cuando Javier hablaba de Mikhail: "Sería una lástima que lo mataran antes de aprender a vivir consigo mismo". Esto último yo no sé si lo decía en serio o en broma. Y miraba a la cima de la sierra.

»Revisaba Javier una vez más sus cuadernos, sus discos, sus placas fotográficas. Volvió a decir que tuviera cuidado con aquello. No sé si por peligro o por su valor, es decir para destruirlos o para conservarlos. Tampoco se lo pregunté porque estaba pensando en otra cosa. Los dos pensábamos en cosas diferentes de las que decíamos o escuchábamos.

»Se quitó la chaqueta, tomó la cámara fotográfica y la llevó abierta con el fuelle desplegado para dar una impresión inocente y boba. Se puso las gafas oscuras.

»— ¿Vienes conmigo? — repitió una vez más.

»Yo dudaba. Javier trataba de averiguar las razones que tenía para quedarme. No lo conseguía y era natural porque yo misma no las sabía. Por la radio habíamos oído que la lucha en la ciudad estaba casi decidida en favor de los nuestros. Pero quedaban algunos núcleos sin reducir. Yo dije otra vez a Javier que no iría a la ciudad. No sabía por qué, pero tenía miedo a la ciudad. Las colinas, los campos, el cielo azul, la naturaleza libre me parecían más propicios.

»Habría querido que Javier me obligara con palabras apasionadas, con amenazas, a salir con él. Pero no lo hizo.

»Estábamos en el jardín. Recuerdo que en aquel momento había una abeja en la verja de hierro. Se acercó Javier a mirarla:

»— Una abeja fecunda — dijo —. Una reina.

»Yo miraba arriba y abajo de la carretera y no decía nada. Javier dejó la abeja en paz:

»— Bien — dijo —. Yo me voy. Acompáñame hasta la orilla del bosque.

»Salimos. Había en el aire contraluces amarillos y verdes. El azul del cielo era una réplica del azul polvoriento de la carretera. Parecía aquel día la carretera más importante y más ancha después de haber pasado por ella las tropas.»

Al llegar aquí Ariadna se calla otra vez. Después de una pausa añade:

— Él se fue. Le acompañé hasta el bosque. Salvó la vida por alguna causa trivial. Tal vez en el momento que lo vieron y pensaron *ése es*, en ese momento alguien dijo: *No. Es un veraneante que está en babia, que no se ha enterado aún de lo que sucede*. En esas palabras u otras parecidas pudo disolverse el peligro.

»Íbamos callados. El césped estaba muy verde. Recuerdo que había un cuadrilátero de hierba de un color amarillo jugoso y tierno. Durante algunos días habíamos visto allí una mesa derribada con las patas al aire. Cuando el hombre de la segur se la llevó, la hierba de debajo apareció casi blanca.

»Javier me había pedido que lo acompañara hasta el bosque no sólo para dar la impresión inocente que suele dar un matrimonio, sino también porque tenía el propósito de decirme algo. Algo importante. ¿Qué? No sé. La verdad es que no me lo dijo. Se daba cuenta de que aquél era para mí uno de esos instantes de inhibición que tenemos las mujeres en que necesitamos ser moralmente violadas. Y no quería violarme, es decir obligarme a ir con él. Tal vez su camino era demasiado inseguro y podía conducir no a la salvación sino a la muerte en el fondo de algún barranco o en lo alto de alguna colina. Caminábamos sin hablar.

»Nos acercábamos al bosque. Cerca de nosotros había un árbol quemado y desmochado por el rayo. En algunos lugares la savia seguía circulando y brotaban hojitas. Allí, detrás de aquel árbol quemado comenzaba el bosque y el camino de la salvación para Javier. O tal vez una muerte vil. Javier llevaba un arma y podía defenderse o tal vez suicidarse y matarme a mí — en un caso desesperado —, lo que no sería tan vil. Los dos lo pensábamos. Yo iba más lejos recordando aquel día de la viborita en la montaña cuando Javier me dijo: *Lo que sea de ti será de mí*. Y ahora se presentaba la oportunidad contraria. Javier iba a afrontar un riesgo y no quería obligarme a ir con él ni a arriesgar la vida y tal vez a perderla a manos de nuestros enemigos o a las suyas propias.

»— Voy a separarme de ti — me dijo — sin besarte para no llamar la atención. Yo sé que un beso tuyo vale cualquier riesgo, pero no quiero que ese riesgo lo sea para ti. Parece que no hay nadie en el mundo y sin embargo un hombre con unos gemelos puede vernos desde cualquier lugar cercano. Hay vigilantes. También hay sátiros que escudriñan el campo buscando sorpresas eróticas. Sátiros mañaneros madrugadores. Uno de ellos podía vernos y decir: "Esos van juntos y se besan. Pero es un beso de despedida. ¿Por qué se despiden? ¿Adónde va él? ¿Y ella?". Media hora después pueden averiguarlo. A mí no me alcanzarán ya. Yo me voy. Pero tú te quedas. ¿Comprendes?

»La precisión de las palabras de Javier a veces me hacía gracia. Pensaba yo en los caminos de Javier, en las cimas verdes, en los valles secos. Pensaba que sería difícil pasar la montaña en cuya cima se oían las ametralladoras. Pensaba también en la viborita que me picó un día en la pierna junto al tobillo. Y me decía: "Tal vez van a matar a Javier y yo me quedaré aquí, con vida".

»Estábamos todavía a unos diez pasos del bosque. Veía el laberinto de los árboles y las copas de los pinos que lo cerraban por arriba, como la bóveda de una catedral. "Es por ahí por donde él va a escapar con su muerte — pensaba. Yo me quedo aquí tal vez con la mía. (Puede ser que cambiadas, él con la mía y yo con la de él.)". ¿Por qué no íbamos juntos? Yo le debía algo a Javier. No hablábamos de la víbora pero estaba erguida entre nosotros. Javier miraba alrededor y decía que no podía marcharme sin saber lo que había sido de los compañeros del bosque, sobre todo del Doncel y de Novaes, y que se acercaría al campamento. Yo lo disuadí. Repetía Javier otros nombres como los del estudiante y César y Yolanda. En cuanto a Mikhail nos alegrábamos de que se hubiera puesto a salvo. De Ramón no decía nada Javier, lo que me hacía suponer que pensaba en él más que en los otros.

»Entró despacio en el bosque. Y de pronto dejé de verlo. Se marchó en el instante justo en que debía hacerlo. Una hora antes habría sido difícil y dos horas después imposible.

»Cuando volví a casa vi desde lejos en el camino de la estación de Los Juncos cuatro camiones cada uno con un cañón y un armón. Al pie del cuarto camión se hallaban dos soldados con carabinas.

»Me sentía sola y vigilada. Pensaba en Javier y no lo recordaba en casa conmigo ni en la orilla del bosque diciéndome adiós, sino en el campamento la noche de la conferencia, presentando a Mikhail. Y también en casa de Alvear bailando con una mujer gorda la noche de la fiesta.

»En su ausencia, en el recuerdo, Javier crecía. Yo seguía pensando que nos separábamos por algunos días nada más. Y cuando me quedé sola en casa pensé con humor y luego con un súbito miedo que una de las razones por las que me había quedado en Pinarel era completamente ridícula en medio de tantos motivos importantes. Esa razón — secundaria, pero muy digna de consideración para mí — era que teníamos pagada la casa hasta septiembre y había en ella almohadones bordados por mi madre. Y sábanas con encajes hechos por mi abuela.

»Al día siguiente de marcharse Javier supe que habían matado a César. Me lo dijo la mujer del Doncel con palabras encendidas y por decirlo así llenas de fruición como se suele hacer cuando se cuenta la muerte de alguien. Ella misma — que seguía creyendo que el peligro era sólo para los hombres — cayó más tarde cerca de donde mataron al suramericano. Yo no podía recordar a los caídos sino por detalles infaustos y desairados. Parecía que mi memoria, para salvarme de la desolación, me recordaba sólo cosas grotescas y creía oír la voz de César repitiendo una frase que a los españoles nos parece siempre estúpida: *Tendrá verificativo...* Su muerte había *tenido verificativo* — qué horror — entre los primeros árboles del bosque, sobre el suelo mullido con hojas secas de pino.

»La primera noche al verme sin Javier me di cuenta de que me había quedado sola en el mundo, sola como los que van a morir. Nada tenía importancia más que la ausencia de Javier.

»Aquellos crímenes nuevos — César, su mujer, la del Doncel — durante el día me parecían hechos ligeros y por la noche dramáticos y horrendos. Estos hechos me separaban de la realidad. A veces la verdad nos separa de la realidad. ¿Por qué habían matado a aquellos seres inofensivos unidos en una coyunda perfecta y ejemplar? ¿Y quién los había matado? ¿El ángel exterminador amigo de Alvear? Lo monstruoso nos separa de la naturaleza porque las cosas mismas parecen asustarse de los monstruos.

»Comenzaba a ver que aquella clase de muerte no tenía dramatismo ni producía horror. En realidad yo no tenía miedo. Pero evitaba pensar en mi falta de miedo porque mi propia serenidad me daba escalofríos.

»Las sábanas y las fundas de las almohadas eran mías y la casa estaba pagada hasta septiembre. Eran hechos nimios, pero yo me preguntaba: "¿Viviré hasta septiembre? ¿Volverá aquí Javier antes de septiembre?".

»Mientras estaba dentro de la casa parecía que todo el peligro era para mí sola. Entonces salía al aire libre y la sensación del riesgo se atenuaba mucho a pesar de que vi a casi todos nuestros amigos muertos, menos a Ramón, a Avelino y a Justiniano. Luego recordé que el abogado y el asturiano habían huido a lo alto de la montaña y debían estar en las posiciones de la cima con los campesinos armados. Justiniano demostraba su famoso sentido de la eficiencia hurtando el bulto a las brigadas moruecas. De Ramón no sabía nada. Lo esperaba, pero no venía.

»Fuera de la casa mataban a mis amigos. Los mataban tal vez gentes como aquellas de la fiesta monárquica, que me tuteaban. Los que enviaban telegramas a la dueña de *Ravissante* y bailaban con cintas verdes en el ojal. Yo tenía miedo, pero si me recluía en mi alcoba era peor: la muerte me seguía como una amiga nueva y me enfriaba los ojos.

»Aquel día vino a verme un campesino que no vivía en el bosque sino en un caserío que estaba fuera de Los Juncos. Era castellano, de un lugar entre Segovia y El Espinar, y según solía decir a Javier, se había marchado para escapar a la maléfica influencia de un Cristo. Del Cristo de una ermita. Yo lo miraba y no acababa de reconocerlo, sin embargo. No estaba segura de que fuera el que yo pensaba. Y venía buscando a Javier. Al decirle que no estaba, preguntó:

»— ¿Y los otros?

»— Se fueron también.

»— ¿Adónde?

»Javier tenía mucha estimación por aquel hombre — si era el que yo suponía —. Pero la mirada desnuda del pobre campesino me confundía.

»— Es que yo — dijo — quiero saber si la parte de la provincia de Segovia que mira hacia el Guadarrama está en manos

182

nuestras o no, porque yo querría ir allí y hacer algo que tengo pensado hace tiempo. Yo soy Galo, el de Los Juncos. Además, si no se acuerda usted de mí se acordará de unas coplas que le gustan mucho a su marido Javier. Digo las coplas que le sacaron a mi madre. ¿Se acuerda?

»Galo era efectivamente aquel héroe de tragedia antigua de quien hablaba Javier con una especie de exaltada y secreta amistad. Lo que le había pasado en su juventud era un signo de los tiempos. Cerca de El Espinar, en la provincia de Segovia, hay una ermita antigua que se llama el Cristo del Caloco. Su verdadero nombre es *del Coloquio,* pero parece que en aquellos lugares no extienden los coloquios ni con la intercesión del mismo Cristo.

»El abuelo de Galo había muerto en África en la guerra a pesar de que su abuela hizo *mandas* y ofertas al Cristo milagroso. El padre había muerto veinte años después en África también sin que las *mandas* al Cristo dieran tampoco resultado. En la sacristía estaban colgados el traje de boda de la abuela lleno de entredoses y cintas y las trenzas de la hija, gruesas y polvorientas. Cuando Galo iba a ir a África, su madre fue al Cristo del Coloquio y le dijo:

»— Su abuelo y su padre cayeron en tierra de infieles. Salva la vida de mi hijo y yo te daré la mía en cambio.

»Galo fue a Marruecos, volvió tres años después y su madre, a quien llamaban Silvestra de la Cañada, se suicidó para cumplir la *manda.* La gente le sacó un romance. Javier lo conservaba entre sus papeles. Yo lo busqué y allí estaba. Tenía el romance seis grandes páginas impresas y acababa diciendo:

> *"... la alondra en los barandales*
> *más que cantar suspiraba,*
> *en las mieses todas verdes*
> *rocío el aire lloraba*
> *y entre las aguas del río*
> *la arena fría y la grava,*
> *flotaba muerta y gozosa*
> *Silvestra de la Cañada.*
> *Madres las que tenéis hijos*
> *y mozas no desposadas,*
> *a la ermita del Caloco*
> *acudid con vuestras mandas,*

no basta traje de boda
ni cabellera trenzada,
que el Cristo espera otras cosas
sea del cuerpo o del alma.
Acudid aunque la puerta
esté abierta o bien cerrada,
y si la cara del Cristo
por el cabello tapada
no permite ver los ojos
ni el decir de su mirada,
sepan que el Cristo agradece
las oraciones y mandas
y que escucha sobre todo
las peticiones humanas
cuando vienen de mujeres,
ya doncellas, ya casadas.

»Así terminaba el romance y Galo y yo mirábamos la terrible hoja impresa con el grabado en madera del Cristo que la encabezaba. Galo dijo:

»— Ese Cristo tiene intenciones de miura, de macho. Y nadie le ha visto nunca los ojos. Yo creo en Jesús y en la bondad de Jesús, pero esa ermita habría que volarla. Yo iré allí y le prenderé fuego. Se me ha ocurrido cuando he visto que traen la morisma de Marruecos contra nosotros. Los traen para defender al Caloco. Lo que hay que hacer en España es quemar ermitas y matar moros.

»Galo quería como los héroes de antaño cambiar la azada por el hierro de la guerra. Se marchó y desde las escaleras se volvió a decirme:

»— Yo haré lo mío. Cada cual debe hacer lo suyo en estos días. Una vez que haga lo mío iré con los demás y haré lo de todos. El interés común. ¿Usted cree que me respetarán el grado que tenía en Marruecos cuando hice el servicio? Yo fui cabo, allí. Cabo de ametralladoras.

»Como le dije que tal vez lo ascenderían y sería sargento o teniente, Galo hizo un gesto de negación y añadió perdiéndose escaleras abajo:

»— No. Tanto no pido.»

IX

«Necesitaba yo salir de casa a menudo, pero era difícil porque los muertos ocupaban los caminos. Al encontrar a alguno me daban ganas de limpiarle la sangre del rostro e incorporarlo, de tal modo parecía vivir o merecer vivir. Pero cuando iba a poner mis manos en sus brazos desnudos sentía en el aire — antes de llegar a tocarlo — el frío de su carne. Y seguía caminando. No creía que la muerte fuera una desgracia, sino una novedad violenta. Alrededor no se veía a nadie. Parecía que las balas pasaban silenciosamente por el aire quieto.

»En casa ordenaba los objetos de Javier: cuadernos, libros, los discos del bosque, las fotos de la mina, las fórmulas algebraicas por las que deducía que la Tierra y la Luna eran un protón y un electrón. Y el romance del Cristo del Caloco.

»La tercera noche que me quedé sola no pude dormir y estuve pensando cosas extrañas y nuevas para mí. Un mueble crujió en alguna parte y me asustó. Antes, cuando estaba Javier, no solían crujir los muebles.

»Al día siguiente, yendo hacia el bosque, vi en el releje de un camino de resineros algunas manchas negruzcas y pensé: "Han matado a otro, tal vez a Ramón". Un poco más lejos encontré a Novaes el galleguito con la cabeza rota — un temporal hundido y ensangrentado. Era raro que yo no oyera nunca los disparos. Se diría que los asesinos lo hacían con armas silenciosas y después se evaporaban en el aire. Novaes no tenía lágrimas en las mejillas y me extrañaba. En él habría sido más natural. Yo pensaba horrorizada que podía y debía haberme ido con Javier. Pero ¿quién sabe? Tal vez a su lado pasaban cosas peores.

»Cerca del bosque vi al estudiante de química sentado en el suelo al pie del árbol quemado por el rayo, con la mitad superior del cráneo desprendida. No podía mirarlo. Me daba miedo aquella cabeza que estaba rota como una caja de madera o de alfar. Y volvía al camino con los ojos fijos en el suelo y la boca seca mirando la hierba que iba pisando. Me decía: "Desde alguna ventana están vigilándome con gemelos. ¿Un policía? ¿Un fauno? Alguien me vigila en este momento y cree que soy una loca o una bruja que va a despojar a los muertos".

»De día los muertos no me parecían verdaderos muertos, sino

sólo heridos y desmayados. "Si hubiera un médico...", pensaba. Cada día iba acostumbrándome un poco más a la idea de su muerte, pero todavía los consideraba vivos. Aquellos pobres amigos míos iban muriéndose muy despacio en mi conciencia. Por vez primera pensaba de un modo positivo, es decir político: "A éstos los matan, pero hay millones como ellos esparcidos por todo el país que seguramente pueden vengarlos". Me daba cuenta de que la venganza era un placer. Imaginando a Javier entre los vengadores me conmovía hasta las lágrimas. Pero a veces desconfiaba de los hombres como él y sobre todo como el americano Mikhail. Su buena fe idealista me parecía un signo de debilidad. Pensaba que la gente morueca era más eficiente — como diría Justiniano —. Más eficiente en el crimen. Pensaba también en Vicente de Alvear y me decía: "Si estuviera aquí no pasarían estas cosas". Comprendía sin embargo que esto era absurdo.

»Mi ánimo parecía fortalecerse cada día a pesar de todo. Me consideraba a salvo de aquellos peligros que sin embargo iban haciéndose familiares. La muerte violenta daba un extraño preseficiente — como diría Justiniano. Más eficiente en el crimen. fácil de adquirir y tan accesible que parecía una parte de la costumbre de cada día. Por otra parte aquella *muerte* no era la muerte, sino sólo un accidente evitable.

»Recordaba palabras y opiniones de Javier, sobre la muerte. La muerte es la única verdad accesible, la única verdad total. No sería tan terrible acostarse a dormir en aquella verdad. Pero de pronto estas reflexiones me parecían falsas y mis ojos volvían a enfriarse contra los muros vacíos.

»Oí un disparo de cañón muy cerca. Se sentían los aceros elásticos en el aire, la curva del horizonte y la bóveda vibrando. Me senté en el prado a la sombra de unos álamos. Había un poco de brisa y las hojas de los árboles se agitaban con un rumor discreto y mostraban el reverso plateado.

»En los días siguientes los cadáveres de los muchachos del bosque fueron desapareciendo. Tenía la impresión de que se marchaban solos. El primero en marcharse fue el pequeño de los ojos verdes que había llorado después de muerto. Y yo pensaba en ellos y leyendo las notas que había dejado Javier en casa me decía: "¿No quería Javier desarticular la realidad".

»No podía estar más desarticulada.

»Cerca del cadáver del estudiante de química había en el árbol quemado una tela de araña y en ella una mosca azul atrapada. Una mosca grande y azul. Parecía vestida de gala. Tenía una capa pluvial con reflejos rosa, verde, malva, como un arzobispo. Cuando sonaba un cañonazo la mosca y la araña se ponían a temblar en la delicada red.

»¿Estaría el cuerpo de Javier en alguna parte? ¿Y el de Vicente de Alvear? Porque aquel Vicente que hablaba de los uniformes del Braguetón debía estar muerto también como el Braguetón mismo que al salir en avión de Lisboa tuvo un accidente y se mató. Parece que tantos uniformes constelados de condecoraciones pesaban demasiado para la avioneta.

»En el caso de que Vicente estuviera muerto yo lamentaba que la abeja de oro hubiera pasado a otras manos. Me habría gustado tenerla. Pensé que tal vez quedaría escondida en un cajoncito secreto del bargueño y un día dentro de muchos años aparecería por sorpresa. Y sería mía.

»Una tarde volvía a casa con la intención de quemar todos los papeles, discos y cuadernos de Javier cuando vi un coche frente a la puerta. Pensé que podría ser alguien trayéndome noticias de él.

»Al llegar más cerca vi en la portezuela del coche una insignia que no dejaba lugar a dudas. El escorpión. El escorpión vertical y azul de Su Santidad. La brutalidad de la sorpresa me dio una especie de seguridad en la desgracia que no había conocido en los últimos tiempos. "Aquí están — pensé —. Por fin han venido." Tal vez podría huir, todavía, pero ¿adónde? ¿Cómo? Era tarde. Además la esperanza de tener noticias de Javier me hizo entrar. *Van a decirme que han encontrado muerto a Javier en alguna parte.* O a Mikhail. O a los dos.

»"Estos son — me repetía subiendo las escaleras — los que matan sin ruido a mis amigos y ponen cerca de los cadáveres hongos venenosos o telas de araña y moscas vestidas de arzobispos."

»Había en la casa un grupo de cinco o seis personas, todas con expresiones palmatorias como solíamos decir. Llamábamos así al terror más o menos organizado de los moruecos. El nombre venía del verbo callejero *palmar,* es decir morir. El que palma muere una muerte menos noble que el que fallece. Bromas de aquel tiempo que hoy parecen increíbles. El estilo palmatorio imperial era el estilo *matután.* Había toda una serie de palabras viles para esto. A nosotros nos llamaban, como dije antes, los *chíviris.* Ellos, los de las pistolas entre sí los *curritos.* Todo esto pertenecía al léxico del imperio palmatorio. Como la muerte se afanaba a nuestro alrededor, ¿qué cosa mejor podíamos hacer que tratar de reír? Era una risa sincera aunque no pasaba de los dientes. Y recordaba aquella frase de Javier la noche del baile: "En España la muerte se viste de carnaval".

»Había en mi casa cinco hombres y dos mujeres. Uno de ellos era un tipo con las sienes cerriles y el hocico acusado. Cada vez que iba a decir algo comenzaba con las palabras: *Entonces, camaradas...* Una de las mujeres tenía perfiles pesados y mirada inmóvil y fija. La otra era movediza y pizpireta. Esta última cuando quería decir que una cosa era agradable o desagradable decía que era grata o ingrata. Le parecía distinguido.

»El estilo palmatorio no estaba entonces tan determinados como lo estuvo más tarde. Hoy a través de los estudios de la jerga criminal se han definido todas estas expresiones: enchiquerar, dar el paseo, picar, cargarse, dar mulé, enfriar o refrigerar, pasaportar, echarse al plato y tantas otras cosas. También se han definido estados morales o sentimientos que sólo entonces se pusieron de manifiesto. Yo misma di lugar al *ariadnismo* o como dicen otros por error *adrianismo*. Ustedes saben en qué consiste y a lo largo de estas tareas probablemente se pondrán de manifiesto aspectos nuevos y mejor definidos. No es la alegría por la muerte de un ser querido. No es — mucho menos — el deseo de su desaparición. Y sin embargo hay algo de las dos cosas. Yo misma no podría definirlo exactamente y espero que ustedes lo harán por mí.

»La mujer de la mirada fija entraba y salía por los cuartos y estaba tan impresionada por su propio atrevimiento que no osaba hablar. La llamaban la Herculana. Llevaba un manojo de papeles. Me preguntó de pronto:

»— ¿Y su marido? Supongo que no es de los que se esconden en el sótano.

»Si buscaban a Javier era que no lo habían matado. Y la Herculana repetía la pregunta mirándome de frente:

»— ¿Dónde se esconde?

»Vi que la mujer tenía los dientes delanteros careados y medio deshechos. Llevaba joyas. Falsas o tal vez auténticas. No sé para qué allí, en el campo.

»— Mi marido — dije — no acostumbra a esconderse.

»Alguien aclaró: "Parece que es de los bragaditos". Los hombres miraron los papeles que llevaba la Herculana. Alguien me

188

preguntó mostrando un periódico francés **paramoscovita** que había dejado Mikhail en casa — *Le journal de Moscou* — si aquel periódico revolucionario era mío. Yo dije que aquel papel no era revolucionario y recordando a Javier añadí que no había nada más conservador y reaccionario que la mentalidad de los llamados paramoscovitas. Eran como los curas de la Edad Media. Otro de los hombres alzó la nariz, entre herido y monitor:

»— Los curas de la Edad Media estaban muy bien. El siglo XIII era el siglo de oro de la Iglesia. Pero así es la vida. Esta es la primera *calandraca* que nos cae. Quiero decir con opiniones sobre la Iglesia.

»Era un hombre flaco y pálido, con nariz venteadora de perro. Comprendí que había cometido una imprudencia y trataba de imaginar qué clase de hembra era yo para que me llamaran de un modo tan grotesco. Calandraca. "Ellos tienen también — recordé — nombres raros para nosotras."

»El que me llamaba calandraca me miraba resentido. A su lado había un sujeto seco y pequeño con cara de lagarto llorón, pero en lugar de llorar reía — con las mismas contracciones en sus mejillas — y decía:

»— Entonces, camaradas…, ¿está usted casada civilmente? Es lo mismo. A eso lo llamo yo amancebamiento.

»La Herculana tenía el peor defecto que puede tener en mi opinión el cuerpo de una hembra: la cabeza grande. Con una cabeza grande todas las proporciones son mezquinas. Y sus ojos fijos parecían los de una talla de madera: una imagen. Aquella mujer llevaba un escapulario de la Virgen del Carmen abogada de los marineros. Me miraba fijamente y de pronto sin decir nada fue al gramófono y puso uno de los discos del bosque. Era el número tres y comenzó a oírse: *Ssssufix laherba turbamultana…* El Lagarto sonreía con una expresión congelada y repetía:

»— *Ssssufix laherba turbamultana…* A eso le llama el hijo de mi madre, clave conspiratoria.

»Fue a un armario de ropa y se puso a registrar. Yo le advertí que la ley no permite a los policías poner las manos desnudas en la ropa interior de la gente y él se quedó un momento confuso. En aquella confusión había algún indicio de timidez pero yo no supe aprovecharlo. El Lagarto dijo:

»— Yo no tengo guantes y además no soy un policía.

»Iba a seguir registrando cuando pregunté a la Herculana:

189

»— ¿Por qué han matado a la gente del bosque?

»El Lagarto guiñó un poco los ojos para mirarme — debía ser miope — y exclamó:

»— Entonces, camaradas... No los hemos matado a todos aún — y añadió —: pero son obreros. El obrero es malo y Azaña...

»Hizo un gesto de repugnancia. Los demás parecían esperar que terminara la frase. El Lagarto añadió por fin:

»— ... Azaña es viscoso.

»Viendo que no había nada interesante en el armario se había apartado y sentado en una silla. Parecía fatigado. ¡Qué gente extraña que asesinaba a los hombres del bosque y se fatigaba de registrar un armario! Yo trataba de conducirme como si estuviera sola, lo que en aquel momento era bastante difícil.

»Fuera anochecía. En el hondo valle se oían los grillos. Sonó otro disparo de cañón. Debía ser uno de esos cañones modernos que parecen disparar con aire comprimido. El Lagarto seguía mirándome en silencio y tratando de ver claro. Era un hombre físicamente débil, de ojos inquietos y mandíbula colgante. La Herculana había puesto otro disco y se oía: *Labbbatut maudire iiialgo alabhan ti one...* Seguía así con sonidos menos articulados. La etiqueta del disco decía: *Cuatro horas después de la tormenta, a media profundidad.* Todo esto debía ser para ellos muy sospechoso.

»Yo pensaba que Javier podría llegar en cualquier momento con los suyos y sacarme de allí. No tenía miedo. Yo no tenía ningún miedo. A veces pensaba en Ramón, pero lo imaginaba muerto como el estudiante de química. Sentado contra un árbol y muerto.»

Ariadna se calla. Yo siento el reflector sobre mí. La sala del abadiado llena de gente sigue en silencio y el presidente me pregunta:

— ¿Tenía usted la impresión de haber abandonado a Ariadna en manos de sus enemigos?

El presidente parece que da a sus palabras un tono de acusación. Antes de que yo conteste lo hace Ariadna por mí:

— Espere usted, señor presidente, que yo lo diré a su tiempo.

Y sigue:

— Después la Herculana se puso a mirar las fotos de la mina. Yo comenzaba a ver en los ojos de aquella gente algo ácido y corrosivo. Decían palabras simples, pero hacían cosas horrendas. No podía quitarme de la imaginación la sospecha de que el Lagarto había matado al galleguito del dedo cortado. Se lo pregunté, pero no quiso contestarme. La Herculana dijo con su mirada inmóvil:

»— El galleguito Novaes, permítame que se lo diga, señora, se habría salvado si no fuera por su dedo cortado. Usted recuerda que tenía un dedo seccionado por el final de la segunda falange. No era extraña la preferencia de Quiñones por ese chico — el Lagarto se llamaba Quiñones. En los tiempos que corren cuando se ve un árbol roto por una granada se desmocha, se tala. Cuando se ve una casa cuarteada por las bombas y en equilibrio difícil se derriba. Allí donde algo ha comenzado a ser destruido se continúa la destrucción. Es lo que el coronel de ingenieros llama la *demolición progresiva*. Y Quiñones vio al galleguito. Le vio la mano y la mano le dio la idea.

»Pregunté al Lagarto si era verdad lo que acababa de decir la Herculana. El Lagarto se encogió de hombros y dijo:

»— Este no es momento para venir con requilorios. Pero aquí hay un romance sobre el venerable Cristo del Caloco.

»Yo trataba de mostrarme indiferente como mi instinto me sugería. Todos me acechaban, especialmente el Lagarto, esperando ver el lugar por donde continuar una destrucción ya comenzada. Si veían mi dedo cortado sentirían tal vez la necesidad de romperme la columna vertebral. La demolición progresiva. Puse el mayor cuidado en mostrarme calma. Tomó el Lagarto uno de los discos de la Herculana y alzándolo en el aire, dijo:

»— Entonces, camaradas, esto está en clave y denuncia a la calandraca como espía. ¿Cuándo se marchó su... amigo?

»Fuera se oyó otro cañonazo. Yo no quería contestar. La Herculana respondió por mí:

»— Se fue el mismo día que mataron al juez municipal. Yo los vi despedirse en la orilla del bosque. Lo del juez fue un error.

»— ¿Y qué íbamos a hacer? — dijo el Lagarto ofendido —. Era medio rojo. Y quiso ponerse de parte de los del bosque diciendo que los naturistas eran inofensivos y que tralará tralará. Pero este romance del venerable Cristo del Caloco es una atenuante para la calandraca.

»Se trataba de una extraña contienda en la que por un lado estaban los moruecos y las odaliscas y por otro nosotros. Encendí más luces. Ya no había que tomar precauciones. Encendí todas las lámparas porque tenía la impresión de que podía ocultarme en la luz como antes me ocultaba en las sombras. Me sentía en el mismo nivel que el Lagarto. Tener relación con aquella gente aunque sólo fuera para ser su reverso me angustiaba. La Herculana trataba de exagerar su cortesía conmigo, pero era una cortesía sin promesas ni compromisos.

»El jefe de la patrulla era un joven que andaba por los cuartos del tercer piso con la odalisca pelirroja. Yo pensaba: "¿Será una persona que merezca alguna clase de respeto?". Los otros eran despreciables y mi propio desdén hacía más incómoda y difícil la situación. El Lagarto iba recogiendo pruebas, incluso dos cápsulas de pistola que halló en un cajón de la cocina. La Herculana puso otro de los discos en el gramófono. El Lagarto decía, atusándose el bigote:

»— Vaya un galimatías, chavó.

»— Está en clave — repetía la Herculana.

»El jefe llegó al oír el gramófono. Era un joven pequeño, macizo, con bigote recortado. Me miró y dijo de un modo amable:

»— ¿Le han molestado a usted estos idiotas?

»— No, no — me apresuré a decir.

»El jefe escuchaba el disco:

»— ¿Qué es esto?

»Yo se lo expliqué, pero no me creía:

»— Es posible que diga usted la verdad — dijo —, pero vivimos días confusos y necesitamos andar con cuidado. Me incauto del disco para hacerlo descifrar. En estos sectores de la retaguardia todas las precauciones son pocas, usted comprende.

»También se incautó de los cuadernos que contenían los datos sobre la luz de los ciegos y sobre las abejas. Todo aquello constituía una serie de indicios sospechosos. Me preguntó:

»— ¿Por qué sigue usted aquí cuando todo el mundo se ha marchado?

»Yo no sabía qué decir. Por fin contesté:

»— Tenemos pagada la casa hasta septiembre.

»El Lagarto soltó a reír. El jefe sonrió:

»— Perdone — dijo —, pero tengo que detenerla a usted hasta que veamos qué clase de documentos son éstos. ¿Este romance sobre el Cristo del Coloquio es suyo?

»Aquel hombre parecía una persona normal con sus nervios en orden y con una mente responsable. Me gustaba el respeto que yo misma sentía por él. Desgraciadamente no volví a verle. Y si lo vi no pude hablarle.

»La chica pizpireta volvió. Cuando sonaba algún cañonazo se

estremecía como la arañita en su tela y tardaba en quedar otra vez inmóvil. El jefe ordenaba que me trasladaran a alguna parte.

»— ¿Y el *andova?* —preguntaba el Lagarto refiriéndose a Javier—. ¿Adónde ha ido el *andova?*

»El jefe lo miró severamente y el Lagarto calló y se colgó el fusil en el hombro. Yo tenía un miedo animal a la muerte mientras bajábamos las escaleras. Pero no me llevaban al bosque sino hacia la estación del ferrocarril de Los Juncos, lo que parecía menos alarmante. El jefe hablaba mientras caminábamos y me di cuenta de que era un poco asmático. El Lagarto parecía conocer el camino y al doblar un recodo volvió el rostro hacia las sombras de la derecha y dijo:

»— *Sancta Dei Génitrix.*

»Era la consigna de aquella noche. De las sombras salió otra voz diciendo:

»— Ese es Quiñones.

»Me llevaban a la estación. ¿Para qué? Yo pensaba en algunas opiniones de Javier en las que nunca había pensado antes. En mi recuerdo iba levantándose la figura de un Javier menos humano y sin embargo más fuerte y por decirlo así más importante. La ausencia lo hacía crecer dentro de mí. Cerca de la estación se vieron los fogonazos de dos disparos de cañón. Produjeron pequeños relámpagos que iluminaron los alrededores. Se veía una hilera de vagones color rojizo en una línea muerta y el depósito circular del agua con una manga colgante. Yo vi decepcionada que el jefe de la patrulla había desaparecido.»

Al llegar aquí Ariadna se calla. Uno de los secretarios habla con el presidente, se levanta y lee un papel que acaba de darle un paje. Es otra comunicación de Natalio. Parece que no se atreve a entrar en la sala por respeto al presidente y que se limita a enviar comunicados. No comprendo por qué los reciben y los leen. El vecino francés me dice que siendo ése el único testigo que hay en la sala —aparte de Ariadna y de mí— le tienen algunas consideraciones. Pero el secretario se pone a leer la nota del Lucero del Alba:

— «Con todos los respetos debidos a la Asamblea, en cuyas tareas no debo inmiscuirme, tengo que comunicar que el epígono de las tradiciones hispánicas, lusitanas y ultramarinas que un día insufló a la patria su voluntad de resurgimiento y que ahora está vivo debajo de su propia estatua pide como un favor especial que le apliquen la eutanasia tan usada y socorrida en otros tiempos mejores. El castigo que padece es un género de penitencia que denigra y corroe su nombre. Yo no es que secunde la petición del epígono glorioso, sino que me limito a exponerla con todas las salvedades y reservas por mi parte. Sin embargo les pido a ustedes que reflexionen. Allí está vivo, si eso se puede llamar vida, debajo de los mármoles de su propia gloria. ¿Qué hace? Desde que le fue negada la comunicación con el exterior en el año 1959 no hace más que rezar y contemplar su propia efigie en una combinación de espejos. Es una crueldad innecesaria y espero que la Asamblea, tan fértil en iniciativas, tome acuerdos sobre al particular.»

El secretario cambia una mirada con el presidente y éste habla:
— Lo que dice el firmante de esta nota es verdad hasta cierto punto. Los españoles que hay en la sala lo saben, pero hay también entre nosotros no pocos extranjeros que no están en antecedentes. Dejando a un lado los juicios del llamado Lucero del Alba, producto del sectarismo político y de la histeria senil, el hecho es cierto. Ese a quien Natalio llama el *epígono* y en aquellos tiempos llamaron *el adalid* está cumpliendo una sentencia legal. Y la OMECC no puede modificar las decisiones legales de la administración española de justicia. Ese hombre está enterrado vivo debajo de su monumento. La ley española lo sentenció. Como digo, más tarde expondré nuevos pormenores del caso si la asamblea lo considera necesario. Por ahora puede continuar la testigo áulica.

Hay un rumor que se extiende sobre la sala y cuando cesa vuelvo a oír la voz de Ariadna:
— Al llegar a la estación de Los Juncos me llevaron al almacén de equipajes. No estaba con nosotros la Herculana. Con un soldado vigilante a cada lado me senté en la báscula y esperé. Pasaba el tiempo y uno de los soldados, que se aburría, se acercó a mirar el indicador y dijo en voz baja a su compañero: *Cincuenta y dos kilos de rojilla.* El otro sonrió. Otra vez vino la Herculana y después de morder el tallo de un clavel y ponerse la flor en el pecho emitió una risita de conejo:
»— Bien tranquilo estará su amigo al otro lado de la sierra.»

Ariadna sigue hablando. Yo pienso en mí mismo. Recuerdo que aquellos días estaba muy tranquilo al otro lado de la montaña, es verdad. Muy tranquilo, pero con la calma de la guerra, es decir con los nervios tensos y lleno de sentimientos de culpabilidad. Además estaba planeando volver a Pinarel, lo que no era nada fácil.

Ariadna habla otra vez y yo escucho, pensando: "Hay gente en la sala que me considera culpable". Entretanto el búho salta de la cornisa y va a instalarse en la cabeza de un santo de piedra. En el aire se le ha desprendido una pequeña pluma blanca que baja lentamente, en espiral. Y Ariadna sigue:

—La Herculana se levantó, me prometió volver como si diera a su presencia un gran valor y se fue. Uno de los centinelas dijo al otro: *¿Qué te parece la gachí?* El otro alargó los labios y lanzó un pequeño silbido. Aquel silbido era un elogio. ¿De quién? ¿De la Herculana? ¿O de los cincuenta y dos kilos de rojilla? Pasó más de media hora. Yo pensaba en Vicente, en la abeja de oro, en el ángel exterminador, en Javier, en Mikhail y también en los uniformes de gala del Braguetón que se habían incendiado con la avioneta al salir de Lisboa. El reflejo de aquellas llamas había desconcertado unos días a los moruecos pugnaces. ¿Hasta dónde llegarían aquellos hombres en su violencia? Los soldados me miraban de reojo. Uno parecía un niño inocente. El otro era más viejo y de aire resignado y brutal.

»La Herculana creía que Javier había dejado en casa todos aquellos papeles, discos y fotografías deliberadamente para poner en peligro mi vida. Yo no lo he creído nunca. De ser así Javier habría dicho al marcharse palabras de anticipada contricción. Y se fue sin decir una palabra. Tal vez quería decirlas y por eso me pidió que le acompañara al bosque, pero llegamos al bosque sin que las dijera.

»En la sala de equipajes había una estantería muy grande y en ella maletas y baúles. Uno de éstos tenía una tarjeta con el nombre de una persona a quien yo conocía: Juan Feixó. Era amigo nuestro. Recuerdo que debía venir a Pinarel y no vino. Tal vez vino en aquellos días y no pudo llegar a nuestra casa.

»La sala estaba mal iluminada. Al lado de la puerta había en la pared una lámpara protegida por una pequeña alambrada de hierro para evitar los golpes de los mozos que en tiempos de paz iban y venían con maletas al hombro. Debajo de aquella lámpara estaba un campesino inmóvil como una cariátide. Su mandíbula era salediza y recién afeitada. Era hermoso, pero tenía señales de cretinismo. Tenía esa belleza de algunos rostros donde la inteligencia se ha dormido para siempre. Con las dos manos metidas entre el cinturón y la camisa me miraba sin ex-

presión y parecía dispuesto a seguir mirándome eternamente.
»Pregunté a los soldados si habían conocido a Feixó, el dueño
de los baúles, pero ellos debían tener órdenes de no hablarme.
El que respondió fue el campesino:
»— Aunque usted no me lo pregunta a mí yo le contesto porque veo que ese señor era un hombre de su conocimiento. Yo
lo vi como la estoy viendo a usted. Era un viajero que venía
en el tren y bajó aquí, en Los Juncos. Lo fueron a buscar
a la fonda y lo mataron. ¿Quien lo mató? Ah, yo me acuesto a
las ocho como dice mi cuñao el madrileño. Hasta ahora van
treinta. Treinta justos. Digo, en Los Juncos.
»Sonrió con sus dientes amarillos y añadió:
»— A ver quién gana la treinta y una.
»Quería darme detalles:
»— En la cama, lo mataron. Llamaron a la puerta los *curritos*
y el señor Feixó dijo, dice: "Pasen". Pensaba que le llevaban
el café. El café de los cinco balazos, le llevaron. Ése hizo el
número veintinueve. Era catalán. De Manresa.
»La Herculana bajó la voz:
»— Lo que dice este pobre hombre es verdad. Bueno, venga
conmigo.
»Me llevó a otro cuarto más pequeño. Los centinelas nos siguieron. Uno, el del rostro infantil, quedó junto a la puerta y
el otro fue a instalarse al pie de la única ventana, por la parte
de fuera. "Vaya — pensé yo al ver aquellas precauciones —, soy
una presa importante." Le pregunté a la Herculana si era agente
de policía.
»— No. Soy sólo una comadrona. A veces piden mi parecer.
Bueno, usted sabe que la ley prohíbe ejecutar a las mujeres
embarazadas. Por el delito de un ser humano sería injusto que
pagaran dos, ¿no es verdad?
»Quise saber qué iban a hacer conmigo. Ella dijo ahuecándose
el pelo sobre las orejas, lo que hacía más grande aún su cabeza:
»— El acuerdo del comité lo sabrá usted pronto. Yo se lo trans-
mitiré en cuanto me lo comuniquen. En este momento están
revisando sus papeles. No vaya usted a creer. Quiñones — el
Lagarto — a pesar de su apariencia tiene una vena humanitaria
y noble. Hace un instante me ha preguntado si el caso de usted
se prestaba o no a dudas. El romance del Cristo del Caloco le
ha impresionado. Sólo quiere actuar sobre seguro. No es mala
persona, Quiñones. ¿No desea usted ir al lavabo? Cuando quie-

ra dígamelo y yo la acompañaré. Conmigo puede salir y entrar sin que la molesten los centinelas. Pero... ¿quién es ése que se acerca a la puerta? Ah, el campesino. Ese hombre me pone nerviosa.

»En aquel momento vi que el jefe de la patrulla pasaba frente a la puerta con papeles en las manos, decía dos palabras agrias al campesino y lo obligaba a salir de la sala de equipajes. Yo me sentí protegida y pregunté a la Herculana:

»— ¿Quién es ese joven que parece el jefe? ¿Cómo se llama?

»La Herculana no quiso contestarme.

»Yo no podía comprender que la Herculana fuera únicamente matrona. Bueno, en tiempos de guerra unos hacen cosas inferiores a su capacidad y otros superiores. Todavía no sabía si debía sentirme segura o amenazada por su compañía.

»Desde que Quiñones estaba revisando mis papeles sentía por él cierto respeto. Se oía un gramófono en alguna parte repitiendo: *Sssspout oppacito ssput capaccitat stout mum... mum... mum...* Escuchando aquello que resonaba por la estación yo me sentía culpable. Habría querido hablar con el jefe de la patrulla otra vez. Estaba segura de que podría convencerlo. La Herculana me dijo de pronto:

»— No crea usted que se lo pregunto con intención. No se asuste. ¿Está... embarazada?

»Se me enturbiaba el aire. Noté el contacto de un brazo rodeando mi cintura y otra vez la misma voz que desde aquel momento debía ser ya una voz siniestra.

»— Vamos, vamos. No es más que una pregunta de trámite.

»Percibía un olor balsámico y el contacto de un frasquito en la nariz. El vidrio estaba a la misma temperatura de mi piel y el olor balsámico era más frío. El gramófono seguía repitiendo aquellas palabras del bosque y entre ellas se oyó mi nombre dos veces. Sonaba de una manera muy diferente de la voz humana. Los sonidos eran los mismos, pero la calidad por decirlo así, inorgánica, de aquella voz me espantaba. Disimulé y sin saber lo que hacía dije el nombre de Alvear, dije que don Nicolás de Alvear me conocía y era amigo mío. La Herculana se puso a hacer memoria:

»— Sí, Alvear. Lo pilló la revolución en la ciudad. Sus hijos están en el movimiento. El nombre de Alvear no puede ayudarle a usted gran cosa en las presentes condiciones. Vicente fue a San Sebastián.

»Volvió a preguntarme si estaba en *estado interesante*. Diciéndolo su cabeza parecía hincharse y elevarse como un globo.

»Las palabras de la Herculana habían cortado el hilo que me ligaba al futuro. Creo que dije que no sabía si estaba embarazada y que tardaría algunas semanas en saberlo. Lo dije con voz firme, un poco demasiado firme como si quisiera compensar la flaqueza que mostré unos minutos antes. Y pensaba, seriamente: "Debo emplear palabras delicadas para hablar de eso, porque yo soy una mujer vulgar. Yo debo decir *embarazada*. Yo no puedo decir *preñada,* como decía la reina María Cristina al tío de Alvear. Sólo los príncipes pueden hablar así, sin desdoro".

»Me llevaron a un calabozo en Los Juncos. Era ése el cuarto que en las aldeas suelen tener para los borrachos escandalosos y los vagabundos. Una celda cuadrada, oscura, con el pavimento de tierra. Poco después apareció la cabeza de una mujer en el ventanuco enrejado de la puerta. No era la Herculana. Aquella cabeza tenía unos ojos que podían expresar al mismo tiempo la bondad o una gran tontería. Con la mujer venían dos hombres. Me dijeron que los siguiera y salimos del calabozo. Por desgracia ninguno de aquellos hombres era el jefe de la patrulla. Y uno le decía a otro en voz baja:

»— Esta creo que no puede alegar la *preñez.*

»Decía esa palabra sin ser un príncipe, lo que me alarmó un poco.

»Me sacaron del calabozo y me llevaron al otro lado del mismo edificio. Querían que identificara a un muerto. Yo pensaba: "¿Será Feixó, el de las maletas?". Y recordaba que era un hombre joven que negociaba en films de vanguardia y que presumía de cosmopolita intercalando en su conversación palabras inglesas y francesas. Pero no era Feixó, sino el Doncel. Estaba encima de una mesa chapada de zinc y tenía la cabeza colgando fuera. Aunque parezca raro yo había olvidado en aquel momento el nombre del Doncel y sólo recordaba su apodo. El hecho de que tampoco ellos supieran el nombre me asombraba. Parece que mataban a las personas sin saber quiénes eran, por sospechas. La presencia de aquel cadáver — el Doncel — me impresionó menos de lo que se puede suponer. Pero la imagen me quedó grabada mucho tiempo y con ella las palabras que le había oído el día de la niebla en las sombras de mi cuarto: *A donde el hombre va, allí va la muerte.* También recordaba lo del *pillo entrador*. Ya no entraría más el Doncel en ninguna parte. Había salido para siempre.

»Apareció la Herculana para decir algo a la mujer que se había asomado a la ventana de mi calabozo. Ésta se llamaba Clorinda y su cara tenía la expresión de una delicadeza pasada de moda. Sabía que su pecho y su cuello eran raquíticos y trataba de dar a su raquitismo un acento poético de niña enferma. Miraba al Doncel pensando: "Lástima, un hombre en plena juventud". Y dijo a los policías tratando de congraciarse conmigo que encontraba *incómodo* mi calabozo y que tal vez podrían instalarme mejor. Todos la miraron y ella se calló. *Incómodo*. Qué manera de definir mi situación delante del cadáver del Doncel. Del Doncel que se había marchado del átomo de hidrógeno.

»Me llevaron otra vez a mi encierro. Ya he dicho que el calabozo tenía una puerta que daba al patio de la casa consistorial. Por aquel patio bastante oscuro pasaban algunos hombres yendo a los urinarios que estaban en el fondo.

»Clorinda se presentaba cada día en la ventana y miraba hacia adentro frunciendo el entrecejo. Yo veía en Clorinda una salomeíta frustrada. Ella movía su cabeza en el cuadro del ventanuco haciendo pantalla con la mano como si en lugar de las sombras hubiera un sol deslumbrador. Me preguntaba si quería algo con una cortesía cantarina y después de oír mi respuesta, siempre negativa, se marchaba.

»Un día entró. Debía ser domingo porque los hombres que pasaban por el patio llevaban ropas de haber estado en misa.

«Clorinda cerró la puerta detrás de ella. Yo vi que no había centinelas en el patio. Clorinda jugaba con la llave. Había pasado el dedo índice por el asa y sin dejar de hablar la hacía dar vueltas en el aire.

»Parecía Clorinda un poco ebria por el efecto de los acontecimientos en sus nervios y como todos los borrachos con unas ganas tremendas de hablar.

»— La hemos traído a este calabozo — dijo — porque al menos aquí puede estar sola. Estar sola es una comodidad, ¿no le parece? Tenemos ochocientos nueve presos en la cárcel del partido. A muchos de ellos se los van a llevar en un tren hacia el norte. Un tren punitivo. O penitenciario. Así creo que lo llaman. No, digo mal: un tren expiatorio. Si usted quiere puedo pedir que le traigan un catre para dormir más cómoda. Yo tengo influencia con el intendente de Los Juncos.

»Seguía jugando con la llave. Viendo que yo miraba la pistolita que llevaba al costado se puso a explicar:

»— Es linda, pero no es práctica. Parece que es difícil encontrar cartuchos de este calibre. Cuando voy a la estación la escondo aquí, debajo del jersey, para que no la vea un teniente de ingenieros que me hace la corte. Una pistola no es femenina, ¿comprende? El teniente se deja la barba y parece un caballero antiguo. Hay caras a las que la barba les va bien. A otros, los envejece demasiado. O les da aires anacrónicos. Es la moda. También los hombres tienen modas, ¿verdad?

»Yo pensaba: "Si ahora fuera de noche intentaría quitarle la llave y salir camino de la sierra y tal vez llegaría al otro lado, como Javier". De día era inútil. Demasiada vigilancia en todas partes. Clorinda no lo había dicho todo. Tardaría un buen espacio en decirlo todo:

»— Ahora que recuerdo, el teniente de ingenieros ha visto ya la pistola. Es él quien me dijo que no hay cápsulas de este calibre. Lástima. Entonces yo le dije la verdad. A los hombres no les oculto nunca la verdad. La gente dice que son pérfidos pero yo sólo digo que son masculinos. Y le dije: "Con las cápsulas que tengo me sobran". "Poca gente piensas matar", me dijo él. "Poca. Sólo mataré a una persona." "Espero que no soy yo", dijo él. "No, no es usted." Porque ésta es otra cuestión, él me tutea y yo le hablo de usted. La cosa es bastante ridícula porque yo parezco su criada. ¿No la aburro a usted con estas cosas? En estos días es difícil hablar. Hay hombres en todas partes y todos tienen prisa. Bueno, pues como le digo, ese oficial es bastante ocurrente. Entonces me preguntó: "¿Quién es la persona que quieres matar?" "Yo no digo — respondí — que la quiero matar. Si llega el caso la mataré, lo que es distinto. Se trata de una amiga mía con mi mismo nombre que se parece mucho a mí. El mismo color de pelo y de ojos, la misma estatura. La mataré antes de que caiga en manos del enemigo." Él comprendió que hablaba de mí misma y me dijo: "El enemigo no hace nada a las muchachas como tú". Le recordé lo que había leído en el "Heraldo Nacionalista" sobre los estupros y las violaciones. Él sonreía y me decía: "Ya veo, estás dispuesta a ser mártir de la pureza. Virgen y mártir". Yo le habría dicho que no soy tan virgen, pero ¿cómo se le dice eso a un hombre? Materia delicada. ¿Se ríe usted? Tiene gracia, es verdad. Entonces él me dijo: "Con un arma como ésa no es fácil matarse.

No creo que tengas bastantes cápsulas para matarte, a no ser que te las tragues todas de una en una y después bebas un vaso de aguarrás". Yo le dije que me bastaría con una sola y que había preguntado a un médico dónde debía disparar para matarme con toda seguridad. Él me aconsejó que disparara de abajo arriba contra el velo del paladar, dentro de la boca. Parece que ahí no falla. ¿Sabes qué me dijo el teniente? Pues me dijo: "Bah, debe ser más cómodo para ti dejarte violar".

»Cuando Clorinda terminó pensé que la estupidez de aquella muchacha encerraba alguna forma de esperanza. Pero me deprimía el contacto de gente como aquélla. Habría preferido tener enemigos dignos de mí. Prefería los malvados a los tontos y pensaba en el jefe de la patrulla que me detuvo. ¿Por qué me habían abandonado en manos de aquellos seres que parecían menos hombres y menos mujeres y cuya peligrosidad crecía en proporción con su tontería? Yo le dije que le agradecía sus buenos sentimientos. Ella me advirtió que era cristiana y que sabía odiar el delito y compadecer al delincuente.

»Me puse a hablarle de lo que a ella le importaba, del teniente. Le pregunté el nombre y al oírlo me fingí sorprendida. Ella dejó de jugar con la llave y comenzó a hacerme preguntas. Yo callaba o respondía con medias palabras. Por fin le prometí que si volvía a la noche le contaría en qué había consistido mi relación con el teniente. Ella se fue, intrigada. Naturalmente yo no había conocido a teniente ninguno.

»En cuanto se marchó me puse a preparar la fuga. Cuando Clorinda volvió a las nueve me dijo que había niebla espesa y que sus rizos se deshacían con la humedad. Se sentó a mi lado, en la tarima. Estábamos casi a oscuras. Fuera del calabozo en un rincón del patio había luz eléctrica. Clorinda había cerrado la puerta por dentro. Y tenía la llave en la mano. Esta vez no pasaba el dedo por el asa ni jugaba. La luz del ventanuco era en la sombra como una luna llena. Clorinda dijo una de sus tonterías habituales: que el calabozo no estaba tan mal y que por lo menos yo me encontraba allí a cubierto de los calores del verano y también de las impertinencias de los otros presos.

»Le pregunté por el jefe de la patrulla que me había detenido y ella no supo o no quiso darme razón.

»Un individuo privado de libertad está autorizado a todo para recuperarla. Pero yo no sabía qué hacer. Tenía medio ladrillo escondido debajo de la tarima. Debía pegarle con él y no podía imaginar cómo ni cuándo. Era fácil coger el ladrillo y alzarlo en el aire, pero sabía que no podría dañar a un ser humano. Hace falta una cierta locura para una cosa así. Trataba de enloquecerme con reflexiones pensando que en mi situación aquél sería un acto defensivo. Por fin en el momento en que Clorinda volvía la cabeza alcé el ladrillo. Ella me vio, dio un grito y se desmayó antes de que yo la tocara. Creo que no habría llegado a agredirla. En el instante en que yo comprendía que no podría hacer nada con aquel ladrillo y estaba dispuesta a pedirle perdón, ella tuvo el buen acuerdo de desmayarse.

»Al caer Clorinda fue a dar con la cabeza en la esquina de la tarima haciendo un ruido sordo. Me dio una pena tremenda. Repito que yo no hice nada — estoy segura de que no me habría atrevido — pero ella salió con una fuerte contusión. Hay un dios para los presos inocentes, pensaba, aunque ese dios se llame, como decían el estudiante de química y Javier el Hidrógeno.

»Seguía Clorinda desmayada y la acosté en la tarima de espaldas a la puerta. Tomé su pistolita y su llave y salí. Pobre Clorinda. Era una de esas personas desairadas hasta en la tragedia.

»Al fondo del patio se oía el agua de los urinarios. Olía a amoníaco. En la calle había niebla y en ella me envolvía con la esperanza de pasar desapercibida. En aquel momento no sé por qué yo pensaba en Vicente y lo imaginaba en San Sebastián con alas y una espada de madera pintada de purpurina. El Ángel Exterminador. También Javier me parecía a veces un ángel pero sin espada. Y más bien conciliador.

»No conocía las calles y me metí dos veces en callejones sin salida. Junto a la iglesia había un solar sin edificar. Al lado una especie de plataforma empedrada con canto rodado y en ella un humilladero. La piedra estaba mojada y brillaba con el reflejo que salía por una ventana.

»Por fin dejé atrás la última casa del pueblo. Se oía de tarde en tarde algún tiro de fusil y entonces iba en dirección contraria. Naturalmente evitaba las carreteras.

»No sabía si estaba al norte o al sur de la aldea. Con frecuencia me encontraba al lado de un gran árbol que parecía perseguirme. Me orienté por la dirección del agua de un arroyo. Todos los arroyos bajan de la montaña. Pero los caminos del agua son tortuosos y yo iba cuesta arriba. Me cansaba y pensaba en el Doncel. A él lo han matado, me decía, aunque era un hombre amable y sonriente. A Javier que es muy taciturno, todavía no. ¿Lo matarán también sin necesidad de saber su nombre? ¿Y a Galo? ¿También a Galo el del Cristo del Caloco?

»Al llegar a un lugar donde el arroyo se remansaba vi un hombre en tierra. Los hombres caídos en tierra ya no me asustaban. Aquel hombre sería Justiniano — pensaba — si no hubiera escapado verticalmente a la cima de la montaña. Pero a mi lado oí una voz de mujer. Era una vieja cuyas ropas negras parecían fundirse en las sombras de la noche:

»— Usted anda escapando — me decía en voz baja — y no es de Los Juncos. El que mató a mi hijo tampoco es de Los Juncos. Puede que ustedes los forasteros se conozcan. ¿No sabe quién es un tal Miguel que vino hace una semana al pueblo y tiene la pierna maciza y cojea un poco y va a comer a casa del Lebrel?

»Decía que aquel hombre, después de disparar contra su hijo, estaba cargando otra vez la pistola cuando alguien gritó: "Ya basta, Miguel". Por eso supo que se llamaba Miguel.

»— Ese Miguel se revuelve como si no tuviera el cuerpo completo y enterizo. No me extrañaría que fuera lisiado porque los lisiados suelen tener hechuras de gallo cuando llevan una herramienta en la mano. Una herramienta de sangre, digo. A falta de otra cosa por lo menos tienen hechuras. También le sentí hablar y cuando quiere gritar se le ponen escuarzaguicos en la voz. Hablaba y decía: "A ese garduño yo me lo sé". Llama garduños a los pobres parvos sin defensa. Una cosa así no se dice de las personas.

»Aquella anciana me daba miedo. ¿Por qué hablaba tanto? Pero yo también habría querido saber el nombre del jefe de la patrulla que me detuvo en Pinarel. Tal vez con ese nombre tendría yo un dato valioso. Era importante saber los nombres de las personas.

»Lejos se oían mugidos de toro. Yo no tenía fuerzas para seguir caminando cuesta arriba hacia la montaña. Además mi camino estaba cortado por todas partes. Tropecé con esas alambradas con las que suelen acotar las dehesas. Llevaba la voz de la vieja en los oídos. Me daba pena. Los asesinos de aquel hombre debían ser los mismos del Doncel y seguramente estaban buscándome a mí.

»Sentí detrás como la respiración de un caballo o de una vaca y vi al otro lado de la alambrada un toro negro. Su cabeza daba la impresión de estar forrada de terciopelo. Yo no tenía miedo. El alambre espinoso nos separaba y no sé por qué me parecía que aquel animal podía ser un aliado mío. Javier habría hablado del minotauro. Habría dicho algo innecesario y chocante. Parece que el minotauro destruía a sus hembras, pero yo siempre he pensado en ese monstruo con amistad. Aunque destruya a sus hembras. (Tal vez porque en la historia está relacionado con mi nombre.)

»Al amanecer oí ladridos lejanos. Comprendí que se trataba de mis perseguidores. Yo me sentía a mí misma fatigada y fea como las personas que llegan al amanecer en los trenes con cara color de nabo. Mi fealdad la sentía como una desventaja que aumentaba todos los peligros. Me ilusionaba sin embargo pensando que entre mis perseguidores podía estar el jefe de la patrulla.

»Los curritos me seguían la pista con perros de caza. Más que el peligro percibía yo la humillación. Ya no era una mujer, sino una alimaña a la que buscaban lejos de los caminos. ¿Estarían los perros atraillados? ¿O sueltos? Tenía miedo a que estuvieran sueltos y me saltaran encima.

»Era ya de día. Los ladridos se acercaban. No tardaría aquella gente en alcanzarme, lo mismo si corría que si estaba quieta.

»Por fortuna los perros estaban atados. El que los llevaba tenía un revólver en la mano. Detrás de ellos venían tres o cuatro más y con ellos la Herculana, que resoplaba cuesta arriba como un jayán, pero al verme tomó un aire sereno y compuesto con su cabeza grande y sus ojos fijos.

»Se detuvieron y me rodearon a distancia. El de los perros preguntó:

»— ¿Lleva armas?

»Yo tenía en la cintura la pistolita de Clorinda. Pensé en suicidarme pero en aquel momento reconocí al Miguel de quien hablaba la viejecita. En la manera de sacar el revólver lo reconocí. Era lisiado, manco, y repitió las palabras de su compañero:

»— Tire el arma delante de usted. Tírela al suelo.

»Gritaba más de lo necesario y aquella voz tenía *escuarzaguicos* en los registros agudos. Yo no sabía lo que la brujita quería decir con aquella palabra — *escuarzaguicos* — que ella misma había inventado, pero los reconocí en la voz de Miguel.

204

»Arrojé la pistola y vi que la vieja oculta entre los árboles salía de su escondite:

»— Has sido tú, que yo te vi — gritó con una fuerza tremenda —. Por el Santo Cristo del Encinar quiera Dios que los perros que llevas en traílla se vuelvan contra ti y te coman los hígados. Porque te aguarda una noche negra en la que el aliento se te volverá ponzoña entre las costillas.

»Los hombres hacían como si no la oyeran. Mientras la vieja hablaba me rodearon y me obligaron a caminar con ellos otra vez hacia la estación de Los Juncos. Los perros ladraban y tiraban de las cadenas. Seguía la vieja dando voces inútiles. Luego la oí llorar como una niña pequeña.

»— Eso es lo malo — me decía la Herculana en voz baja — y lo que va a perjudicarle más a usted: su intento de fuga.

»La mañana era limpia. Una nubecita blanca se teñía de rosa en el cielo claro. La Herculana insistía:

»— Porque la hemos hallado caminando en la dirección del campo enemigo.

»— ¿Por aquí se va al campo enemigo? — le pregunté.

»— Sí, todo seguido.

»Pensaba yo: menos mal. Por lo menos no estaba equivocada en mi orientación, como temía.

»Aquella tarde me dejaron en un vagón de ganado mediado de presos. Era el tren del que había hablado Clorinda. Me encontraba allí mejor que en el calabozo, pero tenía sueño y no podía dormir. Sentía el sueño en los huesos. Recordaba a los hombres muertos cerca del bosque. Descansando. ¡Cómo parecían descansar alargados sobre la tierra!»

Ariadna ha callado fatigada, pero luego se reanima y sus recuerdos vuelven a fluir. Oyéndola a ella el vagón de ganado donde la imagino sentada en el suelo me parece un coche de lujo. No por lo que dice, sino por la sola sugestión de su voz.

X

—La mayor parte de los presos eran hombres que la policía llevaba a sus lugares de nacimiento para identificarlos mejor. Parecían tranquilos menos uno, que estaba sentado contra un rincón con los ojos cerrados y daba una impresión lastimosa.

»—A ése —decía el que estaba a mi lado— lo van a fusilar en cuanto llegue. Es amigo mío. Hace años publicó una carta en un periódico local denunciando al arcipreste por vender bajo mano obras de arte que sacaba de la iglesia. El pobre se metió en camisas de once varas. ¿Qué le importaba si el obispo o el canónigo o el sacristán vendían un retablo o una pintura antigua? El arcipreste lo matará. Bueno, tal vez yo caeré antes que él. Nunca se sabe.

»Había tres o cuatro mujeres. Una era una odalisca del género frenético.

»—¿El arcipreste? —decía con zumba mirando al que lo había dicho—. Y a mí ¿quién me matará? ¿Cuál será el *matarilerón* que me dará pasaporte?

»Se sentía superior a nosotros y de vez en cuando daba un suspiro cantado e impúdico. Su carne era fláccida y temblaba con el traqueteo del tren.

»Aquella mujer dijo de pronto sin que nadie se lo preguntara:

»—Cada cual es cada cual y sabe lo que busca. Yo lo único que le pido a Dios es que me deje ver un día a mi marido colgado por los cuernos.

»Un viejo que tenía los ojos apagados soltó sin embargo a reír y preguntó:

»—¿Su marido es ése al que llaman el Lucero del Alba?

»—Mi marido tiene un nombre decente: Natalio Cienfuegos. Y menos confianzas, que yo puedo decir lo que quiera porque soy la esposa y entre marido y mujer pasan cosas, cositas y cosazas. Y no son de tu incumbencia.

»Ese Natalio —dice Ariadna a la asamblea de la OMECC— es el mismo que hace poco levantaba la voz en esta sala para protestar. El mismo que ha enviado hace un instante un escrito a la presidencia.

»Ya digo que me encontraba en aquel lugar mejor que en el calabozo, aunque olía a establo. Conmigo había otros seres humanos y mi destino se confundía con el de ellos. No me buscaban ya los *curritos* con perros atraillados. Y caminábamos. Íbamos a alguna parte. Miraba yo a mis compañeros. Todos estaban tranquilos menos el hombre sentado contra el rincón.

»Fuimos así más de media hora sin hablar. En un lado del vagón había una ventana con barrotes de hierro. Entraba el sol y a veces daba en los ojos de la mujer de Natalio. Bajo el sol sus mejillas mostraban los poros de la piel grasienta.

»El tren acortaba la marcha y se detenía poco a poco. Fuera se oían los ruidos de las estaciones: el escape de gas de la locomotora, una campana. Se oían también voces de hombre. Los presos aguzaban el oído. La odalisca gritó:

»— ¡Viva la Virgen de la Almudema!

»La voz parecía salirle del vientre. Se quedó escuchando a ver si hallaban eco sus palabras pero sólo se oía el cacareo de una gallina.

»Me avergonzaba que los de fuera creyeran que estábamos adulando a la iglesia para salvarnos. Un campesino viejo sacaba su pañuelo azul del bolsillo, lo pasaba por su frente y volvía a guardarlo. En una de las esquinas aquel pañuelo tenía un nudo. El campesino dijo:

»— Yo creo que no tiene por qué alterarse, señora. A usted no le pasará nada. Yo tampoco me preocupo. Uno ya es viejo y nunca ha ocupado mucho lugar en el mundo. Lo que me pase a mí no tiene importancia. Pero a usted no le sucederá nada, creo yo. Usted tiene buenos asideros.

»— Eso lo dice para que me calle — dijo ella abriendo grandes ojos bovinos, y como si quisiera castigarnos gritó con más fuerza —: ¡Viva Su Santidad el Sumo Pontífice de Roma!

»Fuera contestó el ruido de un martillo contra el eje de una rueda y el remoto escape de gas de la máquina. La mujer explicó:

»— Yo no soy como ustedes. Mi marido va aquí en el tren, en un coche de viajeros, con su cerveza y su caja de cigarros, acompañado de cuatro capiscoles de su cuerda. Sí, Natalio, el Lucero del Alba, es decir el señor Cienfuegos. Así se llama. Yo no digo que sea un tal o un cual. Tampoco digo que lo deje de ser. Entre marido y mujer ya se sabe. Lo que digo es que sólo se atreve conmigo y que con los demás gasta muy buena parola. Anteayer decía en un corro: "Mi esposa es, pero si la causa lo exige sacrificaré a mis propios padres". El hijo de la tal no tiene padres. Sólo tiene esposa y aquí estoy. Eso es lo que yo llamo chotearse.

»— ¿Pero de qué la acusan? — preguntaba el viejo y añadió sonriendo estoicamente —: A mí me acusan de sublevación contra el Estado.

»Ella callaba. Yo tenía miedo a la soledad en la que me iba sintiendo caer. Una campesina decía detrás de mí:

»— Sí, esa mujer que da gritos es la esposa de Natalio, el de la estación.

»La odalisca me miraba. Yo pensaba en Clorinda que había venido a Los Juncos con su vendaje en la cabeza trayéndome un chal de lana. Antes de partir el tren le dije que perdonara mi ofuscación y mi locura aunque yo no hice más que levantar el ladrillo en el aire. No le pegué con él ni habría sido capaz de una cosa así. Insistía mucho en esto. Ella decía amén a todo, sin oírme. Yo pensaba: "Si cree que le he roto la cabeza y me perdona es una santa". Como esto me parecía imposible deduje que no me guardaba rencor, porque suponía que el castigo que me iban a imponer era mucho mayor que la culpa. Esto hacía de mí una mártir digna de compasión. La idea me deprimía hasta la locura.

»Estábamos sentados en el suelo. Dos o tres hombres iban de pie y se agarraban a las rejas del respiradero. La odalisca me preguntaba:

»— ¿Dónde está tu marido, hermosa? ¿No tienes también tu Lucerito del Alba?

»Yo no le contestaba. El tren acortaba la marcha otra vez y se detenía. Se oían fuera los rumores de la campiña. Un mugido lejano, de ternera, una mujer llamando a un niño. Alguien se puso a maniobrar en los cierres y por fin la puerta se abrió. La luz de la tarde era dulce y todo tenía el color de las espigas. Aparecieron tres hombres, dos de ellos con armas:

»— A ver — dijo uno —, los que van al Bierzo.

»Se levantaron cuatro, entre ellos una mujer. Ésta llevaba un atadijo de ropa que los guardianes volvieron a arrojar al interior del vagón sin escuchar sus protestas. Luego empujaron la puerta corredera. Por el vano asomó una cara de una jovialidad cazurra:

»— ¿Quién es la mujer de Natalio?

»La odalisca se apresuró a alzar la mano y el otro preguntó:

»— ¿No quieres nada para él?

»— Sólo mis expresiones de fiel esposa y recordarle que sus subordinados han cometido un ligero error trayéndome a esta pocilga.

»La puerta se cerró y se oyeron fuera comentarios salaces y risas. También se oyeron algunos disparos de pistola y las mujeres que quedaban en el vagón gritaron. Un hombre que estaba mirando por el respiradero dijo que no había que asustarse y que se trataba sólo de un grupo de policías que tiraban al blanco.

»El tren arrancó de nuevo. La campesina se puso a hablarme como si fuéramos antiguas amigas. Me decía que había visto el día anterior un muerto junto a la verja del jardín de mi casa. Porque ella sabía dónde vivía yo. Me daba detalles. La campesina recordaba hasta la forma ovalada de las hebillas que el muerto llevaba en las sandalias.

»— Cuando veo a un difunto — decía — se me queda estampado tal como es. No tengo tanta memoria para las personas vivas, pobre de mí.

»La odalisca respondía:

»— Mírame bien, Robustiana, y acuérdate de cada cosa que llevo porque yo estoy muerta ya. Si yo tuviera tu juventud — añadió dirigiéndose a mí — me importaría poco la denuncia de mi marido. Yo sé por dónde atrapar a los hombres. Pero soy una gata vieja. Y no me salva ni la santa Virgen de los Siete Puñales.

»Dirigiéndose a un campesino, añadió:

»— ¿Qué me miras tú, Olegario?

»— Yo no me llamo Olegario — dijo el campesino sobriamente —, sino Mariano.

»Ella hizo un mohín grotesco: los que se llamaban Mariano solían usar calzoncillos de listas amarillas y verdes.

»— A esos calzoncillos — decía — yo los llamo *marianitos.*

»El campesino la taladraba con su mirada:

»— ¿Por qué dice usted cosas sin substancia? ¿No le da vergüenza a sus años?

»— ¿Vergüenza? — dijo ella —. La vergüenza era verde y se la comió un burro.

»En aquel momento el tren pasaba sobre un juego de agujas y hacía mucho ruido.

»Javier al marcharse me había dado todo el dinero que tenía. Yo lo conservaba conmigo. Cuando me detuvieron, la Herculana dijo que tendría que entregárselo y que en cambio me darían un recibo, pero no habían vuelto a hablarme de aquello.

»Se oyó ruido en el techo del vagón. Nos pusimos a escuchar. Tratábamos de comprender si aquello podría significar un cambio en nuestra situación. Pero no sucedió nada. Cuando se detuvo el tren volvimos a oír fuera a un grupo de personas que iban abriendo vagones y sacando a algunos presos. No tardaron en llegar al nuestro. Vi a dos guardianes y a Clorinda. Ya suponía que Clorinda venía en el tren. Detrás de ellos se veía a un hombre flaco, de media edad, con bigotes flotantes erguido como un mimbre crujidor. Era el Lucero del Alba. Clorinda subió al vagón y me dijo algo al oído. Yo le pedí que dijera lo mismo a las otras mujeres. La esposa de Natalio gritaba:

»— Yo también, maridito mío, necesito hacer un pequeño pis.

»El campesino que dijo llamarse Mariano la miraba con repugnancia. Éramos conducidas a alguna parte por Clorinda. Dentro del vagón se oía a la mujer de Natalio gritar sus vítores religiosos. Detrás de nosotras venía un hombre con un rifle. Clorinda, que parecía no guardarme rencor, me preguntó si mi amistad con el teniente de ingenieros era verdadera o sólo un truco para tratar de escaparme de la prisión. Viendo su cabeza vendada yo suponía que la contusión al caer había sido fuerte, pero no bastante para quitarle la obsesión del teniente. Le dije que era verdadera. Quería yo tratar de obtener alguna noticia sobre mi situación y pensaba que aquella mentira podría ayudarme. Poco después le pregunté qué era lo que se proponían conmigo y ella dijo evasivamente que debía ir al compartimiento donde estaba Natalio. Y que ella no era quién para responderme.

»Al salir de los lavabos el hombre del rifle me miró apoyando la mirada tal vez para azorarme — aludiendo al hecho de que yo saliera del retrete —, pero el pobre calculaba mal. Clorinda me tomó de la mano:

»— La culpa de lo que le pasa a usted la tiene su marido. En eso están de acuerdo las mujeres de la cruz roja, las matronas, las de la estadística y las de los servicios especiales.

»Yo no dije nada. ¿Para qué? Subimos al tren pero no al vagón de ganado, sino al departamento de viajeros. Me dejó Clorinda sentada frente a Natalio. Éste era entrado en años, con una gorra militar un poco mugrienta levantada por delante a la manera prusiana.

»El tapizado del coche tenía manchas de sol que variaban de lugar según la dirección de las ventanillas. El tren había vuelto a ponerse en movimiento. El cielo era tan dulce que parecía imposible que hubiera odios en el mundo. El Lucero del Alba tenía el aplomo exagerado del que quiere parecer dueño de sí:

»— Señora, el vagón de ganado no es lugar adecuado para usted, pero yo tengo autoridad para otorgar primacías. Con esto no quiero decir que usted sea mejor que los otros ni que merezca trato especial.

»Yo le advertí que tampoco lo quería.

»— Vanidades — dijo él haciendo el gesto de espantar una mosca —. Usted habrá visto que hay una persona, es decir un desecho humano en el mismo vagón de usted. Mi legítima esposa. La sociedad española perdona el adulterio pero no tolera el divorcio. Los españoles vemos el amor de un modo que yo diría paleolítico. En eso Francia está más adelantada y hay que aceptarlo sin falso patriotismo. ¿No sabía usted que aquella mala pieza es mi mujer?

»— Ella lo dijo cuando usted abrió el vagón.

»— Lo hizo para ponerme en ridículo con mis subordinados porque la ironía del azar quiere que en este momento sea yo el jefe del tren. En la era histórica que vivimos no hay favoritismo. ¿No es éste un ejemplo? El nuevo régimen nace con una limpia ejecutoria. Es posible que yo no estime mucho a esa mala pécora, pero su presencia en el vagón de presos tampoco me favorece, ¿verdad? No importa. No me importa echarme tierra a los ojos. La justicia ante todo.

»El tren seguía marchando. El Lucero del Alba hacía un discurso sobre el concepto español del honor: *punto de honor, punt d'honor, pundonor,* etc. Yo pensaba: "Al menos no se considera obligado a hacerme la corte". En mi situación yo no sabía si eso era bueno o malo.»

Ariadna sigue hablando en su tribuna. Yo desde mi asiento escucho fascinado. Apenas si ha hablado de mí desde que se quedó sola en Pinarel. Eso es un indicio de algo — no desamor ni indiferencia — que no consigo precisar.

— Estábamos el Lucero del Alba y yo cara a cara:

»— Perdone, señora — me dijo de pronto —, pero su esposo no es un caballero.

»Sonreía mostrando el hueco de un colmillo, lo que no sé por qué ponía de manifiesto su calavera entera amarilla y mellada.

211

Luego siguió:

»— Usted es la única persona decente que va en aquel vagón con mi mujer. Entre los otros hay... — consultó un papel — ocho campesinos, cuatro empleados de comercio, quince obreros y un apóstol. "Apóstol" entre comillas. Y ése va a ser crucificado de todos modos, por meterse a redentor.

»Yo trataba en vano de recordar quién sería aquel apóstol. El Lucero del Alba seguía:

»— Tampoco cuenta mi esposa por razones que no son del caso y permítame que por ahora me las reserve. En eso soy inexorable. Así pues quedan...

»Fue haciendo el cálculo, las cejas altas, tecleando con los dedos en la rodilla:

»— Veintisiete. Algo más de la cuarta parte de un centenar. No he abusado. Podría haber metido allí cincuenta personas porque el reglamento permite veinte animales de tiro o cincuenta personas, pero en atención a usted me abstuve. No le pido que me lo agradezca. Esas gratitudes son cosas de caballeros y damas en tiempos de paz. Usted ha viajado cuatro horas con mi legítima esposa. En cuatro horas ella es capaz de contar su vida y la mía de cuatro maneras diferentes. Tal vez lo ha hecho. Eso es lo que yo quiero saber. Ella suelta una palabra aquí y otra allá y va formando poco a poco una atmósfera social fétida que yo tengo que contrarrestar de algún modo. Es decir por todos los medios. Incluso por medios violentos. Usted es la única persona decente que viaja allí. Yo puedo rescatarla de aquel vagón sin mengua de mi fidelidad al servicio. Y ahora yo le pido que escuche cuidadosamente mi pregunta y que responda en consecuencia. ¿Hizo referencia esa mujer a mi persona y por decirlo así a nuestras circunstancias matrimoniales?

»— No — dije yo sospechando que en mi respuesta podía haber algún peligro —. No hacía más que llorar y decir que era inocente.

»Parecía Natalio satisfecho, pero lo disimulaba:

»— Ah, inocente. Yo le diría a usted algunas cosas. Y entonces le preguntaría su opinión.

»Luego añadió, disculpándose, que no se conducía galantemente conmigo ni elogiaba mis atractivos personales porque estaba en acto de servicio y debía honrar su uniforme.

»Volvió a preguntarme lo que había dicho su mujer con objeto de averiguar más pormenores. Hablaba yo con cuidado, pero no lograba tranquilizar a Natalio, quien me miraba receloso pensando en la *atmósfera social fétida*. Comprendí que tendría que decir algo más:

»— Yo la vi a su mujer — dije calculando el alcance de mis palabras — en la estación de Los Juncos. Hablaba con un grupo de cuatro o cinco individuos antes de que la obligaran a subir al tren.

»— ¿Dijo mi nombre? ¿Cómo lo decía? ¿Por el nombre o por el apodo? — yo no sabía qué contestar —. ¿Natalio? ¿Decía Natalio? — yo afirmé y él hizo un amplio gesto con la mano —. No importa. Es un detalle baladí. Pero como digo, ella va formando atmósfera contra mí y llega un momento en que el aire es tan turbio que tengo que purificarlo sin reparar en los procedimientos. En el trance audaz, necesario y glorioso del alzamiento estas pequeñeces importan poco, pero cada cual tiene su vida privada, ¿no es eso? Aquellos individuos a quienes ella les hablaba, ¿eran presos? ¿O tal vez policías de los servicios especiales? ¿Se quedaron en la estación cuando arrancó el tren? ¿O formaban parte de la expedición? En caso de que subieran al tren — añadió sin esperar respuesta — ¿en calidad de qué? ¿Eran ferroviarios? ¿O *curritos*? ¿O delincuentes? Me inclino a creer esto último. ¿Entraron en el mismo vagón que usted?

»— No, en el mismo no.

»— ¿No los vio subir?

»— No sé. Creo que no.

»— Vamos, señora. En esa materia yo odio el sigilo. Diga si los vio subir.

»Yo no respondí. Me miraba con una furia mezclada de ternura y tomó un sorbo de una botella de cerveza:

»— ¿Los reconocería si volviera a verlos?

»— Tal vez — dije al azar.

»Natalio miró su reloj, sonrió mostrando otra vez la mella del colmillo y dijo de un modo bastante inesperado:

»— Entonces, señora, no olvide su condición de prisionera. Y sepa usted que a mí esa persona que va en el vagón de ganado y vitorea a la iglesia me tiene sin cuidado. Si hago tantas preguntas es porque necesito saber cómo y por dónde van formándose los imponderables que enturbian y corroen mi reputación.

»El Lucero del Alba seguía después de consultar el reloj y echar una mirada por la ventanilla:

213

»— Soy oficial en la reserva y he aquí que vuelvo al servicio sin gajes de guerra. Voluntario civil. No estrictamente civil, sino cívico militar. También usted en su calidad de prisionera puede estar sujeta a ambas responsabilidades y jurisdicciones. La ley es la ley.

»"¿Qué ley?", me preguntaba yo. Guiñaba Natalio los ojos porque el sol le daba en la cara e iba a correr la cortina, pero desistió porque el movimiento del tren produjo otra vez una sombra natural. Explicó:

»— Digo esto porque he firmado tres veces por usted al hacerme cargo de la expedición. Lo que me interesa de momento es esa gente a quien mi esposa le hacía confidencias en la estación de Los Juncos. No sé quiénes son, aunque podría hacer un vaticinio. Cuando lleguemos a la próxima estación inspeccionaremos los vagones.

»Se detenía otra vez el tren con ruido de frenos y hierros. Natalio y yo bajamos. Observé que de vez en cuando aquel hombre hacía pequeños apartes como en las comedias antiguas. Al bajar irguió el pecho, se ajustó el cinturón y murmuró:

»— ¡Qué raro! Hoy no me encuentro bien. No es que esté enfermo, pero no me siento a gusto dentro de mi piel. No me siento bastante petulante.

»Yo trataba de adivinar el ánimo con el que decía una cosa tan absurda. Íbamos hacia la cola del tren. Del interior de un vagón salía una voz ya conocida vitoreando al Santo Cristo del Caloco. Esto me sobresaltó como si fuera una alusión a mi vida privada.

»Natalio me miró:

»— ¿La oye? — yo afirmé —. ¿Y eso es todo lo que hace desde que salió de Los Juncos?

»— Más o menos.

»Él se detuvo y se irguió sobre sus calzones:

»— Conmigo no hay más o menos Odio el sigilo. Diga sí o no.

»— Perdone — dije aturdida —. Quería decir que sí.

»Se mostraba violento porque tenía público, ya que venían tres o cuatro personas detrás de nosotros.

»Alguien abría un vagón. Se vieron dentro treinta o cuarenta presos. Fingí mirar con curiosidad y esto debió darme ante ellos un aire peligroso. Entre aquellas caras las había jóvenes, de expresión decidida, que parecían oponer un dique de inocencia y de reto. A mi lado estaba Natalio.

214

»Vi dentro del vagón y de espaldas a la puerta dos moruecos palmatorios con sus ametralladoras de mano. Entre los que me miraban había un joven que al parecer creyó conocerme y me sonrió. Natalio dijo:

»— ¿Es ése uno de ellos?

»— No.

»El Lucero del Alba hizo un gesto con el brazo. Cerrada la puerta de aquel vagón pasamos al siguiente. Natalio se dio cuenta de que yo no denunciaría a nadie. ¿A quién podía denunciar? ¿A los hombres que había visto hablando con su mujer? Comprendí que se proponía hacer algo contra ellos sólo por alardear de su autoridad delante de mí. ¿Qué clase de estúpida delación podría ser la mía? En el nuevo vagón había una masa confusa de gentes de media edad. Natalio me pedía que les hablara y yo no sabía qué decir.

»— ¿Es usted de Los Juncos? — pregunté a uno que estaba cerca.

»— No. Yo no soy de ninguna parte.

»Natalio le mandó con un gesto que bajara y el hombre obedeció, receloso. Ya fuera, los guardias le pusieron un par de esposas en las muñecas. Después el Lucero del Alba me hizo una ligera inclinación, cortés:

»— Elija otros cuatro. ¿Para qué? Eso no debe preocuparla. El *para qué* es de mi incumbencia.

»Yo pensé que aquella palabra — incumbencia — la había dicho su mujer poco antes. Debía ser un *tic* conyugal. Pero Natalio erguía otra vez el espinazo:

»— Nombre a cuatro más. ¿No quiere? Está bien. Ellos se nombrarán a sí mismos. Vamos a ver. Nombren ustedes democráticamente a cuatro compañeros para que vengan con nosotros — y añadió dirigiéndose a mí y sonriendo —: Las palabras democracia y democrático los traen perturbados.

»— ¿Qué van a hacer con ellos? — preguntó alguien.

»—Ese que ha hablado — dijo Natalio —, que baje. Sí, usted.

»Lo hicieron bajar y lo esposaron. El Lucero del Alba exclamó:

»— Ya sólo faltan tres. Vamos, pronto.

»Un viejo de color macilento dijo:

»— Para hacer el borrego estamos bien aquí.

»A un gesto de Natalio lo sacaron y cuando estuvo con las esposas puestas el Lucero del Alba le dio dos bofetadas. Del vagón salieron voces de protesta y Natalio hizo que los guardianes sacaran también a dos de los que habían protestado. Luego Natalio cerró la puerta. Los policías se llevaron a los cinco presos. Natalio se inclinó hacia mí:

»— El destino de esos hombres lo ha decidido usted, señora. Involutariamente, claro. Usted dirá: ¿Qué van a hacer con ellos? No sé, nunca se sabe hasta que ha sucedido. Tendría que saberlo y sin embargo no lo diría. Hay quien llama a esto, terror. Yo diría más bien ejemplaridad preventiva. No soy sanguinario. La verdad es que tampoco soy humanitario. ¿Para qué? ¿Se ha hecho en la historia algo importante con los sentimientos humanitarios? ¿Se han construido con esos sentimientos las pirámides de Egipto? ¿Se abrió con ellos el canal de Suez? Sin embargo no soy cruel. A la sombra del adalid uno se deja ir y eso es todo. El tren está a merced mía. Incluida usted, como es natural. Puedo decretar — añadió alzando la voz — la ley de limpieza preventiva en media hora y enviar al cementerio a todo este ganado. ¿Lo he hecho? No. Esos son los cinco primeros.

»Añadió con una especie de tolerancia obsequiosa caminando conmigo hacia el coche de viajeros:

»— Yo soy así. En mis manos está la vida de cuatrocientos treinta y dos hombres, sesenta mujeres y once niños. Sin embargo puedo asegurar a usted que la expedición llegará a su fin íntegra.

»— Eso no es cierto — le dije recordando a los hombres que acababa de entregar a la patrulla.

»— Bueno, ¿qué es un margen del uno por cien? Si me apura usted le diré que sin ese margen la expedición no sería normal. Debe hacer un mínimo de accidentes aunque sólo sea para comprobar la elasticidad de la máquina. Me refiero a la máquina punitiva. Lo que ha irritado a usted es el par de bofetadas que di a aquel *chíviri*. ¿Usted no comprende? Es el desplante. El gesto. Voy recuperando poco a poco mi fachenda y mi arrogancia de clase.

»Yo me resistía a ir con él, pero me tomó del brazo y me obligó a seguir adelante:

»— ¿Está usted temblando? Comprendo, pero entre nosotros la represión tiene delicadezas que los alemanes, por ejemplo, y los italianos no han conocido nunca. Tampoco los rusos. En nosotros interfiere el sentimiento nacional con el social bajo el imperio de lo espiritual. ¿Se puede llamar terror lo nuestro?

216

No. En relación con usted la Herculana me ha dicho algo. Clorinda me lo ha repetido y confirmado. Permítame que se lo diga francamente. No la favorece su estado. Sería mejor que su esposo la hubiera dejado en otras condiciones, pero yo no digo nada. Hágase usted la cuenta de que yo no he dicho nada.

»Seguía pensando en los cinco hombres entregados a la patrulla. Nos habíamos detenido y estábamos los dos de pie junto al tren. Sin soltarme del brazo añadió Natalio:

»— Tengo pruebas terminantes sobre su marido. Seis personas han trabajado día y noche para descifrar los documentos. El romance del Cristo del Caloco le favorece, pero no bastante. ¿Qué hacer en un caso como el suyo? Su situación no digo que sea grave sino seria, nada más. Si estuviera usted encinta tendría un paréntesis de algunos meses durante los cuales se pueden intentar alivios y atenuantes. Porque lo grave en la represión es la primera ola. Sinceramente hablando usted me ha impresionado como a un hombre maduro le impresiona una mujer joven y hermosa. No saque deducciones prematuras. No es una cuestión sentimental. Ni estoy enamorado ni voy a ofrecerle trato especial ni privilegio alguno. Pero puedo ser en un momento dado un hombre útil. Quisiera salvarla a usted de la primera ola punitiva. No se trata de decirle que la deseo — al decir esto torcía el gesto inclinando la cabeza a un lado con su sonrisa mellada, como si quisiera decir que su deseo era obvio —, sino de hacerle un favor. Me doy cuenta de que entre una mujer como usted y un hombre como yo mis palabras suenan de un modo un poco desatinado. Además, en esto como en todo hay etapas. Hay que respetar las etapas y cumplirlas antes de llegar a la meta. Pero en su caso y por razones de emergencia, creo que no debemos perder tiempo. Yo soy un hombre especialmente fecundo. No lo digo con segunda. Perdóneme que emplee estas expresiones, pero es la verdad. Ahora puede usted deducir el alcance probable de mis palabras. Ya digo, no soy un sentimental sino más bien un hipersexual, es decir puntualizando mejor, un indiferente hipersexual.

»Se le veía muy satisfecho de sus palabras. Yo había acelerado el paso de modo que llegáramos cuanto antes al vagón, pero Natalio no quería subir todavía. Lo rebasamos y fuimos a detenernos frente al costado de la locomotora. Natalio de espaldas a la máquina y a una distancia de tres o cuatro metros seguía perorando:

»— Un hipersexual. Yo me doy cuenta de mi situación en relación con usted. En este momento estoy izado, por decirlo así, en una peana. Usted no es más que una presa. Bien, yo no le pido que me tenga usted en cuenta a la hora de hacer una decisión en el recato de su intimidad. No. Pero le aconsejo que elimine a los demás del radio de su existencia. A usted no la merece nadie. Decida en plena libertad y no vea usted en mí al jefe. En este momento no soy más que un ser humano que...

»La locomotora soltó un chorro de gas blanquísimo con un fuerte resoplido, envolviendo a Natalio en una nube caliente. El hombre, cogido de sorpresa, dio un brinco en el aire con los brazos abiertos como un pelele. Comprendiendo que su dignidad había sufrido, gritó al maquinista:

»— Mucho cuidado. En este momento conduces el tren, pero no olvides que a cada cerdo le llega su San Martín.

»Volvíamos al vagón de viajeros, Natalio con la respiración acelerada por el susto. Subimos. El pasillo estaba lleno y entre la gente se veía a la Herculana, Clorinda, la pelirroja y otras mujeres. Me invitó Natalio a entrar. Luego se asomó a la ventanilla y sopló en un silbato. El tren se puso en marcha. En el compartimiento había cuatro hombres de media edad que yo no había visto antes. El más próximo leía una revista que se titulaba *El Mensajero de la Paz* y tenía en la primera página el retrato de un general vestido de gala con grandes cordones ciñéndole la barriga y borlas colgando por un lado como las que se ven en las cortinas de los casinos de provincias. La revista mostraba un título a toda página: *El movimiento mariano.* Esta palabra — mariano — me recordaba lo que había dicho la mujer del Lucero del Alba sobre los calzoncillos de listas verdes y amarillas. Se oyeron fuera disparos de fusil y el hombre que leía alzó los párpados por encima de la revista con una expresión bondadosa:

»— ¿Hay escolta en el tren?

»Natalio hizo un gesto con el que quería decir que la pregunta era ociosa y añadió:

»— Esos son todavía los reos del uno por ciento.

»El más viejo de los viajeros — todos parecían conocidos de Natalio — se puso a musitar entre dientes:

»— Dado que los presos son quinientos tres, los reos victimados serán cinco cero tres y fracción periódica pura para ser más exactos.

218

»— Señor Albareda —le dijo Natalio satisfecho—, usted lo ha dicho.

»Entonces vi que los párpados del llamado Albareda se reunían en el centro de los ojos como los de los camellos. Aquel hombre debía ser muy bueno o un poco imbécil. Su tontería no debía ser peligrosa.

»— ¿Y la fracción periódica pura? —preguntó.

»El Lucero del Alba no contestó pero me miró a mí. Yo evitaba su mirada porque veía en ella lo que los estudiantes en su jerga llaman la *invitación al vals*. No podía yo menos de decirme que voluntaria o involuntariamente había causado la ruina de cinco hombres.

»— ¿Sabe usted lo que pasó? —me decía Natalio—. Me di cuenta de que usted no denunciaría a nadie y en ese instante decidí sacar del vagón a cinco presos al azar. Eso fue todo. Bueno, y el gesto. En todos los actos de nuestra vida hay que tratar de dejar tendida la oriflama.

»Yo le dije que había algo más: los habían matado. Albareda me miró sorprendido y afable. Otro, que llevaba una cadena de oro en el chaleco, dijo:

»— Los mataron a los cinco. Ya los mataron, es verdad. ¿Para qué andar con paliativos?

»— Asesinaditos —dijo Albareda.

»— No —protestó el tercero—. Ejecutados. Se debe decir ejecutados.

»— Ejecutaditos, eso es —concluyó Albareda, bondadoso.

»Emplear los diminutos hablando del crimen era una de las formas del estilo palmatorio imperial. Entró Clorinda y le hicimos sitio a mi lado. Uno de los que se sentaban enfrente le dijo señalándome a mí:

»— Está nerviosa por los disparos.

»Entre aquellos hombres había uno que parecía superior a los que me rodeaban. En su manera de mirar a Natalio se veía un desdén natural. Pero no hablaba. Yo me sentía amiga de él aunque no decía nada. "Lástima —pensaba—. Con él yo podría hablar y hacerme comprender." Según parece conocía a Natalio. Sacó un periódico y se puso a leer. Era el "ABC" de Sevilla y en la primera página se veía la foto de un arzobispo.

»Albareda bostezó mostrando en el fondo de su mandíbula un puente de oro y preguntó:

»— ¿Cuándo llegaremos?

219

»El Lucero del Alba indicaba el pico de un sobre que asomaba por el bolsillo de su camisa:

»— No lo sé. A las 19.7 debo abrir este sobre e imponerme de su contenido. Faltan veinte minutos todavía. En el camino hay muchas estaciones. ¿En cuál nos detendremos? Ah, por ahora es un secreto. Hasta que abra el sobre no lo podré saber.

»El viejo Albareda sacaba un termo con café y se puso a maniobrar en él. Yo pensaba en Javier como en un ser de otra especie. Si él era un hombre no podían serlo los que me rodeaban en aquel momento con excepción del viajero del "ABC". O al revés. Si los hombres eran Natalio y Albareda, entonces ¿qué sería Javier? También me preguntaba a mí misma: "¿Adónde nos llevan?". Natalio miró el reloj y dijo:

»— Es la hora, caballeros.

»Del sobre que llevaba en el bolsillo de la camisa sacó un pliego con membretes y sellos oficiales. Al desplegar la hoja se le fue de las manos, quedó un momento flotando en el aire y una ráfaga de viento se la llevó por la ventanilla.

»Con el sobre en la mano el Lucero del Alba me miraba a mí como si yo tuviera la culpa. Luego se levantó y corrió hacia la locomotora. Entre nuestro vagón y la máquina estaba el ténder lleno de carbón. Natalio se arañaba la camisa, impaciente.

»— La consigna — gritaba.

»Otro hombre trepó al ténder y llegó a la locomotora por encima del carbón a cuatro manos. El tren se detenía y bajaban guardias, vigilantes y policías en busca del papel. Yo bajé también porque me lo ordenó Natalio. El hombre del "ABC" dijo al Lucero del Alba:

»— ¿Por qué molesta usted a la señorita? ¿No ve usted que está fatigada?

»Yo le sonreí a aquel hombre desconocido y Natalio me tomó de la mano y tiró de mí detrás de él. Bajamos del tren diez o doce personas. El Lucero del Alba los hizo desplegar a todos y se puso gallardamente al frente, advirtiendo:

»— No olviden que nadie está autorizado a leer la consigna más que yo. El primero que encuentre el papel debe limitarse a ponerle el pie encima y a esperar que yo me acerque.»

XI

— Albareda se asomaba a la ventanilla y miraba rascándose con el meñique en la oreja.

»La caza de aquel papel duró bastante. Detrás quedaba el tren echando humo. Las puertas de algunos vagones se entreabrían y asomaban los vigilantes sin comprender. Anduvimos más de media hora. Natalio avanzaba con los ojos fuera de las órbitas.

»La gente iba y venía registrando en vano los arbustos y las hendeduras de las rocas. Por fin vieron revolotear un papel y corrieron todos detrás. El que lo alcanzó le puso el pie encima y llamó a los otros. Yo estaba fatigada y me senté en el suelo.

»Natalio cogió el papel, le dio la vuelta y volvió a arrojarlo. Era un anuncio de una clínica de *enfermedades secretas*. Siguieron buscando en vano. Como aquel papel era del tamaño de una hoja de cartas y estaba sólo impreso por un lado, volvieron a encontrarlo dos veces más, a echarle el pie encima y a llamar a Natalio, quien se ponía furioso porque creía que lo hacían de mala fe.

»Por fin ya casi de noche renunciamos a la búsqueda y todos volvimos al tren. Natalio echaba espuma por la boca:

»— Este incidente va a costarme un disgusto.

»Cuando llegábamos junto al tren, Albareda se asomó a la ventanilla con un papel en la mano. Era *la consigna*. La hoja había salido por una ventanilla y entrado por la inmediata. Natalio gritaba:

»— ¿Cómo no lo dijeron antes?

»— Yo, la verdad — explicaba Albareda —, creía que eso de la consigna era un pretexto.

»— ¿Un pretexto para qué?

»— Para *picar* a la espía, es decir a la mujer del espía. Es decir a la manceba del espía, según he oído decir.

»Luego volvió a su *Mensajero de la Paz*. Todos callaban. El hombre del "ABC" se aislaba con su periódico. Natalio, después de leer el pliego secreto, dijo de mal humor:

»— Señores, tengo que entregar la expedición a alguien que se presentará en la estación de Salamanca con una hoja como ésta. Lo lamento. La jerarquía de Salamanca yo la conozco. Son todos impunistas.

»El maquinista, negro de carbón y grasa, se asomaba y pedía que le firmaran el papel de ruta diciendo el motivo del retraso. Natalio golpeó la funda de su pistola: "¡Con ésta, firmaré!". El tren volvió a ponerse en marcha con una fuerte sacudida que casi derribó a los que estaban de pie. Natalio puso un gesto agrio y amenazador dedicado al maquinista, pero se sentó y fue calmándose. Después dijo:

»— Ustedes son testigos de que acato sin discusión la orden aquí contenida — y se dio otro golpe en el bolsillo —, pero hay que destruir antes de llegar a Salamanca la fracción periódica pura.

»Clorinda intervino:

»— No es posible, camarada. Le digo que no es posible porque falta la prueba del ginecólogo.

»— No he dicho — advirtió Natalio — que la fracción periódica pura sea esta persona o la otra. Ni digo que sea un germen que está todavía en la matriz o un ser nacido ya. No he dicho nada concreto. Lo único que digo es que tengo derecho a disponer del uno por ciento de la expedición sin rendir cuentas a nadie.

»Se levantó. Clorinda le tomó la mano, persuasiva.

»— Por favor — le dijo —. Siéntese. ¿Qué órdenes va a dar?

»— Quiero que detengan otra vez el tren. Y que releven al maquinista.

»Los viajeros dificultaban el paso con sus piernas. El hombre del "ABC" se levantó y obstruyó con su cuerpo la puerta del vagón musitando: *Vamos, vamos, un poco de decoro.*

»Poco después el tren comenzó a aflojar la marcha. Estábamos entrando en Salamanca. Natalio se dejó caer en su asiento murmurando algo entre dientes. No estoy segura pero creo que decía: *Se ha salvado.* Y me miraba con los ojos redondos. En el bullicio no se le oía bien. Yo pensaba: "¿Lo dice tal vez por mí? ¿O por su mujer?".

»Cuando la gente se disponía a bajar, el Lucero del Alba sacó el silbato, sopló en él dos o tres veces de un modo muy ejecutivo y comenzó a dar órdenes. Nadie debía salir del tren con excepción de los cinco viajeros civiles que estaban en nuestro departamento. Nadie debía moverse hasta que él lo autorizara. El del "ABC", antes de marcharse me dio su periódico y una caja de chocolates que estaba abierta y mediada de bombones. Más que los bombones le agradecí su mirada y su sonrisa.

222

»Natalio se asomó a la portezuela del vagón y estuvo esperando. Por fin se le acercó un hombre soñoliento que llevaba camisa azul abierta y mostraba el vello del pecho:

»— Tengo la vaga idea — dijo — de que su lugar de destino es Salamanca, pero a mí no me han comunicado nada oficialmente, es decir por escrito. Sigan hacia Valladolid y esperen órdenes. No es que yo me responsabilice. Yo no he visto nada. Sigan para Valladolid pero ya digo que yo no he visto nada.

»Era difícil no ver un tren de mercancías de quince vagones, pero Natalio se alegraba de que su mujer — y yo tal vez — siguiéramos sometidas a su autoridad.

»Poco después se acercó alguien con otro pliego cerrado, se lo dio a Natalio y le dijo que no lo abriera hasta llegar al puente del Duero.

»Diez minutos más tarde el tren caminaba en aquella dirección arrojando nubes de humo y carbonilla. Cuando volvía Natalio a su departamento encontró sentados a otros cuatro hombres que acababan de subir. Clorinda no estaba, ni la Herculana. Los viajeros nuevos parecían indecisos. Mostraron un papel a Natalio y éste lo acercó a la luz. Era una lista cuyos nombres iba leyendo:

»— Don Candelario Salcedo, don Absalón Gutiérrez, don Wenceslao de la O., don Vincenzio Pérez.

»Devolvió el papel al que se lo había dado y dijo:

»— Sorprendido aunque honrado por su presencia debo decirles que el tren en el que viajan es un convoy expiatorio. Lo ocupan seres objecionables.

»— ¿Cómo? — preguntó el más viejo.

»— Seres que representan a nuestro lado alguna forma de hostilidad ideológica.

»— Vamos a Palencia — dijo el más joven — y estos dos a Orense.

»— Repito que soy el jefe de un convoy expiatorio.

»— A éste — dijo don Wenceslao señalando al que tenía al lado — lo llaman en su pueblo *el tío Aceitera.*

»El aludido explicó modestamente que era una observación innecesaria, que tenía olivares y un molino de aceite y que el vulgo se permitía ocurrencias extravagantes. Finalmente repitió que las palabras de su amigo no eran para aquel momento y ocasión. Su mujer lo esperaba en Palencia. Al referirse a su mujer decía *mi cónyuge.* Y era inclinado a los aumentativos, de

223

los que eliminaba una *i*. Le desagradaba *muchismo* hacer el viaje en un tren punitivo, pero de momento no había otro medio de transporte.

»El apodo le iba bien a don Vincenzio. Su nariz parecía el pico de una alcuza. Los cuatro tenían algún rasgo común. En las sombras de la noche yo sentía sus ojos alrededor de mí. Don Candelario, refiriéndose a Wenceslao y alzando las cejas, dijo:

»— A éste le llaman *el Pencas*.

»— Es que uno — dijo Wenceslao — tiene cubierto el riñón. Pero a usted, don Candelario, le llaman *el Telele*.

»Yo aguantaba la risa asombrada de poder reír todavía.

»— Me llaman *el Telele* — dijo Candelario — por un desmayo que me dio en misa siendo joven — y añadió —: En cambio, a don Absalón le llaman *el Topera*.

»Don Absalón se aseguró las gafas en la nariz:

»— Confianzas de amigos — dijo —. Porque eso sí, los cuatro somos amigos viejos. A mí me llaman *el Topera* porque soy corto de vista.

»Oyendo aquellas cosas yo desviaba la mirada y pensaba: "También Albareda debía tener su apodo. Me habría gustado saberlo".

»Natalio y yo seguíamos junto a la ventanilla. El tren caminaba hacia Valladolid y Natalio explicaba:

»— Yo personalmente habría preferido ir a Ciudad Rodrigo, que es una urbe fronteriza.

»El vagón estaba casi a oscuras. Cuanto más lejos me llevaban de Pinarel me sentía más segura, es verdad, pero al mismo tiempo más apartada de Javier, lo que sin saber por qué me parecía también un riesgo. El tren seguía caminando en la noche.

»Don Absalón limpió sus gafas de miope, sacó un termo, sirvió café en un vaso y me lo ofreció.

Luego dijo:

»— Eso de que me llamen *Topera* no es casualidad. Todo tiene su razón, en la vida. El topo es un animal ciego. Por otra parte el ciego anda con las manos por delante, topando. De ahí que mi apodo me vaya bien. Y no se basa en ninguna vergüenza, como el que dice. Ser miope no es un motivo de vergüenza, sino un defecto que tiene mucha gente. Dios lo da y uno lo lleva. Vamos, señora, ¿no quiere usted café?

»Yo le di las gracias. Don Candelario dijo a Natalio:

»— Aquí el compañero habla bien.

»— Más de una vez — explicó don Absalón fuera de sí, pero tratando de dominar su satisfacción — he escrito yo los sermones del arcipreste. Y en cambio él da mal ejemplo con una sobrina mía a la que llaman *la arcipresta.* Vulgo ignaro. Ya se sabe lo que pasa. Nadie está seguro de la sátira del vecino, amigo o enemigo. Los amigos son los peores. Y no lo digo por ustedes, que conste. Apodos aparte, siempre nos hemos llevado bien. Y nadie se salva de eso. Ni el mismo comandante de la recluta al que llaman el *teniente Tris,* porque dice que estuvo en un tris en Filipinas cuando atacaron los americanos. Cosas de las aldeas, donde la gente tiene pocos asuntos de los que hablar. Otra cosa sería que me llamaran *el Telele* o *el Pencas.* Eso ya es vejamen, a mi parecer. ¿Qué le importa a nadie si su vecino tiene buenas magras o no? ¿Qué le importa si el vecino se desmaya o no en la iglesia? ¿Pero quién pone vallas al campo de la sátira popular?

»Yo tomaba el café. Era bueno. Demasiado dulce, pero después de tantas horas de ayuno el azúcar me iba bien.

»Entonces Natalio alzó el rostro hacia el techo, se puso el dedo pulgar en la sisa del chaleco — se había desabrochado la guerrera — y declaró de un modo paladino:

»— En el viejo régimen a mí me llamaban el Lucero del Alba.

»Rió Absalón ofreciéndole también café y diciendo:

»— Eso, ni qué decir tiene, es igual en el régimen nuevo o en el viejo.

»Natalio tomó su vaso y dijo gravemente:

»— Al que me llame a mí el Lucero del Alba en el régimen imperial le levantaré la tapa de los sesos, porque los apodos representan menoscabo de la autoridad.

»Nadie contestaba. *El Pencas* sorbía su café ruidosamente. Natalio encendía un cigarro puro, cuyo humo infestaba el aire, y decía:

»— La señora aquí presente no es lo que parece. No está en libertad. Es una presa, pero los vagones de ganado no reúnen condiciones para un ser humano de sus merecimientos.

»Todos miraron a Natalio, recelosos. Luego a mí. Yo sentía sus miradas en el pecho, en el rostro, en la cintura. Miraban la comba de mis muslos a través del vestido y también mis piernas, hasta los zapatos. La punta del cigarro de Natalio brillaba en la oscuridad.

»— Mi sobrina *la arcipresta* se le parece — me dijo Absalón —, aunque más basta, es decir al estilo aldeano.

»Insistía en hablar de su sobrina. Por lo que decía yo deduje que estaba enamorado de ella.

»Olía el vagón a humo de tabaco y a carbonilla. Fuera respiraba la locomotora fatigada. La luz del vagón era vacilante y amarillenta. *El Topera* se quitaba las gafas, las guardaba en el bolsillo y se frotaba los ojos alzando las cejas. Dijo, magnánimo:

»— Aunque la señorita sea una presa, para mí es un ser humano como los demás.

»Al otro lado de la ventanilla se levantaba poco a poco la luna azul sobre un horizonte en calma.

»Natalio parecía dispuesto a recostarse y dormir — se había desabrochado el cinturón —, pero no encontraba postura. Sacó el sobre que llevaba en el bolsillo de la guerrera y se lo acercó a la nariz. Era la nueva consigna secreta. Al resplandor del cigarro vio la dirección y se alarmó:

»— Caramba — dijo —, este sobre no es para mí, sino para el capitán don Eustaquio Ruedas, jefe del tren 105 F. Ahora el tren está caminando hacia Valladolid cuando tal vez debiera estar en Ciudad Rodrigo.

»— Ciudad histórica — dijo con calma don Wenceslao apurando los restos de su café.

»Pero Natalio movía la cabeza, lamentándose:

»— ¿Quieren ustedes decirme si con este desorden vamos a ganar la guerra algún día?

»— Eso es cosa de los militares — dijo *el Pencas.*

»Yo tenía simpatía por aquella gente. Sobre todo por *el Pencas.*

»En la primera estación donde nos detuvimos volvió a ordenarme Natalio que le acompañara y bajamos. Fue directamente a un vagón de ganado, lo abrió, enfocó a su esposa con una linterna de bolsillo y me dijo:

»— Esta es la persona de la que hablábamos, ¿no es verdad?

»Su mujer estaba sentada en el suelo como un ídolo hindú. Sonrió de oreja a oreja y fue a decir algo, pero Natalio volvió a cerrar. En el vagón había menos personas que antes. ¿Qué habrían hecho con las otras? Yo creo que los números, las estadísticas, los tantos por ciento de Natalio eran mentira. Hablaba Natalio de todo aquello para darse importancia. Después supe que habían matado a más de veinte presos. Los cadáveres los ponían en los techos de los vagones, atados para que no cayeran. La sangre se filtraba por las rendijas. Y antes del amanecer llevaba el tren una escolta de cuervos y buitres carniceros en el aire.

»Volvíamos a nuestro compartimiento. Detrás quedaba la mujer de Natalio dando vítores al *ilustrísimo señor obispo de Mondoñedo*. Y pensaba que Natalio me había llevado allí sólo para que su esposa nos viera a los dos juntos. Natalio decía:

»— ¿Usted cree que es sincera cuando vitorea al obispo de Mondoñedo?

»Yo pensaba en otra cosa. Pensaba que en aquella estación había teléfono y que Natalio podía llamar a Salamanca, dar cuenta del error de la consigna y deshacer el equívoco. Pero sólo pensaba en su mujer. Y en la jerarquía. La palabra *mando* aparecía a menudo en su conversación con cualquier motivo. A fulano le habían quitado el mando, a zutano se lo habían vuelto a dar. El general tal o cual estaba en la situación de disponible sin mando. Cada vez que decía la palabra mando yo creía ver un hombre en uniforme — el Braguetón — juntando los tacones ruidosamente, a la prusiana.

»Le dije a Natalio que los nuevos compañeros de viaje eran gente simpática y él condescendió:

»— No digo que no, pero al fin son elementos civiles. Bah.

»Subimos. Poco después la locomotora volvió a arrancar con gran estruendo. Me preguntaba por qué habíamos bajado del tren y en aquel momento Natalio lo explicaba a Wenceslao:

»— Salimos un momento — decía — para una delicada materia en relación con mi vida privada.

»— Si es su vida privada, entonces yo no quiero saber pormenores — advertía Candelario medio dormido.

»Poco después roncaba. Al llegar al puente del Duero sacó Natalio el sobre, lo olfateó, dudó un momento entre abrirlo o no y venciendo su curiosidad y recordando que el sobre no era para él se lo guardó otra vez, me miró gravemente y suspiró:

»— ¡Qué paciencia hace falta en tiempos de guerra para desempeñar cargos como éste!

»Amanecía cuando llegamos a Valladolid. Se acercó al tren otro hombre en traje civil. Tenía barba pero no bigote, como los marinos escoceses. Pidió a Natalio el sobre con la consigna secreta, lo abrió y arrugó el entrecejo:

»— El tren 105 F — dijo — ha debido ir con todos sus presos a Ciudad Rodrigo.

»Don Wenceslao, que escuchaba desde su asiento, movió la cabeza lentamente:

»— Ciudad histórica — repitió.

»Natalio salió del tren y compró víveres en alguna parte. Volvió y me ofreció pan y jamón. Le di las gracias, pero no tenía hambre. Tenía en cambio mucho sueño y me dormía en cuanto los otros callaban. Estaba tan fatigada que a veces las cosas inertes como el techo del vagón o las paredes se movían y el techo se ponía vertical y el muro horizontal. Entonces tenía la sensación de que me caía y me asustaba. El tren seguía con ruido de hierros viejos.

»— En Palencia hay ganado lanar — decía don Candelario —. También lo hay de cerda.

»La alusión a los cerdos la hacía bajando la voz, como disculpándose.

»Al día siguiente llegamos a León. Don Wenceslao, que parecía un poco ebrio por el hecho de viajar y correr mundo, volvió a hacer observaciones sobre el lugar: León era ciudad visigótica. La cuna de la Reconquista.

»En León esperábamos a alguien. El aire era fresco y dulce. Natalio me recordó otra vez que era un hombre de honor y que en mi precaria situación podía serme útil. (Se refería a su semilla fecunda.) Al acercarnos a las ciudades volvía a ponerse la guerrera, se abrochaba el botón de la camisa, se acomodaba el cinturón y bajaba al andén a esperar lo que él llamaba *el enlace*. Entretanto *el Pencas* me sonreía como diciendo: "Ese pobre hombre se da más importancia de la necesaria, pero en tiempo de guerra son así".

»No acudió nadie en León. Después de media hora de esperar, Natalio se dirigió al jefe de estación y dijo:

»— Necesito la vía de Orense.

»El jefe, hurgándose los dientes con un palillo, contestó que no tenía órdenes.

»— Yo soy quien las da — gritó Natalio y repitió —: Necesito la vía de Orense.

»Se la dieron al parecer y volvió satisfecho al tren hablando otra vez de la fracción periódica pura. Aunque nadie le preguntaba en qué consistía aquella fracción, Natalio dijo:

»— Es la famosa fracción insoluble dentro del sistema métrico decimal: 0'3333..., etc., hasta el infinito.

»¿Se referían a la fracción de vida que había en la matriz de alguna mujer embarazada? De vez en cuando pensaba yo, aliviada, que no había vuelto a oír disparos desde que salimos de Salamanca. Pregunté a Natalio si creía que nos quedaríamos en Orense. Natalio, que maniobraba en diferentes bolsillos en busca de cerillas con gestos atléticos como si fuera más grande de lo que era, dijo:

»— ¿Habla usted de Orense?

»— Sí.

»Chupó Natalio su cigarro y se calló. En cambio intervino don Wenceslao:

»— Ciudad céltica — dijo —, con industrias lecheras y maíz.

»Luego sacó el termo y me ofreció otra vez café. Natalio callaba. Quedaban la fracción periódica pura y el sentido de nuestro viaje a Orense en el mayor secreto.

»— Por Orense se va a Tuy y por Tuy — dijo Candelario — se entra en Portugal.

»— Portugal es la Y de España — dijo Natalio —. Se dice España y América. Portugal es la Y. Mi opinión es que debíamos invadir ese país y unirlo al imperio.

»*El Pencas* dijo que aquella opinión era arriesgada en los tiempos que vivíamos. Nadie volvió a hablar en un largo trecho. Yo sentía como iluminada cada célula de mi piel con una luz interior que tenía algo triste y letal. Mis palabras, si por casualidad hablaba, eran imprecisas. No podía siquiera mirar a nadie sin que la mirada se me quebrara en el camino. Y el tren seguía adelante. *El Pencas* tenía un aire bondadoso. Me habría gustado vivir en su aldea y ser su sobrina.

»En Monforte nos detuvimos y Natalio bajó al andén abrochándose el cinturón. Aparecieron unas cuadrillas de gente con boina roja que querían apoderarse de los presos para fusilarlos. *El Pencas* se agitaba en su asiento:

»— Vaya un desafuero — decía.

»Yo les oía dar voces pero no tenía miedo. Pensaba en los muertos que había visto en Pinarel y en Los Juncos. Tendidos en el suelo, sin hambre y sin sed, descansaban.

»Los de la boina roja seguían reclamando los presos. Natalio se oponía y alzaba la voz para que nosotros pudiéramos oírle:

»— Soy el responsable — decía — de la expedición y juro que nadie se acercará a la puerta de ningún vagón sin una orden escrita de la comandancia militar. Tráiganme una orden escrita y les daré no un preso, sino la caterva entera. Otra cosa sería si ustedes me pidieran un hombre o una mujer para realizar un acto de ejemplaridad. ¿Una mujer? Yo la tengo en ese vagón de ganado y puedo ofrecerla a ustedes aunque con ese ofrecimiento me eche tierra a los ojos.

»En aquel momento volvió a oírse la voz de la mujer de Natalio:

»— ¡Viva el ilustrísimo señor obispo de Mondoñedo!

»Natalio se quedó confuso y tomó un aire enérgico:

»— la caterva entera no se la daré, eso no.

»Yo pensaba: "¿Por qué usa la palabra *caterva?*". Terminó el incidente con una música que tocaba en alguna parte un himno.

»El tren siguió. Natalio volvió a sentarse frente a mí, bastante satisfecho.

»Decía:

»— Yo me hice entrega de la expedición. Hasta el presente sigue íntegra menos los grupos que iban consignados a las estaciones del camino y han descendido en ruta. O los individuos que han ascendido al techo de los vagones en cumplimiento de órdenes reservadas y contra su voluntad expresa.

»Seguía dando vueltas a aquella idea aunque nadie le decía nada y de vez en cuando tenía cortas exclamaciones que parecían revelar una cólera secreta. Los otros callaban. *El Pencas* me sonreía como si fuera de veras mi tío.

»Natalio parecía no dormir nunca. Yo no lo había visto dormir al menos. Tal vez sus cortas siestas coincidían con las mías.

»En la red de los equipajes había una abeja. La miraba yo pensando en Javier, a quien había oído hablar de las abejas el último día en Pinarel. Había otra. Dos. Estaban cerca entre sí y una de ellas se alzaba sobre las patas traseras, movía un ala, luego la antena izquierda. Yo pensaba: "Está hablando. Está diciéndole cosas concretas a su compañera". Javier decía que las abejas con sus trece miembros parlantes combinan más de ocho mil gestos, cada uno de los cuales equivale a una letra, si no a una palabra. Con ocho mil palabras no hay duda de que las abejas pueden decir muchas cosas más que nosotros con las tres o cuatro mil que usamos normalmente. Los miembros de los que se servían las abejas en su idioma danzante — como el de los mudos — eran las seis patas, las cuatro alas, las dos antenas y la trompa.

»Javier decía en uno de sus cuadernos — yo lo había ojeado en Pinarel — que se proponía estudiar el idioma de las abejas. Un

230

entomólogo escandinavo había logrado traducir ya pequeños mensajes completos.

»Miraba yo con tanta atención aquellos insectos que Natalio alzó la cabeza también. Se dispuso a matarlos con un periódico arrollado, pero yo le pedí que no lo hiciera.

»— Bien, no quiero contrariarla — dijo.

»*El Pencas* declaró que las abejas eran *bestias* pacíficas y que no hacían daño. Al contrario, nos benefician con su miel y fecundando las flores.

»Íbamos hacia Orense cerca de la raya de Portugal. Si fuéramos después a Tuy tal vez podría yo apartarme un poco de Natalio y cruzar la frontera. Había oído decir que en Portugal arrestaban a los que pasaban la frontera y los devolvían a España. Por absurdo que parezca no creía que me arrestaran a mí. Soñaba en Portugal como en un país idílico y amistoso. Natalio volvía a decir que Portugal era la Y de España. España y el mundo. Ya no decía América, sino el mundo. Imaginando el mundo gobernado por hombres como Natalio yo no podía menos que sentir ganas de reír. Aunque no serían peores que Hitler o el Vodz de Moscú.

»El tren caminaba hacia Orense. Pensaba yo en los presos que debían llevar cerca de dos días sin comer y cuya situación era sin duda angustiosa. Pensaba también en la suciedad inevitable después de tantas horas sin salir de los vagones. Y contemplaba las abejas. Una tenía tonos dorados como la abeja de oro de Vicente de Alvear.

»Llegamos a Orense en la noche. Natalio bajó al andén dispuesto a desembarcar los presos y cuando se disponía a dar las órdenes vinieron dos policías con un papel. Era una orden de regreso a Salamanca. Natalio la leía repitiendo:

»— Esto es lo que no comprenderé nunca. ¡Qué manía con Salamanca! — decía —. Yo los conozco a los jerarcas de Salamanca. Son todos impunistas. Desde el padre magistral hasta el gobernador militar.

»En aquella estación habían bajado don Absalón y don Wenceslao después de despedirse afectuosamente de mí y de sus dos compañeros que se esponjaron y extendieron en sus asientos.

»En Orense subió una mujer ya madura, vestida de negro y llena de dijes y de colgaduras de azabache. Llevaba un sombrero ancho de paja negra cuyas alas rebasaban los hombros y amenazaban las orejas de don Candelario. Aquella mujer me miraba tratando de averiguar si yo era rica o pobre, aristócrata o plebeya. Luego husmeó el aire en dos o tres direcciones y dijo:

»— Huele mal.

»Los otros olieron — yo veía sus narices palpitantes — pero no dijeron nada. Natalio sonreía como si estuviera en el secreto. La mujer de luto, aunque nadie le preguntaba, dijo que iba a Salamanca y que viajaba con una orden de embarque militar. Por eso se metía en aquel tren, aunque sabía que no era de viajeros. La orden que había recibido era de ir a Salamanca utilizando cualquier medio de transporte.

»Dirigiéndose a don Candelario le preguntó si era el jefe. Él dijo que no y que iba a la toma de posesión de su primo, que sería tres días después.

»— ¿Qué primo? — preguntó Natalio.

»— El señor obispo de Mondoñedo.

»Natalio alzó una ceja. Su mujer debía saber que iban en el tren parientes del nuevo obispo de Mondoñedo y lo vitoreaba desde su vagón cuando el tren estaba detenido. Natalio dijo:

»— El jefe soy yo, y esta señora — se refería a mí — viene aquí por una atención mía personal, pero es una presa. ¿Ustedes — preguntó al *Pencas* — han hablado del obispo de Mondoñedo con los presos o con sus guardianes antes de subir al tren?

»Los otros negaban. Natalio soplaba en el silbato y el tren no acababa de arrancar. Explicó en palabras entrecortadas por la ira que habían quemado dos toneladas de carbón en movimientos inútiles. Y el tren no arrancaba. La mujer enlutada tomó un aire superior:

»— Así va todo. Toneladas de carbón quemadas en vano, trenes de presos que huelen a muerto y comandancias de curritos. Tonterías. Yo soy presidenta de la Acción Social y tengo una misión secreta en Salamanca.

»— ¿Presidenta? — dijo Natalio.

»— Y fundadora. Y secretaria de las damas catequistas. Un trabajo rudo y anónimo.

»Tomó un aire de falsa modestia para declarar que había estado en Roma y firmado la propuesta de canonización del padre Claret. Era la segunda firmante. Diciéndolo me miraba a mí. Natalio no sabía qué responder. En aquel momento se oyó una gaita en el andén. Después, otra. Aparecieron hasta veinte o treinta chicos y chicas con trajes campesinos, pero se veía que

232

debían ser hijos de empleados y oficinistas de la ciudad.
»Y todos aquellos jóvenes rompieron a bailar la *muñeira*. A las
crudas luces de la estación hacían una impresión fantasmal.
»Las chicas con sus refajos rojos y negros, los chicos con su
camisa blanca y su montera. Bailaban para alguien. Natalio había creído al principio que era un homenaje para él, pero la
dama catequista se asomaba a la ventanilla y hacía con la mano
y la cabeza gestos de reina. A veces miraba hacia adentro y
me decía sonriendo: *Esta provincia es la perla de la iglesia
española*. Los chicos en el andén seguían bailando.
»Una de las gaitas desentonaba un poco, pero el bombo que
estaba debajo del reloj de la estación mantenía el ritmo muy
bien. Y la masa de sonidos era muy fuerte y la sentía yo en
la médula.
»En los intervalos se oían también graznidos de cuervo por
la parte contraria del tren. Natalio se asomó, miró hacia arriba y dijo muy divertido:
»— Llevamos escolta.
»Pero seguía la música. Los chicos bailaban con la mirada
baja. Las chicas daban vueltas con una mano en lo alto y la
otra en la cadera. Yo sentada miraba por debajo del brazo de
la catequista, mareada de fatiga. Ella seguía saludando.
»Por fin el tren se puso poco a poco en marcha. La música
continuaba. Cuando los danzantes se perdieron de vista la mujer enlutada volvió a su asiento. Y Natalio dijo:
»— Yo creo que esos muchachos están ensayando la muñeira
para recibir a su excelencia el señor arzobispo de Santiago.
»Ella lo miró fijamente:
»— Usted no sabe lo que se pesca.
»— Es que este año vienen a visitar al apóstol delegaciones de
los peregrinos juveniles de mar y tierra.
»— Usted es un imbécil.
»Aquella mujer tenía cara de caballo viejo y no quería sonreír
para evitar las arrugas. Se veía que se había hecho una operación para estirar la piel de la sotabarba y de debajo de las orejas. Eso le daba un aire asombrado y alerta. De vez en cuando
repetía:
»— Yo trato de pasar desapercibida, pero no puedo evitar que
se acuerden de mí los muchachos de mi país natal.
»— Habría que descubrir en cada caso el sentido de la cordialidad de estos homenajes para saber a quién corresponden

233

— apuntó Natalio un poco vacilante sin acabar de comprender las violentas reacciones de aquella mujer.

»— El homenaje es para mí — dijo ella debajo de su sombrero — y repito que usted es un imbécil como la mayor parte de los oficiales de la reserva.

»Natalio me miró con los ojos vagos, se alzó de hombros y esbozó una sonrisa tratando de tomarlo a broma:

»— Volvemos — dijo cambiando de tema — por el mismo camino y probablemente sentiremos la emoción del retorno. Por fortuna hay doble vía y estas idas y venidas no causan embotellamiento en el tráfico.

»Yo me refugiaba en las sombras de la noche y cerraba los ojos pensando que cuando Natalio estaba impresionado por la presencia de alguna persona a quien consideraba superior se ponía a hablar de un modo afectado. Trataba yo de dormir. Si no dormía aquella noche al día siguiente estaría con los nervios deshechos. Tal vez era lo mismo. ¿Para qué quería tener los nervios en orden?

»Al llegar a León volvió a hacerse cargo de la locomotora el mismo maquinista que había conducido el tren desde Los Juncos hasta Salamanca. Al verlo Natalio dijo:

»— Nos conocemos. No me vengas con pegas porque nos conocemos.

»La mujer enlutada miraba a Natalio con desprecio. Antes de que arrancara el tren Natalio bajó y estuvo un rato tirando con su pistola contra los cuervos de la techumbre. Había también algunos buitres volando alto, en círculos, sin atreverse a bajar. Entonces fue cuando yo me enteré de lo que sucedía sobre el techo de los vagones. Estaba horrorizada, pero la fatiga quitaba densidad al horror. Y sólo pensaba: "No se caen los muertos porque deben ir atados". Buscaba distracciones poniendo la atención en cosas indiferentes. Amanecía y todavía estaba en la red de equipajes una de las abejas. No se movía, es decir *no hablaba*. Javier me dijo un día que las abejas del sur de África usaban el mismo lenguaje que las de Filipinas y las de Irlanda. Habían unificado su idioma al parecer o había sido el mismo desde el principio. Para diferenciarlas mejor los sabios suecos teñían las alas de las abejas que observaban con colores diferentes y las seguían y miraban lo que hacían dentro de colmenas especiales que tenían las paredes de cristal.

»Estos recuerdos y reflexiones sostenían mis nervios aunque no conseguían distraer mi imaginación de los muertos que llevábamos encima del techo.

»Llegamos a Palencia a media tarde. Allí descendieron don Candelario y don Vincenzio después de darme la mano y ofrecerse para ponerme en buenos términos con el obispo de Mondoñedo. Dijeron que sabían que yo tenía devoción por el Cristo del Caloco. Tomaron nota de mi nombre y de mi dirección en Pinarel, no sé con qué fin. Luego dijo uno de ellos tartamudeando un poco:

»— En la cara se le ve a usted que no ha podido hacer mucho mal.

»— Gracias — dije yo.

»La catequista se mostró reservada. Yo veía marcharse al *Pencas* y a su amigo y me preguntaba qué podía representar para mí el obispo de Mondoñedo. Natalio consultó su reloj y me dijo:

»— La gente civil a veces es así — y añadió —: A medianoche, en Salamanca.

»La mujer de luto bajó. Desde las danzas de Orense bajaba en casi todas las estaciones y miraba alrededor buscando más bailarines. Esto obligaba a Natalio a esperarla antes de dar la orden de partida con el silbato, lo que le parecía horriblemente humillante.

»Sacaban los muertos del techo del tren y se los iban llevando en camillas. La mujer enlutada que había bajado al andén comprendió lo que sucedía; dio un grito y corrió a la oficina del jefe de la estación. Natalio contenía la risa.

»Seguíamos solos en el vagón Natalio y yo. Le pedí que hiciera algo por aliviar la situación de los presos. Debían estar extenuados de hambre y de sed. Y envueltos en sus propias miserias. Natalio bajó la voz para decir:

»— Que se pudran. De todas formas es lo que va a pasarles dentro de algunas horas en Salamanca. Que se van a pudrir.

»No repliqué. Por fin volvió la mujer enlutada con un pañuelo en la nariz para evitar el mal olor. Se sentó y se puso a rezar entre dientes.

»Poco después subió un labrador y al verlo entrar la catequista se recogió las faldas para no rozarlo. El campesino se tocó el ala del sombrero y dijo:

»— Mala cosa la guerra. Muertos, muertos y más muertos.

»Creía que los que sacaban de la techumbre del tren habían

235

caído en combate. Este equívoco hacía sonreír a Natalio. Todos callábamos.

»Después de un largo silencio Natalio dijo a la mujer enlutada que su manía de bajar en todas las estaciones hacía retrasarse al tren. La catequista no le respondía y Natalio se ponía furioso:

»— Aunque usted haya asistido a la canonización del padre Claret... — decía cada vez que iniciaba un nuevo argumento.

»Yo pensaba que si todos los moruecos eran como Natalio y la catequista no podrían ganar la guerra y si la ganaban no podrían sostener ni aprovechar la victoria. El campesino los oía discutir sin comprender y a veces movía la cabeza como si pensara: "Esta gente de las ciudades siempre está diciendo tonterías".

»Llegábamos otra vez a Salamanca. El campesino se despidió deseándonos la *paz de Dios* no sé si en broma. Bajamos al andén. Se le acercó a Natalio un hombre con camisa azul y correa terciada. Juntaron los tacones, se inclinaron, parecieron bailar un instante con sus calzones inflados y se cambiaron papeles.

»Yo me había quedado a distancia y vi a Clorinda que todavía llevaba la venda en la cabeza. Di dos o tres pasos hacia ella y oí la voz del Lucero del Alba que me llamaba. En aquel momento llegaban otros dos hombres uniformados, con papeles también y recomenzó la danza. Yo pensaba en las abejas. En la danza de las abejas. Y disimulaba mi fatiga.

»A un lado de la sala donde se vendían los billetes había en el muro de piedra una hornacina y en ella un mendigo que parecía haber sido puesto el día que hicieron el edificio. Con voz grave y altisonante decía:

»— Dejad las glorias de la sangre y la espada, dejad a los enemigos de Dios que sean castigados en su conciencia. Allá se lo hayan. Y acorred a los pobres del Señor.

»Yo me decía que aquel viejo debía ser un humorista.

»Natalio seguía hablando con otro oficial, cambiándose papeles y confidencias, tiesos los dos sobre sus polainas brillantes. Yo le oía palabras sueltas. Hablaba de los *legionarios del deber* y de la piedad *apócrifa*. Esto último debía ser en relación con la vieja catequista que lo había insultado.

XII

»Natalio tomó una lista, se puso a revisarla, tachó con lápiz varios nombres e hizo un discurso en el que se oía la palabra *nepotismo*. Luego vino hacia mí:

»— Sonríame de vez en cuando — me dijo en voz baja —. Es importante. Y no es por nada, pero aquí habría una oportunidad. Si le presentara a usted todos los aspectos del problema no sería difícil convencerla, pero soy un hombre de honor.

»Yo le pregunté qué había sido de los presos y dónde estaban, pero Natalio se puso a contarme su vida y miraba alrededor como si esperara a alguien. Seguimos paseando por la estación. A veces se oían a compás las pisadas de los pelotones de policía. Sería casi medianoche cuando llegó un hombre humilde, tal vez un mandadero o sacristán de monjas. Caminaba sobre los talones echando hacia afuera las puntas de los zapatos. Saludó a Natalio y le dijo algo en voz baja. Natalio negaba.

»— Lo siento — decía el mandadero —, pero es orden superior y no admite discusión.

»— ¿Cómo es eso?

»— Bajo amenaza de excomunión, Natalio. No..., no, tiene que ser ahora mismo y sin demora. Es orden de su ilustrísima.

»Suponía yo que debía tratarse del obispo de Mondoñedo. Con su expresión humilde el mandadero decía frases que sonaban como pistoletazos. Yo estaba confusa una vez más. El Lucero del Alba se volvió hacia mí:

»— Señora..., acompáñeme si no lo tiene a mal.

»Salimos de la estación. Al otro lado de la calle nos esperaba un coche. Poco después nos detuvimos frente a un edificio gótico de piedra. Natalio decía:

»— Siento que hayan molestado al magistral con un motivo tan fútil.

»No era el obispo de Mondoñedo sino el magistral de Salamanca. El mandadero nos llevó a una salita amueblada con una sordidez ascética. Natalio se perdió por una puerta cubierta con cortina malva. Inmediatamente oí dentro el llanto de una mujer:

»— Es lo único que pido, señor magistral — decía aquella mujer, sollozando —, que disparen sobre este escapulario bendito que llevo en el pecho.

»— No es necesario que lo enseñe, señora. ¡Repórtese, le digo!

»Natalio no esperaba encontrar a su mujer allí. El mandadero a mi lado con el gesto grave contenía sin embargo la risa, que parecía rebosarle. Al otro lado de la puerta siguió hablando el cura en voz más baja. Sólo se oía la respuesta de la mujer:

»— ¿Y qué voy a hacer yo, padre magistralito, con este bocón calzonazos?

»Se oyó otra vez al sacerdote:

»— Guarda esas expresiones. ¿No has ofendido a tu marido bastante con el adulterio y quieres insultarlo también delante de mí?

»En el cuarto donde estábamos se veía una imagen de la Dolorosa con una lamparilla al pie.

»— Así es ella — decía el Lucero del Alba —. Así ha sido siempre, padre magistral. Pero lo de los calzones no me ofende. Sólo quiero que el padre magistral tome nota del hecho de que mi mujer trata de insultar en mí no sólo al marido, sino a la estirpe que represento: a los centinelas de la dignidad nacional.

»— Mientes — gritó ella.

»— Digo la verdad, mujer liviana.

»— ¡Boquerón!

»— Silencio — gritó el sacerdote, y añadió —: Bastante ha trascendido vuestro problema a la vía pública para que sigáis insultándoos también en mi presencia.

»Yo miraba al humilde mandadero, quien alzaba las cejas para decirme que días antes se había producido la misma escena en la casa del cura párroco de Pinarel. El mandadero olía a incienso y a cera y parecía muy satisfecho del incidente.

»Un gato apareció en el cuarto, nos miró, volvió la espalda y se marchó lentamente con un silencioso desdén.

»El magistral había decidido bajar la voz otra vez. Pregunté la hora al mandadero y él me impuso silencio con un gesto. Quería oír lo que se hablaba al otro lado de la puerta.

»— Eso es pedirme demasiado, señor magistral — decía Natalio —. Aunque esté colmado de bienaventuranzas yo no soy más que un hombre con las debilidades inherentes.

»— He dicho que tú te callas, badulaque — replicó el sacerdote — y vas a hacer lo que ordene yo.

»El mandadero me pidió que no escuchara porque hablaban en secreto de confesión, pero él no perdía detalle.

»— Señor magistral — volvió a decir Natalio —, no es sólo mi

238

honor, pródigo en concesiones. Es que cuando la naturaleza de uno...

»— Repito que te calles. ¿Qué tiene que ver tu honor y tu naturaleza con el orden supremo de la vida espiritual?

»El mandadero me advirtió que el magistral tenía el mismo rango que un prelado. Por decir algo yo le pregunté por el obispo de Mondoñedo. El mandadero se sintió adulado por mi curiosidad:

»— Es un santo. Se cuentan de él hechos sobrenaturales. Por ejemplo, un viernes de cuaresma tenía hambre y estaba asando un caracol en la llama del candil de aceite que tenía en su cuarto cuando de pronto se acordó de que era día de ayuno y dijo: "Perdón, Señor, el diablo me ha tentado". Detrás de él y en la soledad de la celda se oyó una voz que decía: *Mientes, embustero.* Era el diablo.

»Yo me preguntaba a mí misma: "¿Por qué comer un caracol? ¿Y por qué asarlo en la llama de un candil?". Al otro lado de la puerta cerrada lloraba la mujer de Natalio. En sus gemidos había una especie de coquetería:

»— ¡Ay, padre magistralito, qué cruz me ha dado el Señor!

»El magistral decía algo en voz baja y Natalio respondía:

»— Sí, ya lo sé. La historia de los evangelios. La conozco. Que tire la primera piedra. Pues bien, señor magistral: no sólo tiraría la primera, sino la última también.

»— Ya lo sé. Ya sé que llevabas a tu mujer a la colonia punitiva. Pero ¿tú sabes cómo se llama lo que pretendías? Un asesinato con todas las agravantes.

»La mujer al oír la palabra *asesinato* volvía a llorar. Entre las lágrimas gritaba:

»— Pobre de mí, abandonada al hacha del verdugo.

»El mandadero comenzó a hacer visajes y a hipar. No quería reír y la violencia con que reprimía la risa le producía hipo.

»— El hacha, el hacha — decía Natalio fuera de sí —. Ya no se usa el hacha, pero ella lo dice para ponerme a mí en evidencia. Los vínculos que nos unen son para ella un parapeto moral detrás del cual se refugia sacrílegamente.

»Tal vez para distraerme de aquella escena el mandadero me hablaba otra vez del obispo de Mondoñedo. De vez en cuando hipaba. Yo calculaba la hora. Debía ser la una de la mañana. No había dormido en tres noches. La voz del magistral se acercó:

239

»— Natalio, tú me respondes de lo que suceda a tu esposa.
»La odalisca gemía:
»— Como ve yo no abro el pico, padrecito. Aquí estoy escuchando callada y sin abrir el pico. Usted me dice que respete a Natalio. Lo respetaré por el señor magistral y no por Natalio. Porque para vivir con este pelagatos...
»Los dos volvieron a alzar el tono y a insultarse. El magistral llamó al mandadero y éste levantó la cortina y abrió la puerta. Salió el Lucero del Alba con una expresión concentrada y taciturna. Llevaba la gorra en la mano y era calvo. Completamente calvo. El magistral me alargó la mano para que la besara. Yo no la besé. Se quedaron todos ofendidos. Fuera en la calle se oía el pregón de una mujer que vendía rosarios. Era muy raro a aquellas horas. Tal vez iba a la estación o venía de la estación que debía ser el único lugar de la ciudad donde había gente. A veces se oían pasar tropas.
»Natalio dijo por fin:
»— La señora aquí presente es una prisionera. Y le aseguro a usted que aunque va conmigo nuestras relaciones son decorosas.
»— ¿Por qué te disculpas? — dijo el magistral extrañado —. ¿Quién te acusa?
»La odalisca levantó el gallo:
»— Lo hace para darse importancia — y añadió dirigiéndose a mí —: Tú sabes, hermosa, quién es éste: un mandria.
»El mandadero hipaba. Me miró Natalio con las mejillas lívidas pensando que yo lo sabía todo y que en el vagón de ganado su mujer me había hablado de él. La atmósfera. La fetidez de la atmósfera. Yo había colaborado — pensaba él — con su esposa en aquella fetidez. El magistral, con el gesto del que se siente excedido, se retiró. Oí cerrar la puerta detrás de la cortina. La mujer de Natalio se dirigió al mandadero y le dijo bajando la voz:
»— Por favorcito, ¿podría ir al lavabo del señor magistral un momento?
»— Señora — dijo el mandadero alzando la nariz —, las habitaciones privadas de su ilustrísima son consideradas como clausura.
»— Esa es ella — dijo Natalio —. Esos son los trucos de ella. Atrapa a un tío en cualquier parte, lo cachondea y se hace con él.
»Ya en las escaleras se volvió agriamente hacia su esposa:

240

»— Si el señor magistral tuviera una debilidad no sería con una mujer como tú. Es decir con una mujer tirada.

»Comenzaron otra vez a insultarse y cuando el escándalo alcanzaba los más altos vuelos se abrió un ventanuco en el muro encima de nuestras cabezas y apareció la cara del magistral encuadrada como una pintura antigua:

»— ¡Natalio! — gritó amenazador.

»Todos callaron y aceleramos el paso escaleras abajo.

»Salimos a la calle y el mismo coche nos llevó a la estación. Clorinda y un soldado se me acercaron y se pusieron uno a cada lado, como en custodia. Al verme bostezar Clorinda dijo:

»— ¿Tiene sueño? Yo no, yo estoy desvelada.

»La mujer de Natalio fue a los lavabos y el Lucero del Alba, que parecía avergonzado conmigo, desapareció con el mandadero. Debía ser muy tarde.

»Una vieja vendía medallas y cintas bendecidas y pregonaba el pasodoble del adalid con un manojo de papeles bajo el brazo. Clorinda y el soldado parecían alegres de haberme encontrado y me llevaron al tren. Ella miraba, coqueta, a los oficiales, sobre todo a los que tenían barba. Yo suponía que íbamos al vagón de ganado, pero vi que el tren era otro y que todos los coches eran de pasajeros. Había soldados en las ventanillas. Me preguntaba yo, angustiada, qué habría sido de los presos que venían conmigo.

»La estación estaba llena de oriflamas y banderas. Delante de nosotros entró un capellán del ejército, hombre atento y cortés. Dentro estaba otra vez Albareda, el de los ojos de camello.

»Era más difícil estar sentada delante de Natalio después de lo sucedido en casa del magistral. Natalio miraba al capellán y hablaba de las *esfinges* del catolicismo y de los *hitos* de la simonía. Nadie le contestaba. En vista de eso se atrevió a añadir entre dientes opiniones más audaces:

»— La primera religión — decía — nació el día que el primer sinvergüenza se puso a hablar con el primer tonto.

»Luego se refería al impunismo de Salamanca y a los matrimonios anulados en Roma a fuerza de dinero.

»Nunca habría imaginado yo que Natalio pudiera ser anticlerical. Y menos antirreligioso.

»La noche era negra y sin luna. El capellán trataba de leer su devocionario acercándoselo mucho a los ojos. Me habría gustado hablar con él. Parecía un hombre sencillo y virtuoso.

241

»Natalio iba poco a poco recuperando el aire de jefe de expedición aunque no lo era. Sacó del bolsillo algunas fotografías y las mostró. Eran las que había hecho Javier en la mina. También tenía dos de los cuadernos de Javier atados con el balduque rojo de los juzgados. Y el romance del Cristo del Caloco.

»— Por lo demás, señores — continúa Ariadna desde la sala capitular del abadiado —, en este momento se me confunde la memoria. Veo un mar de césped ondulante y de pinos verdes, casi negros. Grupos de mujeres jóvenes que cantan a coro la canción de *los pastores de la Extremadura* cogidas del brazo y pasando cerca de los lugares donde hay cuerpos humanos caídos que la cruz roja no ha recogido todavía. Bueno, la noche fue muy larga. Yo me dormía pensando que volvía a Pinarel cerca de las montañas que me separaban de Javier. Sentía, como había dicho antes Natalio, la *emoción del retorno*. Y así pasó la noche. Nada me importaba más que mi sueño. Sólo mi sueño...»

Vuelve Ariadna a vacilar y el presidente de la asamblea de la OMECC a quien da un papel el secretario dice, después de leerlo para sí:

»— Otra comunicación de protesta de Natalio Cienfuegos, donde nos advierte que estamos hablando de él sin hallarse presente y que eso va contra las normas de la cortesía tradicional. Yo les diré cuál es el motivo de la protesta de ese hombre tan... arguyente. En el costado norte del Campo de Marte hay un monumento dedicado al personaje menos estatuario del mundo. Pequeño, panzón, de color aceitunado, cara de garbanzo y pies de paloma — la asamblea ríe. El adalid se mandó hacer la estatua él mismo. Antes había asesinado en complicidad con un *gang* internacional más de un millón de españoles. ¿Qué hizo además de levantar ese monumento? Los españoles que sobrevivían eran más desdichados que los que habían muerto. Vergüenza y odio en los hogares y en la plaza pública. Pero el adalid construyó su monumento. Mármoles. Mármoles sacados de las tumbas de los masones, según decían.

»Cuando se restablecieron los derechos del hombre en todo el mundo el adalid fue juzgado y condenado. Tal vez ustedes no se acuerden — los extranjeros, digo — porque han pasado ya bastantes años. Como la pena capital no existía se le condenó a reclusión perpetua y a perpetua incomunicación en una celda debajo de su propio monumento. Las paredes de esa celda están cubiertas de grandes láminas de cobre que reflejan su figura

242

como espejos. En el techo hay espejos verdaderos y un ojo electrónico gracias al cual se le puede ver desde fuera. Allí quedó el adalid hasta hoy. La puerta fue tapiada. La expresión *enterrado vivo* no sería justa, sin embargo. El cuarto tiene comodidades, aunque la obligación de verse constantemente en los cuatro muros y en el techo debe ser con el tiempo bastante irritante. Hay luz. Hay ventilación artificial que funciona constantemente, menos en las horas de la alimentación, en las cuales el preso asimila por la respiración gases nutricios que el Instituto de Bioquímica de Montpellier produce especialmente para mantenerlo en vida sin necesidad de la digestión. No sufre la menor incomodidad física y la prueba está en que durante estos últimos años ha mejorado de aspecto y en una parte de su cabeza calva ha vuelto a salirle el pelo. Comprobándolo se ríe y repite la exclamación *¡caray!*, que parece ser su favorita. No está condenado a morir, sino a seguir el proceso tan español de *desvivirse*. No muere, pues, sino que se desvive. Si quieren puedo mostrarlo a ustedes. Una instalación de proyectores electrónicos nos permite verlo desde aquí — el presidente señala una pantalla de vidrio en el muro —, pero tal vez en este instante la testigo áulica Ariadna está ya en condiciones de seguir hablando y será mejor dejar esta exhibición para más tarde.»

Vuelve el rostro hacia Ariadna y ella sigue:

— Por fin al amanecer en el tren yo desperté y volví a ver las fotos y los papeles de Javier en las manos del que llamaban Albareda. Me preguntaba si era posible que hubieran estado aquellas fotografías andando de mano en mano toda la noche. O tal vez la noche, el tiempo que había estado durmiendo, no había durado más de quince o veinte minutos. Entretanto, como digo, amanecía. Uno de los cuadernos de Javier estaba en las manos de Natalio, quien seguía evitando mis miradas. Parece que desde la escena en casa del magistral se sentía avergonzado.

»Yo le pedí que me prestara aquel cuaderno un momento y estuve ojeándolo. Todos me miraban curiosos, menos el capellán. Aquel cuaderno era como tener a Javier allí mismo conmigo. Encontré el soneto antiguo:

¿Cuál es la causa, Ariadna, que aquí estando
en la lucha de amor ambos trabados...

243

»Había también fórmulas algebraicas, borradores de poemas —ilegibles casi— y hacia el final varias páginas con dibujos de abejas en distintas posiciones. Los dibujos eran muy netos y cada uno tenía un número debajo. En las páginas siguientes había largas explicaciones e incluso un pequeño diccionario.

»La primera página de dibujos tenía un encabezamiento: *Sistema que según el profesor Eliason usan las abejas para medir las distancias.*

»Trataba yo de interesarme en las explicaciones numeradas, pero no podía.

»Poco después tuvimos una aventura terrible. Entonces comprendí la importancia que tiene el factor moral en los movimientos de nuestro ánimo, sobre todo en el terror.

»Esa aventura fue inesperada y violenta. En el horizonte apareció un avión de caza que se acercaba rápidamente al tren volando muy bajo. *Nuestro,* decían todos. Pero de pronto comenzó a disparar sus ametralladoras. Fue un verdadero horror.

»Aunque yo corría el mismo peligro bastaba el hecho de saber que el avión procedía del otro lado de la montaña de Pinarel para que el peligro perdiera violencia. El piloto avanzaba en dirección al tren como si fuera a entrar por una de las ventanillas. Abría el fuego y la cinta del convoy iba pasando por delante. Al llegar a menos de diez metros de distancia se alzaba rozando los hilos del telégrafo para repetir la maniobra por el lado contrario. Cuando abría las ametralladoras saltaban al aire vidrios y astillas de madera. La indignación y el espanto enloquecían a Albareda, que gritaba:

»—Ya llegó, ya llegó. ¡Es el anticristo que ha llegado!

»Luego pedía confesión al capellán. Pero olvidando sus propias palabras se arrojaba al suelo. Todos se habían arrojado al suelo menos el capellán y yo. Algunos trataban de esconderse debajo de los asientos. Yo encogía mis piernas sin moverme de mi sitio. En los coches de al lado comenzaron a oírse gritos de dolor. El avión continuaba con sus pases.

»El pánico había sido instantáneo y como en todos los pánicos la gente decía tonterías. Un viejo que se doblaba en el pasillo para ofrecer menos blanco a las balas murmuraba:

»—¿No hay un aviador nuestro que por ventura salga y le dé un *galicazo*?

»Yo no sabía exactamente lo que esa palabra quería decir, aunque creo que es el nombre que en la jerga canalla se da al antiguo morbo gálico y a cualquier enfermedad venérea. El viejo en su ira perdía el control y decía cosas grotescas.

»Viajaban en el tren más de mil soldados. Si se hubieran agrupado cuatro o cinco en una ventanilla con sus rifles habrían derribado fácilmente el avión, pero la audacia del piloto los inmovilizaba.

»Cuando el avión desapareció los viajeros fueron volviendo a la realidad. El Lucero del Alba se sacudía la tierra del pantalón, recuperaba a medias su arrogancia y decía:

»— Ese avión es de la base de Los Pomares.

»En nuestro compartimiento no había un solo herido. Los vidrios, rotos, y las maderas de un lado, astilladas. Yo me alegraba de ver que todos estaban ilesos a mi alrededor, aunque no sucedía lo mismo en el resto del tren.

»Seguían oyéndose gritos de dolor. El sacerdote se levantó y salió, al parecer con la determinación de ayudar a los heridos. El Lucero del Alba tendía la oreja hacia el compartimiento contiguo con la esperanza — creo yo — de que su mujer fuera una de las víctimas. En el pasillo el viejo del galicazo decía:

»— Si tuviera delante a los presos que dejamos en la estación de Salamanca yo sé lo que haría.

»Entonces se oyó la voz de la esposa de Natalio:

»— Ahí al lado hay una *camelovitch,* mujer de un espía. Pero tiene padrinos.

»Viendo el viejo que yo era demasiado delicada para hacerme blanco de sus iras, dijo que en aquellos casos los verdaderos culpables eran los padrinos. El Lucero del Alba alzó la voz:

»— Poco a poco. La señora está aquí por orden mía, pero todo hay que explicarlo. Su marido el espía la abandonó. ¿Por qué dejó el espía a su mujer rodeada de tantos indicios comprometedores? Lo hizo para lo que yo me sé. Y si maltratamos a esta dama no habremos hecho sino cumplir la voluntad de una potencia extranjera.

»—No — protesté una vez más —. Mi marido no era espía.

»Natalio me miraba en éxtasis y decía:

»— Sublime. Él la ha abandonado en nuestras manos y ella lo defiende.

»La mujer de Natalio dijo que en el pasillo había hombres heridos que no podían sentarse por falta de sitio.

»— ¿Por qué llevar a esa *camelovitch* en el tren? — añadió refiriéndose a mí.

245

»El viejo del galicazo tiró de la manivela del aparato de alarma y el tren se detuvo con violencia. Caímos unos sobre otros. Con los heridos que estaban siendo curados entre escalpelos y tijeras debió ser catastrófico.

»El que había hecho funcionar la alarma yacía debajo de un montón de soldados y civiles. La mujer del Lucero del Alba aunque estaba ilesa pedía auxilio.

»Se restableció el orden poco a poco y cuando quise darme cuenta me vi en el pasillo, rodeada de caras hostiles. Me echaban. El estribo del vagón quedaba muy alto sobre los rieles y tuve que saltar. El Lucero del Alba daba voces repitiendo que mi caso se prestaba a reflexión. Ya en tierra vi bajar detrás de mí a Clorinda y a un soldado.

»— Jesús — exclamaba la carcelerita de Los Juncos, visiblemente satisfecha —, se diría que querían lincharla a usted.

»Mientras el tren estuvo detenido la gente me miraba desde las ventanillas sin decir nada. Cuando echó a andar comenzaron a insultarme. Los insultos eran casi todos procaces. Yo evitaba mirar porque una vez que lo hice vi a un soldado que se remangaba el brazo y hacía gestos obscenos.

»Echamos a andar en busca de la carretera que por fortuna seguía a la vía de cerca. Con los lejanos horizontes delante y el aire limpio yo me sentía fresca y descansada. Un cabo de infantería pareció salir de la tierra y se unió a nosotros. Se lamentaba de tener que hacer el resto del viaje a pie. Los campesinos odian andar. El soldado se consolaba diciendo que los trenes militares eran verdaderas ratoneras. Luego me miró amistosamente:

»— Como hermosa lo es — dijo.

»El cabo lo fulminó con la mirada:

»— Cierra la boca, mameluco.

»Yo sonreí al soldado y Clorinda se escandalizó con mi sonrisa.

»La carretera estaba aún húmeda del relente del alba.

»— ¿Qué distancia hay hasta Los Juncos? — quiso saber Clorinda.

»El cabo, un mozo paticorto, dijo que no llegaríamos hasta las doce y se puso a hablar de las marchas forzadas que había hecho otras veces con treinta kilos a la espalda. Como nadie le hacía caso tal vez para llamar nuestra atención añadió que llevando días pasados a un preso en conducción ordinaria lo echó fuera del camino de un empujón y le pegó dos tiros. Allí lo dejó muerto. Luego dijo a sus jefes que se había querido escapar y se acabó la historia. Aquello me impresionó de veras, pero el soldado dijo:

»— No inventes esas patrañas para darte realce, que te conozco.

»Soltó a reír el cabo de un modo un poco infantil y confesó que era mentira pero que los guardias civiles lo hacían a cada paso.

»— Ahora bien — añadió —, yo no soy un guardia civil.

»Pregunté a Clorinda:

»— Dígame, ¿cree usted que soy culpable? — ella no decía nada —. ¿Culpable de qué?

»Clorinda estaba aprendiendo a dejar sin respuesta mis preguntas como la Herculana. Yo recordaba al Lucero del Alba gritando en el tren: "Esperen, éste es un caso de reflexión". Tal vez podría contar con alguna forma de protección por aquel lado. También pensaba en el obispo de Mondoñedo que asaba caracoles en la llama del candil.

»Llegaba un coche oficial con la bandera en un lado del parabrisas. Clorinda hizo señas pero el coche siguió sin detenerse. El cabo dijo:

»— Es un coche de intendencia, aunque van en él dos cabritos paisas.

»En tiempos de paz los civiles llaman a los soldados *sorches* y en tiempos de guerra los soldados se vengan y llaman a los civiles *cabritos paisas*.

»El cabo iba con el soldado detrás de nosotras y yo prestaba atención a lo que decía.

»— Mi capitán se ha dado de baja. No creas tú, pipiolo, que es porque no quiere ir al frente. El capitán los tiene bien puestos. Pero se ha dado de baja para meterse a fraile. No te rías, que tú no sabes lo que está pasando ahora en España. Milagros por todas partes. Verdaderas apariciones. Cosas de ver y no creer. Dios que baja a los caminos, la Virgen que sube de los altares a las nubes. Este es un tiempo santo. ¿Qué dices?

»— No lo creo. Demasiada mala leche.

»— Cállate, mi capitán se ha metido fraile de resultas de un milagro. Con sus propios ojos, lo vio. ¿Dónde? En la misma Salamanca, en una casa de niñas que hay en entremuros. No en el Buen Tono. Allí cuesta un duro y sólo van los pipis. En otra casa que hay cerca y que se llama el Doble Tono porque cuesta dos duros. El capitán iba una noche por entremuros cuando vio una gachí haciendo el reclamo en la esquina. El capitán se

247

le acercó y comenzaron a chicolear. El capitán no quería entrar en la casa porque no le gustan esos lugares. Hay personas que por nada del mundo entrarían en una casa de niñas. Y cuando el capitán se llevaba a la gachí a un rincón de las murallas le preguntó: "¿Cómo te llamas?". Ella dijo: "Me llamo María". Yo no sé qué es lo que el capitán veía en la cara de aquella mujer que la soltó, salió de reculón, tropezó, cayó al suelo y volvió a levantarse. Pero no podía estar de pie porque se había roto un hueso. Fue al hospital y después de curarse dijo que quería meterse fraile. En el Doble Tono no hay gachí ninguna que se llame María. Un milagro. ¿Qué te parece?

»Poco después se oyeron detrás de nosotros los frenos de otro automóvil ocupado sólo por un oficial entre dos edades con ojos nerviosos y perfil de pez. El cabo se acercó y saludó. A las preguntas del oficial — comandante de infantería — fue diciendo que la delincuente era yo y no Clorinda. El comandante me lanzaba breves ojeadas frías pero llenas de codicia y dijo que podía llevarme en su coche. Clorinda le dio las gracias y puso la mano en la falleba de la portezuela, pero el comandante la atajó:

»— Señorita, hablo de hacerme cargo de la presa, no de usted.

»Clorinda se ruborizó, luego se puso pálida. El cabo sacó un papel:

»— Tendrá usted que echar tres firmas aquí.

»Sacó el oficial la pluma con gestos que parecían de médico — tal vez era médico militar — y firmó. Mientras tanto el cabo apuntó disimuladamente la matrícula del coche. Tenía el oficial bigote gris recortado, la mandíbula color violeta, los gestos expeditos. Yo iba a ocupar el asiento de atrás cuando el oficial me indicó el delantero. El coche arrancó. Clorinda dijo algo sobre el efecto fulminante que yo había causado al oficial cuando éste no había podido verme más que de espaldas.

»— Sí — dijo el soldado —. La sacó por la andadura, como a los potros.

»El comandante detuvo el coche y esperó que los tres se acercaran:

»— ¿Qué has dicho de la andadura de los potros? — preguntó, y añadió —: ¡Arrodíllate!

»El soldado puso una rodilla en tierra.

»— ¡Pídele perdón a la señorita!

»Cuando el soldado pidió perdón el coche arrancó otra vez.

248

Disculpé al soldado diciendo que era natural que no viera en mí a la mujer sino a la prisionera.

»— Bien, pero ¿qué clase de prisionera es usted? — dijo el comandante —. Bueno, me da lo mismo. Usted es hermosa y por eso la he invitado a venir conmigo. Pero este cabo me ha hecho firmar tres papeles y además apuntó el número del coche.

»Clorinda quedaba atrás y yo pensaba: "Esta chica me perdonó el golpe en la cabeza, pero no me perdonará nunca el desaire del comandante". Sin embargo yo no era responsable.

»Habríamos andado unos seis kilómetros cuando el coche se desvió por un camino secundario. Aquel oficial debía estar cerca de los sesenta años. Miraba de un modo entre despótico y protector. Nos acercábamos a un bosque. Al bosque de Caperucita — en mi caso una caperucita de veras roja. Viendo que nos habíamos alejado bastante de la carretera el oficial acortó la marcha y con la mano derecha me rodeó el talle. No me disgustaba aquel hombre, pero me trataba como a un objeto neutro y pasivo incapaz de reacciones. Sin proponérselo me revelaba — no sé por qué — el cadáver potencial que había dentro de mí.

»Cuando el oficial buscaba mis labios yo me incliné sobre el volante, lo hice girar hacia la derecha y el coche salió del camino, subió a un altozano, perdió el equilibrio y volcó sobre la izquierda. No me habría importado romperme la nuca, pero por instinto me encogí lo más posible. Entre el coche y el suelo quedó un hueco por donde salí.

»Sentía un fuerte dolor en el brazo derecho y no podía moverlo. Tenía además erosiones en la nariz y en la frente. Por las de la nariz sangraba. Suponía que el comandante había quedado debajo del coche cuyas ruedas delanteras giraban todavía en el vacío. Comprendí en seguida la dirección en la que debía huir.

»Me dolía el brazo. Lo peor no era el dolor, sino aquella reflexión sobre el dedo cortado del galleguito Novaes. Mi cuerpo había comenzado a ser destruido.

»Por el momento no supe qué había sido del comandante. Algunos minutos después vi que salía humo de la parte trasera del coche y que la gasolina estaba inflamada. El fuego se transmitió rápidamente a todo el coche y la brisa expandía un olor de cuero quemado — el de los asientos — que recordaba el de la carne asada. La humareda subía tan alta que debía verse

veinte kilómetros a la redonda. Suponía que el cuerpo del oficial ardía también y asustada comencé a alejarme de aquel lugar.
»Si me hubiera entregado al oficial no habría mejorado mi situación, sino que la habría envilecido nada más. Supongo que esa clase de galanes pueden enamorarse media hora para escupir después sobre lo que han besado.
»Como si fuera un animal perdido, buscaba un escondite para esperar las sombras de la noche. Me dolía la cabeza. Pensé en Javier, en el Doncel, en mi madre. Pero en mi madre tal como la imaginaba de niña en la forma del cometa Halley, vestida de boda flotando en el aire y vuelta de espaldas.
»El humo del coche ardiendo podía llamar la atención de los que pasaban por la carretera. Iba trepando por una colina cuando oí voces a mi espalda. En lugar de detenerme eché a correr. Volví a oír voces, llamándome. Primero con palabras amistosas. Después amenazadoras. Oí también un disparo de pistola y vi la pequeña polvareda del impacto un poco a mi derecha.
»Me senté en una piedra pensando: "¿No es una razón ridícula para querer matarme?" El comandante llegó, se sentó a mi lado, se guardó la pistola y se quedó mirando el humo producido por el incendio:
»— Es una pena — dijo —. Un coche casi nuevo.
»Miraba luego mi cara ensangrentada pensando algo parecido. Fue a levantarme por un brazo, pero me hizo daño. Dije que creía tenerlo roto. Inspeccionó el hueso que al parecer encontró intacto:
»— Vamos al bosque — dijo.
»— No, al bosque no.
»— Entonces a la carretera. Encontraremos manera de hacerle una curación. Pero... ¿por qué hizo usted eso? Pudimos matarnos los dos.
»Yo no decía nada. Le agradecía que no me hiciera reproches por la pérdida del coche. Aquel hombre trataba de conducirse como un caballero y lo hacía bien. Al llegar a la carretera vimos que había dos coches detenidos y cuatro o cinco campesinos mirando el fuego y haciendo conjeturas. Yo quería hablarle al oficial de mis temores en relación con las autoridades de Los Juncos, pero el instinto me decía que con mi cara desfigurada no debía apelar a la simpatía. Los ocupantes de uno de los coches que estaban allí encontraron yodo y gasas. El oficial me lavó la cara, es decir me la ensució más con el yodo. Contaba

el accidente a su manera y uno de los campesinos dijo frotándose una bota con la otra para desprender barro seco:

»— Pues la señora salió bien santiguada.

»El segundo de los coches lo ocupaban dos sargentos de ingenieros. Los asientos de atrás iban vacíos. El comandante subió sin esperar a que lo invitaran y me hizo subir a mí. Ya instalados, el comandante les preguntó si iban a Los Juncos. El conductor afirmó y nos pusimos en marcha. El comandante me tomaba una mano, la oprimía y el movimiento de los tendones repercutía en el codo lesionado.

»— ¿De qué la acusan? — preguntó —. ¿Dice que la acusan de tener relaciones con personas peligrosas? ¿Dónde están esas personas tan peligrosas?

»— Las han matado en Los Juncos.

»El sargento que conducía me miraba con curiosidad en el espejo retrovisor. El comandante quedó callado un momento. Mi respuesta le había cortado el hilo de las reflexiones. Yo añadí que mi marido era un hombre de opiniones propias y que la gente, es decir cierta gente, odia a los que no piensan como todo el mundo. Habían dado en decir que era espía. Sólo podían decir de nosotros que éramos gente independiente, que estábamos casados únicamente por lo civil y que no íbamos a misa. El oficial callaba. Yo lo miraba de reojo y me extrañaba que hubiera salido del accidente sin un solo rasguño. Por fin habló:

»— La culpa ha sido de ustedes. ¿Qué más les daba casarse por la iglesia? Yo no creo en Dios ni en Roma, pero ¿qué más da la bendición del cura? Además cuando se atrae la atención de la gente en nuestro cabileño y encantador país lo mejor es despistarla con alguna tontería. Si hubieran ustedes dicho que su marido tenía una pierna de madera o dos costillas de platino y que su abuela caminaba sobre las manos con las piernas al aire la gente no habría pensado más en él. Si las cosas se ponen feas hay que hacer concesiones a la gente del barullo. ¿Y qué ha sido del espía? ¿Dónde está?

»— Ya le dije que no es espía.

»— Bien — concedió —. Digamos que tiene una pierna de palo. Algo hay que decir, aunque ya es tarde para que eso dé resultado. ¿Y usted? ¿Qué diremos de usted? ¿Cuál es su irregularidad? ¿Cómo? No, no se haga ilusiones. Yo necesito decir algo, porque soy de los del barullo, ni más ni menos. Y quiero vivir y morir como lo que soy. Aunque podría ser que a veces me calumniara un poco para que no lo hagan los demás. Pero es verdad que soy un hombre corriente y moliente sin amistades peligrosas. Eso no quiere decir que no crea de vez en cuando en mi misión sobre la Tierra. Todos los hombres mediocres creen en su misión sobre la Tierra.

»— ¿Usted? ¿Qué misión es la suya?

»— Salvar a las esposas de los espías.

»Estaba convencido aquel oficial de que Javier se dedicaba al espionaje. Una vez hecha una acusación escandalosa la gente se alegra de hallar algo extraordinario y se niega a rectificar, aunque tengan la evidencia delante. El oficial mostraba esos dientes largos con parte de la raíz descubierta que tienen algunas personas al entrar en la vejez. Sin embargo era bastante juvenil. Uno de los sargentos dijo sin volver la cabeza:

»— ¿Me permite usted unas palabras, mi comandante?

»— Eh, eh, llámame comandante González Ríos. Yo no soy ningún mico-mandante. ¿Qué le ocurre?

»Contó el sargento lo sucedido en el tren con el avión y cómo la gente indignada me echó de allí. Luego abrió el cajón de los guantes y sacó un sobre voluminoso que iba atado con una cinta roja. Los papeles de Javier.

»Aquí — dijo — va el expediente de la señorita. Estaba yo seguro de encontrar a la señorita en el camino porque la llevaban un cabo y un soldado en conducción ordinaria.

»Me sentí como debe sentirse el pájaro atrapado por el cepo. Entrampillada. El hecho de haber ido a caer precisamente en aquel coche con aquel sargento me parecía una broma horrenda. Aunque no era casualidad alguna, puesto que los dos sargentos me andaban buscando y tarde o temprano tenían que encontrarme. Con mi cara *santiguada* debía dar una impresión lastimosa. El comandante volvió a tomarme la mano. Yo sabía que tenía un lado de la cara mejor que el otro y miraba sólo de costado, como las gallinas. Habría querido decir algo, pero me coaccionaba la presencia de los sargentos. Y estaba muerta de sueño. El comandante hablaba ligeramente, sin duda para quitar dramatismo a la situación.

»— ¿Qué tiene que ver esta señora con el avión que ametralló al tren?

»— No es una señora — dijo el conductor —. Es una rojita de vida alegre.

»El comandante gritó indignado:

»— ¡Detenga usted el coche ahora mismo!

»El sargento comenzó a frenar. Se veía que para un ingeniero un infante no era gran cosa aunque la diferencia de graduación fuera tan grande. Detuvo el coche. El comandante ordenó:

»— Dé usted explicaciones a la señora.

»El sargento se levantó y se llevó la mano a la visera... Dentro del coche todo aquello era bastante desairado.

»— Comandante González Ríos — dijo —, mi hermano, recluta de ingenieros, es uno de los que han muerto en el tren. Usted comprenderá...

»— Yo no quiero comprender nada. Su hermano era un soldado como usted y morir de un balazo entra en su obligación como hacer la guardia y cepillar al caballo. Dé usted explicaciones a esta señora.

»Obedeció el sargento de visible mal humor. Después el comandante le permitió sentarse y el coche siguió carretera adelante. Yo comenzaba a ver otra vez algo ridículo en el comandante, quien me dijo bajando la voz:

»— ¿Pero qué diablo ha hecho usted?

»Si decía que no había hecho nada no me creería. Y me parecía ridículo inventar un delito. Me callé. El comandante puso su mano en mi muslo e hizo un gesto disculpándose por su atrevimiento. Luego dijo en voz muy baja:

»— No se puede negar que el sargento es un caballero. Y es tan disciplinado que si yo le pidiera que siguiera conduciendo el coche hasta llegar al otro lado de la sierra obedecería sin chistar. Tal vez es eso lo que usted quiere: ir al otro lado de la sierra. Pero ¿para qué? Aquí *dan el paseo* a la gente según el estilo romano. En el otro lado al parecer hacen lo mismo según la moda moscovita. Vaya usted adonde vaya no encontrará sino los mismos cerdos revolcándose en el mismo lodo y con la misma manera de digerir, de hacer política y de abrir en canal al vecino. También la misma manera de estirar la pata cuando llega la hora. No vale la pena el viajecito. Pero dígame de una vez qué es lo que ha hecho. Algo ha tenido que hacer.

»En aquel momento la carretera y la vía del tren coincidían atravesando una llanura. Un tren acababa de aparecer por el lado opuesto de la colina. Íbamos caminando paralelamente. Vi las ventanillas llenas de soldados. El sargento dijo, nervioso:

»— Ahí van, ahí los tiene.

»El otro negaba:

»— No, ése es un transporte militar que viene de Valladolid.

»Un soldado me gritó desde la ventanilla:

»— ¡Feeea!

»Me sentí un poco humillada, pero no pude menos de reír pensando que el comandante iba a hacer detener el tren para que el soldado me pidiera perdón. Esta vez no fue así. El tren nos dejó atrás.

»Nos acercábamos a Los Juncos. El comandante dijo al conductor:

»— Deténgase antes de llegar al puente.

»El puente era en realidad un paso a nivel. Desde el otro lado se veía la estación de Los Juncos e incluso mi casa, la casa del espía que no espiaba sino en el reino infantil y poético de sus sueños.

»— Déme usted esos papeles — dijo el oficial al sargento.

»— No puedo. Tengo orden de entregarlos con la señorita a la comandancia de servicios especiales.

»— La señorita viene conmigo.

»— Bien. Entonces les acompañaré.

»El comandante y yo bajamos y echamos a andar como si fuéramos viejos amigos. El sargento que llevaba mis documentos nos seguía a unos diez pasos. De vez en cuando el comandante, que no sabía cómo insistir en reclamar los papeles, se volvía y ordenaba al sargento que se pusiera en actitud de *firmes*. El sargento obedecía.

»Estábamos en el valle. Se oyeron tres o cuatro disparos de cañón y el comandante dijo un poco impresionado:

»— Bien. Parece que estamos en el lugar de la fiesta.

»Hacia las once llegamos delante de la verja del jardín de mi casa. Todo parecía en calma. Había un letrero en una ventana que decía: *Comandancia de Transportes de zona B*. Mi casa estaba habitada. Yo pensaba otra vez con una rabia secreta que alguien se aprovechaba de mis sábanas y mis cubiertos. No quise decir que yo vivía allí. El comandante ordenó al sargento que esperara y entró en la casa. Miraba yo mi pequeño jardín pensando: "Hace tiempo que no han regado las margaritas y los claveles". El sargento dijo:

»— No podemos esperar mucho tiempo. Si tarda nos iremos.

»Por un balcón salían voces masculinas y risas a coro. Desde el lugar donde estábamos yo veía la puerta de servicio de mi casa y la escalera que tenía azulejos en la parte vertical de cada peldaño. Había pasado más de media hora. Pensaba yo que me gustaría sentir debajo de mis pies el planeta girando como le sucedía a Javier. Aunque me mareara. Eso debía distraer a Javier de la angustia y de la confusión.

»Pero el comandante bajaba y venía muy decidido:

»— Sargento — dijo —, puede hacerse cargo de la señora. Antes fírmeme estos papeles. Pero por favor trátela bien porque nada se pierde con ser humanitarios. Vaya, adiós y buena suerte.

»Se fue el comandante escaleras arriba y me quedé pensando que tal vez el encuentro con algún amigo me había suprimido del campo de sus deseos. Yo recibía una impresión de desaliento.

»Echamos a andar hasta la estación y no tardamos en llegar. Había hombres transportando en camillas los heridos y muertos del tren ametrallado, que había llegado antes que nosotros. Otro tren entraba en agujas, despacio. Como siempre los soldados me daban voces desde las ventanillas.»

En la sala del abadiado se calla Ariadna, fatigada. El arzobispo pregunta algo a un secretario y éste habla con el presidente y después dice en voz alta a la asamblea:

— Algunos delegados quieren que muestre en la pantalla el lugar donde el llamado adalid se encuentra. Desean también que la proyección sea sonora, es decir que puedan oír lo que el preso dice si es que dice algo. Experiencias anteriores nos muestran que el adalid aislado y sin relación con el mundo se limita a decir algunos monosílabos que repite como un maniático. A veces con una mano se cuenta los huesos de la otra en voz alta. No ha perdido la razón. Mira al techo y ríe feliz pensando que tiene encima su propia estatua. Su risa no es estúpida aunque por carecer del hábito social ha ido haciéndose un poco animalizada. Debo advertir que el número de los delegados que firman la petición no es bastante para que ésta sea reglamentaria, porque faltan diez nombres todavía.

El secretario se sienta. La sala está en silencio. Yo miro la pantalla donde tal vez nos mostrarán la figura de ese hombre que lleva trazas de seguir muchos años viviendo en el lugar que ha de ser su tumba, puesto que han decidido dejarlo allí el día que fallezca.

Ariadna vuelve a hablar:

— Por fin apareció el Lucero del Alba, pero no me reconoció hasta que el sargento le dio el sobre y los cuadernos. Natalio

255

me miraba extrañado de mis lesiones sin saber a qué atribuir-
las. Luego me dijo:

»— El espectáculo de estos heridos y muertos no la favorece
mucho, sobre todo después de haberse escapado usted de la cárcel de Los Juncos. Es un hecho precario del cual no me habían
dado conocimiento hasta esta mañana.

»El sargento preguntó por los *servicios especiales.*

»— Son los curritos — dijo Natalio —. Llevan una cinta roja y
gualda en el brazo.

»El sargento me llevó a un rincón de la enorme sala y me mandó que me sentara en una silla. Se quedó al lado con el puño
en la cintura. Natalio entraba y salía, sombrío. El desprecio que
había sentido yo por aquel hombre revertía ahora dentro de mi
angustia. Aquel desprecio era una circunstancia más en contra
mía, pensaba. Y todo lo que yo quería por el momento era
dormir.

»Apareció la Herculana. El sargento fue a su encuentro, le dijo
algo y ella salió, presurosa. Quedaban en el centro del local
— que era inmenso y vacío — tres oficiales hablando con un
cura. Poco después entraron por una puerta lejana varios empleados acarreando sillas y comenzaron a disponerlas en el centro formando un gran círculo. Donde la curva no era perfecta
la corregían.

»Yo apoyé la cabeza en el respaldo y cerré los ojos.

»Las sillas iban siendo ocupadas por mujeres, niños y policías.
También había algunos obreros ferroviarios y hasta ocho o diez
campesinos. El cura en el centro del corro decía muy satisfecho:

»— Observen, hermanos míos, que aquí no hay diferencia de
clases.

»Entre los últimos que habían llegado se veía a la mujer de
Natalio vestida de sedas negras que brillaban en las combas
de su pecho y en el trasero. El sacerdote iba y venía dentro del
gran círculo. Se detuvo alzando la mano, sopló en un pequeño
objeto de metal que llevaba en los dientes y produjo una nota
musical. El sacerdote apuntó con el dedo a un hombre gordo,
quien emitió un sonido extraño apartando los labios y arru-
gando la nariz:

»— Miiii…

»No era aquel sonido exactamente igual al del diapasón. El
sacerdote apuntó a una muchacha, quien se pasó la lengua por
los labios y dijo:

256

»— Miiii…

»El sacerdote torció el gesto y señaló a un chico de pantalón corto y medias negras:

»— Miiii…

»Volvió el cura a soplar en el diapasón y apuntó a la mujer de Natalio. Ésta produjo el *mi* en una octava altísima con trémolos y gorgoritos. Algunos rieron y el cura impuso el silencio.

»El sargento me dijo:

»— Para ensayar no hay como los salesianos.

»— ¿Pero qué ensayan? — pregunté yo esperanzada al ver que el sargento se dignaba hablarme —. ¿Qué es eso que ensayan?

»— Un himno. ¿No ve usted que es un himno?

»Yo pensé que aquel himno sería tal vez para el acto de toma de posesión del obispo de Mondoñedo.

»El cura sacó un rollo de papel de música y comenzó a cantar y a llevar el compás con una energía extraordinaria. Quería producir la impresión del entusiasmo, pero desde lejos parecía sólo que estaba enfadado. Yo pensaba que si no estuviera el sargento conmigo mi caso se fundiría en la tontería ambiente y nadie volvería a acordarse de mí.

»La gente cantaba:

> *El altar de la patria amorosa*
> *ornado de rosas y acanto de Hespérides*
> *nos ofrece la más milagrosa*
> *la más milagrosa de las efe-fe…*

»El sacerdote les hizo callar. Moduló una y otra vez la *efe-fe…* El coro repetía mal y el cura soplaba nervioso en su diapasón. En los gorgoritos de la mujer del Lucero del Alba se advertía la felicidad del que después de un peligro comienza a sentirse seguro.

»Yo calculaba qué palabra podría ser aquella que comenzaba por *efe*… No pude imaginarlo aunque era fácil. El cura aclaró:

»— Eso de la *efemérides* hay que perfilarlo mejor.

»La *efemérides*. El sargento aburrido miraba a la puerta. Por fin apareció la Herculana seguida de dos hombres con armas. Venían hacia mí. La Herculana me hizo desde lejos un saludo amistoso y se fue hacia el círculo de los cantores. ¿Por qué la Herculana me hacía un saludo amistoso desde lejos? ¿Por qué no se acercaba? Aunque tal vez no quería saber nada de

257

mí desde el momento en que supo que no estaba embarazada.

»Los hombres con armas no parecían militares ni policías. Eran los *curritos*.

»El padre salesiano soplaba en su diapasón y alzaba una mano enorme en el aire:

»— Vamos, hijos míos, que el señor obispo bien merece un esfuerzo más.

»Yo imaginaba a ese obispo asando caracoles en la llama del candil de su celda. Lo imaginaba con una especie de temerosa superstición. Lo confundía con el padre Claret cuya canonización había pedido en Roma la dama enlutada.

»Esperaba a los hombres de los servicios especiales que cruzaban despacio la inmensa sala y venían hacia mí. Sin darse cuenta acompasaban los andares, lo que les daba cierto aire militar.

»Me alegraba de no ver por allí a Clorinda, que debía seguir caminando por la carretera bajo el sol de agosto, muy resentida conmigo.

XIII

»El círculo estaba completo. La Herculana se sentó, comprobó que su trasero estaba centrado en la silla y dijo al sacerdote:

»— Deme la notita, padre.

»El sacerdote hizo sonar el diapasón y ella comenzó el himno haciendo trémolos como la mujer de Natalio, pero mucho mejor. Al llegar al punto difícil lo salvó con gracia y el sacerdote la aplaudió. Como tenía el rollo de música en la mano los aplausos sonaban a cartón. La Herculana decía:

»— ¡Qué padrecito éste!

»Yo me avergonzaba de haber confiado en aquella mujer. Entre tanto llegaron hasta mí los hombres de los servicios especiales. Creían que las lesiones de mi rostro eran una prueba de mi culpabilidad. Esas lesiones son — pensaba yo — como el dedo del galleguito.

»— ¿Van a llevarme a Los Juncos? — pregunté con miedo.

»Los curritos no contestaban. Yo repetí la pregunta pensando que aunque en aquella cárcel de Los Juncos podía dormir dormiría como una rata y no como un ser humano. Uno de los curritos volvió el rostro hacia mí — sin mirarme — y dijo:

»— ¿Qué más le da a usted un lugar que otro?

»Apartándose un poco los curritos hablaron en voz baja con el sargento. Firmaron tres veces en un papel. Yo me decía: "Tal vez no tendré salvación, ahora".

»Me ordenaron que saliera con ellos. Al pasar cerca del grupo de cantores vi que el currito que llevaba mis papeles los dejó en un pequeño montón de cajas de embalaje cerca de la chimenea apagada. Las curiosidades de Javier sobre las sombras de la mina, las voces del bosque, la divinidad del Hidrógeno, el lenguaje de las abejas y tantas otras cosas iban pronto a fundirse en ese misterio familiar y diario del fuego, el cual, como solía decir Javier, todavía no sabemos lo que es. Sólo conservaron un papel: el romance del Cristo del Caloco.

»Ya fuera, uno de los vigilantes se puso a mi derecha y el otro a mi izquierda. Éste era un tipo brutal y estólido y hacía mucho ruido al andar con sus zapatos de suela claveteada. El otro parecía más humano y andaba silenciosamente como una pantera. Creo que desconozco el miedo físico. Sólo he conocido en mi vida el miedo al misterio de las tinieblas, que es según parece una variedad del miedo infantil a la noche y a la soledad. Javier decía que este miedo a estar solo es el miedo al enemigo que habita en uno mismo.»

Ariadna se calla fatigada y el presidente vuelve a hablar:

— Mientras la testigo descansa y ordena sus recuerdos yo me permito repetir a la asamblea que el individuo a quien entonces llamaban adalid y cuyo nombre me escapa en este instante posee debajo de su monumento las condiciones necesarias para hacer una vida vegetativa. Como la alimentación por medio de gases elimina la digestión y parece que el hombre se ha adaptado a ese sistema yo creo que seguirá viviendo muchos años más de los que viviría en condiciones normales. El Instituto de Biología de Montpellier cree que se le podrá prolongar la vida hasta más de los cien años. Vivir con su propio monumento encima no es más cruel que vivir con su propio monumento enfrente o debajo. Quería el llamado adalid tener la conciencia de su gloria y se la hemos dado. Nada de lo que hacemos con él produce dolor físico. Yo debo confesar que no he visto hasta ahora a ese hombre. Los que lo han visto dicen que ha perdido casi del todo su forma humana. Algunos delegados se han sumado a la petición de que lo haga aparecer en la pantalla. Habiendo las peticiones alcanzado el número reglamentario, la presidencia accede y la imagen del llamado adalid será proyectada ahí dentro de algunos minutos.

Un secretario dice algo en voz baja al presidente. Éste mira hacia el trono de la infanta Palmatoria — que sigue vacío. Ariadna vuelve a hablar y todos escuchamos.

— Me llevaron — dice — a una cárcel improvisada en la casa de los ingenieros forestales. Habían detenido días antes al ingeniero jefe y su mujer se quiso suicidar saltando por una ventana. Defenestrándose, como dicen ahora. Pero sólo se rompió una pierna. Aquella casa había quedado consagrada por la desesperación.

»Nos ponían a los presos en una especie de granero o sótano que había servido de estufa para ensayos de cultivos. Ese detalle daba a la improvisada cárcel la pureza de los laboratorios o los invernaderos. Yo me dejé caer en alguna parte y dormí quince o veinte horas seguidas. Las otras mujeres evitaban hacer ruido.

»Cuando desperté vi que la sala era bastante grande y el techo

260

abovedado tenía arcos de piedra como los templos. Estábamos unas treinta mujeres. Las granadas caían a veces cerca. En el jardín había una de pie que no había estallado. La veíamos por la ventana enrejada. Al frente de la guardia de aquel cuartel de curritos estaba el Lagarto, quien a veces entraba y decía:

»— Las calandracas tienen veinte minutos para hacer la limpieza del local.

»Yo me preguntaba por qué razón el Lagarto igual que el sargento evitaba mirarme la cara. Creo que las erosiones y las sombras amarillas — restos del yodo — les hacían sentirse culpables. Podían mirar el cadáver de su víctima ensangrentado pero no mi cara manchada de yodo. Una mañana apareció Clorinda en la puerta, con el Lagarto. Estuvo mirándonos y por fin sus ojos se posaron en mí. Yo le sonreí pero ella no me devolvió la sonrisa. Comprendí que me odiaba por el incidente de la carretera.

»Me volví de espaldas y me puse a mirar por la ventana. La bomba sin estallar nos causaba pánico. Es decir, yo no tenía miedo a ser herida, sino — aunque parezca extravagante — al ruido que acompañaría a la explosión.

»Aunque Clorinda no volvió a aparecer por allí yo sentía su mirada venenosa en el aire.

»Al principio creía que las otras mujeres eran culpables. Ellas debían pensar lo mismo de mí, con mayor motivo viendo mi cara escoriada y manchada.

»Había entre las presas una señora que se pasaba la noche rezando por nosotras y para que las oraciones fueran aplicadas correctamente venía a preguntarnos nuestros nombres y apellidos. Yo creo en Dios, pero no rezaba. Suponía que Dios veía claramente lo que pensaba y sentía y no hacía ninguna falta que yo se lo dijera y menos que le obligara con ciertas cantidades de credos o de padrenuestros a ocuparse de mí.

»Cada mañana nos vestíamos como si fuéramos a salir a la calle. Había una anciana que se llamaba Casilda y aunque tenía buenas maneras hablaba con refranes y frases hechas como una campesina.

»Todas las presas tenían la misma manía, las confidencias de prestigio sobre el marido. Cuando el marido había sido fusilado todas creíamos las grandezas que su mujer contaba de él. Pero si vivía — generalmente al otro lado de la sierra — escuchábamos los elogios con reservas.

»Sólo había entre tantas una mujer que diera la impresión de ser una odalisca. Yo me preguntaba a veces cómo había podido caer entre nosotras. Hablaba todo el día sin saber exactamente lo que decía. Tenía un sentido confuso de los valores y daba de pronto gran importancia a cosas que no la tenían o al revés. Aquella mujer era la única que le sonreía a veces al Lagarto. Éste la miraba con sus ojos fríos y a veces decía algo entre dientes llamándola *madame Pompadour*.

»La viejecita de los rezos se llamaba Visitación. Había también una joven que era la esposa del obrero encargado de la calefacción en un sanatorio antituberculoso del mismo Pinarel. Tenía un bonito nombre: Carmela.

»A veces la Herculana aparecía con el Lagarto e iba y venía tarareando entre dientes el himno de la *efemérides*.

»La obrerita era más quejumbrosa que las otras. En general las mujeres de origen social humilde cuando están en condiciones desgraciadas se lamentan más que las que han vivido bien. La obrerita era de una belleza enfermiza; se quejaba Carmela de la cama, del cuarto, de la comida.

»Me decía la odalisca muchas cosas extrañas. Según ella la casa donde Javier y yo vivíamos se consideraba como un lugar sospechoso y había oído decir que Javier era monedero falso y yo húngara.

»A veces al caer la tarde llegaba el Lagarto. Aquel día apareció con él la esposa de Natalio, quien llevaba un manojo de llaves colgado de la cintura y un escapulario en el pecho y de vez en cuando nos insultaba. A mí me llamaba como siempre *hermosa camelovitch*, pero a las otras les dedicaba palabras de burdel llenas de odio. Aludía a Javier guiñando el ojo como si poseyera secretos que yo ignoraba.

»— Con todo este ganado — solía decir — yo pondría una casa de niñas y ganaría más que robando en un camino. Pero soy decente. Eso es lo que pierde: la decencia.

»Había también con nosotras una joven que había servido como doncella allí mismo, en Pinarel. Era alta y espigada con un cuerpo muy hermoso y una cara vulgar. Había conocido al galleguito Novaes. Contaba que en la casa donde servía tenían un verdadero arsenal de armas de fuego. El gallequito organizó un asalto el mismo día que llegaron las tropas. Quería hacerse con las armas. Eso era sin duda lo que Novaes llamaba «preparar la defensa». Pero todo salió mal. Recibieron a los del bosque a tiros desde las ventanas. Y el ruido llamó la atención de la gente. Fue entonces cuando comenzaron a matar a los del bosque.

»Se enteraron de que la doncella estaba de acuerdo con los asaltantes y la echaron. Más tarde la denunciaron a los curritos.

»Yo envidiaba a aquella chica que al menos había hecho algo, había tratado de hacer algo. Las otras por lo que pude ver sólo habían cometido el crimen de casarse con hombres conocidos por sus ideas liberales y alguna como Casilda con un republicano importante. La doncella se llamaba Jesusa y la llamaban Chucha — yo me acordaba de la teoría de Javier sobre la *ch* en los nombres de las mujeres. Parecía aquella chica resignada y conforme con su destino. A veces nos hacía reír con sus salidas disparatadas. Hablaba de sí misma de un modo chocante. Al acostarse decía, por ejemplo, muy triste: *Voy a echar a dormir este saco de huesos.* Al amanecer se levantaba la primera, alegre y feliz. A medida que pasaba el día iba poniéndose triste para volver a mostrarse vivaz y jovial la mañana siguiente. Decía que su cuerpo era un reloj que andaba con el sol.

»Una mañana llegaron el Lagarto y el Lucero del Alba y se llevaron a Carmela. Buscaba la pobre ayuda con los ojos, pero todas estábamos tan asustadas como ella. Natalio decía: *No hayan temor, blancas palomas, que es sólo para una identificación.* Las identificaciones eran la obsesión de los curritos.

»El Lagarto decía, abriendo la puerta para que saliera la presa:

»— Anda, que te van a dar noticias de tu coime.

»— Mi marido — rectificó ella, irguiendo su cabecita.

»Cuando regresó Carmela confirmó que el muerto a quien tuvo que identificar era su propio marido. Había doce o quince caídos en un montón. Su marido estaba encima.

»Hablaba en voz baja con los labios secos:

»— Cuando les señalé el cuerpo de mi esposo le pusieron una cartulina atada al ojal de la chaqueta. Uno de ellos me dijo: "¿Le habría gustado ver la fiesta?". Se burlaban de mí. Yo dije que habría querido que me mataran con él, y es verdad. El Lucero del Alba decía alzando los ojos: "Admirable altruismo". Yo creo que lo decía en serio, pero los otros policías se burlaban. ¿Por qué se burlan esos hombres así, delante de los muertos?

»Le preguntó Casilda qué lugar era aquel donde los fusilaban y si era el mismo sanatorio antituberculoso donde los curritos tenían su cuartel general. Carmela dijo que no, que los llevaban más arriba, aunque no lejos. Casilda preguntaba mil cosas más y Carmela iba respondiendo. Fusilaban a la gente en una especie de frontón donde los empleados en tiempos normales solían jugar a la pelota. Aquel muro era de piedra y lo habían construido contra los aludes de nieve del invierno. Allí habían fusilado al grupo en el que estaba su marido y al parecer a otros muchos de los cuales la oficina del Lucero del Alba conservaba las fotografías.

»Aquellos lugares — el frontón, el sanatorio — estaban bajo un patronato donde figuraban muchos amigos de Alvear.

»La muchacha de los ojos azules, sentada al borde de su cama, seguía:

»— Alrededor del sanatorio hay una terraza de cemento. Después una explanada de grava menuda. Luego comienza el pavimento de losas de piedra que sigue hasta juntarse con el muro. Eso es lo que llaman *el frontón*.

»Un día cayó una segunda bomba en el jardín y estallaron las dos. Con la explosión se rompieron los cristales y nuestra cárcel se hizo más incómoda porque de noche entraba la niebla alargando sus brazos húmedos. Viendo la niebla yo recordaba la de aquella tarde en nuestro cuarto a oscuras con el Doncel. Y las historias montañesas y el *pillo entrador*. Al Doncel no lo recordaba vivo. Lo veía siempre caído en una mesa con la cabeza colgando sobre un cubo y unas gotas de sangre seca en la nariz.

»Carmela y Casilda volvían a hablar siempre de lo mismo. Carmela no lloraba y el recuerdo del cadáver de su marido le daba una firmeza íntima y callada. Casilda preguntaba:

»— ¿Viste en aquel lugar, quiero decir por el suelo, latas, botellas, alguna cosa sucia, algún zapato viejo? ¿Y en el muro? ¿Hay ese liquen verde oscuro que se forma a veces?

»— Sí. Y hay también una cruz de madera.

»La cruz hacía impresión a Casilda. Yo no comprendía qué importancia podían tener aquellos detalles: el liquen, el color de las piedras, las latas. Ella me dijo que no podía tolerar la idea de morir a la luz del día en un lugar sucio y, como ella decía, vil. Tenía la manía de un cierto *elaborado decoro exterior*. Con una sonrisa que a mí me daba escalofríos decía, burlándose:

264

»— Me gusta cierta solemnidad en la desgracia. A nadie le hago daño. Me pongo a veces un poco cursi y eso es todo. Aquí me tienes día y noche pensando si en la escena final habrá por el suelo cosas feas: zapatos viejos o gatos muertos.

»Hablaba haciendo un chaleco elástico para uno de los guardianes que parecía buena persona. Justificándose decía:

»— El odio une a las personas, como el amor.

»Cuando él le daba las gracias, ella respondía:

»— No me lo agradezca. Yo quiero que usted reviente sin sufrimiento, claro. Hasta ese día espero que vaya bien abrigadito.

»— Vaya, eso es lo que se llama tener buenos sentimientos.

»Aquel viejo era el único guardián con quien a veces hablábamos. Casilda era una mujer de una enorme fuerza secreta. Decía que no se atrevía a rezar porque los rezos son supersticiones y atraen otras supersticiones en una especie de cadena diabólica que acaba por influir terriblemente en el destino de uno.

»Las mujeres la escuchaban temerosas. Las mujeres...»

Viendo vacilar a Ariadna, uno de los secretarios que están en el estrado cambia una mirada con el presidente y dice:

— El varón decimal Javier Baena ha pedido también que se proyecte en la sala la imagen del llamado adalid. Con la aquiescencia del presidente vamos a hacerlo. Primero sin sonido y después con él.

Apagan las luces de la tribuna y el estrado y el secretario oprime un botón. En la pantalla aparece una figura que a primera vista no reconocemos. Poco a poco vamos encontrándole rasgos humanos. Un hombre casi desnudo. Tiene el rostro cubierto de barbas pero no cerradas, sino ralas y canijas. Los brazos y las piernas atrofiados y delgadísimos. El pecho hinchado monstruosamente como un globo. Está en el momento de la nutrición y abre la boca y las narices para aspirar con gula los gases. Al mismo tiempo su pecho y su espalda se hinchan. Es muy blanco por la falta de luz natural y de vez en cuando con una mano pequeña como la papila de una araña toca el techo de mármol. Los ojos son castaños y ahora se hacen más oscuros con el gozo animal de la alimentación. Mira en la dirección de la sala y contrae la garganta. Se ve que habla. O gruñe. O simplemente trata de reír sin conseguirlo. El secretario dice:

— Está hablando. Como ustedes ven mueve los labios. Luego pondremos el sonido.

Ese hombre, que no es más que una bola enorme de cera con

los bracitos levantados en comba sobre su cabeza, no se da cuenta de que nosotros lo vemos. Con una mano se toma la otra y parece ir contando cuidadosamente los huesos de los dedos. El secretario oprime el botón y la imagen se hace sonora. El llamado adalid dice con una voz casi imperceptible:

— Falange, falangina y falangeta, falange, falangina...

Así una y otra vez de un modo mecánico. El secretario advierte en la oscuridad que no se trata de un film sino de una proyección directa desde la celda a la sala. Estamos viendo al reo tal como es en ese instante y oyendo lo que en este momento dice. Al final de la frase — ...*falangeta* — calla, mira al techo, trata de sonreír y poniendo los labios en forma de embudo dice:

— Uh..., uuuh, uh.

El segundo *uuuh* es muy largo. Yo recuerdo los monos grandes de los parques zoológicos. En alguna parte se oye la voz de Natalio. Enciencen la luz. Ha desaparecido la imagen de la pantalla, que era como un feto enorme. Como un feto sobrealimentado. Se llevan a Natalio, que va hablando solo y repitiendo:

— Esta es una experiencia histórica después de la cual las potencias no podrán seguir haciéndose el sordo.

Se lo llevan y cuando está fuera de la sala, Ariadna continúa:

— Yo llegué a formar una idea curiosa sobre Casilda. Lo que llamaba en broma el *decoro exterior* podía ser importante para ella en el trance último.

»Por la noche a solas en mi cama regresaba yo a la infancia. Pensaba en mi madre y en el cometa Halley. Aquel cometa que yo sabía que iba a volver hacia el final del siglo era a veces un recuerdo — el de mi infancia — y otras como una esperanza mágica. Aquellos días no pensaba en Javier sino raramente. A veces me parecía que había tenido razón en todos sus presentimientos y esto añadía a mi angustia una terrible incomodidad.

»Como digo pensaba en mi infancia. Volvería el cometa un día y tal vez cuando volviera no sería cometa alguno, sino yo vestida de novia, como mi madre, con una gran cola de luz.

»Se llevaron a Casilda una mañana, al amanecer. Yo tenía dinero y se lo di al viejo guardián para que fuera al lugar de la ejecución y lo limpiara quitando papeles, latas, cualquier clase de detritos. El viejo decía:

»— No es seguro que la maten. Pero, en fin, ¿quiere que quite también los casquillos vacíos de fusil? Porque los hay en cantidad.

»— No, sólo las cosas que son o parecen sucias.

»Odiaba yo a aquel guardián y sin embargo pensaba que podía ser un hombre honrado a su manera. No fusilaron a Casilda hasta el día siguiente — estuvo veinticuatro horas en capilla — y el hombre tuvo tiempo para todo. Me decía que quitó un gato muerto y dos latas que usaban los oficiales para tirar al blanco con sus pistolas y que barrió con una escoba el lugar y quitó también algunas suciedades de los perros que acudían al olor de la sangre.

»— Como usted sabe — dijo —, los perros prefieren las losas y los sitios descubiertos para hacer sus necesidades.

»Dentro de la cárcel yo no tenía una sola verdadera amiga. Las otras tampoco. No teníamos bastante gravidez moral para apoyarnos las unas en las otras. No teníamos futuro y el presente era precario.

»Por los cristales rotos de la gran ventana entraban a veces una o dos abejas recordando tal vez el tiempo en que aquel lugar era invernadero. Recorrían el cuarto inspeccionándolo y volvían a marcharse. Otras veces se posaban en el cristal por la parte de fuera y yo podía verlas de cerca sin asustarlas. Desde que había leído las anotaciones de Javier en sus cuadernos veía en las abejas pequeños seres que tenían intenciones tan concretas y tan importantes como los seres humanos. Trataba de relacionar algunos de sus movimientos con las observaciones de Javier, pero para entenderlos habría necesitado tener delante el cuaderno de mi marido.

»Me extrañaba mi propia falta de reacciones cuando pensaba en la pobre Casilda, ya muerta.

»En aquellos días y en medio de la atonía de las otras mujeres hubo un incidente inesperado. La *odalisca* intentó suicidarse cortándose las venas con un cristal que sacó de la ventana. Como no sabía dónde darse los cortes no consiguió sino llenarlo todo de sangre y asustarnos. Luego tuvo miedo y pidió auxilio. Acudieron los guardianes, quienes al principio creyeron que habíamos reñido. Al ver que se trataba de un intento de suicidio el Lagarto dijo:

»— No hay que tener prisa, que todo llegará a su debido tiempo.

»Luego quitaron las trizas de los cristales rotos y dejaron los marcos de la ventana limpios. La odalisca con los brazos vendados seguía lamentándose histéricamente:

»— Que avisen a mi padre — repetía.

»No nos atrevíamos a consolarla porque estaba fuera de sí.

»El Lucero del Alba vino un día y me miró de un modo confidencial:

»— ¿Recuerda usted, señora? Mi esposa y yo estuvimos a punto de romper. Ya se sabe. Hay tormentas en los matrimonios, pero después viene el arco iris de la bonanza. Es lo que yo llamo el reajuste conciliatorio.

»Yo no podía comprender que cada vez que se acercaba el peligro final todas las cosas se hicieran vulgares y hasta humorísticas o grotescas.

»Al día siguiente me sacaron con otras dos. Yo sentía sólo una gran extrañeza y me preguntaba: "¿Por qué? ¿Qué motivos hay para una cosa así?". Pero tal vez no hacían falta motivos. ¿Cuáles eran los motivos para estar viva o muerta? Javier solía hacerse también esa pregunta.

»Antes de salir me despedí de todas. A Carmela la besé en las dos mejillas y ella me dijo:

»— Todas iremos detrás. Si hubiera usted visto a su marido muerto no tendría miedo. Más tarde o más temprano es un paso que hay que dar y no es tan difícil hacer lo mismo que ha hecho el hombre a quien una quiere.

»De las mujeres que salieron conmigo una era joven y la otra vieja. La joven pidió prestada una barrita de rojo de labios.

»— Esto — me explicó — es para nosotras como el cigarrillo para los hombres. Es bueno hacer algo en ese instante.

»Me preguntaba yo a mí misma: "¿Pero van de veras a matarnos?". Esperaba a la Herculana. Sólo la vi de lejos.

»La más joven de las que venían conmigo era una criatura excepcional. Cuando me hablaba yo no podía escucharla porque estaba atenta a su hermosura. Se llamaba Enriqueta. Yo pensaba: "El Lucero del Alba ha debido también ofrecerle su semilla". Hasta aquel día no me di cuenta de lo hermosa que era.

»La otra era una maestra de escuela ya entrada en años. Se llamaba Paula. Miraba a los guardianes con rencor y sus ojos se extraviaban.

»Nos hicieron subir en una camioneta y nos llevaron dando rodeos para evitar el tráfico militar que llenaba las carreteras. Pasamos cerca de mi pobre casita en la que todo se mostraba tranquilo como en tiempos de paz. En un balcón había otro letrero: *Control de gasolina zona B.* Por una ventana salía la voz de un gramófono — mi gramófono — cantando una jota de zarzuela. Yo pensaba: "Ahí vivíamos". Era fácil vivir. Es fácil morir. Lo difícil era otra cosa — no sabía qué. Nunca había conocido nada difícil en la vida, pero debía haber algo extremadamente difícil que no habíamos sabido hacer. Yo quería a Javier pero tal vez no lo quise nunca como él merecía.

»Llegamos al sanatorio y nos dejaron en una sala baja que tenía sobre una mesa un crucifijo y dos velas encendidas. Hacia el mediodía, Enriqueta me dijo en voz baja:

»— ¿Tú te has fijado en los ojos de Paula?

»Tenía Paula la expresión de una mujer que quiere a todo trance disimular su locura aunque sabe que le será imposible. Su fealdad se hacía siniestra.

»En cambio, Enriqueta estaba tranquila. Tenía los brazos y el cuello color topacio, con una pelusita ligera que se percibía cuando llegaba la luz sesgada sobre su piel. Era tan saludable, tan nueva, que me habría gustado besarla. La besé en las dos mejillas dulcemente. Ella se apartó, lívida. Se veía que pensaba: "Me besa porque dentro de unas horas voy a estar muerta".

»Entró un cura:

»— *Ave María gratia plena...*

»Me había visto besar a Enriqueta y tenía en los ojos un comentario salaz. Llevaba sobre la sotana un cinto con cartucheras y pistola al costado. Sobre el fondo negro de la sotana el cinturón claro resaltaba más.

»— No me juzguen precipitadamente, hijas mías — dijo con la mano en la funda de la pistola —. Hay armas y armas. Ésta es el arma de los cruzados de Jesús. Vengo a ofrecer a ustedes los auxilios de la Iglesia.

»Paula lo miraba con frialdad. Enriqueta dijo:

»— ¿Para qué se molesta? Yo creo en Dios, pero me cuesta mucho trabajo creer en usted. Más o menos es también el caso de mis compañeras. No debía haberse molestado. Nosotras estamos bien y como ve usted no necesitamos más que una cosa: que nos dejen en paz.

»Las tres mirábamos el cinturón y las cartucheras del cura, pero él, considerando suficiente la explicación anterior, se sentó, encendió un cigarrillo a pesar de que aquel lugar era una capilla y pareció disponerse a un combate de argumentaciones. Comenzó con una pregunta:

»— ¿Alguna de ustedes es casada y divorciada?

»Contestamos negativamente. Aquello le gustó. Se había sentado en un reclinatorio que tenía el asiento demasiado bajo. Sintiéndose incómodo se levantó y se sentó en una silla ordinaria.

»— ¿Cumplieron ustedes con parroquia en la pascua última?

»Las tres negamos. Aquello le pareció un funesto error del que tal vez procedían según dijo gran parte de nuestras desgracias. La sotana se le había levantado bastante y mostraba las botas con elásticos.

»— Pobres hijas mías — dijo por fin —. Veo que hablan como si tuvieran siglos de vida por delante. Comprendo que hasta el postrer momento es la vida lo que late en nuestro corazón. Pero así y todo...

»Nadie contestaba. El cura se dirigió a mí:

»— Su caso es diferente. ¿Qué dice usted?

»Yo no decía nada. ¿Por qué había de ser diferente mi caso? El cura seguía mirándome y me hizo una pregunta inesperada:

»— ¿Conoce usted a su ilustrísima el señor obispo de Mondoñedo?

»Me quedé paralizada sin saber qué decir. Imaginaba al obispo asando caracoles en la llama del candil. Detrás, el diablo con los cuernos pintados de rojo y los jóvenes de Orense bailando la *muiñeira*. Todavía en el tren expiatorio veía el rostro bondadoso y campechano del Pencas.

»— No — dije —. No lo conozco.

»— Pues él la conoce a usted.

»Estaba el cura impresionado por mi silencio y por la belleza de Enriqueta. Se dirigía a ella o a mí y nunca a Paula, que era vieja y marchita. Aquella diferenciación en la que mostraba el cura su carácter viril debía vejar todavía a Paula, la pobre. El sacerdote dijo:

»— En estas circunstancias, ¿no es una vanidad inútil ponerse a juzgar las cosas? Dentro de unas horas van a comparecer ante el tribunal de la eternidad. ¿Qué serán ustedes mañana a estas horas? Polvo en el polvo.

»El sacerdote se levantó, se quitó el cinturón, la pistola, las cartucheras y fue a dejar todo aquello en la mesa al lado del crucifijo. Por la manera de separarse de aquel arsenal parecía

270

decirnos: "Vean ustedes que estoy dispuesto a los mayores sacrificios para serles grato". Volvió a su silla.

»— Dios me permite leer en esas almas que deseo salvar. Pero antes dígame — se dirigía a Enriqueta —: ¿usted se casó canónicamente?

»Ella dijo que sí. Al preguntarme a mí yo dije que sólo estaba casada civilmente. El cura reaccionó como si le hubiera insultado. A Paula no le preguntó nada. Debía saber que era soltera.

»Paula echó a andar, despacio, hacia la mesa donde estaba el crucifijo — allí estaba también la pistola y las cartucheras. El sacerdote dio un salto, corrió y se apoderó del cinturón y del arma. Paula, que no comprendía de qué se trataba, retrocedió asustada. Yo creí que los cirios habían prendido fuego en algún lugar. Cuando vimos que se trataba sólo de recuperar la pistola sentimos un gran desaliento. El cura se justificaba:

»— Hijas mías, en estas circunstancias un alma exasperada puede tener un rapto de locura. Están en un momento en el cual no seré yo quien les haga reproches, pero, en definitiva, ¿qué importa lo que hacen los hombres? ¿Por qué desesperarse mientras exista la justicia de Dios?

»— Ustedes lo que son — gritó Paula fuera de sí — es un hatajo de embusteros. Sí, el obispo, el arzobispo, el papa. Y usted con su pistola. Usted ahora, en este momento, con su pistola.

»El cura no la escuchaba. Comprendía que después de aquel incidente todo era inútil. Como el cinturón y las cartucheras pesaban demasiado en la mano y no sabía qué hacer con ellos se los volvió a ceñir a la cintura. Luego fue al crucifijo, lo tomó en las manos y se acercó a nosotras. Iba musitando latines con los ojos bajos. *Cum exorcismo sanctificato consperso de super Chrismate, omnia populos pro devotione havrit...* Mirábamos con respeto y emoción la imagen de Jesús y a mí me conmovía un poco el acento de aquellos latines. Pero odiábamos al sacerdote, quien repetía: *cum exorcismo...* Yo no sé qué quería decir. Tal vez que estábamos endemoniadas. Con la imagen de Jesús en las manos hizo la señal de la cruz en el aire. Puso los ojos en blanco — mecánicamente, sin emoción alguna —, dijo dos o tres frases más, con una indolencia nacida del hábito, y retrocediendo de espaldas fue a dejar el crucifijo en la mesa. Decía entre dientes: *Misere mei Deo...* Luego intercaló en sus rezos los nombres de Paula y Enriqueta leyéndolos en un pa-

pelito. El mío, no. Yo no sabía qué podía significar aquello.
»Callábamos las tres y el cura disfrutaba a su modo de nuestro silencio. Paula, que no podía tolerar que el cura dejara sin respuesta dos o tres preguntas que le hizo, se puso a cantar entre dientes una canción campesina asturiana. Vi en aquello el primer signo de desarreglo mental de nuestra pobre compañera. Con su voz destemplada modulaba una canción satírica sobre el ama y el cura. El cura parecía seguir rezando sin oírla, pero al terminar sus latines abrió los ojos, se pasó la lengua por los labios y bajando la voz dijo:
»— Yo puedo caer en tentación y en pecado. Supongámoslo. Pero tenga la seguridad, hija mía, de que nunca será con una mujer como usted.
»El cura parecía loco también — como Paula — pero no de miedo, sino de odio. Se acomodó el cinturón en las caderas, se dispuso a salir y dijo con indolencia:
»— Un día en estas condiciones parece toda una vida, pero pasa pronto. Si quieren que vuelva avisen al oficial de guardia.
»Se fue. Paula tenía una risa helada. Enriqueta parecía dueña de sí.
»— No me importa morir — dijo —. Todo es triste, feo y falso. Al menos la muerte es una verdad inmensa y es bueno acostarse a dormir para siempre en esa verdad.
»Aquellas palabras valían por una oración y a mí me confortaban también.
»Paula con voz temblorosa decía que la muerte no era una desgracia.
»— Es una desgracia romperse una pierna o perder el empleo o ser traicionada en el amor o tener una enfermedad. Pero morir... — y volvió a cantar la canción anticlerical.
»Aquellas horas en la capilla parecían más largas que nunca. Tenía yo tanto miedo de que pasaran de prisa y estaba tan segura de que pasarían de prisa, que mi atención se adhería a las minucias más pequeñas y el tiempo parecía hincharse y crecer. Estaba yo en la Tierra como si no hubiera nadie más que yo. Pensaba en Javier y me decía: "Si estuviera Javier en mi caso sentiría girar el planeta sobre su eje flotando al mismo tiempo por el espacio alrededor del Sol. Tal vez sentiría vértigo como otras veces. Pero tal vez encontraría en ese vértigo algún consuelo o alguna fuerza". En mi abandono y miseria acudían a la mente reflexiones absurdas. "Ya sé por qué nos ma-

272

tan — pensaba —. Porque no quisimos cumplir con parroquia en la última pascua." Pensándolo miraba a Paula y tenía miedo de estar loca como ella.

»Nos trajo la comida una mujer empleada en el sanatorio y conocida de Paula. Le hablábamos pero estaba tan asustada que no sabía qué contestar.

»Ya de noche el mundo se hizo muy pequeño y me dispuse a dormir. Nos habían puesto tres catres en la capilla, pero no quise dormir en una cama donde habían dormido tal vez otros reos de muerte y me acosté en el suelo sobre una manta. Cada una pensaba que las otras dormían y nos absteníamos de hablar.

»Fue una noche hermosa — o tal vez me lo parece ahora. Desde mi rincón miraba al cielo. Era el último cielo estrellado que veía. La última noche. Mis ojos se alegraban de ver y escuchaba los latidos de la sangre en mis sienes por vez primera en mi vida.

»Dormí un poco. En Pinarel cantaban los gallos. Hace miles de años que cantan los gallos y nacen y mueren los hombres. ¿Para qué? En aquel momento no se oían ruidos de guerra. Yo pensé: "Va a amanecer". Pero no era seguro. Los gallos cantan a veces a medianoche.

»Me dormí otra vez. Cuando desperté oí fuera de la casa movimiento. Hombres yendo y viniendo, órdenes a media voz, toses. Un sargento decía:

»— Por eso no me gusta formar parte de los piquetes de ejecución. Porque hay que madrugar.

»Yo me vestía cuidadosamente. Era como en los días que había madrugado para ir de viaje.

»Esperábamos que tardarían aún en venir a buscarnos, pero no fue así. Entraron un oficial y un sargento. Paula y yo estábamos listas, pero Enriqueta se excusó y les pidió que hicieran el favor de salir un momento. Ellos no se iban. Yo les repetí las palabras de Enriqueta y entonces se retiraron. En aquel momento se oía fuera del cuarto una risa agria y yo pensaba: "Todo es como esa risa". Tenía ganas de llegar a la estación y de que el tren descarrilara. Porque iba de viaje. El oficial y el sargento eran como esos mozos que llevan las maletas. Nos daban prisa porque el tren iba a salir. La hora era incómoda como suele ser en los viajes largos.

»Salíamos ya cuando el sargento se quitó de los labios el cigarrillo que fumaba, extendió la mano y me separó a mí del grupo.

»— No; usted, no — dijo.

»— ¿Por qué? Yo no quiero morir sola. Prefiero ir con ellas y que nos maten juntas.

»El sargento no sabía qué decir. El oficial intervino:

»— Ni sola ni con ellas. Usted ha sido indultada.

»Volvió a aparecer el cura mondándose los dientes. Me miraba en silencio como si pensara: "Ésta se queda aquí, conmigo". Yo recibí una primera impresión de ofensa y vergüenza. El cura creía que yo no había comprendido al oficial y repetía: "Usted ha sido indultada". Las palabras del cura olían a café con leche, y entonces me di cuenta de que el obispo de Mondoñedo había intervenido en mi favor pero me habían dejado llegar a aquel instante para que sufriera las angustias de los reos *en capilla*.

»Enriqueta quería decirme algo y las palabras no le salían de los labios. Paula tampoco podía hablar. Enriqueta renunciaba al rojo de los labios y me daba el tubito con mano temblorosa. Estaba yo aturdida, pero en mi confusión seguía sintiendo vergüenza. Las compañeras me miraban como si les hubiera traicionado. Es difícil aprender a morir, pero todos lo hacen bien, todos lo hacemos con una perfección igual. Nosotras habíamos aprendido a morir las tres juntas y de pronto no eran tres sino dos. Y yo me quedaba sola. Eso era lo más extraño, que me quedaba sola.

»Pidió Enriqueta al sargento que no le tiraran a la cara.»

Al llegar aquí Ariadna se calla. Hay en la sala del abadiado un silencio respetuoso. Yo llamo desde mi sillón por el teléfono electrónico a Ariadna y pregunto:

— ¿Qué es lo último que te dijo Enriqueta si te dijo algo? ¿Lo recuerdas?

— Ahora recuerdo que ella me habló a mí y no al sargento. Me dijo: "Pídele al sargento que no me tiren a la cara", pero el sargento lo oyó. El hecho de que Enriqueta me lo dijera a mí me pareció humillante. Era como si me dijera: "Tú que tienes influencia con estas personas ya que te han indultado, haz el favor de recomendarles que no me tiren a la cara". Era para mí un insulto y sin embargo yo no podía ofenderme. Pobre Enriqueta. Quería estar hermosa después de morir. Quería estar...

Ariadna no puede seguir porque el recuerdo la conmueve demasiado. Hay una pausa. Ondas de atención van y vienen por la sala del abadiado como las corrientes ocultas del mar, con temperaturas diferentes. Ariadna vuelve a hablar:

— Oí los disparos. Ellas habían caído y yo quedaba viva y en pie. En los días anteriores había aprendido a morir y mi resignación no me servía para nada. Me llevaron otra vez a la cárcel de la casa forestal donde no estaban ya Casilda ni Paula ni Enriqueta.

»Cuando me vi en la cárcel me di cuenta de que las compañeras, de las que me había despedido *para siempre* el día que salí, eran extrañas y sin interés. A veces pensaba: "¿Debo dar las gracias al obispo de Mondoñedo?". No tenía dinero para un telegrama y eso me parecía una desgracia.

»En aquellos días yo no me quería a mí misma y por esa razón tampoco quería a nadie. Pensaba en Enriqueta y en Paula como en dos seres superiores que habían hecho algo heroico y sublime de lo que yo no era capaz ni tal vez digna. Paula me parecía tan hermosa como Enriqueta. Y no sabía qué responder cuando me preguntaban por qué los *curritos* no me habían matado a mí. Vivía en medio de las otras sola, aislada. Sabiendo que no estaba ya en peligro de muerte, los días eran aburridos e interminables. Mis compañeras probablemente pensaban que yo las había traicionado y alguna suponía que estaba allí para espiarlas. Les hablaba del obispo de Mondoñedo y ellas me preguntaban si era pariente mío.

»Durante las dos semanas siguientes se llevaron a otras cuatro personas y las vi salir pensando que tal vez podría yo telegrafiar al obispo de Mondoñedo y pedir el indulto para ellas. Pero ya digo que no tenía dinero.

»Las otras me miraban y parecían considerarme culpable de todo lo que les sucedía.

»Por otra parte el Lagarto no se atrevía a insultarme. Pensando en mí misma yo hacía combinaciones de frases intercalando las palabras *indulto* e *insulto, traición* y *atrición, reo, rea, espiar, expiar*... y otras parecidas.

»Una mañana llegó una abeja, lo que me dio cierta alegría. Se posó en un cristal por la parte de fuera. Había en ella algo de la vida de Javier. Me habría gustado pintar de azul sus alas como hacían los sabios de Suecia y enviársela a Javier de modo que por aquel detalle pudiera imaginar que yo estaba presa en la cárcel forestal. Presa, pero viva.

»A veces se asomaba a la puerta la mujer de Natalio con su

manojo de llaves colgando de la cintura. Me miraba con rencor y decía:

»— La *camelovitch* tiene asideros en las alturas.

»Una noche, poco antes del amanecer, se oyeron cañonazos próximos, bombas y tiros de ametralladora. Con las primeras luces se abrieron las puertas y aparecieron doce o quince soldados y algunos civiles, quienes se echaron los fusiles a la cara y nos apuntaron. Nosotras medio desnudas corrimos a un rincón y nos apretamos las unas contra las otras. Nadie decía nada. Y los hombres seguían apuntando. Entonces... Vi al cura que se asomaba fumando un cigarrillo y mondándose los dientes con la uña. El buen cura me vio y dio voces hablando del obispo de Mondoñedo. Pero en aquel momento mis vísceras estaban terriblemente desnudas y descubiertas y no comprendía lo que decía el cura. Los otros tampoco lo comprendían. Los hombres apuntaban y yo veía las puntas de los fusiles que se movían un poco. Antes de que dispararan se me ocurrió que cada uno de aquellos hombres tenía algo de Javier.»

El arzobispo de Santiago se levanta detrás de la mesa presidencial, en la sala del abadiado. Es muy gordo y con las puntas de los dedos de la mano derecha se apoya en el sillón. Habla quieto como una esfinge y dice:

— El ariadnismo está ya definido y nosotros lo hemos aceptado en nuestro último concilio de Florencia. Necesito hacer constar que Ariadna considera culpable a Javier. A su amante, digo a su esposo Javier Baena.

Ariadna protesta y el arzobispo añade:

— Entendámonos. Javier es legalmente inocente, pero eso no quiere decir que la culpa no exista en el plano moral.

Dice el arzobispo algo más. Tal vez reza. Ha bajado la voz y dice dos o tres frases en latín. El presidente ruega a Ariadna que siga con su relato. Pero en ese momento alguien presenta una proposición y trata de leerla un secretario. Es todavía en relación con el hombre enterrado debajo de su monumento.

Yo me levanto y voy hacia la tribuna donde está Ariadna. Me veo rodeado de mujeres vestidas de paje que me cierran el paso. No sé qué hacer y ellas me llevan otra vez a mi asiento. Una escribe en un pequeño block y me lo ofrece. Yo leo: "Ella no puede sentir por usted más que una piedad un poco sin sentido".

Todos esperan oír la voz de Ariadna y ella dice:

— A pesar de las voces del cura que me señalaba a mí y repetía el nombre del obispo de Mondoñedo, los soldados y los civiles dispararon. Volvieron a cargar y a disparar dos veces más. El estruendo era espantoso y yo creía que nos mataba el ruido y no las balas. Debieron estallarme por dentro los oídos. A mi lado veía a Carmela muerta con la cara ensangrentada. Yo pensaba: "Por eso quería Enriqueta que los soldados no le tiraran a la cara". Yo quería acercarme a mi amiga y no podía. Las dos teníamos las venas demasiado descubiertas. Y los soldados y los hombres civiles se fueron, dejando las puertas abiertas de par en par.

»Estaba yo en el suelo. La luz me pinchaba en los ojos. Mis heridas no eran mortales, pero yo no lo sabía. Pensaba que iba a morirme o que estaba ya muerta.

»Luego llegaron otros hombres. Caras sin afeitar, luces violentas. Los estampidos de las descargas me habían dejado casi sorda y oía sólo rumores confusos. Una voz repetía:

»— Ojo, que tiene la pierna rota.

»Sentía manos debajo de los muslos, en la espalda. Yo pensaba: "Si está rota mi pierna debe estar fea". Al ver que me levantaban me daba cuenta de lo pesada que era. No me dolía nada. Me habían pinchado en los brazos tres o cuatro veces y no me dolía nada.

»Veinticuatro horas después seguía sin comprender — estaba llena de morfina —, pero veía a Javier a mi lado y Javier hablaba: *La gente se descolgaba por el valle...* Yo me decía: "Para descolgarse tenía que estar antes la gente colgada". No entendía. Tenía cuatro heridas, por fortuna ninguna en la cara. Javier estaba al lado, de pie. Yo oía ruido de artillería y Javier, que llevaba la cabeza vendada, repetía:

»— Ahora tengo que marcharme, ¿comprendes?

»Tenía yo el fémur derecho roto. Veía delante de mí caras nuevas y gente muy atareada. Todo el mundo iba y venía. Javier repetía: *Lo siento, querida. Ahora tengo que marcharme.* Pensaba que Javier me hablaba empleando expresiones corteses: *Lo siento, querida...* Lo que yo deducía de aquella manera de hablarme Javier era que mis heridas no eran mortales.

»Le dije que mi caso no tenía importancia — Javier sonrió — y que podía marcharse. Podía escapar y dejarme. Javier se puso muy serio y luego me dejó sola.

»Yo, llena de morfina, creía aún — en un estado semiconsciente — que me iban a fusilar al día siguiente con las primeras luces del alba. Y Javier se había escapado. "Han comenzado conmigo — pensaba —, pero no han terminado todavía." Y no tenía miedo. Me sentía igual a Enriqueta y Paula, tan hermosa como ellas. Porque Paula, desde que la habían fusilado, era hermosísima.

»Estaba al lado de una ventana y al abrir los ojos veía el cielo. Todas las cosas parecían amistosas y suaves. Y los sonidos como envueltos en algodón. Una voz dentro de mí — mi propia voz — me decía: "Estoy aquí con todos tus recuerdos. El recuerdo del cometa Halley. Las voces de la selva. Las sombras de la mina. La luz de los ciegos. Y sobre todo las abejas con las alas pintadas".

»También el hidrógeno, dios de Javier, de ese Javier sin afeitar que está herido en la cabeza y ahora tiene que marcharse.»

Al llegar aquí, Ariadna, que parece muy deprimida por los recuerdos, calla un momento. Pero luego vuelve a hablar:

— Yo me dormí. Al despertar vi otra vez a Javier a mi lado. No había huido, Javier. Allí, al lado de mi cama, me iba contando todo lo que había sucedido antes de encontrarme. Me contaba también lo que hizo el día que salió de Pinarel. Cómo llegó a la cumbre de la montaña, cómo se unió a las tropas. Su herida en la cabeza no era nada. *Un raspón.*

Ariadna se queda otra vez callada. En el silencio de la sala del abadiado se oye el búho — *guh, guh, guh* — y el Lucero del Alba grita histéricamente desde la puerta:

— Si la testigo Ariadna fue herida yo no tuve conocimiento del caso sino *a posteriori.* Yo me hallaba aquel día en la casa forestal, pues de otro modo habría hecho respetar la voluntad del señor obispo de Mondoñedo. Además, Ariadna era devota del Cristo del Caloco. Acepto, sin embargo, que mi omisión constituye un *cuasi delito* pero...

Mi vecino francés sonríe y repite su frase favorita: *Quelle barbe!* Lo dice con cierta simpatía para Natalio que a mí me extraña un poco, pero no me ofende.

Libro tercero

XIV

«— Estaba en mi cama y apenas si me daba cuenta de que Javier tenía una mano mía entre las suyas. Y me decía, o creo que me decía...»

Ariadna está fatigada y sería mejor que continuara hablando yo mismo. Lo digo a la asamblea y el presidente afirma después de consultar con el secretario y hacer dos o tres preguntas por uno de los teléfonos. Me pide que me limite a contar lo que hice durante el tiempo que estuve separado de Ariadna, es decir, los hechos de los que ella no pudo ser testigo. Me recomienda que evite las digresiones.

Yo digo que al salir de Pinarel pude pasar la montaña y llegar al otro lado, a la aldea minera. Había un edificio grande que era hospital para niños. La gente que no había podido marcharse a la ciudad por no tener coche se había refugiado en los sótanos del hospital. Cuando yo bajaba las escaleras del sótano subían dos hombres armados a quienes había visto antes en Pinarel. Uno era cojo y para disimularlo erguía el espinazo. Solía exclamar a cada paso: *¡leche!* Los dos tenían prisa, pero el cojo se detuvo y me preguntó por los compañeros, especialmente por Ramón. Dijo que la mujer de Ramón, la famosa Riveirana, seguía viviendo en las afueras de la aldea y explotaba una cantina cerca de las minas. La cantina tenía el nombre de la mujer: La Riveirana. Yo comenzaba a pensar en volver a Pinarel y rescatar a Ariadna. Aquella montaña separaba dos mundos y el lado donde yo estaba ofrecía seguridad.

La artillería enemiga tiraba por encima de la montaña y algunas granadas caían en el pueblo. No se oían los disparos, sino solamente el gruñido de los proyectiles en el aire y la explosión. "Los disparan — pensaba — los cañones que vi instalar cerca de mi casa." Aquello daba al riesgo un curioso matiz doméstico. Parecía que cada granada me traía un mensaje de amor de Ariadna o un desafío del Braguetón muerto. O de Ramón vivo.

El sótano estaba lleno de gente, casi todos mujeres y niños. Había en el suelo algunos colchones y por todas partes pequeñas maletas. Me instalé en un rincón y me puse a fumar. Estaba rendido. Las granadas rompieron algunos cristales de las ventanas que daban a ras del pavimento de la calle. Entonces oí cerca voces apresuradas, pero no temerosas. Luego se callaron y me dormí. Horas después me despertaron nuevas explosiones y el llanto de un niño de pecho.

No podía dormir. Había una atmósfera dolida y llena de ternuras domésticas. A fuerza de dulzura se agriaba y fermentaba el aire. Viejas rezando, llantos de niños, madres dando el pecho, niñas de ocho o diez años durmiendo y mostrando desnudeces de una pureza floral que yo veía sintiendo algo criminal en mi propia mirada. Decidí ir a otra parte. Me levanté y salí.

En la calle central flanqueada de ruinas encontré un hotelito intacto. Entré y cuando vi una cama de matrimonio con las sábanas impolutas y frescas decidí dormir allí. Pensaba en Ariadna. Desde que llegué al otro lado de la sierra no pensaba sino en ella. "Tengo que ir a sacarla de allí", me decía. Era Ariadna en mi memoria delicada y nueva como un juguete caro, un juguete de lujo. Una fuente de felicidad en la que había un riesgo sobrentendido.

Como digo, la aldea estaba casi destruida y entre las ruinas habían ido abriendo camino los soldados. Se veían alambres negros y embreados de los teléfonos que llevaban las órdenes a las baterías y a las trincheras.

La primera línea estaba una milla más adelante.

Pensaba ir al día siguiente al puesto de mando a informar sobre lo que había visto en el otro lado de la sierra y a planear el regreso a Pinarel para salvar a Ariadna. Algunas granadas pasaban por encima de la casa. Yo soy tan cobarde como cualquiera, pero el gruñido de las granadas me raspaba entonces placenteramente en la médula. Afrontar un peligro y vencer el miedo siempre nos reconcilia con nosotros mismos.

Dormí hasta las siete. Al despertar sentí el rumor de la lluvia en el techo y en la ventana. Era una lluvia de temporal, de otoño. El corral de la casa se veía fresco y cerca de la ventana había unas ramas verdes con dos o tres campánulas azules. Yo pensaba cómo me las arreglaría para sacar a Ariadna de Pinarel.

El cuarto era lujoso, tapizado con seda azul. En un rincón había una cortinilla y detrás un cuarto de baño lleno de níqueles y mármoles.

La paz en aquel instante era completa. Se oía algún disparo lejano — tiros de los centinelas —, pero también se oyen a veces disparos de cazador en tiempos de paz, en el campo.

Entre las voluptuosidades inocentes de la vida, la mayor para mí es esa de la lluvia en verano sobre una perspectiva de campo abierto y verde, al amanecer. Mis nervios se aflojan ante el paisaje mojado y el alba sonríe en cada hoja fresca y en cada gota de agua. La lluvia daba un rumor blando sobre el césped y otro rumor graneado en las hojas de hiedra junto a la ventana. La guerra me parecía en aquel instante ligera y hermosa. Yo suponía entonces que Ariadna estaba tranquila en nuestra casa de Pinarel.

Cerca de la ventana, a la orilla misma del cristal, había una abeja. Esto no es una digresión inútil porque sé que el gabinete 4C de la sección tercera de la OMECC se interesa por mis abejas. Desde que yo investigaba con ellas parece que las abejas me seguían. Me acerqué y estuve mirándola. No tenía polen en los artejos. Como el día estaba nublado la abeja no trabajaba. Hay abejas que salen los días nublados — si no llueve —, pero sólo las más expertas. Las otras necesitan el sol porque miden las distancias por su propia sombra. Las abejas expertas vuelan a una altura de ocho o diez metros. Naturalmente las más aptas son las reinas, que viven diez, doce años y a veces más. Las estériles, que viven sólo un verano a veces y a veces menos, vuelan a ras del suelo mirando su propia sombra, por la cual ordenan su velocidad y también la dirección del vuelo. Esperaba que aquella abeja dijera algo con los movimientos que yo conocía, pero no decía nada. ¿A quién iba a hablarle? No había ninguna otra cerca. Fui al cuarto de baño, donde había visto un pequeño espejo de mano. Puse aquel espejo cerca de la abeja, quien al verse a sí misma alzó el primer par de patas y el ala izquierda y volvió a dejarlas caer. Era lo primero que hacían antes de comenzar a hablar. Yo pensaba que tal vez se trataba de un signo de atención y cuidado como diciendo: "Aquí estoy".

Naturalmente, las abejas no tienen el sistema métrico decimal como nosotros, pero tienen números. La unidad de medidas de longitud que emplean es mayor que la nuestra. La unidad de las abejas es trece veces trece su propio tamaño. Ciento sesenta y nueve veces su tamaño, lo que viene a equivaler a unos dos metros y medio. Algunas miden las distancias en vuelo acumulando unidades de trece. Otras se guían por los mensajes que les llegan de la colmena y que recogen con sus antenas sensitivas.

Aquella abeja alzaba las suyas y esperaba. De pronto voló como un proyectil pero en camino curvo y se perdió sobre la casa. Tal vez se asustó por el misterio del espejo.

Un enjambre no es una multitud de pequeños seres independientes, sino un solo ser con células diseminadas alrededor pero ligadas a una sola voluntad y a una sola idea. Es como si nuestras células humanas echaran de pronto a volar pero conservaran por medio de vibraciones y rayos invisibles la misma relación con nosotros que tenían antes. Nuestra voluntad y nuestra idea llegan a ellas. Un enjambre es, pues, un solo ser que se llama así: enjambre. El señor Enjambre. Un hombre con sus millares de células esparcidas pero magnéticamente relacionadas y juntas.

Pensé que me gustaría localizar el enjambre al que pertenecía aquella abeja.

Abrí las llaves de la pila de baño. Con las ventanas abiertas y la lluvia en el aire me metí en el agua.

En el armario que se veía detrás del espejo había hojas de afeitar y otros objetos de tocador, incluso una botella con una etiqueta que decía: *champoo*. Me afeité y me vestí despacio. La lluvia arreciaba fuera sin dejar de ser una lluvia suave de temporal. "Ariadna piensa en mí en este momento", me decía. La verdad era que había dejado a Ariadna en Pinarel y me separé de ella sin besarla. Eso me parecía incómodo.

Recuerdo que en la mesilla de noche de aquel dormitorio había un calendario anticoncepcionista con las fechas y las horas en las cuales era menos probable que una mujer de tales y tales condiciones concibiera. Yo pensaba en esos matrimonios en quienes el hábito ha envilecido la pasión y a veces no saben si tomar una aspirina para tonificar sus nervios o hacer el amor.

Cuando me peinaba en el cuarto de baño pensé que lo único que me faltaba era un buen lavado de cabeza. Este detalle, aunque parezca trivial, tuvo importancia, como verán luego. Destapé la botella de *champoo* y obstruyendo con el pulgar parte del gollete me rocié bien el pelo. Con la otra mano me frotaba hasta sentir mojadas las raíces de los cabellos. El líquido me caía por la frente, las orejas, las cejas y hasta las pestañas. En aquel momento se oyeron escalonados hasta doce o quince disparos de cañón.

«Nuestras baterías comienzan su jornada», me dije.

Salí para llegar al puesto de mando antes de que el bombardeo arreciara. El *champoo* se secaba en mi cabeza, pero no era tal *champoo,* sino un tinte para pintar el cabello o tal vez algún producto de farmacia, posiblemente ácido pícrico para las quemaduras de la piel. Y unos minutos después, cuando me acercaba al puesto de mando, mi pelo había tomado un color amarillo canario. Las cejas y las pestañas también. Yo no lo sabía y así me presenté en la comandancia. Al decir mi nombre vi aparecer a dos milicianos que me conocían de Pinarel y que después de hablar en voz baja con el ayudante del general me miraron de un modo distante. Uno de ellos preguntó:

— ¿Por qué dices que eres Javier Baena?

Era Galo, el del romance del Cristo del Caloco. El otro dijo:

— Vamos a llevarlo al puesto de policía militar. Es un perro echadizo.

Yo no sabía si reír o indignarme y en la duda debía tener una expresión bastante estúpida. Me llevaron a otra casa medio en ruinas. Ignoraba yo que tenía el pelo y las cejas amarillas. Los milicianos me registraron y me encontraron algunos papeles con notas sobre la luz de los ciegos y otras cosas.

— Esto está en clave — dijo Galo con suficiencia. Y leía:

"El aire es opaco. El cielo, espeso."

"La luz sale de los cuerpos y de las cosas que queman."

"Para quemar tienen que tener fuego. Sólo brilla lo que tiene fuego propio."

"Azul de relámpago, es decir azul eléctrico. (Pruebas oprimiendo la córnea con el pulgar.) De día. A la sombra. Al sol y a la luz de la luna."

Galo seguía leyendo. También había algunos papeles con observaciones sobre las abejas, que no eran menos intrigantes. Por ejemplo: "Trece veces trece en la dirección oeste novecientas veces aproximadamente. Dos kilómetros. Alas pintadas con azul de metileno". Y pensaba confuso: "Dice Galo que soy un *perro echadizo*". ¿Qué quería decir con aquello?

Se presentó otro miliciano a quien yo conocía también de Pinarel y con él Avelino el asturiano. Cuando los vi pensé que todo estaba resuelto.

— Eh, Avelino. Estos dicen que no soy Baena. ¿Qué te parece?

Pero Avelino me miró de arriba abajo y me preguntó:

— ¿Cómo sabes mi nombre? ¿Quién te lo ha dicho?

Yo comenzaba a pensar que todos estaban locos. Ignorando que

me encontraba presente Avelino hablaba de Baena, de mí:
— Javier es un gachó de caletre, con mucha trastienda. Una trastienda que no se acaba de entender en seis años de vivir con él en el mismo cuarto.
— ¿Y su mujer?
— ¿Quién, la de Baena, la del verdadero Javier? Como hembra es una hembra. Y la dejó en Pinarel. ¿Qué te parece?
— Mal hecho.
— Es lo que yo digo. La matarán. Entretanto Ramón, que bebe los vientos por la gachí, se quedó allí guardándole la puerta.
Reían. Avelino se encogía de hombros:
— Allá ellos. Fueron amigos, de chicos.
Hablaban sin cuidado creyendo que yo no era Baena. Yo escuchaba asombrado.
Un sargento entraba y salía por las oficinas y se ocupaba de mí, de lo que había que hacer conmigo. Nadie me escuchaba pero Avelino y los otros seguían hablando de Baena:
— Esos tíos de pocas palabras y mucha cavilación a mí personalmente me ponen nervioso. Algunos dicen que Baena es hombre de pelo en pecho. Si es verdad ahora tendrá ocasión de demostrarlo como cada quisque.
Galo me defendía. Menos mal. Es decir, defendía al Baena ausente. Decidieron que sólo a un enemigo encubierto se le podía ocurrir suplantar la personalidad de Javier Baena. Pero ¿con qué fin quería yo suplantarlo? Volvían a hablar de Ariadna. Comenzaba yo a comprender que aquello podía ser grave. Me soliviantaba todo lo que oía. Y preguntaba a Avelino:
— ¿Estás loco? ¿Estáis todos locos? Dejad tranquila a Ariadna si queréis que tengamos la fiesta en paz. ¿No te acuerdas del día que en el bosque de Pinarel hice la presentación del ruso Mikhail? Sí, hombre, cuando Mikhail contó sus aventuras moscovitas, los amores organizados y desorganizados por la NKVD. ¿Y tú, Galo? ¿Tampoco tú te acuerdas de mí?
Avelino me miraba iracundo. Su ira era tal que balbuceaba al hablar:
— Imita su voz — dijo — y sabe cosas de su vida, pero no lo ha visto nunca a Javier. Si lo hubiera visto sabría que tiene el pelo y las cejas negras y que un hombre rubio no puede suplantarlo.
Entonces fue cuando me vi en un espejo que había en el hueco de la escalera, un espejo roto. Al principio creí que yo era

otra persona, pero no había a mi alrededor ningún hombre rubio. Antes de comprender pensé un instante que aquellos hombres tenían razón y que yo era otro, como en las novelas de neurosis y esquizofrenia. Yo era un impostor. Merecía sus recelos. Todos estos absurdos pasaron por mi mente de un modo lento y seguro. "Si es así — me decía — Ariadna debe buscarse otro compañero. ¿Tal vez Ramón, que bebe los vientos por ella?" Tardé un poco en darme cuenta de lo que había pasado. Cuando lo comprendí comencé a explicarlo en una explosión de elocuencia. Al principio no me creían. Le quité a un soldado el gorro militar y me lo puse cubriendo mi pelo.

Pero todavía había un sargento que interpretaba al revés todo lo que yo decía. Al decir que venía del campo enemigo me miró agriamente y dijo:

— Mentira. Viene de la ciudad y trata de escapar al campo contrario.

Cuanto más protestaba más sospechoso me hacía.

Conseguí que mis antiguos amigos vinieran a la casa donde había dormido y les mostré la botella. Hice caer unas gotas sobre el vello de mi pecho, que dos minutos después era amarillo también. Me creyeron por fin, y Avelino aunque trataba de disimular se sentía desazonado por lo que había dicho de Ariadna, de Ramón y de mí. Yo me hacía el sueco y todos olvidamos el incidente. Galo de vez en cuando me miraba de reojo y soltaba a reír.

Me quedé en aquella casa. Me sentía allí tranquilo como en un hogar de donde se hubieran ido mis parientes. Me gustaba la soledad sintiendo a veces pasar por encima las granadas que gemían como goznes de puertas viejas. Avelino había dicho palabras impertinentes sobre mí. También había dicho otras elogiosas. En paz. Era mucho menos de lo que la gente suele decir cuando los amigos vuelven la espalda.

En aquellas veinticuatro horas estuve pensando en Ariadna lleno de ternura. Como he dicho quería ir a rescatarla. "Debo ir a Pinarel — pensaba — y arriesgar algo por ella." No se trataba tanto de salvarle la vida como de mostrarme a mí mismo que era capaz de intentarlo.

Más tarde fui a la taberna de la Riveirana y allí encontré a cinco milicianos que se disponían a ir a Ventisquera, una altura casi inaccesible que caía sobre el flanco enemigo. Con ellos estaba Avelino, quien me dijo que Justiniano andaba por las cimas de Pinarel como jefe de patrulla y que se conducía de un modo nervioso y sin responsabilidad.

— Nunca lo habría creído — decía — en un abogado.

Esta observación me parecía terriblemente cómica.

Quería yo saber los motivos por los que iban a Ventisquero cuando tantas cosas se podían hacer allí. Parecían reservados en esta materia. Hablaban de Mikhail, el ruso — otros decían el americano —, que se estaba batiendo en las cumbres. Habían conseguido rifles del ejército y granadas de mano. Pero pasaban hambre y sed. El aprovisionamiento de las posiciones avanzadas estaba sin organizar.

Poco después Avelino y los otros se pusieron a discutir. El motivo de la discusión era siniestro. Dos días antes estaban protegiendo una batería de montaña en un lugar batido. Los obuses caían alrededor y uno de ellos hirió a cuatro soldados. Las heridas eran graves y no había manera de curarlos. Dos de los heridos estaban sin sentido y los otros se quejaban lastimeramente. Uno tenía la columna vertebral rota. El capitán dijo a Justiniano, que mandaba la patrulla: *Sácame de en medio a esos tíos porque me desmoralizan la gente*. Eso fue todo: *Sácame de en medio a esos tíos*.

Pero Justiniano fue a los heridos con la pistola en la mano y los remató de uno en uno. Tranquilamente, como la cosa más natural del mundo. Con su gesto solemne y su papada romana. *Sácame de en medio a esa gente*. No dijo *esa gente,* sino *esos tíos*. Avelino lo vio. Cuando quiso darse cuenta, Justiniano, gordo y nervioso, estaba disparando contra el cuarto herido. Los otros se habían callado para siempre.

Mientras Avelino hablaba la Riveirana encendía algunos candiles de acetileno que tenían detrás de la mecha un disco de lata brillante como reflector. Estaba probándolos porque la electricidad no funcionaba de noche en aquella parte de la aldea. Tenía cinco candiles en fila con sus reflectores. Las mechas siseaban y había tanta luz que en la barba de Avelino podría haber contado los pelos nacientes y distinguir los negros de los grises y los rojos.

Sin que nadie le preguntara, la Riveirana solía decir:

— Ramón es un perro muerto como todos los que se han quedado en Pinarel.

Yo me decía oyéndola hablar: "Esta mujer es redonda y satisfactoria como una hembra céltica". Repetía que los que se habían quedado al otro lado de la sierra eran perros muertos. Yo pensaba: "Imposible, Ariadna no puede ser un *perro muerto* aunque se haya quedado allí. No podía oír hablar yo de Ramón sin pensar en Ariadna. Avelino evitaba el tema, conmigo. Otro de los milicianos hablaba con entusiasmo de Ramón y explicaba:

— Él se salvará, tú no sabes quién es Ramón. Es una hiena con mucho de aquí.

Señalaba su propio corazón. Pero volvían a hablar de Justiniano. Avelino trataba de hacer comprensible el tremendo hecho: "Lo que pedía el capitán era que se llevaran a los heridos a la retaguardia no sólo para que fueran atendidos, sino sobre todo para que no se dieran a los otros el espectáculo de su sufrimiento. La verdad es que aquella frase — repetía Avelino con grandes gestos — quería decir las dos cosas".

Sacar de en medio a alguien es en la jerga canalla matarlo. En aquel momento la frase podía entenderse de las dos maneras. El abogado que no sabía nada de las costumbres militares ni de la guerra, podía suponer que le pedían que los matara. Nadie concibe que se pueda rematar a un herido, pero en un momento de caos y de pánico un hombre nervioso puede hacer una locura. ¿No es una locura la guerra misma?

— Ahora bien — concluía Avelino —, yo no quiero volver a mirar a la cara a aquel tío. ¿De qué le sirvió haber ido a una universidad?

Esta reflexión me hacía a mí sonreír. Otro añadía:

— Si lo denunciáramos habría corte marcial y le darían lo suyo.

Comprendí que el incidente había influido en la decisión de mis amigos de dejar aquel frente y marchar a Ventisquero. Yo les pregunté:

— ¿Se enteró Mikhail?

— ¿De qué, de la sarracina? No. No estaba aquel día allí y no se lo hemos dicho. Ninguno de los que vimos la cosa tenemos ganas de contarlo a nadie. No son cosas para decirlas, tú comprendes. Decir eso es como si el género humano perdiera la vergüenza.

Yo que conocía a Justiniano y al capitán de la batería me explicaba a mi manera los hechos. El capitán solía hacer alardes de indiferencia ante el peligro. Y aquella indiferencia debía tener fascinados a algunos hombres civiles como Justiniano. *Sáca-*

me de en medio a esos tíos. Y el hombre civil hizo una salvajada sin nombre, por mimetismo. Es decir, contagiado por la indiferencia profesional del capitán.

Al llegar a este punto de mi declaración el presidente de la asamblea golpea una vez más la mesa y dice:

— ¿Bajó usted a Pinarel?

— Sí, señor. Pude infiltrarme con dos milicianos y Mikhail una noche por las gargantas de Ventisquero en la retaguardia enemiga.

— ¿Por qué no rescataron a Ariadna?

— Cuando íbamos a la casa sucedió algo con lo que no contaba: encontramos en la carretera el cadáver de Ramón. Tenía la cabeza intacta, pero el pecho destrozado. Debajo, en el suelo, había manchas de sangre coagulada y negra como las que deja a veces el asfalto líquido cuando arreglan el pavimento. Estaba amaneciendo. En la muñeca izquierda conservaba el muerto su reloj, que marchaba como si tal cosa. Eran en aquel reloj las cuatro y veintitrés minutos. Yo no sabía qué hacer, pero comprendía que allí no podíamos seguir. Y volvimos. Mikhail creía que yo estaba loco porque después de caminar seis horas por riscos y despeñaderos renunciaba de pronto a buscar a Ariadna. Pero yo no tenía el menor interés en seguir allí. Uno de los milicianos me miraba de reojo y repetía:

— ¿La vista de un solo macabeo te pone así?

Creían que aquel encuentro me había quitado los ánimos. Y era verdad, pero por un detalle difícil de entender. Igual que aquel otro muerto del bosque de quien habló Ariadna — el que trabajaba *en cueros* —, Ramón muerto tenía lágrimas en la mejilla izquierda. No era rocío de la mañana como había dicho Ariadna, sino verdaderas lágrimas. Aquello me presentaba de pronto un Ramón que yo nunca había podido imaginar. Tenía una lágrima en la nariz rota — yo se la había roto en nuestra pelea de chicos — y me daba pena y vergüenza. También sentía rencor contra Ariadna. Era como si Ariadna fuera responsable de la grandeza de Ramón muerto.

Mikhail se desesperaba.

— Bueno, bueno — le decía yo —. ¿Has aprendido a vivir contigo mismo o no?

Él insistía en que la locura española era peor que la de los rusos. Yo no entendía lo que quería decir. Al volver lo hicimos por el bosque y tuvimos una escaramuza, pero salvamos la piel.

Mikhail estuvo valiente. Nos quedamos en el Ventisquero y desde aquel momento me dediqué a preparar una nueva expedición. Organizamos las cosas de modo que en un contraataque de todo el sector las tropas del Ventisquero pudieran bajar al valle. Su avance determinó luego el de la línea entera. Mandaba las fuerzas un muchacho muy joven que iba sin armas, con un bastón, y que murió de un balazo en la frente al lado de Mikhail. El ruso-americano llevó su cadáver a la espalda más de dos kilómetros.

Yo no vi a Ariadna hasta más tarde, cuando la llevaron al preventorio antituberculoso dedicado a hospital. Aquel mismo día por la mañana habían matado a Avelino. La muerte de Avelino impresionó mucho a Mikhail. Solía decir aquellos días:

— Hasta que han matado a tres o cuatro amigos de uno en acción nadie puede saber si es valiente o no.

Yo buscaba oportunidades para una larga conversación con Mikhail, pero coincidíamos en los sitios ocasionalmente y por pocos minutos. Mikhail se batía sin odio alguno, con un espíritu deportivo, apasionándose con las ventajas y los contratiempos. Para él la guerra no era una epopeya ni un hecho heroico y ni siquiera una aventura, sino un *job* que había que hacer.

Ariadna quedó hospitalizada con otros heridos. Era la única mujer allí y tenía un cuarto aparte en el ala desviada de los fuegos. Sólo se quedaban en aquel hospital los heridos hasta que podían ser evacuados a la ciudad.

El edificio se dedicaba a hospital sólo en una pequeña parte y el resto a depósito de víveres. Cada día era mayor la parte dedicada a este objeto y más pequeña la del hospital. Se veían en muchos lugares instalaciones de medicina, balones de oxígeno, aparatos de rayos X entre los sacos de patatas, de lentejas y judías y pilas de tocino o de pescado seco.

En aquellos días la parte dedicada a hospital solía tener por la noche las luces encendidas y las ventanas cerradas herméticamente. No comprendo cómo funcionaba la electricidad. Todo estaba roto alrededor y daba la impresión de un vertedero en las afueras de una urbe. Sin embargo, en medio de las ruinas y los escombros había gruesos cordones negros que llevaban fluido a los sitios donde hacía falta.

Como digo, yo iba a ver a Ariadna a menudo. La visita hacía sobre mis nervios el mismo efecto que suele hacer la música en los convalecientes. Le confesé lo que había sucedido el día que bajé al valle tratando de salvarla. Al hablarle del cadáver de Ramón ella me escuchó con una expresión distante y no hizo comentario alguno.

— ¿No dices nada? — le pregunté.

Pero ella pensaba en otra cosa:

— ¿Te acuerdas — me dijo — cuando ibas al bosque con la cámara fotográfica abierta y yo a tu lado? Tú me dijiste que te acompañara porque querías decirme algo importante (yo afirmaba con la cabeza). ¿Qué era lo que querías decirme?

Esperaba ella la revelación que correspondía a una mujer como ella, a un hombre como yo y a una situación como aquélla. Pero no me atrevía a confesarle que aquel día no había querido decirle nada. Entonces fingí que la revelación — la que ella esperaba — era tan grave que no me atrevía a hacerla. Quise cubrir el vacío de mi alma con el disfraz de un secreto. Ella mordió el anzuelo y supuso que divagaba porque la verdad era demasiado terrible. Esa sospecha la dejó tranquila.

Me puse a hablarle del incidente de mi pelo amarillo, pero no me escuchaba. Yo pensaba: "Está de lleno en la catástrofe de Ramón". Tal vez creía que era yo quien lo había matado. Se puso a hablarme de Galo y de la visita que le hizo después de separados.

El director del hospital me explicó la situación de Ariadna: una de las balas había rozado un pulmón y al salir por la espalda había lesionado la columna vertebral. Otra había destruido un riñón y en la primera intervención le había sido extirpado. Podría vivir con sólo un riñón — me dijo el médico con una expresión que no sé por qué me pareció humorística — si cuidaba la dieta. Las otras dos heridas eran en sedal y estaban ya cerradas. Una en el flanco derecho y otra en el hombro izquierdo por encima de la clavícula. Como siempre que alguien recibe heridas en la guerra y no son mortales, el médico decía que Ariadna había tenido suerte.

Entretanto Ariadna parecía feliz en su hospital. Me di cuenta de que para ella todo aquello que acababa de sucederle era como un rito monstruoso que formaba parte del amor. Incluida la muerte de Ramón, de la que evitábamos hablar.

De los hospitales del valle subían tres especialistas a verla casi a diario. Yo estuve una vez presente en la curación. Me habían puesto un bozal de lienzo esterilizado. Había cuatro médicos y dos enfermeras. La habitación, bastante espaciosa, estaba llena.

Todos alrededor de la cama, lentos y atareados al mismo tiempo. Aunque era media tarde las luces estaban encendidas. Yo me preguntaba, una vez más, viendo aquel lujo de iluminación, de dónde llegaba el fluido.

Oía a veces un gemido ahogado de Ariadna. Y me sentía detrás de los médicos en una situación desairada. Todos contemplándola a ella desnuda y yo esperando. ¿Esperando qué? Pensaba que aquel asunto — el de las heridas de Ariadna — correspondía a nuestra vida privada de amantes y no podía ni debía importar a los demás. Tenía que reprimir mis deseos de decir alguna intemperancia — ya sé que en ningún caso la habría dicho, pero el estímulo latía dentro de mí — y me propuse no volver a estar presente en otra curación.

Los médicos tomaban un acento paternal, pero cada uno tenía su estilo. El especialista de nervios parecía estar un poco tocado como suele suceder con los neurólogos. Y el pobre tenía muchas ganas de que sacaran a Ariadna de allí y la llevaran a algún hospital de retaguardia. Cada vez que llegaba al hospital dedicaba media hora a contar los peligros que había corrido, las granadas que habían estallado cerca de su coche y la inseguridad de un puente destruido y reparado a medias sobre el que tenían que pasar. Aquel neurólogo tenía la manía de conseguir cerebros completos de soldados muertos. Como si aquello fuera un argumento convincente decía a todo el que quería escucharle que tenía en su laboratorio una máquina que dividía el cerebro en nueve mil partes para la observación histológica. Luego pedía permiso al comandante para disponer de los cerebros de los muertos. Otros médicos le ponían dificultades, yo creo que por envidia profesional.

El médico de medicina general, que era el director del sanatorio, hablaba como un viejo patriarca a pesar de su juventud.

Sin saber por qué yo los miraba a todos como rivales. Claro es que iba acostumbrándome, pero a medida que me resignaba me daba cuenta de que mi intimidad con Ariadna estaba perdiendo sus calidades secretamente idílicas. Sentía compasión o admiración por ella y con esos sentimientos no se alimenta un idilio. Además, la rivalidad de los médicos me parecía absurda y aquel absurdo me avergonzaba un poco. Cualquier clase de vergüenza atenúa el amor.

Cerca de la puerta del cuarto de Ariadna, en los corredores había grandes pirámides de latas de sardinas.

Cuando me quedé solo con Ariadna le pregunté:

— ¿No estarías mejor en la ciudad?

La pérdida de sangre había dado a su piel una transparencia cristalina y sus ojos tenían una profundidad mayor. Le habían hecho varias transfusiones. Yo tenía miedo de que me pidieran mi sangre para ella — no por egoísmo ni por miedo a las lancetas y a los tubos de goma — sino porque en el caso de que mi sangre corriera por sus venas tenía la impresión de que estaríamos *demasiado juntos*. Me parecía mal estar demasiado cerca de la persona amada.

— Dirás que estoy loca — decía ella —, pero me gusta saber que aquí estamos todos en peligro. En la ciudad también hay peligro, claro. Pero con una diferencia. Si una granada me mata en la ciudad me habrá matado huyendo, escapando, dando la espalda. Aquí por lo menos elijo yo el lugar y doy la cara a nuestros enemigos. ¿No te parece? Yo creo que la amenaza de muerte no es gran cosa. Y mi situación tiene algunos placeres. No te rías. Cuando me dan morfina tengo estados de vaguedad muy agradables y todo a mi alrededor recuerda el paraíso de mi infancia con las carrozas de la cabalgata y los gigantes de cartón pintado. Los médicos son los gigantes, ahora. No puedes imaginar lo grandes que parecen al lado de mi cama. Además el hecho de no tener secreto alguno en mi cuerpo que es manoseado y reconocido por cuatro hombres todos los días bajo una luz cruda me da una sensación de presencia física que me gusta. Es como una orgía. Sólo cuando te veo a ti las cosas recobran sus medidas. De veras.

A pesar de tanta felicidad yo creía ver lágrimas en sus pestañas. Fui a secárselas en un movimiento de ternura y ella dijo:

— No, déjame. Me gusta así porque cuando mis pestañas están mojadas la luz juega en ellas y cada una se convierte como en una pluma de pavo real.

Me puse a hablarle de cosas indiferentes. Mikhail había sido ascendido varias veces y como en aquellos días se organizaban las milicias bajo las normas del ejército regular le habían hecho capitán y mandaba una compañía. Según me había dicho Mikhail era feliz en su nuevo cargo. Era como un adolescente jugando a la guerra. A veces repetía:

— Con estos españoles hijos de puta se puede ir a todas partes. Con ellos he aprendido a ser valiente, es decir, gracias a ellos he descubierto que soy valiente.

En aquel extraño hospital había una empleada que estaba encargada de la limpieza. Se llamaba Elisa y era un poco simple. A veces se sentaba en un sillón dejando a su lado la escoba y el cubo y decía:

— Dios mío, qué cansada estoy. Debe ser por la altura.

A veces preguntaba a Ariadna si era celosa y al decir ella que no, añadía:

— Lo digo porque me gusta su marido.

Luego me contemplaba a mí en éxtasis y hacía los elogios más disparatados:

— Con su pelo rubio y la sombra azul de la barba — decía — parece un santo.

Esta circunstancia de la santidad era para ella el mejor elogio a pesar de su ateísmo.

Yo deseaba ferozmente a Ariadna. Me daba cuenta de que la apetencia sexual aumenta en tiempos de guerra. Cuando la muerte se acerca la especie parece recordar en nosotros sus eternos intereses. Al percibir el olor de la sangre en el aire el hombre y la mujer se sienten apremiantemente atraídos. Es la moral secreta — por decirlo así — de la especie. Y no les sucede sólo a los hombres sino a los animales también. En el cuartel general había un perro flaco. Varias veces dije a los soldados que debían alimentarlo mejor.

— Es inútil — me contestaron —, no puede engordar porque tiene la novia en el almacén de intendencia y se pasa el día divirtiéndose con ella.

El oído de los perros es muy sensitivo y los ruidos de la guerra les afectan más que a nosotros. Tenían miedo los animales y su reacción era la misma. La especie les hablaba: "Es probable que mueras esta noche, pero no te vayas sin haber dejado fecundada a tu hembra".

Todo lo que existe quiere seguir existiendo.

Ariadna me dijo un día que dormía mal. Le propuse llevarla a la ciudad, pero ella quería ir a la casa de Pinarel que había sido rebasada por nuestras fuerzas y me preguntaba si los frentes estaban seguros en aquel lugar.

— Sí, muy seguros. Puedes ir mañana a Pinarel, si quieres. El hospital es mejor que éste. Y está en lo que llaman el Sanatorio, hacia la montaña donde los moruecos fusilaban a la gente.

Ella se quedó callada un momento. Renunció a decir lo que quería y tomó un aire plácido. Yo le decía que el estado mayor y la intendencia todavía no habían ido al otro lado de la montaña, a Pinarel.

—Están reparando las carreteras —le explicaba—. Por lo demás las líneas están muy seguras. Todo el valle de Pinarel está en nuestro poder.

Pinarel reconquistado no estaba tan destruido como yo temía. Al contrario, los diez o doce mil hombres del ejército enemigo que habían vivido allí habían construido caminos cubiertos, almacenes, chavolas, calles enteras más o menos provisionales. Había hasta verdaderas casas nuevas construidas con la piedra de las cercas de los jardines. En la parte central seguían los palacios de los veraneantes ricos, muchos de ellos en ruinas. Al ver que el de Alvear estaba intacto me alegré.

Llevamos a Ariadna en una ambulancia. Quedó instalada en el mismo sanatorio donde estuvo en capilla. Funcionaba ya regularmente aquel hospital con sus servicios mejor organizados que en el anterior. Ariadna estaba a gusto pero no quiso asomarse a la sala donde había estado con Enriqueta y Paula. Desde su cama miraba a través de la ventana las cumbres verdes en la lejanía.

Dos días después fui a verla. Las nuevas líneas estaban a unos tres o cuatro kilómetros pero el hospital quedaba desenfocado de la artillería enemiga. Decididamente Ariadna parecía feliz. Decía que en aquel hospital todas las horas del día le parecían iguales. Eran como las horas que estuvo en capilla. No sentía compasión por sí misma y tampoco por Enriqueta ni Paula. Mirando al techo me dijo:

—¿Te alegraste de hallarme viva? —yo hice un gesto de sorpresa y ella añadió—: No, no. Dime la verdad. ¿No te has decepcionado un poco? —yo negaba, seguro de mí, y ella añadía—: Pues yo... Bueno, la verdad es que tenía celos de tu muerte. No me atrevía a dolerme de tu posible muerte porque tenía celos de que ella se te llevara y esos celos eran mayores que mi pena. ¿Sabes? Entre los desatinos de mi infancia yo pensaba que la muerte era como una grande ballena honrada. Honrada y sin formas, sin estilo. Y no se lleva a nadie para siempre, sino así como en rehén. Esa es una tontería de chicos, pero a mí me queda el recuerdo. ¿No lo has sentido tú también conmigo?

—¿Yo? ¿Qué quieres que sienta?

—Digo celos de mi muerte posible.

—No. Ya sabes —dije con una ironía que a mí mismo me extrañó— que yo no soy celoso.

Ella callaba.

—¿Qué piensas? —le pregunté.

—Tú lo sabes —dijo ella, fatigada—. Tú sabes siempre lo que yo pienso y a veces me exaspera porque eso hace imposible el juego de la vida, Javier. Es decir, el de nuestra vida.

La ballena honrada. Es verdad que hay una honradez de ballena enorme y un poco estúpida.

Luego añadí que la vida era un laberinto informe y funesto para todos.

—Mira, Ariadna —le dije—. La vida puede engañarte a ti y tratará de engañarme a mí. Tú vas a tratar mucha gente nueva y yo estoy ya de lleno en el torbellino. Caras, intereses, pasiones que no hemos sentido antes. Tal vez la vida te engañe a ti y te haga correr por caminos sucios. La guerra es como una gran fiesta social. Pero vamos a tratar de no engañarnos el uno al otro en ningún caso. ¿Te parece?

Ella tal vez no me comprendió al principio pero luego reflexionó y dijo que sí. Yo añadí, aclarando aquello, que podíamos dejar que el cuerpo tuviera sus confusiones y sus flaquezas, pero que no debíamos permitir que la confusión llegara a la raíz de nuestras vidas.

—Oigas lo que oigas sobre mí —le dije— no formes nunca una opinión sin preguntarme y sin escuchar antes mis palabras.

Ella estaba un poco alarmada.

—¿Sucede algo?

—No. ¿Qué más puede suceder? Tenemos la dosis de desventura que podemos asimilar, ya. Mientras tú estés en la cama, curándote las heridas, no sucederá nada. Una gran desgracia aleja a las otras. Pero dentro de unas semanas volverás a la gran fiesta social. Y habrá que vivir otra vez alerta. Quizá más alerta que nunca.

Ariadna meditaba sobre mis palabras con su hermoso brazo doblado sobre la almohada. De pronto me preguntó:

—¿Cuáles son las confusiones y las flaquezas de tu cuerpo?

Lo decía medio en broma. Yo sonreí también y aclaré:

—Todavía ninguna.

Con objeto de cambiar de tema me puse a contarle que me había llamado el comandante de la línea para ascenderme. Es decir, me habían ascendido ya, pero el comandante quería darme las insignias él mismo. La vida militar en aquel sector era como en otras partes. Todo el mundo se batía más o menos igual, pero los que demostraban algún talento táctico o algún don de mando ascendían rápidamente. Había tal necesidad de jefes que lo más fácil del mundo era obtener un ascenso. Pero en todas partes comenzaba a primar el interés político, de partido. Yo no estaba en ninguno. No sé adónde podía llevarme mi resistencia. Ariadna me miraba con dureza:

— ¿Pero cuáles son las debilidades y las confusiones de tu cuerpo, sinvergüenza?

Yo no podía aguantar la risa. Se veía que las únicas palabras que recordaba Ariadna eran las que parecían tratar de justificar alguna forma de libertad, es decir de derecho a la infidelidad.

— Tú me entiendes, Ariadna. La vida no es la que nosotros vivimos. No es la vida que vive nadie. La vida es otra cosa y está fuera de nosotros, acechando. Si le presentamos una manera sólida y compacta de ser, la vida no se atreverá a interferir. Pero si nos abandonáramos a la gran fiesta de la guerra de la vida (esa vida que no es la que vivimos) nos atraparía. Nos atrapará a todos y nos empujará a hacer cosas que no haríamos nunca en tiempos normales. Bien, dejémosla a la vida que nos engañe alguna vez. Pero tú y yo conocemos el secreto.

Ella pareció comprender. Me agradecía mi inquietud en la que sin duda percibía un amor antiguo y sólido.

— Sólo podemos salvarnos — le dije yo — si mantenemos algo importante por encima de los alcances de la vida. Es fácil. Basta que tú aceptes sin discusión la idea que yo tengo de mí mismo y que yo acepte la que tú tienes de ti misma.

Cambié otra vez de tema. Michael estaba en las posiciones de vanguardia, en mi sector. En mi trinchera había campesinos proletarizados como suele decirse, un poco ebrios por la victoria reciente. Su inconsciencia del peligro tomaba en general el lugar de la valentía y con frecuencia lo era, de verdad. Pensando en aquello vi entrar una abeja que recorrió la habitación y fue a posarse en la pantalla de pergamino de la lámpara. Ariadna dijo:

— Tus notas sobre las abejas casi me costaron la vida ahí abajo, en el frontón. Nadie podía creer que fueran inocentes.

Me contó una vez más cómo la salvó el obispo de Mondoñedo, a quien no conocía, gracias a la intercesión del Pencas, un hombre simple con quien sólo había cambiado dos palabras en el

tren. Yo miraba a la abeja posada en la lámpara. Ariadna se calló y luego me dijo con voz soñolienta:
— Cuando hablan las abejas, ¿qué es lo que dicen?
A mí me gustaba que iniciara temas neutros en aquel sitio tan lleno de recuerdos, riegos y alarmas. Le contesté:
— Dicen muchas cosas. Primero informan a las otras de la distancia y la dirección de los planteles de flores. Pero el tema es complicado y hoy no tengo tiempo.
Luego me puse a hablar de los mandos, de la manera pomposa de hablar el general jefe, de las malquerencias de algunos oficiales y de la generosidad a veces un poco tonta — como suele ser la generosidad — de los soldados.
Cuando salía pensé que tenía la impresión de haber estado allí — en aquel lugar de la montaña — siempre. De no haber salido de Pinarel. Las sensaciones eran tan agudas que el tiempo crecía en profundidad mucho más que en extensión. Aquella profundidad la medía yo sin darme cuenta en meses y años.
Algunos de los milicianos de mi compañía que conocieron al Doncel fueron al claro del bosque y vieron que el lugar de nuestras antiguas reuniones estaba cercado por una cuerda atada a algunos piquetes de madera y que en el vano por donde se entraba había un letrero: *Cementerio Civil provisional. Veintisiete cuerpos identificados.* Era verdad. Veintisiete amigos míos. Unos de cráneo bermejo, otros negro. Algunos de ojos rutilantes y otros apagados. Emanaba de aquel lugar una calma un poco irreal.
No había cruces ni otras indicaciones de respeto, lo que produjo indignación a mis amigos soldados. Uno de ellos blasfemaba y repetía que aquellos muertos merecían la cruz más grande del mundo.
No sé cómo se las arreglaron, pero fueron al cementerio y trajeron en un camión una cruz de piedra y también una estatua orante de mármol que unos decían que era Colón y otros Carlos V. Queriendo dar a aquel querido lugar nuestro alguna solemnidad pusieron la cruz a la entrada. Y en el centro, sobre su pedestal, la enorme figura orante.
Quitaron las cuerdas y los piquetes y plantaron en su lugar una balaustrada irregular y desigual que unas partes era de piedra y en otras de mármol y en otras — todavía — de hierro esmaltado.
Cuando me lo dijeron me pareció un poco absurdo, pero más

tarde fui a verlo y el claro del bosque daba una impresión majestuosa y noble. Los altos pinos simétricos tenían alrededor una solemnidad natural. La figura orante parecía crecer sobre el pedestal. Yo pensaba en mis antiguos amigos enterrados debajo y me preguntaba: "¿Estará también Ramón?". Carlos V rezando en su pedestal por Ramón me impresionaba. Aquéllas eran emociones del tiempo de paz como suelen ser todas las que emanan de los cementerios.

La ornamentación no era por los muertos sino por la *ballena honrada* de la que había hablado Ariadna. Es decir, por la muerte.

Me marché. El mismo día al oscurecer fui al puesto de mando, que estaba tres kilómetros más arriba de nuestra casita. Había allí además del comandante, que era un general, dos oficiales de artillería, un sargento manejando una central telefónica y otro individuo de aspecto calmo y reflexivo vestido con un overol gris. Cuando nos presentaron me di cuenta de que este último era un ciudadano importante. Había sido jefe del Gobierno republicano algunos meses antes. Lo llamaban don Santiago. No era muy alto, pero tenía un perfil escueto y noble que recordaba los bustos de Julio César. Mirándolo pensaba yo en Nicolás de Alvear, aunque eran tipos muy diferentes. Tenía don Santiago un aire sobrentendido de francmasón.

El bombardeo del enemigo arreciaba. Me sentía yo allí menos seguro que en mi trinchera, que estaba un kilómetro más adelante.

Vestía el general su uniforme de campaña sin polainas. Parece que con el insomnio se le inflamaban las piernas y llevaba el calzón suelto sobre las pantorrillas. Era un hombre que tenía fama en el campo enemigo de castizo, populachero y un poco rufián — con esa acusación se mofaban de él en la radio —, pero a mí me parecía todo lo contrario, es decir un hombre sencillo y valiente aunque un poco dado a la retórica. Prendió las insignias de capitán en mi camisa. Yo me sentía humillado pensando: "Este general cree que la insignia de capitán me envanece". El general dijo algo sobre la *eficacia de los fuegos,* el heroísmo, el don de mando y la voluntad popular. Todas esas cosas pueden ser verdaderas e importantes pero en cuanto se habla de ellas resultan falsas.

El general me dio la mano y volvió a sus teléfonos. Yo me senté con el ex jefe del Gobierno en un diván desvencijado y sucio de tierra. Era un hombre que tenía cierta distinción natural. Su cara pasiva y marmórea cuando bromeaba mostraba dos ojos pequeños y centelleantes. Decía que tenía el salvoconducto mejor de España, firmado por el ministro de Defensa, en el que se declaraba que todas las unidades de tierra, mar y aire estaban obligadas a darle las mayores facilidades.

— Es un buen pasaporte — decía —, pero no lo he enseñado a ninguna patrulla de milicias porque no quiero dejar en mal lugar al Gobierno.

Yo añadía para mi capote: "Y porque temes que te identifiquen y sepan quién eres". Esta reflexión mía quedaba engarzada en nuestro silencio y don Santiago se daba cuenta. Fuera, la tormenta de la artillería no amainaba. Hablaba el político con una voz confidencial y sin vibración. Una voz civil que no armonizaba con la atmósfera:

— Supongo que está usted preguntándose qué se me ha perdido a mí en estos lugares.

— A todos se nos ha perdido algo que no volveremos a encontrar — le dije yo.

Él bromeaba:

— ¿La vergüenza?

Asistía aquel político a la batalla con la misma calma que a una asamblea de partido. La guerra no es más que una forma exacerbada de la política. A mí no me extrañaba encontrarlo allí, pero él seguía hablando y adivinando, según decía, mis reflexiones.

— También piensa usted — añadía con un humor ligero — que yo soy uno de los culpables. Diga la verdad. ¿No cree que un exceso de buena fe y de ingenuidad idealista de los ministros de la República ha traído todo esto?

— En la buena fe no puede haber excesos — decía yo haciendo mi papel consolatorio lo más sinceramente que podía —. Si ha habido errores han sido de todos.

— No supimos ver la realidad, pero dudo de que habiéndola visto pudiéramos hacer otra cosa que lo que hicimos.

Yo no decía nada. El problema había sido el problema clásico entre la libertad y el orden, entre la confianza y el riesgo. Libertad y orden son valores mellizos y contrarios. En medio de aquellas reflexiones los dos nos decíamos, en silencio: "¡Qué frívola es la política de principios cuando la gente tiene las armas en la mano!".

301

El general dejó los teléfonos y me llamó. Me preguntó si era capaz de llevar a cabo una misión honrosa y difícil — lo de *honrosa* sobraba. Se trataba de sacar algunos centenares de soldados de las trincheras y llevarlos al lado sur del puerto de Hijares — cinco millas de distancia —, donde atacaban las vanguardias moras. Le dije que podía intentarlo. El general parecía satisfecho. Bajo el cono de luz de la centralilla la cabeza del sargento con el pelo rapado parecía de piedra.

— Yo avisaré por teléfono — dijo el general — y al llegar al puerto de Hijares con la fuerza de refresco recibirá usted las órdenes pertinentes.

También la palabra *pertinentes* me parecía ociosa. Bastaba con decir que recibiría órdenes. Tenía el general una inclinación a la retórica de los partes militares de fines del siglo XIX.

Las explosiones en los alrededores del lugar de mando — que era como siempre un frágil hotelito medio destruido — hacían temblar las paredes y del techo caía a veces pintura seca y reboco blanco. El general hablaba otra vez por teléfono y yo me disponía a salir. El ex presidente quiso venir conmigo y entre bromas y veras no hubo manera de evitarlo. Era como si quisiera probarme que aunque le gustaban los juegos de humor sabía poner la cabeza detrás de ellos.

En la oscuridad seguíamos hablando. Avanzábamos como podíamos, alzando los pies demasiado para evitar los posibles cables negros y embreados. Debíamos dar con nuestros andares una impresión bastante cómica. Las explosiones a veces próximas producían relámpagos bastante fuertes para poder distinguir los obstáculos mayores. Yo sospechaba que aquel hombre sonriente y tranquilo iba buscando la granada que le arrancara la cabeza de los hombros. Y hablaba despreocupadamente:

— Es admirable cómo ustedes, quiero decir los hombres civiles y sin experiencia militar, trabajan en los frentes.

No era adulación. Yo estaba obligado a creerlo viendo que las explosiones se sucedían a nuestro alrededor.

— Bah, la guerra es fácil — le dije.

Don Santiago estaba enfermo y fatigado. Se quedó en una trinchera avanzada. Yo pude sacar unos mil soldados de diferentes lugares sin que hubiera una sola baja a pesar de la violencia del bombardeo — que tenía precisamente por finalidad evitar y hacer imposible aquella maniobra — y con ellos llegué sin novedad a nuestro destino. Se batieron bien, pero creo que en la confusión de los primeros momentos tiramos sobre algunas unidades nuestras. Esas cosas pasan a veces en la guerra. Centenares de moros muertos quedaron en los alrededores de la aldea montañosa. Como llegaron más tarde dos batallones frescos de la ciudad, los soldados míos — por desgracia no todos — volvieron a sus posiciones anteriores.

Me fui a dormir a nuestra antigua casa de la carretera de Pinarel en el cruce del camino de la estación de Los Juncos, urgido por vagos sentimientos de vergüenza recordando que había disparado sobre los nuestros. Antes había dado el parte por teléfono. El general me dijo:

— ¿Sabe usted que ha infligido una derrota a Mola? — eso de *infligir* tampoco era necesario —. Sí, a Mola. Usted le ha deshecho las fuerzas y gracias a su feliz intervención vamos a poder estabilizar el frente de Hijares.

Yo tenía la impresión de no haber hecho nada. Más bien los soldados. O el azar. Pero aunque fuera verdad la victoria depende de mil pequeñeces que escapan al control de los mandos. El nombre de Mola no me decía nada. "Debe ser — pensé — uno de esos generales de rancia escuela, que tienen sus queridas en Madrid en la calle de Fuencarral."

Me acosté. Viéndome en mi propia cama me desnudé del todo, lo que no había hecho en muchas semanas.

La casa tenía aún en los balcones los letreros que había puesto el enemigo. Estaba igual que la dejamos, aunque con los cristales de las ventanas rotos y dos hoyos de granada en el jardín. Había — pintoresca circunstancia — un retrato del rey Alfonso presidiendo el comedor. Fui a quitarlo, pero me acordé súbitamente de que a veces conectaban esos retratos con pequeñas minas ocultas que al retirarlos del muro estallaban. Miré con respeto al rey por vez primera en mi vida y pensé: "No es esta clase de respeto la que te devolverá el trono".

Dormí en mi cama. Antes de caer en el sueño vi en un rincón algunos periódicos viejos, entre ellos el *Journal de Moscou* que había dejado un día Mikhail. Pensé que no eran mis abejas quienes habían puesto en riesgo de muerte a Ariadna, sino aquel periódico y alguna otra cosa parecida.

Desperté hacia las seis de la mañana. Amanecía y era un amanecer sin sol con nubes bajas. Había tormenta y se veía la palpitación de la luz violeta en las nubes. Esa misma luz de los relámpagos que apenas si se notaba en el campo parecía en-

303

cender un espejo y el cristal del cuadro de don Alfonso en grandes cuadriláteros color mercurio.

En algún lugar del frente se oían las ametralladoras. Había refriega.

Subí a la línea, es decir a mi puesto habitual.

El fuego había aflojado y la artillería se cambiaba obuses según el juego habitual. El ex presidente había pasado la noche en la trinchera y tenía un aspecto traslúcido como un fantasma. En aquella trinchera se estaba mal. Olía a mil demonios. Había cerca dos caballos muertos y en descomposición. Aquel olor dulzón y hediondo era como una alusión funeral para nosotros. Una amenaza. El político dijo que tenía la suerte de estar resfriado y no percibía nada. Cayeron algunas granadas cerca. Cuando yo le recomendé que se pusiera un casco de acero me dijo que lo único que necesitaba era un pulmón de repuesto. Luego supe que era tuberculoso. Mientras estuvo en la trinchera los milicianos trataron de hacerle la vida cómoda. Mis soldados no tenían fe en ningún político activo o dimisionario, pero lo veían cincuentón, sereno ante el peligro y sentían amistad y respeto.

Yo tuve de pronto una serie de curiosidades que se pueden comprender si pensamos que desde que comenzó la guerra no había ido a la ciudad. Pregunté al político:

— ¿Es verdad que los nuestros asesinan gente civil igual que los del otro bando?

Él me miró extrañado como si dudara de la seriedad de mi pregunta y por fin afirmó con la cabeza. Yo seguía preguntando:

— ¿Igual que nuestros enemigos? ¿En cada ciudad, en cada aldea? ¿Aparecen muertos al lado de las carreteras?

Esto último suscitó en el político una expresión de perplejidad. Me miraba sin comprender. Detrás de mí discutían dos soldados:

— Esos caballos no son caballos — decía uno —, sino un caballo y un burro. Un jumento como tú.

El otro soldado replicaba con la voz del que tiene un cigarrillo en los dientes:

— Si yo soy un jumento tú eres un verraco.

Discutían como los niños.

Viendo que el político aceptaba el hecho de nuestros crímenes como una fatalidad inevitable, me estaba sucediendo algo curioso. Si en el bosque me ponía de parte de las víctimas — cuando mataban a mis amigos — en el lado nuestro... también, aunque las víctimas fueran mis enemigos. Era natural. Un muerto es un muerto y persiste en nosotros un fondo sombrío y confuso de piedad.

La víctima tiene siempre razón. Pensando así las guerras serían imposibles, pero ¿qué necesidad había de tener guerras? Después de estas reflexiones pensaba: "Esta es nuestra mentalidad y con ella perderemos la última batalla, seguramente". Entretanto había que seguir dando la cara.

Me quedé callado y taciturno. El político atendía a mi silencio con curiosidad. Por fin dijo bajando la voz:

— En este momento querría usted estar en otro planeta, ¿no es eso? ¿No se avergüenza un poco de ser español?

Yo negaba con la cabeza. Después dije:

— No me avergüenzo de nada.

Él sonrió. Había como un aguijón oculto en su sonrisa:

— Quizás es lo mismo. Quizás en todos los mundos habitados la gente mata a la gente en nombre de la paz y de la fraternidad. Siempre ha sido así. Lo que nos salva es que fueron los otros quienes comenzaron. Lo único que podemos hacer es lo que hacen estos soldados: defenderse. Lo que hizo usted anoche. Estoy enterado. Me lo ha dicho el general.

Al llegar el mediodía el ex presidente comió con nosotros sardinas y bebió café. Yo tuve que acudir a otros lugares del frente y dejé allí al político. Más tarde supe que había vuelto a la "plaza". Llamábamos ya "la plaza" a Pinarel, que era nuestra base y que realmente había aumentado con instalaciones militares y civiles de un modo impresionante.

Estuve algunos días desconcertado y mis reacciones fueron cambiando. No me atrevía a hablar en tonos idealistas ni a referirme a los principios del pacifismo y de la democracia.

Aquellos días hizo un sol espléndido, que reverberaba en las bayonetas y en las placas de los cinturones. Me gustaba pensar que había cierta inocencia diabólica en la facilidad y la frialdad con que los moruecos y nosotros mismos asesinábamos a la gente. "Tal vez en un bando y en el otro necesitamos purificarnos por la sangre y el fuego", me decía. Pero no hay purificación en eso. La sangre ensucia y el fuego destruye. Eran no más que figuras retóricas para el general jefe de la línea que debía tener también su querida en la calle de Fuencarral.

Pasaban los días con la monótona sordidez de la guerra. El

tiempo es lento en las trincheras porque todo el mundo espera algún acontecimiento — no sabe cuál — que no llega nunca. Esa ansiedad da profundidad a las horas y a los minutos, que no son sólo largos, sino anchos y hondos.

En las trincheras se vivía mal, pero iba acostumbrándome. Comprendía que tantos hombres viviendo juntos, comiendo mal y durmiendo peor iban acumulando motivos de irritación y displacer. Los campesinos lo llevaban mejor. Y el riesgo de morir eliminaba en ellos la irritación de la vida consuetudinaria. Además aquellos hombres sabían dormir con la cabeza en la tierra. Cuando se abría una trinchera nueva lo primero que se cavaba era el pozo ciego. Y sucedía un hecho extraño: junto a él había siempre un montón de cal y una pequeña pala. Cada soldado debía arrojar un poco de aquella cal sobre sus propios excrementos.

Yo no podía evitar una reflexión deprimente. Cuando enterrábamos un muerto arrojábamos sobre él una paletada de la misma cal que se usaba para las letrinas. Aquel pequeño detalle identificaba un cuerpo humano, ya muerto, con la materia fecal. Era una asociación escandalosamente sacrílega y sin embargo natural, y en los dos casos se trataba de una simple medida de higiene.

Los muertos de guerra son los que tardan más en tomar el aspecto de la muerte. Casi siempre se trata de cuerpos jóvenes. Y la piel curtida al sol y a la intemperie disimula el color amarillo. Los muertos de guerra "mueren muy sanos", como decía Galo, el sargento. Arrojarles cal a la cara, a la boca abierta, a los ojos — la misma del pozo ciego — era como un ritual blasfemo. Yo comprendía que todas las religiones pusieran tanto cuidado en los oficios funerales. Se trata de evitar que identifiquemos demasiado pronto el muerto con la escoria humana que él mismo producía en vida.

Es simple la muerte, pero ¡cuánta dificultad en la lección y el espectáculo del cadáver! Yo no quería acercarme a aquellos enterramientos que se hacían a un lado de las trincheras, siempre en el mismo sitio, no lejos de donde estaban las letrinas. Tenía la idea fija de conseguir que vinieran los sanitarios a llevarse los muertos enemigos abandonados — solíamos encontrarlos al rectificar la línea hacia adelante —, pero no pude conseguirlo nunca.

Ariadna seguía dando a la guerra con su presencia en el sanatorio una nota de fiesta, al menos para mí. Iba yo a verla cada vez que me acercaba al puesto de mando. Creía Ariadna que íbamos a ganar la guerra. Yo no lo creí nunca. Después de pensar mucho en lo que me había dicho el ex presidente del Gobierno decidí que los moruecos mataban por salvar sus privilegios. Los nuestros mataban por principios. Era una desventaja para nosotros. Los nuestros sabían que todas las riquezas de los moruecos distribuidas equitativamente sólo permitirían a la gente fumar dos cigarrillos y beber dos vasos más de vino cada día. Nada. Los nuestros mataban para tener escuelas, lugares de trabajo más cómodos y para evitar que los ricos haciéndose más ricos empujaran todavía los pobres hacia abajo. Mataban por principios morales y pensando en el futuro más que en el presente. En el campo contrario había gente de principios también, pero de momento querían salvar sus cuentas corrientes, sus dividendos, la mano de obra barata, los criados con salarios bajos y los privilegios tradicionales añadiendo a ellos los que confiere la sangre del enemigo vertida. Era más que probable que ganaran ellos. La necesidad es más eficaz que la idea y el cinismo más que el altruismo. Pero había que seguir en su puesto por fidelidad a sí mismo y a los amigos muertos. Como decía Mikhail, al fin uno tiene que vivir consigo en condiciones decorosas. También había que seguir alimentando la esperanza de los otros pueblos del mundo que según decían los periódicos confiaban en nuestro esfuerzo. No lo creo, ya que no hicieron nada importante por nosotros. Les gustaba el espectáculo, por el momento, y eso era todo.

Mi compañía se había convertido en un batallón con los restos de otras unidades diezmadas y decían que nos iban a llevar a la plaza, es decir a Pinarel. Los soldados querían que yo siguiera siendo el jefe. Habían pedido las insignias de comandante al general y me las habían puesto. Yo no podía rechazarlas sin desairarlos. Pero me consideraba a mí mismo cualquier cosa menos militar. Había sin embargo en mi ascenso algo que sin dejar de ser desairado — ¿sería yo capaz de emular al Braguetón con mis uniformes y condecoraciones? — me agradaba y mi complacencia estaba llena de contradicciones y absurdos. Me hacía reflexiones sofísticas, pero al final la bayoneta seguía siendo una bayoneta.

Nuestro batallón comenzaba a tener fama. Los oficiales me decían:

— Tal vez desde Pinarel van a llevarnos a la ciudad. O al flanco del Ventisquero.

La cosa estaba muy fea allí. En todo caso nos esperaban muchas noches más sin quitarnos las botas.

Estábamos en Pinarel con mi batallón, cerca de Ariadna, a quien iba a ver cada día. Ariadna quería saber el día de nuestra marcha a Ventisquero o a la ciudad.

— No sé. Tienen que llegar los relevos — le decía yo —, y los relevos siempre llegan tarde. Entretanto nos quedamos aquí de reserva.

Ariadna iba mejorando. La espina dorsal, que al principio parecía lesionada, estaba bien. Sobre una mesa había dos o tres radiografías. Ella insistía en hacérmelas ver.

— No, no me interesan. ¿Para qué?

— ¿No te gustan mis huesos? — decía ella riendo —. Anda, hombre, míralos. A mí no me asusta un esqueleto, ni siquiera el mío.

— Es natural. Un hueso es poca cosa. Ochenta años después de tu muerte habrá todavía algún hueso tuyo por ahí, calcinándose al sol. ¿Qué hueso? ¿El de la cadera? Es el que dura más. En él se posará una de esas mariposas blancas que van a los plantíos de habas y de guisantes... ¿Son esos huesos los que quieres que vea? ¿Para qué? Un día ese hueso de tu cadera estará al lado de un camino, medio cubierto de estiércol de vaca.

— Calla — dijo ella palideciendo.

Se dio cuenta de que las radiografías eran horribles y las cubrió con un periódico.

— Si yo me voy de aquí — le pregunté —, ¿seguirás tú en este hospital?

— No sé.

Dijo que pronto podría caminar, por lo menos en un sillón de ruedas.

No pasaba día sin que alguna escuadrilla de bombardeo viniera y arrojara sus bombas en las faldas de la montaña buscando las instalaciones militares.

La artillería era más temible que los aviones. Disparaba desde lejos sin avisar y las granadas venían sesgadas en direcciones indeterminables. Nos acostumbramos pronto a las esquinas peligrosas de Pinarel y evitábamos los lugares enfilados.

A Ariadna — que mejoraba de prisa — la habían cambiado de

cuarto y estaba en una sala que antes de la guerra había sido
dedicada a maternidad. Había sólo dos o tres mujeres más y
no parturientas, sino enfermas o heridas. Ariadna me dijo:
— ¿Sabes quién está en este mismo hospital? Mikhail. Está en
el piso de abajo, con una herida en la pierna. Dice que ha venido a España un embajador ruso jorobado que anda intrigando
y haciendo matar a los enemigos del Vodz. Según Mikhail desde que apareció ese embajador jorobado han comenzado a llevarse de la ciudad no sólo el oro y la plata, sino también las
máquinas y las herramientas: tenazas, martillos, llaves inglesas,
fresadoras, perforadoras, cepillos de carpintería, aserradoras,
motores eléctricos y otras mil cosas. Arramblan con ellas y las
meten en barcos rusos que tocan en Almería y en Alicante.
¿Para qué querrán tantas cosas?
Yo recordaba que unos días antes fueron recogidos todos los
fusiles máuser de fabricación española que eran modernos y
ligeros, y en cambio dieron a los soldados unos fusiles rusos
tres veces más grandes y pesados, del tiempo de la guerra de
Crimea, con los cañones llenos de grasa por fuera y por dentro, y entre otras cosas un depósito en la culata donde había
una aceitera y un pincel. Ese depósito se abría con una puer-
tecita que tenía una pestaña de metal. Esto hacía reír a los
soldados, que decían:
— Ahora es cuando ganamos la guerra, con el arma secreta de
los rusos: con la aceitera.
Yo estaba extrañado y secretamente indignado, pero no era el
momento de crear dificultades. No había un solo soldado que
tuviera confianza en un arma como aquélla.
Los moscularis iban apareciendo tímidamente detrás de los
puestos de mando con trajes civiles y boinas. Yo había visto a
algunos en las oficinas del estado mayor del sector, que estaban al otro lado de la sierra, en la aldea minera. Las boinas
les daban un aire vasco un poco alelado.
A veces se veían desconcertados, como si la vida española les
pareciera más racional y moderna de lo que esperaban.
Mi batallón seguía en su cuartel — un viejo convento — esperando órdenes. Yo iba y venía por Pinarel, que tenía banderas
y letreros con alegorías políticas por todas partes. Un día fui
a casa de Alvear.
En el parque de su casa, en el mismo lugar donde la noche de
la fiesta estaban los músicos, había una batería del 10.5. Esta-

ban aquellos cañones apuntados en la dirección del vano que los edificios próximos dejaban libre. Uno de ellos estaba en ruinas. Al lado de la batería había dos soldados con armas. Los otros vivaqueaban en el porche.

Por la puerta principal abierta se veían gruesas alfombras grises sobre un tramo de escaleras de mármol blanco. Subí. La casa parecía desierta. En un salón había un retrato de Alvear con el pelo planchado y brillante. Estaba yo contemplando el retrato cuando oí la misma voz de Alvear:

— Encantado de verlo, Javier.

Estaba detrás de mí y llevaba una chaqueta de invierno sobre el pijama de seda.

— ¡Qué suerte verle aquí! — repitió —. Vine ayer para llevarme papeles y algunos valores que tenía en la caja de caudales. Bonos y acciones. Poca cosa, sobre todo en estos tiempos. La verdad es que los dos ejércitos son caballerosos. No se me han llevado nada. Bueno, sólo sábanas para los hospitales. Eso es natural, ¿no le parece?

Miraba mi insignia militar:

— ¡Qué bueno, encontrarnos! Yo me iré dentro de un par de días. He pensado mucho en usted y en Ariadna. Lo que sucede es horrible, pero fatal e inevitable. Siéntese. Siéntese. ¿Quiere fumar? ¿Quiere una copa de brandy, o café? Creo que lo hay en casa. Y tengo una sirvienta que ha venido conmigo. Acepto los horrores que veo y hasta los que imagino. Ellos se lo han buscado. Yo soy un liberal dinástico. ¿Está claro? Liberal primero y dinástico después. Ellos se lo han buscado, repito.

Se refería a los amigos y compinches de Pinarel, los Loarre, los Sanginés, los Arán, los Cota. Pero Alvear tenía a veces una gran inseguridad en la voz y en la mirada. Tenía miedo. Yo pensé: "Ha venido a Pinarel huyendo de la ciudad".

— ¿Le han molestado nuestras milicias? — le pregunté.

— A mí no mucho, pero han desaparecido algunos vecinos míos. Seguramente con motivo y razón. Ya digo que comprendo todo lo que está sucediendo estos días. Y lo acepto sin reservas. Sin reservas mentales, ¿oye usted, Javier? No quiero que entre usted y yo haya malentendidos.

Los nervios de Álvear eran evidentes y pensé que tal vez acudía a Pinarel imaginando que el enemigo en un contraataque podría recuperar aquella posición, en cuyo caso se consideraría salvado. Volví a preguntarle si las patrullas de algún partido político habían estado en su casa de la ciudad. Alvear llamó a la sirvienta y le preguntó quiénes eran los milicianos que habían ido últimamente a interrogarle y a registrar la casa. Alvear lo sabía muy bien, pero quería dar la impresión de que estaba por encima de aquellas preocupaciones. La sirvienta, que era joven y bastante bonita, dijo:

— Los de la FAI.

Alvear añadió con los ojos apagados:

— Bah, yo tengo la conciencia tranquila. ¿Qué es un libertario? No es más que un hombre generoso con el espíritu liberal de nuestros abuelos del siglo XIX. A nosotros no nos dan cuidado, los libertarios. Hemos estado juntos en la misma barricada. En las barricadas constitucionales del siglo XIX.

El día era gris y el cuarto tenía una luz turbia y vacilante. Estábamos entrando en el otoño, que llegaba antes a la sierra que a la ciudad. La sirvienta al parecer quería decirme algo, pero no acababa de decidirse. Alvear se dio cuenta y le ordenó que nos dejara solos. Yo pensaba: "Esa doncella quiere hablarme de alguien que está en peligro y necesita ayuda. De su hermano o de su novio". Y Alvear no quería que me hablara. Esto me confundía un poco. Alvear quería para él solo mi protección si yo era capaz de proteger a alguien.

XV

Por la ventana se veían los cañones en el parque. Una brisa templada de otoño recorría los rosales trepadores que subían por el muro al otro lado del jardín.

Viendo yo la casa en pie y sin averías le dije que había tenido suerte.

— Mucha suerte, eso sí.

Alvear servía coñac en mi copa y seguía disculpando a los libertarios.

— No vienen por mí sino por mi hijo mayor, que se había significado en los últimos tiempos. Yo se lo advertía: "Deja a los Sanginés y los Cota en paz. Te llevarán a la violencia y cuando te vean comprometido te venderán como verdaderos Judas que son".

De pronto cambió de tema:

— Los ejércitos del campo contrario no son monárquicos. Alguien podría pensar que yo estoy aquí esperando y deseando que entren. Pues no, señor. No movería un dedo de la mano para ayudarles.

Le pregunté por su hijo Vicente.

— A Vicente la guerra lo sorprendió en San Sebastián. Había ido allí con los nietos del ángel…, bueno, supongo que es mejor olvidar esas cosas por ahora. Pues bien, pudo salir y está en Francia. Eso me favorece con ustedes. Tengo un hijo neutral. No puedo decir lo mismo del mayor. La policía ha encontrado los ficheros de su partido, pero los chicos libertarios comprenden y me han dado seguridades. En cuanto a mí he sido siempre devoto de la juridicidad y no oculto mi pasado. Soy el mismo de siempre y no tengo miedo. He venido aquí a buscar algunos papeles y volveré pronto a la ciudad. La casa está en buenas condiciones aunque el drenaje no funciona. Dicen que ha estado alojado aquí el estado mayor enemigo. No importa. Volviendo a los milicianos de la ciudad, ellos saben muy bien que yo defendía en 1916 la ley de asociaciones, es decir el derecho de los obreros a organizarse en sindicatos. Aquí está mi discurso. ¿Ve usted? Lo llevo siempre encima como pieza de convicción.

Al sacarlo extrajo también sin querer un carnet de militante de la CNT. Yo no pude menos de sonreír. La CNT era la central sindical más radical entonces. Alvear, un poco turbado, trató de superar su confusión hablando más alto:

— Son buenos muchachos. Ellos me aconsejaron que ingresara aquí. También me dijeron que me hiciera vegetariano. Bueno, yo acepté ese carnet de militante de la CNT. Ellos saben que yo comprendo la necesidad de la violencia. ¿Quién ha roto los cuadros de la ley? No han sido ustedes. Entonces no seré yo quien se asuste de lo que está ocurriendo. Incluso en el caso... Bien, usted sabe lo que pasó en esta casa la noche de la tómbola benéfica. Digo, con la foto indecorosa del presidente de la República. Por cierto que a Loarre y al barón de Ginestal los atraparon en el país vasco y están en la cárcel. Es lo menos que podía sucederles. Incluso en el caso...

Volví a interrumpirle para preguntar cuándo habían estado los libertarios en su casa de la ciudad. El ex ministro llamó otra vez a la sirvienta porque quería darme a entender que se olvidaba de aquellas minucias. La sirvienta dijo:

— Anteayer a las nueve de la mañana.

Yo pensaba: "Después de la visita de los libertarios Alvear salió y se vino aquí". La doncella se quedaba junto a la puerta tratando de decirme que su hermano o su novio estaban en peligro. Parece que aquella mujer no creía mucho en la eficacia protectora del carnet sindical de su señor. ¿En qué sindicato podía estar un ex ministro? Alvear la hizo salir con un gesto impaciente en el momento en que ella parecía próxima al llanto. Y dijo:

— Anteayer fueron a casa, es verdad. Si usted pudiera decir algo en mi favor, es decir garantizarme de algún modo, sería una buena obra porque las personas que forman los comités cambian y a veces hay milicianos incontrolados. Pero ya digo que no me considero en peligro. Acepto soluciones mucho más radicales de lo que usted cree. Acepto hasta el comunismo cristiano. Porque el comunismo puede estar muy bien, en eso estoy de acuerdo con ustedes.

— No conmigo. Yo no soy comunista.

Alvear miraba, indeciso, queriendo "situarme" políticamente, sin conseguirlo. Le dije que iría a la ciudad y trataría de arreglar su asunto. Entonces Alvear se puso a hacer conjeturas en silencio sobre mi probable influencia. Quería saber hasta dónde mi amistad podía favorecerle. Me llevó a la ventana:

— ¿Ha visto esos cañones ahí? Comprendo que la guerra es la guerra, pero de pronto se ponen a tirar, nos despiertan a todos y arman un estruendo espantoso. Todavía si yo supiera que el ruido es de las baterías…, pero yo no tengo experiencia militar y los estampidos no sé si son de nuestros cañones o de las granadas enemigas o de las bombas de la aviación. Si supiera que los disparos son nuestros no me importaría. Yo creo que podría dormir, pero la idea de que una granada enemiga rompa el techo y estalle sobre la cama o derrumbe la casa no es tranquilizadora.

Yo tenía ganas de reír. Alvear seguía:

— Además el fuego de contrabaterías puede causar daños innecesarios. ¿No podría usted pedir que saquen los cañones de mi parque?

Hice yo un gesto ambiguo y él siguió sin dejarme hablar:

— Bien, lo importante es que usted piensa ir a la ciudad y garantizarme. Sólo quisiera yo saber cuándo piensa ir. La fecha exacta.

No hacía falta ser un lince para comprender que Alvear no volvería a la ciudad hasta que yo hubiera hecho alguna diligencia en su favor. Me daba pena aquel hombre. Comprendió Alvear que yo no influiría para que sacaran los cañones de su parque. La gestión de la ciudad sí que la haría. En ella confiaba el ex ministro. Y volvió a hablar:

— No me asusto de lo que veo a mi alrededor. Más aún, quisiera colaborar en el restablecimiento de la legalidad y que las tareas de la administración pública fueran más eficaces. Lo único que flaquea en el campo de ustedes es el factor internacional. Yo soy especialista en eso. Sinceramente, podría serles útil en cualquier embajada en Francia, en Inglaterra, tal vez en América. Podría ser un consejero de embajada. No ignoro que esos cargos se dan a los partidarios más seguros. Son cargos de confianza. Pero aceptaría un puesto muy inferior al de consejero: un puesto auxiliar de secretario y hasta de traductor de cifra. ¿Puede usted transmitir este ofrecimiento a alguien, a alguna persona próxima al Gobierno?

Le dije que no era fácil. Alvear quería a todo trance salir de España y yo habría preferido que lo dijera francamente en lugar de andar con subterfugios. Decidí marcharme y Alvear me acompañó a la puerta. Antes de llegar apareció en el pasillo la doncella:

— Señor... — dijo dispuesta a hablar.

Alvear se volvió con una expresión irritada, pero amable:

— No seas inoportuna, mujer. En cuanto a usted — dijo dirigiéndose a mí —, ¿cuándo piensa ir a la ciudad?

Yo dudaba:

— Estoy aquí con una unidad de reserva y los permisos están suspendidos, por ahora. Pero aquí hay también compañeros que tienen relación con las organizaciones de la ciudad. Se puede hacer la gestión desde aquí mismo.

Aquello le decepcionaba.

— Más vale que no diga nada aquí. Al menos por ahora. Esperaremos. Prefiero esperar.

Tenía miedo a que yo dijera su nombre a los libertarios de Pinarel. Quedé en avisarle cuando fuera a la ciudad y salí. Dejé a Alvear en paz — en la relativa paz que era posible. La luz de la tarde ponía pequeñas lumbres en los chopos y daba reflejos arguyentes y crueles a las culatas bruñidas de los cañones.

Desde allí fui al hospital, pero en lugar de ir a ver a Ariadna pregunté por Mikhail. Su nombre no estaba en los registros. Fui de sala en sala hasta que oí su voz, llamándome. Estaba en una cama con la pierna vendada y sostenida en el aire por un aparato ortopédico. Me explicó que figuraba en las listas del hospital con su nombre paterno: Hacket. Y no ponían Mikhail sino Michael, en inglés: Michael Hacket. Era para que los rusos no lo identificaran, según dijo.

— ¿Tú has visto? — decía con los ojos fuera de las órbitas —. Todo se va poniendo triste, melancólico, siniestro y agrio. El estilo moscovita. Ya no hay alegría. Para que la impresión sea más miserable la llegada de los rusos coincide con el otoño. Y todo se va poniendo seco y amargo, color de cementerio. Tienen un embajador contrahecho, con hocico de gárgola. No me llames Mikhail. Si me identifican esos tíos me van a molestar. Porque el año pasado en Moscú se dieron cuenta de que estaba engañándolos. Me refiero al asunto de Aniska y de los estratoritos y del perro *Brooklyn*. ¿Te acuerdas?

Parecía preocupado de veras, Michael.

— Cuando salga del hospital me iré a otro frente donde no me conozcan. Es posible que entre los rusos no haya nadie que me conozca de vista. Yo no anduve en Rusia con militares. Además puedo dejarme crecer la barba. ¿Qué te parece? Es raro, nunca he tenido miedo a vuestros condenados moruecos, digo a los del bando contrario, pero comienzo a tenerlo de los moscovitas. ¿Sabes por qué? Porque en Moscú hablé con el Vodz.

Yo seguía sin creerlo:

— ¿Tú?

— Me llevaron al Kremlin un día. Me llevó Rusenko por orden del Vodz y estuve tan cerca de él como estoy de ti. Eso es lo que me perjudica ahora. Los mosculares llevan una lista de la gente que han hablado con el Vodz y si no son altos funcionarios del partido los vigilan de cerca y a la menos imprudencia los liquidan.

Comenzaba yo a pensar que decía la verdad y que había hablado con el Vodz. Le dije que si no se sentía seguro podía salir de España y volver a su país.

— Ya lo he pensado, pero ésta es mi patria. Yo soy *broklinita,* como dicen los rusos, y español. Aquí he encontrado un amigo, un gran amigo verdadero. El primer amigo de mi vida. ¿Sabes cómo se llama? Michael Hacket. He dado sangre mía a esta tierra como cualquier otro hijo de puta. ¿Cómo puedes decirme que me vaya?

Aquella tarde yo tenía tiempo abundante y Michael parecía feliz con mi presencia. Le pedí que me contara con el mayor detalle su visita al Vodz. Michael pareció alegrarse y mirando a la derecha y a la izquierda, se palpó con la mano el vendaje de la pierna, encendió un cigarrillo con la colilla del anterior y comenzó, bajando la voz:

— ¿Te acuerdas de lo que os conté a Ariadna y a ti del perro *Brooklyn* y de Livtsof y de la Academia de Ciencias? Pues bien, la cosa no acabó allí. Tres días después Rusenko, el de la cabeza afeitada, me llevó al Kremlin. Dentro de las murallas rojas todo es distinto. Se diría que está uno en un país civilizado. El Kremlin huele de un modo diferente que el resto del país. Era todo lo que yo podía hacer por el momento: oler. Estábamos Rusenko y yo en un cuarto grande que tenía a la derecha un enorme guardarropa. En todas partes hay guardarropas porque en invierno todo el mundo lleva chanclos y gruesos gabanes que hay que dejar a la entrada. Pero entonces no hacían falta los guardarropas y se veían largas filas de perchas y de colgadores vacíos.

»Un oficial apareció, nos miró con cierta impertinencia y se fue. Poco después se abrió otra puerta y aparecieron dos hombres

316

más que se quedaron en el umbral mirándome. Parecía que trataban de descubrir mis reacciones, las más ligeras, las más leves y las más secretas. Yo me mostraba impasible y frío. Uno de aquellos hombres se acercó a mí:

»— Usted no hará pregunta alguna al Vodz — dijo —. Usted se limitará a contestar.

»Un poco extrañado afirmé con la cabeza. ¿Qué podía decir? En aquel momento llegaron otros dos individuos, uno con uniforme militar. El otro era Livtsof, quien parecía terriblemente preocupado. Se oyeron algunos ladridos en el interior del edificio. Parece que allí donde estaba Livtsof había perros. La nuez del viejo profesor subía y bajaba dos o tres veces antes de que se decidiera a hablar:

»— Camarada, usted es un hombre popular en nuestro país. Sígame. Va usted a disfrutar del más alto honor posible en Rusia.

»Yo eché a andar detrás de Livtsof acompañado de Rusenko, pero el profesor se detuvo, puso la mano en el pecho al hombre de la cabeza afeitada y dijo:

»— Usted, no.

»Mi acompañante y yo salimos a un corredor que tenía muchos relojes antiguos aunque parece que no andaba ninguno. Caminábamos y los ladridos se oían más cerca. Por fin llegamos a un lugar que debía ser antiguamente un salón de fiestas. Aunque era de día había luces encendidas por todas partes. Y las ventanas estaban cerradas.

»En un extremo había seis u ocho personas. En otro, un hombre con los doce o quince perros amaestrados que había visto en la Academia de Ciencias. Livtsof, un coronel de la NKVD y yo fuimos avanzando por el medio del salón en dirección al grupo. Todos los que estaban allí usaban gafas y tenían mucho pelo menos uno que era casi calvo a quien llamaban Malakov. Las gafas de Malakov brillaban como dos reflectores cuando la luz de las lámparas les daba de frente. Yo vi en seguida que en aquel grupo no estaba el Uro. Eso me tranquilizó. Tenía ganas de verlo y tenía miedo de verlo, también.

»Nos quedamos a mitad de camino, de pie. El coronel y Livtsof hablaban sin tener nada que decirse, sólo por no quedar callados. Yo miraba a Malakov cuyos ojos no veía, pero el destello de sus gafas parecía indicar que me miraba a mí también.

»Estábamos a unos quince metros de distancia esperando que

nos llamasen o que se acercaran. Livtsof movía la cabeza enérgicamente diciendo algo al coronel sobre la decadencia de América y el crecimiento progresivo de las masas — que como digo es en Rusia lo mismo que hablar del tiempo —, pero los gestos que hacía Livtsof eran como los de un director de orquesta un poco loco. Su nuez subía y bajaba como siempre. Al otro extremo del salón ladraban los perros.

»Yo me había equivocado al pensar que el Uro no estaba allí. Estaba en el grupo de Malakov, pero de espaldas. Se volvió hacia nosotros y yo recibí una gran sorpresa. Los tres avanzamos tímidamente. Entonces Malakov y los demás que estaban con el Uro se apartaron. Lo dejaron solo.

»El Vodz — el Uro — era el mismo de las fotos que publicaban los periódicos. En la mano izquierda tenía la pipa. La derecha estaba a medias escondida entre dos botones de su chaqueta militar.

»— Camarada Bulkin... — dijo.

»Yo me acerqué un poco pálido pensando: "Sabe mi nombre". Vi que el Vodz tenía la piel de la cara picada de viruelas y los ojos perdidos entre arrugas y flaccideces. La frente estrecha y los bigotes le daban un aire un poco cerril.

»— Camarada Bulkin, acérquese más — dijo.

»Al mismo tiempo hacía un movimiento con la pipa como si con ella me quisiera atraer. Livtsof y el coronel se quedaron detrás. Y el Vodz me dio la mano. No decía nada, pero me indicó una silla. No la silla inmediata, sino otra más lejana. Y cuando yo esperaba que hablara me volvió la espalda y se sentó. Los otros se sentaron cerca.

»Ocupé yo mi silla sin saber exactamente lo que hacía y vi que por el centro del salón llegaban en fila quince perros de circo en dos patas. Livtsof decía con una voz engolada:

»— Nunca se ha dado el caso de que un animal de esos ocupe por inadvertencia un lugar que no le corresponda. Siempre es el mismo el que va delante y el mismo el que va detrás.

»Sonreía el Uro por debajo de sus bigotes. Malakov sonreía también y todos los demás lo imitaban. Malakov estaba siempre atento a la expresión del Uro y los otros estaban atentos a la expresión de Malakov. Si éste se ponía taciturno todos estaban taciturnos. Si alzaba una ceja la alzaban todos.

»Los perros de circo seguían avanzando.

»Yo comenzaba a recoger mis ideas y a hacer cálculos e hipó-

318

tesis. Tal vez el Uro volvería a hablarme. Era probable que me preguntara algo y yo debía estar listo a contestar.

Hablándome Michael en el hospital vigilaba al mismo tiempo a sus vecinos y evitaba que lo oyeran. Una enfermera bastante bonita se acercó y ofreció a Michael darle masaje en la pierna. Mi amigo rehusó y le dio las gracias. La linda enfermera, que tenía una expresión dura y autoritaria, se marchó como había venido:

— Siempre que estoy con alguien — dijo Michael — viene a ofrecerme masaje. Es sospechoso.

— ¿Por qué?

— Quiere averiguar lo que hablamos.

— No. Es más probable que sea perezosa y venga a ofrecerte el masaje cuando sabe que no lo vas a aceptar.

Pero Michael no estaba convencido. Siguió con su narración:

— El Uro parecía un pequeño artesano. Un zapatero o un campesino aunque se veía que estaba consciente de su propia importancia. En la manera de mirar parecía reservón y agudo.

»Los perros se acercaban y sin romper la línea comenzaban a formar un círculo.

»— Que saquen al otro chucho — dijo el Vodz.

»El domador desapareció y volvió con *Brooklyn*. Entre tanto los perros de circo acabaron de formar su círculo y sin romperlo seguían caminando en dos patas. A veces el Uro se reía sólo con el vientre y los ojos. Todos reían con el vientre y los ojos. En cuanto apareció *Brooklyn* vino hacia mí. Livtsof dijo:

»— De este animal no se puede conseguir nada.

»Yo intervine en defensa del perro declarando que también tenía sus habilidades. El Vodz hizo un movimiento con la mano y la pipa indicando que podía mostrarlas. Me levanté un poco intimidado. Alcé la mano y *Brooklyn* se puso en dos patas. Como era mucho más grande que los otros, puesto de pie parecía más cómico y el Uro volvió a sonreír. Malakov también. Pero el Uro miró a Malakov muy serio y el comisario de Estado se puso serio y sombrío. Todos los demás tomaron una expresión melancólica y grave. Bajo las indicaciones mías dio *Brooklyn* tres vueltas sobre sí mismo. Después se acostó, se levantó, se sentó y cuando hubo terminado con su repertorio vino a mis pies y yo le acaricié la cabeza.

»El Uro volvió a reír esta vez enseñando sus dientes plomizos.

»— Yo no digo que el perro sea más inteligente, sino que tiene una forma de actividad diferente y tal vez más voluntariosa. He aquí en resumen mis observaciones.

»Comenzó a leer en un cuaderno. En aquel momento los quince perros formando una sola fila muy ancha daban frente al Uro, agitando a compás las manos en el aire para sostenerse en pie.

»El Uro, sin escuchar a Livtsof, me dijo:

»— Eh, camarada americano. Ese a quien llaman *Brooklyn*, ¿qué clase de animal es?

»Yo dije que era una mezcla de perro de aguas y de galgo ruso. Esta palabra última parecía ser del agrado de todos.

»Hizo otro gesto con la pipa y los perros de circo desfilaron en dos patas por delante y evolucionaron hasta formar sobre el pavimento del amplio salón el emblema de la hoz y el martillo — solían hacerlo en los espectáculos públicos —, y entonces entre los aplausos de los concurrentes los animalitos se dirigieron hacia la salida siempre en dos patas. Salían con una prisa cómica. Al llegar cerca de la puerta, en lugar de hacer avanzar un pie y luego el otro, daban brinquitos con los dos juntos para llegar antes.

»El Uro se levantó y anduvo dos pasos hacia Livtsof. Yo me levanté también y me quedé a distancia. El Uro preguntó al geneticista:

»— ¿Qué dice el sabio de pacotilla?

»Inició Livtsof otro discurso hablando de los lóbulos frontales del perro americano, de sus reacciones a la caricia y a la amenaza. Como se extendía demasiado, el Uro chupó su pipa, lanzó el humo y dijo:

»— Déjese de tonterías. ¿Ese perro puede conducir una máquina o no? — y había una luz de zumba en sus ojos pequeños.

»— Considerando las cosas objetivamente... — dijo Livtsof haciendo subir y bajar su nuez.

»— Vamos, no sea imbécil. Diga sí o no.

»Livtsof estaba en un océano de dudas y por fin dijo:

»— Quizá.

»Miró el Uro con desdén a Malakov, éste miró con desdén a los otros y todos me miraron con desdén a mí. Era un desdén femenino, como las mujeres cuando no quieren nada de uno. Pero el Uro, como si quisiera desmentirlos, me preguntó:

»— Y usted, ¿qué cree?

»— Yo creo que no, señor — dije —. *Brooklyn* es un animal

como otro cualquiera y no tiene raciocinio bastante para eso.
»Afirmó el Uro y mirando a Livtsof hizo un comentario:
»— Más raciocinio que algunos profesores geneticistas en todo caso, que sólo valen para cultivar nabos.
»Hubo un silencio. Livtsof estaba pálido y tragaba aire. El Uro añadió:
»— Este perro no se equivoca. Un animal no se equivoca nunca porque no opina. Los sabios tienen que aprender de muchos animales y no opinar a tontas ni a locas. ¿Qué dice Livtsof?
»— Es una observación genial, camarada.
»Todos repitieron que era una observación genial.
»— Cállense — dijo el Vodz —. Para ustedes, todo lo que yo digo es genial, pero yo no soy un perro. Y como no soy un perro puedo equivocarme también. ¿Eh? ¿Qué dice usted?
»Livtsof creyó que debía decir algo porque todos lo miraban.
»— La disciplina de los perros es un punto de partida notable para llegar a conclusiones en cuanto a la educación política de las masas. Como ha dicho el sabio más grande del universo, nuestro Vodz genial, los instintos nunca se equivocan. Y actuando sobre los reflejos condicionados de las masas...
»El Uro no le escuchaba. Volvió la espalda a Livtsof despacio, consciente de la importancia que tenían aquellos movimientos. Detrás del Uro se levantó un rumor. Malakov decía:
»— El instinto nunca se equivoca.
»Y los otros repetían:
»— El instinto nunca se equivoca.
»El Uro se me acercó:
»— ¿Y los meteoritos?
»Creí que se abría el suelo bajo mis pies. El Uro conocía mi diálogo con Rusenko, lo que él y yo habíamos hablado en el teatro el día de *La Dama de las Camelias*.
»— No sé bastante física para explicarlo — dijo yo, temblando —, pero desde luego es una de las armas secretas más importantes.
»Afirmó el Uro.
»— *Flying saucers* — aclaró Malakov en inglés, con gesto intrigante.
»Cuatro hombres más repitieron las palabras de Malakov a coro. El Uro parecía satisfecho e irritado al mismo tiempo.
»— Platívolos. En Alemania nuestros servicios secretos se dedican a perseguir muchachas y a robar relojes. Y en América a

beber Coca-Cola. ¿Todavía no han sabido atrapar los papeles de un cabrón ingeniero que sepa hacer *flying saucers*?

»Livtsof había desaparecido y yo no sabía qué hacer. El coronel se me acercó, me llevó a un lado y comenzó a hablarme aparte. El Uro con los otros formaba el mismo grupo que había visto yo al entrar y hablaba de los *platívolos*. A veces se oía una observación tímida de Malakov y la voz del Uro que lo interrumpía:

»— No, yo no he dicho eso. Cállate. Tú siempre estás atribuyéndome a mí tus propias ideas.

»Sin hacer caso de las disculpas de Malakov, el Uro salió del grupo dirigiéndose al centro del salón. Una vez allí llamó a *Brooklyn,* que acudió lentamente. El Uro se sentó en una silla solitaria, alrededor de la cual los perros habían evolucionado antes en dos patas.

»Con la pipa en los dientes, el Uro acariciaba la cabeza de *Brooklyn* y entretanto el coronel se me acercó y me dijo algo absolutamente inaudito. Me preguntó si conocía el último cuento que circulaba en París sobre el Vodz. Sin saber qué pensar, yo negaba. Durante los últimos días el Vodz, que tenía una obsesión enfermiza sobre su propia reputación, preguntaba a todos los que llegaban de París sobre el *último cuento antisubversivo.* Quería ver las reacciones de la gente delante de él. Si no se atrevían a contarlo era que lo consideraban francamente ofensivo.

»— Vamos a ver cómo lo cuenta el hijo de la gran perra — le dijo a Malakov.

»Y Malakov tragó saliva y comenzó muy pálido:

»— Estaba un día el Vodz en la plaza Roja presidiendo el desfile del primero de mayo cuando detrás de él, entre los empleados y los policías del séquito, se oyó un estornudo. Volviendo la cabeza, el Vodz preguntó: "¿Quién ha estornudado?". Nadie contestaba. El Vodz, un poco impaciente, repitió: "¿Quién ha estornudado? ¿Es que son sordos?". Sólo le respondía el silencio temeroso de toda aquella gente que ocupaba los alrededores del mausoleo. Viendo que nadie respondía, el Vodz hizo un gesto señalando la primera fila de su séquito. Dieciocho hombres fueron arrimados al muro del Kremlin y fusilados. Después el Vodz volvió a preguntar: "¿Quién ha estornudado?". Nadie respondía. Repitió la pregunta y sólo contestó el silencio. El Vodz indicó con la mano la segunda fila de su séquito. Veintiún hombres fueron llevados al muro y fusilados. Después el Vodz miró desde su sitial los cuerpos caídos y volvió a preguntar: "¿Quién ha estornudado?". Entonces se oyó una voz tímida que decía: "Yo, camarada". El Vodz volvió el rostro, se atusó el bigote y dijo: "De salud sirva".

»Al terminar, Malakov estaba profundamente pálido y el Uro soltó la carcajada. Entre las risas, el Uro decía:

»— Tú eres el hijo de un cerdo que estornudó: tú, Malakov.

»Y reía más fuerte aún. Pero de pronto se calló, dio un rugido y dos patadas en el suelo. Todos huyeron en distintas direcciones. Yo me retiré con el perro, pero me quedé con el coronel detrás de las cortinas de una puerta. El Uro, en el centro de la enorme sala, hizo dos pasos de baile sobre un pie, dio un puñetazo en la espalda a Malakov — las gafas le temblaron en la nariz — y soltó a reír a carcajadas. Malakov sonreía.

»*Brooklyn* se asomó a la puerta, lo vio el Vodz y lo llamó. Yo seguía detrás de la cortina. El Vodz acarició al animal otra vez y dijo:

»— Este perro sabe más política internacional que tú, pero escupo en los dos. Y Livtsof sabe más que tú y el perro, pero escupo en los tres. Si vive un año más Livtsof tendré que cortarle el resuello. Díselo tú a ver si se le ocurre acelerar un poco las etapas.

»Dio una patada a una silla y la envió rodando por el pavimento encerado. Yo, que estaba en el pasillo de los relojes cerca de la puerta, retrocedí de puntillas sin saber a ciencia cierta adónde iba y me metí en otro cuarto donde encontré de pronto al coronel y a dos más, pálidos, tratando de percibir algún rumor. Cuando me vieron me preguntaron ansiosamente qué pasaba. Antes de que yo contestara, el coronel dijo que Livtsof estaba en desgracia porque no había hallado la manera de hacer que la disciplina se convirtiera en un reflejo condicionado en los hombres como en los perros de circo. Otro de ellos decía:

»— Eso no es cierto. Livtsof ha encontrado la manera, pero el Uro se le ha reído en sus narices diciendo que hace años lo está poniendo en práctica y que no necesitaba de él sino la confirmación científica.

»Los tres aseguraban muy serios que el Uro era un genio y que la salvación de la humanidad dependía de él.

»Me preguntó el coronel si había oído el cuento trotskista, bujarinista, fascista antisubversivo. Yo dije que sí y que el Uro se había reído a carcajadas. Mientras yo lo decía se reían también discretamente los que me escuchaban. Luego suspiró el coronel y dijo:

»— Un día me llamó también a mí *hijo de perra*. Igual que a Malakov.

»Los otros lo miraban con respeto. Aquel insulto era como la entrada en una jerarquía pública superior. Pero el coronel me sacó de allí y me fue conduciendo escaleras abajo. Me decía que nada de lo que había visto u oído debía trascender y que de eso dependía mi propia vida y también la salvación de la humanidad progresiva.

»— ¿Tú ves, Javier? Por eso no quise hablar de nada de esto en la reunión del bosque. Y si ahora te lo digo a ti es en el seno de la más grande confianza. Si los moscularis se enteran... tú puedes imaginar lo que pasaría si los moscularis se enteraran.

Yo le prometí el mayor secreto. Luego le dije dónde estaba acuartelado con mis fuerzas y le pedí que no saliera de Pinarel sin venir a verme.

Creía yo que exageraba Michael la influencia de los rusos. Michael se incorporó tanto como se lo permitía su aparato ortopédico y señaló la cama de al lado, donde dormitaba un hombre joven:

— Éste lo sabe. Eh, tú, Ignacio. Dice que exagero la influencia de los rusos.

El otro se volvió hacia mí. Era un oficial de artillería joven y barbudo.

— No digo que exageras — dijo —, pero tienes una obsesión, una fijación. Sueñas con los rusos. Yo te oigo por la noche soñar en voz alta y dices cosas raras.

Nos quedamos los tres callados. El artillero añadió:

— La vida es así. Cada loco con su tema.

Iba yo a marcharme, pero el artillero parecía deseoso de hablar. Michael nos presentó y el artillero se sentó en la cama y ofreció cigarrillos. No estaba herido, sino intoxicado por gases de trilita. Todavía tenía el cuello y un lado del rostro inflamados.

Decía Ignacio cosas pintorescas y lúgubres. Y hablaba con una tendencia placentera al verse a sí mismo en espectáculo. Había estado con su batería, en Hijares, en contacto con los rusos.

Encendía su cigarrillo. El reflejo de la cerilla hacía brillar la punta de su nariz:

— Me mandaron emplazar mi batería dentro del cementerio. Cuando el enemigo nos localizó, sus granadas comenzaron a reventar sobre las tumbas y los nichos. Vaya espectáculo, sobre todo por la noche.

Yo escuchaba pensando: "Va a contar cosas románticas y tremendas. ¿Para qué?". Michael escuchaba muy atento. Había olores encontrados en la sala. Por un lado a arenque y por otro a jengibre, según las brisas. En el muro había aún el retrato de una monja blanda y gordinflona. Viendo que miraba allí, el oficial de artillería dijo con una expresión indefinible:

— La van a canonizar los del adalid, según dicen.

Después de chupar vorazmente el cigarrillo añadió:

— A los tres o cuatro días de estar con mi batería en el camposanto, aquello era el *Paraíso Perdido* del Dante. (No estaba fuerte en literatura.) Las entrañas de los sepulcros habían quedado al descubierto. Muertos momificados, algunos recortados contra los nichos, casi de pie. Todos vestidos de blanco o de negro, como en un baile de gala. Algunos esqueletos a ras de tierra. Yo sé que un macabeo no es más que un macabeo, pero no era agradable de ver. Esperaba que las granadas pulverizaran a aquellos muertos, pero cuando los fiambres quedaban desenterrados los cañones contrarios no tiraban más, como si lo supieran. Una casualidad incómoda, rediós. Yo los hacía enterrar de nuevo. Al día siguiente otra vez la misma historia. Entonces decidí dejarlos fuera de las tumbas. Por la noche veía a veces una muchacha arrancada de su sepulcro, toda vestida de blanco y llena de cintas y bordados.

Al decir esto, Ignacio hizo una pausa y miró a Michael:

— Los paramoscovitas me hacían seguir allí. Yo les decía: "Mi batería ha sido descubierta por el enemigo y hay que cambiar de emplazamiento". Pero que si quieres arroz, Catalina. Querían que pidiera antes el ingreso en el partido.

— ¿Qué te parece? — decía Michael, indignado —. Así son ellos. Sigue, sigue.

— Por la noche no podía dejar de ver aquella muerta, blanca y momificada. A veces tenía la impresión de que me quería hablar. Y me habla.

Yo tenía ganas de reír:

— ¿Qué le decía?

— ¿De veras le interesa? — sonrió Ignacio —. Bueno, pues la momia parecía decirme: "Aquí donde me ves hace pocas semanas estaba de pie y caminaba entre los jóvenes de mi edad, que me decían piropos. Sí. Aquéllos eran hombres como tú, más fuertes que tú y más valientes que tú. Y aquí me tienes, Ignacio. Si crees que estas manos secas atadas por un rosario han sido siempre así, estás en un error. Si crees que siempre he tenido los dientes descubiertos, estás en un error. Si crees que mis piernas han sido siempre de madera, te equivocas. La vida es la vida. La muerte es la muerte".

Mientras hablaba Ignacio, yo me di cuenta de que detrás de mí estaba la enfermera bonita, escuchando. Ignacio hablaba para ella con el deseo de impresionarla. Pero Michael parecía contrariado:

— Déjate de filosofías. ¿No es verdad que los rusos...?

El artillero no le oía. Miraba a la enfermera bonita y continuaba:

— Yo llamaba a aquella chica Tadea. Un nombre un poco ridículo. Y le decía: "Eres una víctima del amor, Tadea". La veía aún vestida de blanco y con las manos juntas atadas con algo, quizá el rosario. Entre las manos se veían briznas secas de hierba, restos del ramo de flores con el que la enterraron y yo me decía: "La mujer de quien un día me enamoré también se convertirá en eso". ¿Es una locura? ¿Qué dices?

Yo oía a Ignacio pensando que era más bien una tontería truculenta, pero él seguía hablando:

— Bueno, hay muchas locuras en la vida. La muchacha comenzaba a hablarme cada noche en cuanto los soldados se echaban a dormir. Y me decía: "Soy el amor. Si no puedes comprender que yo soy el amor es que estás todavía atrapado por el truco más simple y cándido de la naturaleza. Yo soy el amor. ¿Tú ves lo que codiciabas? ¿Te das cuenta de la verdad mía? Yo soy el único futuro que el amor puede ofrecerte, Ignacio".

— Vamos, hombre — dijo la enfermera, ofendida —. Usted está hablando como un cura.

Michael intervenía, nervioso:

— Todo eso está muy bien, pero di la verdad. Di lo que sabes de los rusos.

Satisfecho de sí, Ignacio seguía mirando a la enfermera:

— El cuerpo de la chica no tenía forma alguna. Era como pelele de paja, pero sus manos seguían siendo hermosas. Yo sé que la forma del cuerpo desnudo corresponde a la de las manos. Si los dedos son carnosos y largos, los muslos, las piernas son también largos y carnosos. Si la palma es abombada y noble, el torso es noble y abombado. Si los pulpejos de los dedos y de la base del pulgar son firmes y tienen una blandura jugosa, los pechos lo son también.

Al llegar aquí vi que la enfermera decía:

— ¿Qué le pasa a usted? Siempre está con esas cosas. Lo hace para asustarme. Primero habla de los muertos y luego de los pechos y los muslos.

Michael me miraba y se llevaba un dedo a la sien dando a entender que el artillero estaba un poco loco.

— En serio — decía él —, las manos son una reducción exacta de las proporciones del cuerpo. Y el de Tadea debía haber sido hermosísimo. Bueno, no crea usted, linda enfermera. Todos nosotros podemos ser dentro de unas horas lo mismo que aquellos macabeos machos o hembras. Y en estas condiciones, ¿qué importancia tiene una palabra más o menos, un beso, una caricia furtiva? Yo estoy por la caricia furtiva.

La enfermera hizo un mohín de disgusto y se marchó. Michael se sentía defraudado por el giro que habían tomado las confidencias del artillero. Y preguntaba:

— Di la verdad. No te han amenazado los paramoscovitas? — él afirmaba con la cabeza —. Pero tú aguantabas no solamente los pepinazos del enemigo, sino las tablas de los ataúdes. ¿No es verdad?

El artillero miraba a la enfermera que se alejaba ligera y juncal y respondía, distraído:

— Sí, eso es verdad. Pero estoy por las caricias furtivas.

Michael decía que los rusos habían comenzado a romper la unidad de los combatientes españoles. Hasta que ellos llegaron todos peleaban hombro con hombro sin discutir de política. En lo que se refería a él la presencia de los rusos también representaba un cambio en su situación. Se proponía andar alerta porque cuando en Moscú decidió pedir la protección del consulado americano pasó a ser, según decía, el enemigo público número uno de los moscovitas. Yo creía que Michael exageraba. Luego se puso a lamentar su propia ligereza persuadido de que había ido demasiado lejos cuando en el bosque nos contó su aventura.

— Yo no tengo remedio — decía —. Me paso la vida haciendo imprudencias y arrepintiéndome luego para volver otra vez a las andadas. ¿Y tú? ¿No te arrepientes nunca de lo que haces?

— No. Sería inútil. Habría que arrepentirse de haber nacido y es absurdo porque el nacer no depende de uno.

Me fui, haciéndole prometer otra vez que me buscaría cuando lo dieran de alta.

En el piso de encima iba y venía Ariadna por la sala de maternidad en su sillón de ruedas. Un lado de la sala estaba cubierto con vitrinas de cristal en las que había instrumental de operaciones. También había un muñeco de goma del tamaño de un niño recién nacido. Ariadna me había dicho en mi segunda visita:

— Ese muñeco es Horacio. Así lo llaman las enfermeras. Esta sala era una escuela de matronas antes de la guerra. Aquí se instruía a las jóvenes parteras de la comarca y ese muñeco era el recién nacido. ¿Lo ves?

En su vitrina Horacio mostraba los ojos cubiertos de manchas de argirol y el ombligo brillante de grasas y aceites balsámicos. Las narices también tenían huellas de esos mismos aceites. Aquel muñeco había "nacido" millares de veces y le habían aplicado las medidas higiénicas del caso. Era por decirlo así un recién nacido veterano y experto.

Detrás del cristal, Horacio, un poco inclinado hacia un lado, se apoyaba en un rimero de álbumes que debían contener estampas de ginecología.

Horacio dominaba la sala desde su vitrina y sabía o parecía saber que hablábamos de él. Yo lo veía con una mezcla de amistad y de repugnancia. Siempre me ha extrañado la facilidad con que las mujeres dedican su ternura a cosas que a los hombres nos parecen repulsivas.

Las otras mujeres, entre las cuales había una con la cabeza envuelta en vendas, comenzaron a decirme que tenían sus hijos o sus maridos en el frente, detallando la unidad a la que pertenecían. Entre ellas estaba la que había llevado la comida a Enriqueta, Paula y Ariadna en la capilla. La pobre no se atrevía a hablarle a Ariadna y parecía confusa por las dramáticas incongruencias de la vida.

Ariadna me dijo aquel día cosas muy raras. Que mi cabeza con el pelo cortado al rape — me lo corté después de la aventura del *champoo* — era ridícula y que no tenía nada de joven ni de atrayente. Yo la miraba en silencio. Ella erguía el busto:

— ¿Qué me miras? ¿Crees que toda tu vida vas a adivinar mis pensamientos? Pues esta vez te equivocas.

328

La besé en la frente y sentí la presión de su cabeza. Menos mal. Ella apretaba su frente contra mis labios. Entonces yo le dije que debía pensar en salir del hospital. Era demasiado deprimente aquella atmósfera. Podría ir a la ciudad.

— No — dijo ella jugando con un rizo de su cabello y poniéndolo por fin detrás de la oreja —. Cuando salga iré a nuestra casa entre Pinarel y Los Juncos.

Viendo en mi expresión la extrañeza reflexionó un momento:

— ¿O me quedaré aquí como enfermera?

Me preguntaba si era verdad que no habían robado las sábanas ni los almohadones bordados. Yo le juraba que no.

Había en la sala dos grandes ventanas por las que se veía un cielo gris.

Prometí volver a verla pronto y quise marcharme, pero Ariadna me llamaba:

— ¿Adónde vas? ¿Por qué no me hablas de ti mismo? ¿Estáis bien en tu cuartel?

— No hay calefacción ni apenas comida y en los patios y pisos altos entran las granadas. Aparte de eso no podemos quejarnos.

Al salir pensé que tampoco a mí me gustaría que me llevaran a la ciudad. Aquel valle era nuestro mundo. En la paz y en la guerra.

Los milicianos descubrieron que además del cementerio civil provisional del claro del bosque había otro improvisado también por los moruecos y quisieron llevar una segunda cruz y algunas figuras escultóricas. La cruz la sacaron del cementerio de Pinarel, pero no hallaron otro grupo escultórico sino el que adornaba el parque del palacio de un aristócrata. Una composición muy moderna formada con tres hombres de pie, dos de rodillas y uno acostado. Todos desnudos y tallados en piedra porosa. Ninguno tenía facciones claras ni detalle alguno realista. Sus cabezas apepinadas y los gestos laxos de sus largos miembros les daban un aire peculiar.

A falta de otra cosa los milicianos llevaron aquel grupo al segundo cementerio civil y lo iban a instalar en el centro, pero mientras llegaban los albañiles para construir el basamento dejaron las figuras a la entrada. Cuando yo los vi pensé que debían ser llamados *los heresiarcas,* sin saber por qué.

Los milicianos que veían aquellas figuras de gesto obtuso las llamaban *los zopencos.* Pocos días después y en vista de que el nombre los envilecía demasiado nadie quería ponerlos ya en el cementerio. Allí quedaron hasta hoy aquellos seis zopencos tozudos, inmóviles y silenciosos, con verdín en la nuca.

Entretanto Michael salió del hospital y se hizo amigo y amante de una traductora rusa que se llamaba Vera y que estaba en el cuartel general. Era una judía de pelo rizado que había estado en el frente de Hijares, adonde habían llevado varios batallones internacionales. A pesar de todos los propósitos de Michael, en cuanto vio a Vera se puso a hablarle en ruso. Se hicieron muy amigos. Vera le contaba cosas que después Michael me contaba a mí. Voy a referir una de ellas tratando de reconstruir los hechos como si los hubiera presenciado. He pensado tanto en aquello que a veces tengo la impresión de haber sido amigo de Earl — el protagonista — y testigo de su desventura. Porque hubo una víctima que se llamaba Earl. En todo lo que hacen los rusos siempre hay una víctima.

Desde que sucedió el caso de Earl había comenzado Vera a conducirse de otra manera con los rusos y evitaba ir a la ciudad y sobre todo a Madrid, donde los moscularis tenían su cuartel general. Michael me decía con entusiasmo:

— Vera se contagia del espíritu de los españoles.

— ¿Qué espíritu es ése? — le preguntaba yo en broma.

Él no sabía qué contestar. Por fin decía:

— Tú me entiendes.

Luego Michael suspiraba:

— Vera es una chica excelente, pero a veces me arrepiento de mi confianza con ella. Los rusos son siempre inseguros, tú sabes.

Yo le decía:

— No te arrepientas. Goza de tu sinceridad y de tu abandono hasta el fin.

Entonces él me miraba en silencio, suspiraba y decía:

— ¿Ves? Ése es el espíritu español.

Lo decía en serio. Luego extendía la mirada alrededor y añadía:

— Este valle es el crisol de una humanidad nueva.

Yo no lo creía, aunque la verdad es que el valle rodeado por las montañas tenía la forma de una marmita.

He aquí lo que le sucedió a Earl.

Había en Hijares varios rusos incorporados al estado mayor que no tenían en realidad mando ni responsabilidad de guerra. Eran unos tipos al principio indefinibles, pero luego se veía

—por su afán de disimular lo que hacían—que eran funcionarios de la policía política. Es decir, partiquinos anónimos de la ópera arioeslavomongólica. A veces se reunían hasta diez o doce, hacían una gran comida y acababan medio borrachos, cantando. Imitaban creo yo a los militares del tiempo de los zares. Y a los prusianos.

Los rusos asimilados al estado mayor de Hijares hablaban aquellos días de un americano del batallón Lincoln que se llamaba Earl. El más viejo de los rusos, a quien llamaban Ivan Ivanovitch — todos tenían nombres falsos —, consultaba los pasaportes de los americanos y apartaba el de Earl, que se quedaba sobre la mesa. Yo lo conocí después, a Ivan Ivanovitch. Era grande, ancho de espaldas y completamente calvo. Su rostro era pesado y sin expresión. Como muchos rusos, tenía un aire anacrónico de fines del siglo pasado. Cuando perdía los estribos parecía un animal acorralado y balbuceaba: ¡*Fabuloso!* Con eso quería decir que no podía comprender lo que pasaba.

Decía también tonterías en dos o tres idiomas, pero eso es de rúbrica entre los políticos de cualquier país.

Ivan Ivanovitch parecía con su traje siempre nuevo un campesino en misa mayor. Volvía a mirar el pasaporte de Earl y sonreía como en éxtasis. Luego lo guardaba en un cajón, cerraba con llave y se rascaba en el temporal encima de la oreja izquierda pensando: "Yo tengo mi propia piedra de afilar y no necesito pedir prestada la de los otros. Si esto me sale bien van a tener que roerme los zancajos en la embajada".

La casa donde estaban era una antigua mansión de piedra en un cruce de carreteras a unos quince kilómetros del frente de Hijares que había crecido mucho en importancia y donde aquellos días se peleaba duramente. No venían todavía los rusos a mi valle. Tardé mucho en comprender que no venían porque estábamos en Pinarel algunos pequeños jefes como yo. (La idea de que nos tuvieran miedo me parece hoy muy divertida.)

Un día llamaron a Earl, quien acudió al estado mayor con sus botas enlodadas, la piel resquebrajada por la intemperie y los labios inflamados por el frío. Tenía Earl esa expresión de niño que tienen a veces los americanos y los ojos muertos de los que llevan algunas semanas aguantando bombardeos de artillería. Cuando Earl entró en la oficina de Ivan éste mandó a un miliciano que estaba allí que saliera y los dejara solos. El miliciano andaba con dificultad apoyándose en un cayado, conva-

leciente de una herida. Earl se sentó junto a la mesa de Ivan
y éste comenzó a hacerle preguntas que Vera traducía al inglés:
— ¿Tiene usted parientes en Europa?
— No. No tengo a nadie.
Esto preocupaba un poco a Ivan. Las respuestas demasiado fa-
vorables le ponían nervioso. El ruso preguntaba a Earl si esta-
ba casado, si vivían sus padres, si tenía hermanos y Earl contestaba negativamente con su mano izquierda petrificada sobre
la mesa. Ivan sacó un paquete de cigarrillos americanos y en-
cendió uno:
— ¿Cuáles son sus amigos íntimos en América?
Earl dijo algunos nombres, pero advirtió que no se podía decir
que fueran íntimos.
— ¿Dónde viven?
— En este momento no lo sé.
Ivan tomaba nota de todo. Ninguno de sus gestos parecía de
él sino usurpado, de lo cual deduje yo — cuando conocí a
Ivan — que no debía ser un burócrata de altura. Por encima
de él debía haber otros con gestos más genuinos.
— Y sus amigos en el batallón... ¿quiénes son?
Earl siguió diciendo nombres que Vera apuntaba.
— ¿Los conocía usted en América?
— No. Los conocí en Cataluña durante el período de instruc-
ción.
Ivan dijo algo en ruso a Vera y ella se puso a escribir en un
segundo cuaderno. Parecía Ivan secretamente insatisfecho, pero
repetía:
— Muy bien. Perfectamente bien.
Y consultaba otra vez el pasaporte de Earl. Demasiado fácil.
Las cosas demasiado fáciles solían encerrar trucos y perfidias.
Abrió el armario, sacó una botella, y escanció vino en dos vasos.
— A su salud.
Bebieron. Earl quería un cigarrillo americano y lo tomó del paquete de Ivan. El ruso le dio el paquete entero y sacó otro del
bolsillo. Vera pensaba: "Son cigarrillos que envían de América
para soldados como Earl, pero se los fuma Ivan Ivanovitch".
Lejos se oían los cañones. Los cañones de Pinarel. Las preguntas de Ivan continuaban. ¿Tenía novia Earl? ¿Se escribía al
menos regularmente con alguna mujer dentro o fuera de América? ¿Tenía hijos naturales o legítimos? Earl negaba con movimientos de cabeza y añadió con una súbita inocencia:

— ¿Cómo voy a tenerlos si no estoy casado?

Esto produjo una gran impresión en Vera. Ivan volvió a servirle otro vaso y sacó de un armario dos lonchas de jamón y un trozo de pan. "Demasiado fácil y favorable el interrogatorio", pensaba decepcionado. Pero de vez en cuando se veían en su cara, que era como una gran pera mondada, destellos de alegría.

Earl comía como los campesinos, cortando pequeños trozos de pan que masticaba cuidadosamente y sin prisas. Ivan quería saber más:

— Cuénteme alguna cosa de su infancia. Sí, de su niñez. Esas tonterías que parece que no tienen importancia y que nos han sucedido a todos.

Se quedó Earl con la boca abierta un momento. ¿Tonterías de su infancia? Vio que Ivan, con su cara de pera mondada, tenía los ojos como dos puntos negros de esos que tienen a veces las frutas y que hay que quitar con la punta del cuchillo. ¿Tonterías de su infancia?

— Yo creo — dijo Earl volviendo a masticar — que desde chico pensaba ya de una manera seria. Mis padres creían que era un chico anormal porque me estaba las horas muertas viendo pasar las nubes. Y porque según dicen quería demasiado a los animales.

Ivan lo miraba sin pestañear. No era aquello. Él quería detalles concretos como los que cuentan Turguenef y también Chekhov. Quería esas tonterías que cuentan los escritores cuando hablan de la infancia de alguien: por ejemplo, que roció con petróleo a un cerdo y le prendió fuego. O que le pegó una paliza a un vecino, o que violó a una muchacha. Algo así. Un robo de dinero a su padre, o una escapada a la ciudad. Algo muy concreto, con nombres de personas y fechas. Earl hacía memoria, pero la extrañeza de aquellas curiosidades de Ivan le dificultaba concentrarse y recordar nada.

— Es verdad que me escapé de casa, pero era ya mayor. Y me puse a trabajar en la ciudad. De chico no recuerdo nada, lo que se dice nada.

Ivan volvía a pensar: "Demasiado fácil". Necesitaba su historia, algún dato de su infancia que pudiera dar autenticidad a su historia.

— ¿No tenía usted miedo a los fantasmas?

Earl sonrió con ironía:

—No. A otros chicos los asustaban con el *boogy man,* pero yo no creía en eso.

Ivan decidió que la infancia de Earl no valía la pena.

—Vamos a ver —dijo como si se tratara de un juego— si recuerda las personas a las que ha escrito desde que está en España.

Dejó Earl de masticar y se quedó pensando:

—Dos tarjetas postales escribí en Barcelona, pero no las eché al correo. Todavía deben andar por mis bolsillos.

—¿A ver las direcciones?

Vera las copió.

Aunque el interrogatorio era fácil, Ivan se afanaba y su respiración se aceleraba un poco. Entonces dejaba de respirar y hacía con la laringe un pequeño gorjeo de regocijo. Muy breve, claro.

—Usted parece un hombre educado —dijo—, pero su idioma inglés debe tener algún acento. ¿Qué acento es ése?

—Del Middlewest, de Ohio —dijo Earl sin comprender que la educación y el acento tuvieran que ver gran cosa.

El ruso seguía:

—En el Middlewest hay *farms,* ¿no?

Y Earl respondía:

—Hay agricultura, maíz. Ganadería. Cerdos. Millares de cerdos. Millones.

Muy bien. ¿Era Earl un *farmer?* No. El padre de Earl quería que fuera campesino como él, pero Earl se fue a la ciudad, a Cleveland. Su padre no le comprendía. Quería que fuera *farmer* o nada. En Cleveland se puso Earl a estudiar.

Viendo Ivan a Vera apuntar las palabras de Earl tamborileaba con los dedos en la mesa. A veces miraba al techo y soltaba ruidosamente el aire de los pulmones para preguntar luego, amablemente:

—¿Tiene alguna relación con gente de Ohio?

El americano negaba. Ivan, conservando el pasaporte en la mano y dando por terminado el interrogatorio, hizo un gesto a Earl para que le siguiera y salieron los dos de la habitación. Detrás iba la secretaria rusa con el lápiz clavado en el pelo encima de la oreja. Su jersey negro acusaba el relieve de los pechos. Era ese tipo de mujer de mucho pecho y piernas delgadas.

En la habitación nueva había cuatro o cinco rusos más. Uno fumaba un cigarro puro conservando el largo cilindro de ceniza.

334

Los otros, agrupados en un rincón, discutían con aire de comadres satisfechas. Uno paseaba a grandes zancadas. Cuando entraron, el que llevaba la palabra estaba diciendo:

— Hay perros de casta artificial, porque...

La presencia de Earl lo interrumpió. Ivan dijo:

— Éste es Earl, camaradas.

Un hombre flaco, de mejillas violáceas, contestó sin levantarse:

— Ah, Earl.

Otro más pequeño repitió, rascándose en la rodilla:

— Oh, Earl.

El del cigarro puro, que parecía un español del norte, asturiano o vasco, alzó la cabeza:

— *Hello,* Earl.

Había una cordialidad falsa que irritaba a Vera. Sin embargo Earl no se daba cuenta y pensaba: "Estos tíos tratan de serme agradables". El del cigarro puro hizo un gesto con el que quería decir que la traductora podía marcharse. Ella salió con la vivacidad de quien se ve libre de una enfadosa tarea.

— ¿Usted es el americano Earl? — preguntó el del cigarro en inglés, como si no se fiara de lo que había dicho Ivan en ruso. Earl afirmó con la cabeza, mientras aspiraba con voluptuosidad el humo de su cigarrillo.

Abriendo mucho los ojos Ivan preguntó:

— ¿No ha usado nunca nombres falsos, es decir, conspirativos?

En el rincón junto a la chimenea encendida se oyó una pequeña risa.

— Ah — dijo un hombre de frente estrecha y abultado hocico que no había hablado hasta entonces —. ¿Earl el del pasaporte? ¿Es usted Earl?

Luego con la caña de la pipa empujó una mosca muerta que había en la mesa, hasta hacerla caer al suelo. El del cigarro, que parecía el jefe, dijo algo en ruso a Ivan. Algo áspero y agresivo. Ivan se calló, tragó aire y fue a sentarse en el extremo de un diván. El jefe siguió, en inglés:

— ¿Puede usted decirme cuántos días lleva en el frente?

— Veintitrés. No, veinticuatro. Hoy se cumplen veinticuatro, a las seis de la tarde.

El del cigarro puro contempló su ceniza, satisfecho:

— ¿Cuánto tiempo hace que entró usted en el partido americano?

— Tres meses.

El jefe movió la cabeza, benévolo:

— Tres meses. Y ahora que está aquí..., ¿se arrepiente de haber venido?

— No, ¿por qué? Los españoles pasan hambre y frío y combaten y mueren. Su lucha es nuestra lucha.

Los otros habían vuelto a sentarse cerca de la chimenea. Alguien hurgó en los tizones y las llamas se hicieron tumultuosas. Ivan seguía en el extremo contrario de la sala, en el diván.

— ¿Hay movimiento en su sector? — preguntó el de la pipa.

— Día y noche, la artillería. Demasiada artillería.

Desde allí se oían también los cañones como una tormenta lejana a la que todo el mundo estaba acostumbrado. El de la pipa vio volar una mosca alrededor de su cabeza y estuvo mirándola un instante con el gesto inmóvil y los ojos girando en las órbitas.

— Estas moscas de otoño son obstinadas — dijo.

Todos callaron. Cada uno evitaba mirar el rostro de los otros y también al de Earl, quien pensaba: "Son tímidos. Estos rusos son tímidos. Deben ser buenas personas. ¿Qué se les ha perdido en España? Y sin embargo aquí están aguantando las incomodidades de la guerra. Y a veces jugándose la piel porque cuando llegan los aviones hay granadas para todo el mundo. Sin embargo son sencillos y tímidos". El de la pipa quería decir algo más:

— ¿Usted, Earl, nació en los Estados Unidos?

Earl creyó que la pregunta era obvia también, y mientras pensaba lo que debía contestar, el de la pipa dijo:

— Bueno, usted sabe. Millones de americanos han nacido fuera del país y se han naturalizado después. Eso es lo que quiero decir, si usted es nativo o naturalizado.

Ivan intervino:

— Tengo todos los datos aquí, camarada. Bueno, según lo que dice, ¿no tiene a nadie en el mundo?

— Hombre, tanto como a nadie...

Todos alzaron la cabeza y lo miraron. El del cigarro preguntó:

— ¿Qué quiere decir?

Earl no entendía. ¿Qué importancia podía tener aquello? Ivan en un extremo con las piernas cruzadas balanceaba nerviosamente un pie en el aire. El americano dijo:

— Tengo a mis camaradas, a ustedes...

336

El del cigarro volviéndose hacia Ivan le dijo algo agriamente. El pie de Ivan se quedó inmóvil. El del cigarro tomó con Earl un aire de hermano mayor:

— ¿Qué le parece un permiso de quince días? Desde aquí se irá a la ciudad. A una de las casas de reposo. Buena comida, descanso y las diversiones naturales de su edad. ¿Qué le parece?

Los ojos muertos de Earl se animaron:

— ¿Dice por quince días?

— Dale un mes, Fedor Gavrilovitch. Dale un mes — intervino el de la pipa después de soplar en la caña para comprobar que estaba limpia.

Ivan callaba pensando que el crédito de aquel asunto se lo llevaría Fedor y en la embajada no podrían roerle los zancajos como esperaba. Fedor bostezó y dijo:

— Está bien. Un mes — añadió, dirigiéndose a Earl —: Al llegar a la ciudad preséntese al comité de transeúntes en el hotel Comodoro.

Ivan se acercó a la puerta y llamó a Vera. Le dio instrucciones. Ella miró a Earl como interrogándole con los ojos y salieron los dos. Cuando hubieron salido Ivan señaló el pasaporte de Earl que estaba en la mesa y dijo:

— Un mes. Fedor Gavrilovitch le ha dado un mes. Un año. Cien años. Mil años de permiso.

Fedor lo miró de reojo y dijo cogiendo el pasaporte y contemplando la fotografía:

— La misma estampa de Vasilief. Se diría que es Vasilief en persona. Yo lo conozco bien. Ya les dije, camaradas, que era la misma estampa de Vasilief, Earl, el del pasaporte.

Trataba de reír sin conseguirlo. La risa se le quedaba dentro en lo que los campesinos llaman *el vacío* entre el hígado y la pleura. Uno de los de la chimenea se alzó indolente:

— ¿Tú lo descubriste, Ivan?

— Yo, pero no quiero que se me atribuya el mérito — respondió modestamente —. No es necesario que me atribuyan a mí mérito ninguno.

Fedor seguía contemplando el pasaporte:

— Calcado — dijo —. Un calco de Vasilief. Ese Vasilief nació de pie. Todos los tiñosos tienen suerte. Hasta la peca junto a la nariz. Era asiduo del Metropol. ¿No lo habéis visto? Es el espejo del camarada Vasilief, asiduo del Metropol. La estatura, el color, la cara. No hay que perder tiempo. Ivan lo descubrió, es verdad. Pero tengo órdenes de París. Vasilief lleva un mes en París esperando el pasaporte de Earl. Con este pasaporte Vasilief no necesita más. Es el interés de la Casa. Tú, Ivan Ivanovitch, estás ahí balanceando estúpidamente el pie en el aire mientras a otros hombres que valen más que tú les está volando en este instante la cabeza de los hombros.

— ¿Y qué? La guerra es la guerra.

Esto parecía bastante lógico. Se quedaron todos callados. Ivan dijo:

— Ese chico, Earl, no tuvo infancia.

Fedor Gavrilovitch advirtió, sentencioso:

— Ha tenido más infancia que todos nosotros. Todavía es un niño.

— Eso es verdad — dijeron a coro tres o cuatro.

Una racha de viento debió penetrar por la chimenea desde el exterior y los leños echaron hacia el interior del cuarto un vaho de humo, que olía a resina y sugería la calma y la simplicidad aldeanas.

Fedor Gavrilovitch animado por el éxito añadió:

— Todos los americanos verdaderos, es decir los nativos, y especialmente los del *Middle west,* son niños hasta que se mueren de viejos.

Ivan Ivanovitch empezó a replicar.

— Cállate — dijo Fedor Gavrilovitch —. Ahí estás moviendo un pie en el aire y no sabes que yo tengo aquí — señalaba su propio bolsillo — un telegrama con órdenes concretas.

Hubo otro silencio. Fuera se oía un teletipo. El miliciano que iba y venía por los pasillos apoyado en su bastón llamaba a aquel aparato *el torniquete,* sin saber por qué. Ivan dijo irónicamente imitando la voz de Earl:

— La lucha del pueblo español es nuestra lucha.

Ivan buscó una botella y llenó cinco vasos. El aire estaba lleno de humo. Lo atribuían a la chimenea, pero era también de los cigarros. El jefe volvió a llamar a Vera:

— ¿Tomó usted nota del número de la matrícula del camión?

— Vera afirmó —. Deme por teléfono la embajada.

Se refería a la embajada rusa en Madrid a cargo de un embajador miniatura. Fedor tenía una cara obtusa de vasco. Y cuando hablaba por teléfono parecía que salmodiaba. Decía al embajador que el asunto Earl estaría resuelto aquella misma noche por el procedimiento A y que podría disponer del pasaporte en el acto. El procedimiento A era la liquidación física. Aquella noche mataron a Earl en los sótanos del hotel Comodoro. Dos días después el ruso Vasilief, de la NKVD, se presentó con el pasaporte de Earl en el consulado americano de París diciendo en su buen inglés que se llamaba Earl Ferguson, que había nacido en Cleveland, Ohio, y que estaba arrepentido de su aventura en España. Pedía que lo repatriaran a costa del Gobierno de Washington.

Para hacerlo todo más verosímil la prensa mosculari de París publicó un suelto acusando a Earl de traidor desertor y cobarde por haber escapado de España. Así es que mataron a Earl y envilecieron su nombre sólo para poder usar su pasaporte.

El delito de Earl consistía en haber nacido con una nariz y unos ojos iguales a los de un ruso que se llamaba Vasilief y que hablaba inglés con acento americano. Ese ruso tomó su estado civil y se fue a New York. El Gobierno americano le pagó el viaje.

Ivan Ivanovitch decía que era lamentable la ejecución de Earl, pero que necesitaban su pasaporte y no convenía que siguiera viviendo, ya que la presencia del pobre Earl — decía *pobre* como echando un remiendo a la sordidez de la frase — constituiría la evidencia constante de la falsificación.

Cuando bajaban al estado mayor de Hijares los soldados americanos solían preguntar por Earl muy extrañados y Vera decía que no sabía nada. Luego le ordenaron a Vera que dijera: "Una ráfaga de ametralladora acaba pronto con la vida de un hombre". De esta manera daban a entender que había muerto en el frente.

El recuerdo de aquel triste episodio me fatiga y callo por algunos momentos. La asamblea de la OMECC me ha escuchado en silencio. Veo que el búho vuelve a cruzar la sala, pero esta vez de abajo arriba. El esfuerzo es mayor y se oye el roce de las plumas remeras en el aire. Un rumor delicado. Por fin llega a una de las vidrieras del domo y se posa allí.

En la pantalla que hay al fondo del estrado aparece la imagen del adalid un poco desvaída porque hay demasiada luz. Oigo a mi derecha a alguien que dice a su vecino, parpadeando nerviosamente:

—Ahí está. Mírelo, mírelo usted al adalid. Se ha colgado unos azabaches en la oreja y juega con ellos. Su boca parece un buzón. Dicen que no tiene intestinos.

Es posible que el llamado adalid haya reabsorbido sus intestinos — o estén atrofiados — puesto que lleva muchos años sin usarlos. El presidente golpea la mesa con su martillo. Yo miro a Ariadna, que tiene ahora el rostro descubierto y escucha, benévola.

Mi batallón creció poco a poco hasta convertirse en una brigada con sus servicios técnicos, su artillería y hasta algunos tanques. Como fuerza de reserva, nos tenían allí para llevarnos al lugar de aquel sector donde hiciéramos más falta. Los mandos superiores procedían conmigo de un modo que todavía hoy no acabo de entender.

Me llevaron con mi gente a Hijares, que como digo estaba en manos de los internacionales. Los internacionales daban a los frentes de la guerra española un carácter peculiar. No había en ellos la disposición orgiástica de los españoles. Hacían su parte en la guerra seria y diligentemente. Algunos, cuando estaban fuera de servicio, bebían y se emborrachaban. Sus borracheras eran sentimentales y no en relación con sus países, sino con España. En general estaban demasiado encuadrados sin embargo para permitirse excesos de alegría — encuadrados políticamente por los moscularis.

Para mí no era novedad el tenerlos cerca. Yo tenía la misma impresión que en Pinarel cuando me encontraba en el bosque, antes de la guerra, con franceses, alemanes o americanos.

Como suele suceder había de todo. Conocí a un yugoeslavo que se llamaba Cyril. Tenía una expresión borrosa y pesada y parecía asustado por lo que veía y deseando marcharse. Lo estimaba yo mucho porque me ayudaba a identificar las abejas que ocasionalmente se acercaban al puesto de mando. Yo seguía con la manía de las abejas y algunos días las observaba. Al principio Cyril no comprendía aquello, pero acabó por encontrar mi manía interesante y pintaba las alas de las abejas con un cepillito que iba pegado al tapón de un pequeñísimo frasco de azul de metileno. A veces anduvo una milla para ver si lo que había dicho la abeja — según mis observaciones — era verdad. Al ver que sí, me miraba Cyril, asombrado.

Allí donde había tantos internacionales heroicos, Cyril tenía miedo. Tenía miedo Cyril, y quería marcharse, salir de allí a toda costa. Poco después lo consiguió. Hasta que se fue me ayudó mucho con las abejas y además me guardó el secreto, lo que era importante. Porque cualquier extravagancia en aquel tiempo era o podía ser motivo de sospecha. Los moscularis no perdían ripio.

Un día vinieron un moscovita y un comisario español a hacerme preguntas de carácter muy confidencial sobre Justiniano. El comisario era viejo y desaliñado, y el ruso — cosa rara — olía a incienso. Era el primer contacto directo que tenía yo con los moscovitas. El ruso hablaba francés con un aire bondadoso de cura castrense. A pesar de Michael los creía yo entonces gente de buena fe — ignoraba el caso de Earl. Dije todo lo que sabía de Justiniano, incluso el hecho de *sacar de en medio* a cuatro soldados heridos aunque traté de atribuirlo a un rapto de locura. El comisario español guiñaba los dos ojos, confuso, y me decía:

— Lo que nos interesa es saber si ese camarada tiene o no cabeza para la administración. ¿Tú que piensas?

Le dije que de eso no sabía nada. El ruso escuchaba haciéndose el distraído. Se inclinó sobre el borde de la trinchera, arrancó heno todavía verde y se puso a olerlo. Luego sin decir nada se marcharon los dos.

Yo pensé que Justiniano perdería el puesto que tenía, cualquiera que fuera, pero me equivoqué de medio a medio. Un día lo vi llegar al cuartel general en un coche magnífico conducido por un cabo.

— Yo sé que informaste en contra mía — me dijo ladinamente —, pero así y todo me han hecho inspector de policía militar del sector. ¿Tú no sabías que yo pertenezco al partido, verdad?

Yo estaba desconcertado:

— ¿A qué partido?

— Bueno, lo que hice en la sierra fue una monstruosidad, lo confieso — añadió en voz baja —, pero en la vida todo puede aprovecharse, hasta los errores. Tú me denunciaste, ¿verdad? Bien, pues me hiciste un favor. Por eso no te guardo inquina. Sabiendo los moscovitas que un día rematé a cuatro heridos tienen un secreto mío en sus manos, un secreto importante que podría costarme la cabeza. Entonces soy un tipo especialmente seguro para ellos. ¿Tú comprendes? Lo que uno hace de malo queda enterrado como la turba en los pantanos y un día se convierte en fuerza motriz. ¿Qué te parece la idea? La verdad es que debía darte las gracias. Por otra parte me han sacado de los frentes, donde cada día se me hacía la vida más difícil. No porque tuviera miedo, aunque lo tengo como cada cual.

341

Pero cuando veía un muerto tenía la impresión de que lo había matado yo. Puerca conciencia. Era como si yo le hubiera dado el tiro en la nuca. Yo soy hombre de ciudad y de oficina, tú sabes. Tengo los nervios delicados. Y sin embargo... Bueno, olvidemos. Tu denuncia me ha traído ventajas. Muchas ventajas. Te lo agradezco de veras, Javier.

Yo todavía pensaba que podía estar hablándome con sarcasmo. Le advertí que si lo denuncié traté al mismo tiempo de disculparlo diciendo que había sido víctima de una locura pasajera y no supo lo que estaba haciendo.

Justiniano tenía cercos violáceos en los ojos.

— Algo de eso había, es verdad. Pero lo que hay que evitar en estos casos es el escándalo.

Callamos y Justiniano soltó a reír de pronto con un ruido parecido al repiquetear de una matraca. Sin embargo era una risa bondadosa. Sin dejar de reír me preguntó dónde estaba el ruso.

— ¿Qué ruso?

— Mikhail Bulkin.

— No sé — dije yo —. No está en mis listas.

Y era verdad. Lo tenía con el nombre americano: Michael Hacket. No lo descubriría Justiniano fácilmente porque Michael, que tenía talento para los idiomas, hablaba ya el español sin acento y además de usar otro nombre se había dejado la barba. Todavía Justiniano parecía llevar aquellas curiosidades de inspector de policía militar de un modo apático y sin saña. Yo me preguntaba si el afán de encontrar a Michael sería curiosidad de Justiniano o interés de los moscovitas.

Seguía aprovechando cualquier ocasión para ir a ver a Ariadna. Detrás de la vitrina de cristal, Horacio, el niño de goma, seguía con sus ojos terribles. Ariadna lo miraba:

— Nuestro comisario — decía.

Estaban de moda aquellos días los comisarios políticos en los frentes. Casi todos eran nombrados por los paramoscovitas indígenas porque se trataba de una invención de Moscú con la cual creían que llegarían a tener el ejército a su lado. Horacio en la vitrina como comisario político resultaba un pérfido duendecito lleno de desarreglos y de pequeñas enfermedades.

En la gran sala de maternidad había doce o quince mujeres nuevas. Heridas o enfermas, no embarazadas.

Entre aquellas mujeres había dos que debían estar un poco locas aunque mostraban su extravío sólo en la mirada. No hablaban casi nunca, y cuando hablaban era para decir cosas de una obviedad chocante. Las otras eran ejemplos de los tipos más frecuentes entre las campesinas: locuaces, agudas, dispuestas a mostrar alguna forma de respeto por Ariadna y por mí. Les impresionaba la belleza de Ariadna y tal vez mis insignias militares. Cuando Ariadna y yo estábamos juntos aquellas mujeres callaban y nos miraban. Callaban y nos escuchaban discretamente desde lejos. Habían estado conspirando para "dejarnos solos". Para propiciar nuestra intimidad. Pensaban salir todas y poner centinelas en los pasillos con objeto de avisar si llegaba alguien. Yo me sentí un poco humillado y les dije que no había razón alguna para que salieran del cuarto.

Entretanto Ariadna miraba mis hombros. Y mis labios. Los hombros del macho son para las mujeres como las caderas de la hembra para nosotros. Pero el deseo de Ariadna no me halagaba, como otras veces, porque la abstinencia sexual que yo ignoraba desde los once años cuando comencé a tener aptitud viril, me había dado en aquellos días una frialdad y una indiferencia dobladas de vigor que sentía placenteramente en los músculos, en los nervios, en los huesos. La castidad de los soldados, tan difícil en tiempos de guerra, era un factor importante, por lo menos en los siglos en que la guerra se hacía con los músculos del hombre.

Detrás de Ariadna había una ventana y en ella un ancho trozo de cielo lleno de nubes aborregadas.

Al llegar a esta parte de mi declaración en la asamblea de la OMECC el presidente golpea la mesa con su martillito y me interrumpe:

— ¿Dice usted que a los once años comenzó a tener aptitud viril?

— Sí, señor.

— Aquí hay una ficha del gabinete psicosomático diciendo que no fue a los once, sino a los trece.

Lástima. Es un incidente desairado. Primero porque me han atrapado mintiendo. Segundo porque comenzar a tener aptitud viril a los once años — en plena infancia — me parece indecoroso. Sin embargo es verdad. Me disculpo diciendo que había mentido al escribir la ficha por una especie de ridículo pudor. La mentira es un accesorio de la virtud, en ciertos casos. Demuestra respeto por los demás.

El presidente toma nota y la pasa a un secretario que la archiva en una carpeta. Parece que mi mentira es un dato que hay que tener en cuenta también. Aunque sin duda es una mentira que representaba cierto respeto natural hacia la OMECC. Está visto que es mejor una sinceridad a toda prueba.

Yo continúo: Ariadna me deseaba a mí aquel día y yo percibía su deseo. Entretanto las mujeres nos contemplaban.

No debía haber ido a ver a Ariadna aquel día. Ella me miraba escrutadora:

— Tal vez hay cosas más fuertes que el amor.

Yo negaba. Ella argüía nerviosa:

— Te lo he oído decir otras veces, Javier. ¿Vas a negarlo?

— No, lo que yo quería decir es que hay formas de amor más poderosas que la atracción de los sexos. Todo esto, la guerra, la sangre, el riesgo, incluso el terror lo podemos tolerar y hasta podemos gozar de todo eso porque es amor también. Es un amor con arrebatos, celos, éxtasis y hasta hijos.

— Sí — dijo ella, irónica —: como Horacio. Hijos como Horacio.

Desde el otro lado de la sala las mujeres miraron al muñeco de goma. Nos escuchaban. Yo también las oía a ellas aunque hablaban en voz baja. Y Ariadna se daba cuenta. Besé a Ariadna. En el grupo de mujeres hubo un movimiento de curiosidad. Se oyó una voz amistosa. Estaban discutiendo todavía si debían salir y dejarnos solos. Se callaron. Cuando callaban era que nos vigilaban con más atención. Seguían en fila apoyadas de espaldas en los armarios. Ariadna se puso a hablar. Sabía que yo mandaba provisionalmente una brigada, que Michael estaba a mis órdenes como jefe de batallón. Yo le dije que esto último no era verdad. Me parecía peligroso que ella lo supiera y cuando vi que mi precaución era tardía le pedí que guardara el secreto. También sabía Ariadna que yo había estado con Alvear. Tenía confidentes Ariadna. No sabía cuáles ni en aquel momento me importaba, pero el hecho de que averiguara tantas cosas a pesar de estar encerrada en el hospital me intrigaba.

Las otras hablaban y una de ellas impuso silencio con un *chisss...* de lechuza. De pronto volvió Ariadna al mismo tema:

— ¿Tienes alguna amiga, Javier?

Lo decía con una ironía de buena ley.

En aquel instante yo estaba pensando en Sonia, una rusa que andaba con Vera y a quien había encontrado tres o cuatro veces en las oficinas del estado mayor. Estaba Sonia adscrita al cuartel general, había llegado hacía poco de Albacete y parecía recelosa y sombría. Era una mujer callada y melancólica, muy joven. Debía tener pechos de seda y muslos de nácar.

Era hermosa, Sonia, y sin embargo podía pasar desapercibida entre la gente. Tenía movimientos discretos y velaba sus gracias, como si dijera: "Mis atractivos no cuentan en medio de las grandezas de la guerra". Sonia tenía una extraña virtud: hacía confidenciales e íntimas todas las cosas que tocaba, ya fueran papeles de la administración militar, comunicados oficiales o reuniones políticas. Sin embargo, su mirada era fría y se veía que recelaba de todo el mundo.

Ariadna me miraba y a través de mis ojos veía tal vez la imagen de Sonia en mi fantasía. No sé por qué yo relacionaba a aquella mujer con Aniska, la novia que Michael tuvo en Moscú. La verdad es que todas las rusas se parecen fuera de su país como se parecen las monjas fuera de sus conventos.

Pensando en Sonia con cierta codicia de macho dije a Ariadna que no tenía amiga alguna. Ella suspiró coléricamente — con una cólera reprimida:

— Tienes una enemiga entonces. También con las enemigas se puede acostar un hombre. En serio, Javier. Me parece muy bien y debes tenerla para perder ese aire de fraile cartujo. No es muy fácil para mí la idea de que tengas una amante, pero ¿qué voy a hacer? Yo querría en este momento estar contigo. Estar desnuda en tus brazos. Seguramente otras mujeres tienen el mismo deseo que yo. La guerra es como una fiesta, como una gran fiesta social, es verdad.

Parecía Ariadna a punto de lágrimas. Yo amaba a Ariadna y fui a besarla otra vez, pero ella puso su mano abierta en mi pecho:

— No, ahora. Nos miran demasiado. Además eres un hombre incómodo. Tú sabes siempre lo que pienso, es verdad, pero no te sirve para nada. Yo también sé cosas de ti, cosas secretas. Yo sé que cuando me encontraste en la montaña, cuando me viste herida pero viva aún, viva, ensangrentada y respirando pensaste en todo aquello... Sí, aquello, mis cuatro heridas...

— Ocho, Ariadna. Las de entrada y las de salida. Ocho — dije yo cruelmente.

Las mujeres callaban un poco escandalizadas y Ariadna me miraba tal vez con odio. No importaba. El amor más grande se disfraza de odio cuando no sabe qué hacer de sí mismo.

— Hemos ido demasiado lejos, Ariadna — dije yo.

Ella recogió diestramente mi observación.

— Sí, Javier. Demasiado lejos. Aquellas ocho heridas eran cosa tuya. Tampoco a mí me importaría que murieras, en este momento.

Tenía ella las uñas acanaladas y los dedos delgados, pero pulposos. Se incorporó, atenazó mi mano y volvió a hablar con su voz de siempre, con su voz de Pinarel. Parecía arrepentida:

— No me importa, pero por favor, Javier, ¿qué quisiste decirme aquel día en la orilla del bosque cuando te separaste de mí?

Yo preguntaba para ganar tiempo:

— ¿Cuándo?

— El día que te fuiste. Tú ibas con la máquina fotográfica abierta colgando de la mano. Yo a tu lado. Y tú querías decirme algo. ¿Qué era lo que querías decirme? No. No estoy fatigada ni necesito descansar. Mi descanso eres tú y lo sabes, pero quieres marcharte. Tienes miedo a estar a solas conmigo. ¿Por qué? ¿Para evitar mis preguntas?

De pronto me di cuenta de que Ariadna quería ser amada en aquel mismo lugar donde estuvo esperando la muerte. Al pie de las ventanas estaba el frontón donde se veían aún los desconchados de las balas. Debajo de aquella sala había otra donde estuvo con Paula y Enriqueta esperando la ejecución. Yo quería decirle que comprendía todo aquello, pero reflexionar sobre el amor es alejarse del amor. No dije nada. Además las otras escuchaban. Al fin tuve que hablar:

— Cuando estabas en el otro hospital me hiciste una pregunta tremenda, Ariadna. ¿Te acuerdas? Me preguntaste si el hecho de encontrarte viva me decepcionaba. ¿No es eso?

— Sí, pero se habla por hablar.

Mi mano seguía atrapada por la de ella. La de Ariadna era suave como la de una niña. La mía nudosa, como la de un campesino.

— No, Ariadna. Tú te habías decepcionado hallándome vivo y querías saber si tenía yo la misma impresión contigo. Por eso me lo preguntabas. Pero no te asustes. No importa. Tú no tienes la culpa. La idea de mi muerte te daba alegría. Es natural. Yo muerto cerraría la curva de la pasión. Fuimos lejos. La muerte cerraría la curva en un nivel más alto. También te alegraste de verme vivo, claro, pero con un reverso de desilusión. Nuestro cariño ha ido demasiado lejos, es verdad.

346

Ella miraba a otra parte con los ojos vagos.

— Aquel día yo estaba llena de morfina y todo era diferente. Los colores se me apagaban. El sol era amarillo y dulce como la miel. Estaba un poco loca. No sólo por ti, sino por todo. ¿Quieres que confiese que tu muerte me habría dado alguna forma de felicidad? — ella parecía dispuesta a todo, pero vacilaba —. Es difícil, pero tú sabes más que yo de mí misma. Tal vez tienes razón. En ese caso se me ocurre una pregunta. ¿No será la muerte un gran bien que no podemos imaginar? Algo meritorio, dulce y tal vez grandioso. No es que la muerte nos lleve al paraíso de los curas. Tonterías. Ese gran bien lo tienen todos los que han nacido. Vivir es meritorio, pero ¿morir? ¿No es tremendo eso de morir? Yo creo que después de la muerte hay algo que compensa todas nuestras angustias. No sabemos en qué consiste, pero a veces lo presiente hasta la gente que tiene la imaginación más... rezagada. Sólo así podríamos desear la muerte a la persona amada. Es como si la empujáramos a un bien más grande que todos los conocidos.

Era un sofisma piadoso. Yo miraba al otro lado de la sala donde estaban las mujeres, temiendo que oyeran las palabras de Ariadna, pero vi que no la escuchaban a ella, sino a mí.

— Tú verás — seguía yo —. Del lugar donde estamos no podemos ya pasar sin hacer algún gran disparate. Es verdad que un día nos separamos a la orilla del bosque. Después te recogieron en la casa forestal medio muerta. En cierto modo te salvamos la vida, pero yo sé que no me lo agradeces. Tienes razón. ¿Para qué? He hecho cosas mejores por ti, ¿verdad? Quiero decir cosas mejores que salvarte la vida. Ahora hemos alcanzado la cumbre y no hay más remedio que perderse en el aire como un gas o como una luz, evaporarse, morirse, dejarse matar o comenzar a descender. Espera, no digas nada. Eres mi honesta esposa, ya lo sé. Pero por eso mismo... nuestra voluntad va por un lado y nuestra razón por otro. La razón vale poco en estos casos. Tenemos mil inclinaciones cada día más fuertes que nuestra razón. Por ejemplo: ¿vas a negar que te enamoraste como una niña perversa y malcriada de los médicos que te atendían en la sierra? Te enamoraste no porque te curaban, sino porque te veían desnuda y te hacían daño con sus manos. No, no protestes. Bueno, entiende. Los médicos son honrados. Les va en eso el pan y consideran además la medicina como un sacerdocio. Bien. Pero todos eran hombres jóvenes. Tan jóvenes como tú y como yo. Y no eran yo. ¿Te decepcionaba a ti verlos vivos? No, claro que no. Naturalmente. Sin embargo eran como yo en una medida mejor o peor. En ellos me veías a mí, lo mismo que me habías visto en los que te apuntaban con los fusiles en la casa forestal el día anterior. Pero los médicos no te mataban. Te hacían daño nada más. Eran yo mismo y tú no necesitabas decepcionarte de verlos vivos porque no habías recorrido con ellos el camino entero ni estabas asomada con ellos al abismo ni había llegado el momento de volatilizarse. Eran Javieres nuevos y vírgenes. Vírgenes como la herejía, como el adulterio, como el crimen. Y te tocaban con sus manos el cuerpo desnudo. Tus muslos, tu pecho. Además eran indiferentes. Pero esa misma indiferencia encendía tu deseo. El mismo que sientes ahora. El mismo que te hacía aceptar los planes de esas pobres mujeres para que nos dejaran solos aquí. ¿Lo niegas?

— No niego nada, Javier.

Yo cuidaba de no sonreír. Tenía Ariadna la manía de buscar en las comisuras de mi boca la revelación de mis sentimientos creyendo que allí se descubrían mejor que en mis ojos, pero se equivocaba con frecuencia. De pronto pareció no poder más y dijo muy excitada:

— Ya veo. Comienzas a ver en mí otra mujer. Los fantasmas me manosean pensando que soy una heroína. No una mujer, sino una heroína. Es lo que soy y lo que seré ya toda mi vida para ti, y eso es feo para un amante. Porque una heroína es en cierto modo una mujer pública. Y tú...

— Tampoco, querida. Es lo de siempre. Ya sabes que yo no he creído nunca que el matrimonio fuera una solución. Ni siquiera nuestro matrimonio. El amor no puede tener soluciones. Tarde o temprano el matrimonio es la sepultura del amor. Probablemente el único interés del matrimonio es el adulterio. Como tal vez lo único interesante de la religión es la herejía, es decir el pecado. No por el adulterio ni por el pecado en sí mismos, sino por la virginidad que hay en cualquier forma de abandono de la voluntad, en todas las cosas sin motivo ni objeto. Necesitamos esa virginidad para vigorizarnos y seguir viviendo. Para alimentar de sangre fresca nuestro corazón. Sin eso no podemos vivir.

— Quizá los hombres — decía ella, dubitativa —. Quizá tú.

— Seguro que muchas mujeres no necesitan el adulterio, no sé por qué. Muchos religiosos no necesitan la herejía. Estos sí que lo sé: por falta de imaginación.

—Márchate —dijo ella fuera de sí—. Eres un miserable. Márchate.

Se puso a llorar y entonces yo la acaricié, pero estaba pensando que aquellas lágrimas eran un buen desenlace y mientras la acariciaba ideaba cómo salir de allí, cómo marcharme. No era fácil. Ariadna dejó de llorar de pronto y dijo:

—Sé todo lo que haces. Anda con cuidado, Javier.

Lo decía como una leona. Como una leona tranquila.

En aquel momento me di cuenta de que por absurdo que parezca debía haber aceptado la complicidad de las mujeres que seguían lejos y en fila, mirándome. ¿Qué importaba mi decoro viril? Las lágrimas de Ariadna en mis manos, sus labios finos y fragantes parecían decirme que todavía era tiempo. Con el acento más natural del que era capaz me volví hacia las mujeres:

—¿Quieren ustedes salir y dejarnos solos?

Aquellas mujeres contestaron de un modo inesperado. Contestaron con una risa a coro. Por fin una dijo:

—Pero, señor, ella no quiere. ¿No ve usted que ahora ella no quiere?

Había en su expresión, una rijosidad de cabra vieja. Ariadna no decía nada.

Salí del cuarto con una sensación de ridículo. Llegué al pasillo comprendiendo que le guardaba rencor a Ariadna por haber permitido que hollaran el sagrario de nuestra intimidad al menos con un plan, con una conspiración de circunstancias viles. Y pensaba en Sonia.

Salí. Había aviones en el cielo. Cayeron algunas bombas y me metí otra vez en el quicio del hospital. Había allí un soldado que canturreaba:

> *La consigna era un tiro de fusil*
> *pero vino antes la guardia civil.*

Yo pensaba en lo ocurrido arriba. Los apremios de la carne, que nos parecen a veces impuros, a las mujeres les parecen nobles. Cualquier forma de apremio carnal es para ellas una bendición de la naturaleza y tal vez de Dios.

En los días siguientes sucedieron muchas cosas que me acercaron a Sonia. Recordando a la rusa yo me disculpaba a mí mismo pensando: "Tengo que preparar mis defensas contra los «turistas» rusos y nada mejor que una mujer como Sonia para comenzar a neutralizar a los moscovitas o para conocer sus planes si los tienen". Después del incidente de Earl yo sabía que tendría que pelear abierta o tácitamente con los moscularis. Y lamentaba no habérselo explicado a Michael cuando me dijo que tuviera cuidado con los rusos. Pero por otra parte yo estaba desorientado en aquella cuestión. Nunca me ha gustado preparar planes ni esquemas. Tal vez es un signo de confianza en mí mismo o sólo de pereza e incuria.

Buscaba a Sonia siempre que iba al cuartel general. La imagen de Sonia sustituía poco a poco la de Ariadna, aunque en un plano muy diferente. Era verdad que Ariadna y yo estábamos demasiado cerca el uno del otro. Desear la muerte de ella era monstruoso y no había pasado por mi imaginación, pero aceptarla como un hecho fortuito era fácil. Para mí esa aceptación no era un crimen aunque tenía algo de la voluptuosidad que puede haber en la idea del suicidio. De mi propio suicidio. Demasiado cerca el uno del otro para que la muerte del uno pudiera ser un acto unilateral.

Vi varias veces a Sonia en el cuartel general. Ella me evitaba y aquel cuidado en eludirme era revelador y me parecía bien. Yo preguntaba a Michael por Sonia y él le pedía noticias a Vera. La judía de los grandes pechos era fiel a Michael, quien lleno de gratitud a veces me decía:

— Creo que con Vera no tendré que arrepentirme nunca, Javier.

— ¿Y Sonia? — preguntaba yo.

Vera nos habló mucho de Sonia. Tenía su historia Sonia. Es decir, la tenía su familia. Su padre había sido hasta hacía poco agregado cultural ruso en la embajada de París y unos meses antes fue reclamado por Moscú. Marchó allí con su mujer y los dos desaparecieron en pocas semanas. Al ir sus padres a Moscú la pobre Sonia fue enviada a España como traductora de los batallones franceses y americanos. A mí me parecía una chica grave, fuerte de carácter y muy bonita.

Era Vera una mujer feúca y áspera, pero en el fondo muy humana y simpática. No se pintaba los labios ni se depilaba las cejas. Si no por sus grandes pechos se habría dicho que era un hombre. Pero con Michael tenía maneras dulces y femeninas.

350

Se veía que con él ensayaba a ser mujer y el ensayo le gustaba. Los dos parecían enamorados y mantenían su relación en secreto. En un relativo secreto.

Solía decir Vera que tenía los sentidos físicos tan desarrollados que podía competir con un perro en olfato y con un gato en oído. Su vista era tan fina como la de un pájaro. Tuve ocasión de comprender que decía la verdad. Sus ojos se le hundían en las cuencas, donde quedaban redondos y abiertos como los de un esparver.

Odiaba a los rusos como hombres de amor. "Son brutales y estúpidos — decía — como los curas católicos." Esto último me chocaba un poco. ¿Qué sabía ella de los curas católicos? Vera alzaba la cabeza y decía: "Lo he leído".

Según Vera los rusos, que consideraban desdeñable la vida sentimental, estaban siempre alerta y en guardia contra el amor. Pero practicaban el coito. Los curas, a quienes estaba prohibido enamorarse también, evitaban las efusiones. Así pues, los dos eran como máquinas, rápidos, mecánicos, fríos y, según Vera, repugnantes. Estas cosas sólo las decía a Michael, pero él me las decía a mí. Al final Michael añadía:

— No creas que Vera es una mujer fácil. Lo parece, pero es todo lo contrario.

Yo no podía imaginarla a Vera fácil ni difícil. Para mí era una persona con quien el amor resultaba imposible. No me parecía mujer.

Tenía Vera contra los rusos una actitud parecida a la de algunos judíos norteamericanos contra los Estados Unidos. Sin embargo Vera era una mosculari perfecta. La doctrina soviética le gustaba, pero no la gente. "Una semilla de esquizofrenia", pensaba yo.

Pocos días después de mis diálogos con Ariadna y de las confidencias de Michael sobre Sonia recibí un balazo de ametralladora en el muslo, encima de la rodilla. Fue un día que traté de reconocer el terreno neutral entre los dos frentes, yo mismo. Era un día de sol, con nubes blancas.

El frente estaba quieto y en calma. Salí de la trinchera a cubierto de una loma y pude alejarme bastante sin ser visto de los míos. Desde otra colina que tenía huellas de obuses me puse a mirar con los gemelos. Nada hay más estimulante en la guerra que vigilar al enemigo, descubrir sus movimientos. Ver "lo que hacen" los otros, los que quieren matarle a uno. Y seguía mirando. Las trincheras enemigas — al menos las de primera línea — estaban abandonadas, como suponía. Pero tenían nidos de ametralladoras y más atrás baterías ligeras.

A veces se oían tiros. De vez en cuando se oía también pasar una bala alta. Balas perdidas, que no habían sido disparadas apuntándole a uno.

Cuando me convencí de que en aquel lugar no había peligro subí un poco más en la colina y me senté en una piedra. Seguí mirando con los gemelos y de pronto sentí un golpe en el muslo. Un pequeño golpe, por decirlo así, amistoso. Pero tenía sangre en el pantalón. No me atrevía a pensar que fuera un balazo. Extendí la pierna y vi que debajo había sangre. La había también en la piedra sobre la que estaba sentado. Me aparté y sentí dolor en el muslo. Pero pude ponerme de pie. El hueso no estaba roto.

La herida tenía orificio de salida. No sabía si aquello era bueno o no. Me salía bastante sangre. Era una sensación extraña sentir la sangre por el muslo abajo, tibia y lenta. Era como si me orinara. Pero se me ocurrió de pronto que me salía tanta sangre porque tal vez la bala me había seccionado, sin duda, la vena femoral.

Esta reflexión cambió el orden de mis ideas y creo que hasta el de la luz y las sombras a mi alrededor. Pensé que iba a desmayarme. Pude volver a ser dueño de mí y me volví a sentar como estaba cuando fui herido. Tenía la impresión de que la guerra era una gran máquina que me había atrapado. Que no tenía otro fin que atraparme a mí.

Si la femoral estaba seccionada moriría antes de que nadie pudiera venir en mi auxilio. Y no podía llamar a nadie. Era inútil gritar pidiendo auxilio porque no me oirían.

La idea de morir en aquel lugar había estado tan lejos de mí que al darme cuenta del peligro dejó de interesarme la guerra, la política, la victoria o el fracaso. Me interesaba mi propio cuerpo, mi persona y mi vida. Yo, tan importante para mí mismo, podía morir. Estaba tal vez muriendo. Me di cuenta en aquel instante de que era el centro de la creación. El sol y las brisas eran míos, el árbol había crecido para que yo lo mirara y la luna para que yo la poseyera y fuera mía. Las estrellas, las galaxias, todo lo que yo había podido ver era mío. Lo que podía imaginar, también. ¿Cómo no me había dado cuenta hasta entonces?

352

Era mía la tierra en la que estaba sentado. Y sobre todo era mío mi cuerpo, que me había dado tantas delicias.

En aquel instante era — todavía, a pesar de la sangre — dueño de todo. Era dueño de Dios. Yo, dueño de Dios. Si había dios era mío, más mío que el sol y la luna y las estrellas. Y el terror de dios era mío. Y su gloria. Todo era mío por el simple hecho de existir y de respirar. Tal vez iba a dejar de respirar en cualquier momento. Era inútil esperar ayuda antes de veinte o treinta horas. Mientras ese momento llegaba todo seguía siendo mío. ¿Cómo no me habría dado cuenta antes?

Pero las heridas parecía que se cerraban. La sangre se coagulaba y taponaba la lesión de entrada y la de salida.

Una gota de sangre se había secado en la piedra donde yo estaba sentado y se había vuelto negra. Al lado una hormiga bastante grande la olfateaba y daba vueltas en torno. Yo despegué la sangre con la uña y quedó allí suelta como una escama de azabache. La hormiga la atrapó con sus tenazas maxilares y la levantó en el aire. Luego se puso en marcha con movimientos rápidos y felices.

La hormiga debía pensar que yo le pertenecía a ella. Con mi gota de sangre en alto como una enseña victoriosa, la hormiga marchaba a su casa, contenta. "Una parte de mí — pensé — quedará enterrada en el hormiguero y servirá de alimento a las hormigas."

Vi cerca, a una distancia de diez o doce metros, el hilo del teléfono de mis unidades. Me arrastré — aunque podía levantarme no quería hacer esfuerzos por si las heridas volvían a abrirse — y cuando llegué al hilo cogí una piedra y comencé a machacarlo hasta que lo partí. No fue fácil porque el hilo forrado de caucho, de seda y de brea resistía. Cuando lo hube cortado oí pasar otra bala alta. ¿Por qué todas pasaban altas menos la que me había herido?

No sabía si era bueno o malo que las heridas se hubieran taponado. Mi coagulación era rápida, pero tal vez seguía la hemorragia por dentro y se formaban depósitos y flemas en alguna parte.

Miré complacido el hilo del teléfono. "Cuando se den cuenta de la avería saldrán a repararla", pensé. Puede suceder en un plazo no mayor de quince minutos o tal vez en tres o cuatro horas. Prefería pensar que se darían cuenta en seguida porque aquel teléfono comunicaba con el sector de Hijares y había constantes problemas de intendencia y de administración. El teléfono estaba siempre en uso. No tardarían en venir. Como era posible encontrar en aquellos lugares una patrulla enemiga, vendrían bastantes hombres. Tal vez traerían una camilla — por si acaso. Pero la idea de ir acostado en una camilla me parecía más deprimente que la herida misma. Tal vez bastaría con que me ayudaran a caminar.

La vena femoral podía estar rota, aunque esa rotura sería demasiado grave para que yo pudiera reflexionar sobre ella con tanta calma. Si la vena femoral estuviera rota yo no podría estar de pie ni sentado. Es probable que mi corazón funcionara mal. Todavía era posible también que la vena estuviera lesionada pero no rota.

En todo caso la herida podía ser leve o grave. Si era grave podía ser mortal. Todavía era posible que siendo leve se infectara. El aire está lleno de miasmas. La bala podía haber rozado materia orgánica en descomposición. Los excrementos de los animales, sobre todo de los caballos y las vacas, son criaderos naturales del bacilo del tétanos.

Descubrí mi muslo bajándome el pantalón. La herida de entrada no se veía apenas. La de salida, sí. Era o debía ser — no se advertía por el cuajarón de sangre — bastante grande.

Me quedé esperando. Tenía los gemelos en tierra, a mi lado, pero no me interesaba ya el campo enemigo. "Soy un herido, es decir una *baja*." Lo que en los partes llamamos *una baja*." La guerra parecía no existir, ni los partidos políticos, las doctrinas, las teorías. "Soy *una baja*." Como dije antes ese hecho cambiaba el orden de mis ideas. Pensaba en mi familia, en mi padre, a quien no quise nunca, y en el padre de Ariadna, a quien admiraba y despreciaba al mismo tiempo. Mi padre era un buen hombre. Se preocupaba de mi alimentación, de mi digestión, de mi sueño. Quería mi padre que yo hiciera en la vida exactamente las cosas brillantes que él no pudo hacer. Si yo me hubiera adaptado a sus ideas sobre la importancia social y sobre la familia mi padre habría sido muy feliz. Pero aquella felicidad habría representado mi desgracia. Es lo de siempre. O nos dejamos devorar o hacemos desgraciados a los que nos rodean. Hay que dejarse devorar de los padres o hay que devorarlos a ellos. Yo me alejé de los míos, para evitar las dos cosas. Yo podría haberlo tolerado, sin necesidad de dejarme devorar. Pero había demasiados detalles viles en su carácter. Cuando vio que yo no

354

iba nunca a misa me dijo: "¿Tú crees que serás algo en la vida, que conseguirás una situación desahogada y ventajosa si te pones en contra de la Iglesia?" Así, m padre era religioso por conveniencia. También los curas lo son. Todo el mundo lo es. O devoramos o somos devorados. Con Dios, lo mismo. Los curas dicen: "Celebraré la misa cada día y trataré de dar buen ejemplo a los vecinos. A cambio de esto, conseguiré una eternidad de beneficios y provechos". Vaya negocio. Y por las mañanas en la misa el sacerdote se come a Dios. O engaña a Dios — una eternidad de beneficios a cambio de una oracioncita y dos ayunos — o es devorado por Dios. Pero si Dios nos devora, ¿para qué? ¿Qué interés tiene en devorarnos?

Me extrañó la benevolencia con que pensaba en mi padre. Estaba dispuesto a disculparle todas las debilidades. Es decir, podía disculparle las grandes, las más disparatadas. Le habría disculpado tal vez un crimen. Pero no podía recordar sin desdén algunos rasgos de carácter, algunos detalles pequeños de su personalidad. A mi padre le gustaba hacer viajes en automóvil. Con frecuencia y con cualquier pretexto llamaba al garaje mayor de la ciudad y pedía un coche: "Cuarenta y cinco kilómetros de buena carretera", decía al estipular el precio. Y antes de ponerse de acuerdo pedía con una insistencia exagerada que el coche tuviera "buena suspensión". Luego me invitaba a acompañarle — tenía yo entonces once o doce años — y por el camino me decía: "¿Qué te parece la suspensión del coche?". Cuando llegaron los primeros modelos de coches con el motor desconectado de la carrocería — para evitar la vibración — mi padre decía: "Este coche tiene motor flotante". Eso de *motor flotante* lo repetía con todo el mundo. Detalles como estos me hacían a mi padre desagradable. También la manera de sonarse. Cuando mi padre se sonaba parecía una trompeta de regimiento. Aquellos alardes exhibicionistas con su nariz me impacientaban. En cambio me era simpática la idea de que robara al marqués cuyos bienes administraba. Es decir, me habría gustado más que mi padre fuera un bandolero de caminos que un dulce y frustrado y rateril burgués. Pero algo era algo.

Comenzaba a disculpar sus debilidades. Lo sentía a él bondadoso, puro — aunque un poco estúpido —, mientras que a mí mismo me consideraba inteligente, fuerte y fracasado lo mismo en mi bondad que en mi maldad. Miré el cielo. Me parecía que era más oscuro. El azul era tan oscuro como si estuviera anocheciendo. Creí que aquél era un mal síntoma y pensé: "¿Estaré muriéndome?". El hecho de recordar a mi padre con afecto me parecía un síntoma inesperado y chocante.

La hormiga se había ido con mi gota de sangre. Cada vez que pensaba en ella el cielo me parecía un poco más oscuro.

Había dos manchas más de sangre, en el suelo. "Las hormigas vendrán a llevárselas también."

Estuve así, destemplado de nervios y de ánimo, evitando pensar en Ariadna. Me irritaba la idea de estar herido — la femoral tal vez seccionada — mientras que Ariadna estaba casi curada de sus heridas. Yo la quería, a Ariadna, pero me quería más a mí mismo. Mucho más, naturalmente. Me quería tanto a mí mismo que no podía tener una idea concreta sobre ese amor. El que sentía por Ariadna podía ver dónde comenzaba y dónde terminaba. El que sentía por mí mismo era infinito y sin condiciones.

En aquel momento sólo pensaba en estar lejos del frente, atendido en un buen hospital y no precisamente en paz y en calma — nunca he *soñado* con forma alguna de calma —, sino actuando en la dirección que yo mismo me imponía y haciendo cosas trascendentales, a mi manera, sin causa ni motivo legítimo. La legitimidad, lo comprensible y explicable, me parecía ocioso, deprimente y culpable. Querría amar, odiar, llorar, reír, matar — ¿no estábamos matando en la guerra? — y soñar de un modo afirmativo y gratuito.

Por fin llegó una patrulla con dos soldados de ingenieros. Cuando me vieron se extrañaron mucho y mostraron su extrañeza con una serie de atropelladas blasfemias. El tono era de entusiasmo fraternal. Yo los veía llegar sin camilla alguna y me alegraba. "Será bastante — pensaba — que me sostengan un poco por debajo de los brazos de modo que no tenga que apoyar la pierna en el suelo." Porque si la apoyaba, los músculos forzarían la piel y era posible que se volvieran a abrir las heridas.

Ya no temía que mi femoral estuviera seccionada. El cielo había vuelto a ser color azul fluido.

Me llevaron a un hospital que habían improvisado en Los Juncos y apareció la rusa bonita, Sonia, con el secreto designio de adoctrinarme y catequizarme. Sonia me hablaba en francés. La interrumpía yo con galanterías y ella me miraba con sus ojos grises de gata.

356

Me hacía gracia la energía tranquila con que Sonia pensaba en sus padres desaparecidos en Moscú. ¿Sabría ella que habían muerto? El hecho de saber yo tal vez más que ella sobre su propia familia — por las confidencias de Vera a Michael — me parecía gustoso. Era Sonia un ser delicado y exquisito, pero de una pedantería política que me hacía reír.

Hablaba Sonia como todos los rusos una jerga llena de palabras pseudotécnicas. Las más frecuentes y menos pedantes eran *desviacionismo* y *capitulacionismo,* cuyo sentido era fácil de entender. Otros pecados nefandos que ahora recuerdo y que aparecían en el curso de sus disertaciones eran el *flagelacionismo* o la tendencia a exigir a los otros que reconozcan sus propios errores; el *fraccionalismo* o sea la costumbre de discrepar de los mandos, y cuando esa discrepancia se hacía conspirativa, el *brandlerismo.* Al parecer había un tal Brandler en Alemania que quiso derribar a Thaelman. Pero yo no conspiraba contra jefe alguno. Los ignoraba y eso era todo.

Sonia me tuteaba según el estilo de la guerra:

— Lo del brandlerismo no lo digo por ti, no creas que te acuso. Tú eres un hombre siempre alerta, conmigo. Y no me permites el más pequeño movimiento si no es a tu honra y gloria. ¿Son todos los españoles así?

— No sé — decía yo riendo —. Los otros no me importan.

Acusaba Sonia a algunos paramoscovitas de *talmudismo* o sea del uso demasiado literal de las ideas de Marx. En mi caso no había cuidado alguno porque las rechazaba casi todas. De lo que me acusaba Sonia era de *diletantismo,* es decir de jugar placenteramente con las ideas sin pensar en su eficacia. La verdad es que yo era feliz. Por la levedad de mi herida y por la presencia de Sonia.

Un vicio más grave y más frecuente según los rusos era el *jubilacionismo,* la tendencia sistemática al optimismo. A esto los paramoscovitas peninsulares le llamaban *zarzuelería.* Y para ponerse a tono con los siervos del Vodz los españoles paramoscovitas erguían el espinazo, arrugaban la nariz como si percibieran mal olor y dejaban caer las comisuras de los labios dando a la boca una forma de cascanueces. Había que imitar al Uro.

Las visitas de Sonia a veces se alargaban. Cuando podía yo le atrapaba una mano, un brazo, la cintura.

No tardé en levantarme de la cama. Anduve algunos días con muletas, pero pronto las dejé en un rincón. Sonia seguía adoctrinándome. Cuando se descuidaba la besaba en sus labios fríos, de porcelana. Ella me apartaba con una mano y repetía:

—Que tu es *bête, mon ami!*

Pero no le disgustaba.

Tres días después de cerrarse mi herida supe que Michael hablaba a Vera como si Sonia y yo fuéramos amantes. Yo pensaba en Ariadna sin contrición alguna.

En aquellos días durante un fuerte bombardeo aéreo sucedió un incidente que Michael presenció. El enemigo derribó un avión ruso de caza y el piloto se lanzó en paracaídas. Era en un barrio de Los Juncos que había sido castigado por la aviación. La gente creyó que aquel piloto que caía del cielo era alemán y lo linchó. Antes de morir el piloto dijo:

— Camaradas, díganle al Vodz que muero pensando en él.

Michael andaba aquellos días enloquecido repitiendo estas palabras y diciendo que los hombres querían al Vodz como si fueran mujeres. Había en aquello una perversión o una forma de grandeza que no podía comprender. Yo me daba cuenta de que Michael no sólo temía y odiaba al Vodz, sino que lo admiraba al mismo tiempo. "Éste — pensaba yo a veces — acabará en el partido." Aunque no podía imaginar por qué caminos iría a un fin tan incongruente.

Estaba yo todavía en el hospital cuando vino un comisario paramoscovita y comenzó a hablarme también de que me convenía acercarme a ellos. Si estaba en el partido tendría el refrendo de los moscovitas en mis errores — yo pensaba en el *error* de Justiniano — y su apoyo en mis aciertos. Estar sin partido — decía — era estar expuesto a recibir todas las descargas del mal humor, de la falta de inteligencia y comprensión y hasta de los errores graves cometidos a mi alrededor, porque un hombre sin partido era la parte débil de la sociedad. Era como mi padre cuando me hablaba de la Iglesia. Detrás de estas prudentes observaciones se podía entrever la amenaza. Yo dije que quería meditar algunos días y pasar entretanto mi vacación de convaleciente en alguna parte con Sonia si era posible. Recordaba la aventura de Mikhail en Moscú y me decía que por la vía política se podía conquistar a una rusa sin dificultad. Y que la conquista de la muchacha podía reforzar mis posiciones secretas. Porque en aquellos días todos teníamos ya de un modo u otro esa clase de posiciones defensivas. A la vista de los moscovitas la imaginación de cada cual se ponía en acción.

358

Sonia estaba en una curiosa confusión. Creo que Sonia sabía muy bien lo que les había sucedido a sus padres y temblaba ante la posibilidad de que la reclamaran de Rusia.

Cuando le dije que necesitaba reposo y le propuse otra vez que me acompañara en mi vacación de convaleciente soltó a reír. Aquella risa me pareció encantadora.

Yo pensaba que debía avisar de mi accidente — la herida en el muslo — a Ariadna. O ir a verla. Pero mi herida no había tenido importancia. No iba a producirle a Ariadna alegría — por el peligro de mi muerte — ni a decepcionarla del todo con mi salud. Creía de veras que debíamos abrir un paréntesis de ausencia física y moral. Esto último — la distancia moral — lo conseguiríamos fácilmente. No estaban claras las causas ni quería esclarecerlas. Yo siempre he odiado las causas, los motivos — y claro está, las consecuencias. Ariadna y yo éramos como una parte de la virginidad de un mundo en el que habríamos querido vivir, pero no sabíamos aún si ese mundo existía de veras. Quería pasar mi vacación con Sonia, si era posible, en algún lugar dentro del valle. Sin salir de aquellos lugares en los que no sé por qué me sentía más fuerte.

El valle era ancho y hondo. Tenía más de veinte kilómetros de fondo y en todo aquel territorio sería fácil hallar una casa abandonada. Una buena casa abandonada cerca de un bosque y de algún camino secundario.

Yo había oído hablar de una que llamaban la Sureda, dentro de un bosque y a unos quince kilómetros de la línea de fuego de Pinarel. Esa casa como otras muchas estaba siendo convertida en un lugar de reposo. ¿De reposo? ¿Para quién? Los españoles no reposan. No han reposado desde antes de Tubal. El lema de los españoles debía ser: *Levántate y ama* — u odia, que es igual —, *que para dormir tienes siglos*. No hay vida sin amor u odio. No hay amor u odio sin engaño. No hay engaño sin fe. No hay fe sin virginidad. La cosa está en salvar esa virginidad a través de la cadena inevitable.

A los españoles les es fácil conservarla. No porque sean ángeles, sino al revés, porque son animales. Animales caprinos: sátiros. España es la tierra de los sátiros. Desde la más remota antigüedad. De todas las etimologías del nombre de España la que me parece más verosímil es ésa: tierra de sátiros. De virtuosos sátiros ejemplares.

XVI

El día que salí del hospital fui a ver a Ariadna, pero no estaba ya en Pinarel. Había dejado una nota para mí: "Ha venido a verme Alvear y me lleva a la ciudad en su coche. Voy a estar con una familia medio pariente de Fausta. En la calle de Mendizábal, número 17, es decir en la misma calle de las cabalgatas y de nuestro paraíso infantil. Yo no sé lo que haré. En este momento estoy desorientada y no veo claro".

Tenía que ir a la ciudad por razones de servicio y en todo caso estaba en la situación de convaleciente. Podía disponer de mí por el término de tres semanas. En la carta de Ariadna había cierto desvío. Ese "no sé qué haré" parecía una amenaza. La alusión al paraíso infantil parecía irónica.

Al llegar aquí veo en el estrado de la OMECC al presidente con el codo en la mesa y la cabeza apoyada en la mano. Me mira como si me acusara de prolijidad. O de vaguedad, porque se puede ser al mismo tiempo vago y prolijo. Espero un instante en silencio pensando que quiere preguntarme algo. Por fin dice:

— ¿Qué espera?

Yo advierto que la imagen del adalid está en la pantalla y que preferiría que la quitaran. El secretario, como si fuera sorprendido en delito, se apresura a oprimir un botón sobre la mesa, pero con la precipitación, en lugar de oprimir el interruptor ha oprimido el resorte del sonido y la imagen se hace sonora. El adalid está practicando con el esófago y en lugar de enviar el aire a los intestinos lo devuelve por la garganta con largos y sonoros eructos. Todos los que lo oímos nos avergonzamos como si lo hiciéramos nosotros. El francés me dice alzando la ceja izquierda:

— Qu'est-ce que vous voulez? Chacun son goût.

Vuelvo a dirigirme a la asamblea cuando veo que la imagen ha desaparecido de la pantalla.

Aproveché la primera ocasión para ir a ver a Ariadna. Y fui con Michael a la ciudad hablando todo el tiempo de los sátiros de la España inmemorial. La cosa vino por curiosos canales. Decía Michael que en inglés el nombre de España tenía una sonoridad fuerte y viril y que la asociación de las dos consonantes *sp* daba una impresión de energía y de poderío. De poderío interior, de firmeza y vigilancia. *Spain.* Con *sp* comenzaban muchas palabras inglesas que eran nombres de objetos duros y punzantes: clavo, laya, dardo, o blandos y agudos: androceo. También chispa y chispeante. Esa *sp* es el comienzo de muchas palabras asociadas con riñas, golpes y catástrofes. Con el espasmo y con los verbos aplastar y pulverizar. Con la velocidad, con los venenos y con las arañas. Con el esperma, con la columna vertebral, con los mástiles de los barcos, las pirámides y conos, con la respiración y con más cosas que denotan funciones vitales importantes.

Hablando de eso yo le dije que el nombre de España venía de Spanna — antiquísima y tal vez primera inscripción del nombre de España en una piedra romana. Quiere decir en sus orígenes *tierra de Pan,* tierra del macho cabrío, tierra del sátiro, de una especie de sátiro inmortal.

— Pero también — añadí en broma — de Pan viene pánico.

Michael reía de medio lado:

— No. Eso del pánico, no.

El frente de guerra había avanzado tanto hacia la ciudad, bajando de Pinarel por el sur, que las trincheras estaban a tiro de fusil de la ciudadela y de la antigua casa de Ariadna. Ese mismo frente que nosotros habíamos alejado de Pinarel se había incrustado en los barrios bajos de la urbe. Desde la montaña bajaba el frente como un río formando curvas, remansos, esquinas y meandros. Como un río de sangre.

Todo el camino de Pinarel a la ciudad lo hicimos con el ruido del cañón en el aire. Cañones pesados, cañones ligeros, cañones antiaéreos.

Y pasábamos por los pueblos, por las aldeas. La primera que vimos estaba medio destruida. La segunda, superpoblada. La tercera — otra vez el frente se acercaba — también vacía.

Al llegar a la ciudad Michael se fue a buscar a Vera y yo a Ariadna.

Estaba Ariadna en el piso principal de una casa de lujo en la misma calle, es verdad, donde vivíamos de niños. La dueña de la casa era una señora de gran cabellera blanca, y su hija Marta, una rubita de tipo germánico y de unos dieciséis años. Me esperaba una sorpresa. María Jesús, la muchacha de la que años atrás se había enamorado el padre de Ariadna, estaba allí. Era medio pariente y medio empleada de la familia — una especie de institutriz de Marta. Se alegró de verme, aunque no tanto como yo. Estaba junto a un caballete de pintura frente a la ventana. Según dijo solía llenar las horas de aburrimiento de la guerra pintando, es decir copiando paisajes de postales iluminadas. A mí me extrañó verla tan joven como en nuestros días de adolescencia.

Solía mirarme de reojo porque creía que yo había hecho desgraciada a Ariadna con nuestro matrimonio civil — es decir, no religioso.

También vivía con ellas una mujer llamada Amparo, costurera y dueña de una tiendecita de ropas de niño en un barrio obrero, cuya casa había sido bombardeada. Solía decir aquella mujer al saber que alguno venía de Pinarel: "En Pinarel está la clave de la cuestión". Quería decir que allí se había de ganar o perder la guerra.

Saludaba yo a aquella gente neutra e indiferente pensando todavía en Spanna, tierra de Pan.

Ariadna parecía haber vivido siempre con la familia cuyo piso compartía, aunque no llevaba con ella más de dos semanas. Tuve la impresión cómica de hallarme en uno de esos conventículos de damas recogidas o recoletas que tanto abundaban en el pasado. La madre — la señora del pelo blanco — parecía despegada de los problemas políticos y llevaba las molestias de la guerra con serenidad. María Jesús y Marta estaban no sólo tranquilas, sino con esa especie de embriaguez que produce en algunas personas el hecho de vivir en circunstancias extraordinarias. Lo primero que me dijo Ariadna fue:

— No digas aquí que yo soy tu mujer.

Recibí una impresión de fraude. Escandaloso fraude. Había en aquello algo de juego entre estúpido y dañino.

— ¿Por qué? ¿No lo saben todos?

— No. María Jesús dijo que soy soltera porque se ha negado siempre a considerarnos casados. Tú sabes por qué. Y yo no he dicho que sí ni que no. Dejémoslo así. ¿Sabe tu rusa que eres casado? ¿No? Pues lo mismo puede pasar conmigo.

— ¿Mi rusa? ¿Y quién te ha dicho que es mía?

Ah, vamos. Algunos hombres entraban y salían familiarmente en la casa. Amparo — la que decía que en Pinarel estaba la clave — tenía también un enamorado platónico más viejo que ella. Se llamaba Matías. Iba por allí a diario. Cuando le pedían su opinión sobre algo se ponía a hacer considerandos y al final se olvidaba de contestar concretamente. Solía decir: "Suponga usted...". Amparo, burlándose de él, lo llamaba *don Suponga Usted.*

La hija de la casa era hermosa, pero tenía esa falta de gracia corriente en algunas rubias. Como no se maquillaba ni parecía dar importancia a su belleza esa despreocupación le daba personalidad. La pasividad de aquella rubita me parecía una encantadora cualidad. Pensaba yo en la virginidad trascendente de lo español. Ariadna me miraba sin verme. Yo le dije:

— Tú estás enamorada y no de mí, claro.

Ella tardó en contestar. Por fin decidió que había durado bastante el silencio y que no era necesaria la respuesta. El silencio había sido bastante elocuente.

— ¿Quién es él? — pregunté.

Por un azar curioso, Marta se asomó a la puerta y preguntó a Ariadna:

— ¿Va a venir hoy Berard?

Ah, vamos, Berard. La muchacha rubia seguía en la puerta.

— ¿Quién es Berard? — insistí simulando indiferencia.

Marta se apresuró a responder:

— Un hombre grande, todo pelos. Muy coscón — muy maduro. Cuando llega dice enfrancés: *nom de Dieu!,* y se frota las manos.

Imitaba Marta el *nom de Dieu* con una voz de bajo que tenía cierta resonancia voluptuosa. Volví a preguntar:

— ¿Es francés?

— Sí, *nom de Dieu* — dijo Marta.

— ¡Niña! — gruñó la madre mirándola por encima de las gafas.

Yo pensaba todavía: Berard es francés. Los franceses que yo había conocido en el frente eran *franceses naturales* como dicen con elogio en el romancero español. Los voluntarios franceses de base, los soldados, no entendían muy bien a los españoles. La falta de comprensión recíproca no era obstáculo para la simpatía y el compañerismo.

— ¿Qué es Berard para ti? — pregunté.

— Pues eso... Berard.

No era bastante. En aquel momento volvió a asomarse Marta y añadió:

— Habla a porrazos, Berard: *voyons, nom de Dieu.*

Volvió a desaparecer como un bonito polichinela. Yo pregunté a Ariadna en voz baja:

— ¿Desde cuándo os tratáis? Digo, con Berard. ¿Lo conociste en el hospital antes de venir aquí?

Ariadna no respondía. Yo no quise insistir porque tenía que bajar demasiado la voz, lo que resultaba impertinente. Me puse a cargar la pipa. Se me incrustó un poco de tabaco entre la uña y el pulpejo del dedo pulgar. Haciendo con ese dedo ballestilla contra el índice lo sacudí y una brizna fue a dar en un ojo a Ariadna. Desdichada torpeza. Me disculpé. Ella lloraba por la irritación del tabaco en la córnea. Fue al baño y volvió poco después tranquila, pero vi que tenía inflamados todavía los párpados.

Había llorado, sin duda, y no por el tabaco, sino por mí. O por los dos.

— Oye, Javier — me dijo —. Cuando vengas aquí debes traer algo de comer para estas mujeres. Raciones del frente. Algo. Lo que sea.

Yo seguía en mis trece:

— ¿Conoce Berard a Sonia?

— Sí. Esas gentes se conocen cuando llegan a tener cierta importancia. Bueno, veo que estás intrigado con Berard. Ya lo verás. Puede que venga hoy. Suele venir con un amigo italiano que tiene cara de *ecce homo* y que sin embargo está siempre contando historias cómicas. Es como la sombra de Berard. Su mala sombra, dice María Jesús, pero tú sabes cómo es ella. A veces nos traen cosas de comer. No creas que pasamos hambre. Todavía no comprendo cómo nos las arreglamos, pero siempre se puede servir algo en la mesa. Amparo y su cortejo, como ella dice, son los héroes de la cocina.

Yo fumaba y al quedarnos un momento solos en el cuarto le dije que nuestro amor podía ser un amor jubilado, pero no cancelado. Insistí mucho en eso, medio en broma. Estaba un poco asombrado de mi propia atonía ante Ariadna.

Poco después volvieron al cuarto Marta y su madre. También llegó Matías, el cortejo de Amparo. Era feo y pequeño y andaba por los pasillos como un lacayo esperando una ocasión para ser útil a las mujeres. Solía llevar un mondadientes en los labios. Amparo le había llamado la atención y Matías arrojó el palillo, pero conservaba el hábito de sorber aire entre los dientes produciendo un ruidito. Era la manera que tenía Matías de hacerse presente. Aceptaban sus visitas diarias porque solía llevar alimentos.

Amparo tenía un cuello torneado y puro y un mentón un poco saliente. Estaba bien. A Matías le decía:

— Usted y yo no podemos casarnos porque usted es de la Rioja y yo de Valdepeñas. Los vinos mezclados marean y revuelven la sangre.

Luego le decía que debía "agarrar el chopo" e ir a Pinarel.

Estaba María pintando en su caballete cerca de la ventana. Yo tengo los nervios olfativos cruzados con los visuales. Los colores amarillos y verdes me dan un olor sulfuroso. María Jesús pintaba. Su brazo tropezaba con el pecho cuando ponía un trazo en el lado contrario de la tela. Entretanto Marta estaba limpiando una cafetera de plata.

Ariadna se levantó. Entraba y salía un poco nerviosa. Yo pensaba: "Está esperando que Berard la llame por teléfono". No quería salir yo de aquella casa sin ver qué hacía Ariadna aquella tarde. Y sin dar lugar a la llegada de alguno de los dos: de Sonia o de Berard.

En las maneras de Marta conmigo había una coquetería inconsciente. Marta no debía tener experiencia amorosa, ya que carecía de la delicadeza y exactitud expresiva del deseo que se aprende con esa experiencia.

Estábamos en una habitación que tenía dos ventanas. La luz del invierno era una luz velada y urbana muy diferente de la luz cruda del campo abierto. Los objetos se diluían un poco y las formas no eran violentas. En aquella luz la explosión de una bomba podía ser trivial y en cambio una mano de mujer tomaba relieves sutiles y dignos de atención. Ah, las delicias de la paz. Entretanto yo pensaba: "María Jesús sabe que soy el marido de Ariadna y sin embargo ha decidido ocultarlo. ¿Sólo por su obstinación beata a negarse a aceptar que un matrimonio civil — sin sacerdote — sea un verdadero matrimonio?". Ariadna había hablado de intrigas. ¿Qué intriga podría ser aquélla?

Estaba yo en un diván atento a mis botas de soldado que había limpiado al entrar, pero que conservaban aún barro seco. La voz de Marta — que se daba cuenta de mi atención — me acariciaba. Marta decía:

— Javier, ¿cuándo va a terminar la guerra?

La insistencia de Marta en repetir mi nombre cada vez que se dirigía a mí aunque sólo me conocía desde hacía un par de horas me hacía pensar que mi nombre le gustaba. María Jesús

estaba con su caballete copiando un paisaje urbano y había
hecho el traslado de las proporciones a la tela con regla y
compás. Todas esperaban mi respuesta:

— Creo que esta guerra durará el resto de nuestras vidas
— dije — en diferentes formas. Y en distintos lugares del
mundo.

Marta decía, dejando de frotar la cafetera:

— Claro, es una guerra ideológica.

La madre, más realista, creía que los cañones no disparaban
ideas, sino hierro y metralla.

— No me importa que dure la guerra — concluía Marta — si
los cañones se van a otra parte. ¿Sabe usted, Javier? Yo sólo
quiero que se enciendan las luces en la calle, por la noche. Que
se oigan pasar coches y que funcionen los cines.

María Jesús volvía a poner una pincelada en el lienzo y me miraba con humor.

Ariadna había salido y yo la oía andar por los pasillos. Caminaba ya bien, sin restos de cojera y sin la indecisión de los
convalecientes. Su espina dorsal tenía la comba ágil de los at-
letas. Entró y se sentó con un periódico en la mano. Un periódico que tenía grandes titulares llamando a la unidad política
de todos los partidos. Debía ser un periódico paramoscovita
porque eran los que más hablaban de unidad para encubrir
sus maniobras escisionistas.

La claridad del cuarto era lechosa, pero transparente y fina. La
luz venía del sol a través de las nubes altas y espesas. Los días
nublados la aviación no solía bombardear, pero quizá las nubes
de aquel día estaban demasiado altas para que fueran un obstáculo.

— Los días nublados no es fácil que vengan las pavas — dijo
Matías.

Yo contemplaba a Ariadna pensando en Berard. Y en la España de Pan bicorne y caprino. Del Pan que es todo, que es la
creación entera. La España toda voluptuosidad y virtud, toda
vicio y santidad. Toda naturaleza. (Naturaleza virgen.)

María Jesús dejó la paleta dentro de una caja y se puso a lavar
los pinceles. "Los pintores mediocres — decía — nunca dejamos los pinceles mojados de un día paar otro." Yo habría querido hacerle preguntas en relación con Ariadna pero no pude por
el momento.

La señora del cabello blanco fue a dar una vuelta por la cocina y Marta salió detrás con la cafetera de plata, frotando todavía la cabeza de un fauno que perseguía a una ninfa. De un sátiro pánida de la vieja España — *spánida* — inmemorial.

Nos quedamos pues otra vez solos Ariadna y yo. En la media luz del cuarto la cara de Ariadna tenía una vaguedad noble. Llevaba Ariadna un jersey con pequeños rombos grises sobre fondo negro que no le había visto nunca. En los pendientes, dos rubíes. Al ver que me fijaba en ellos me dijo que eran de Marta.

Quería hablar de Berard, pero dándome cuenta de que cuanto más habláramos de aquello sería peor, cambié de propósito y dije que iban a trasladarme a un frente lejano. Era mentira. Lo dije esperando la reacción de ella. Pero en aquel momento se oyeron las sirenas de alarma y comenzaron a tirar las baterías antiaéreas que había en el parque próximo. Hacían mucho ruido y teníamos que alzar la voz para entendernos. Corrían las muchachas por los pasillos hacia los sótanos. Detrás iba Matías con una maleta en la mano como si se marchara de viaje, repitiendo a media voz:

— Calma, calma...

Sin embargo era él quien estaba más nervioso. Aquella maleta contenía víveres y medicinas de urgencia para el caso de que fuera bombardeada la casa y quedaran todos enterrados en el sótano. Matías la llamaba la *valija diplomática*. Pregunté a Ariadna si ella no iba a los sótanos y dijo que no.

— Sólo tengo miedo — añadió — a los peligros que no hacen ruido. A esas *cosas peligrosas* que crecen en la sombra y en el silencio, como dice un poeta en alguna parte. Estoy tratando de dominar ese miedo, de ser más fuerte que estas cosas que ahora nos rodean a todos.

Luego se quedó callada. Había hablado con la voz un poco desvaída. Yo le pregunté si había dicho a Berard que yo era su marido. Volvió a negar.

— Pero él tal vez lo sabe — dije yo — sin que tú se lo digas.

Tuve un instante la sospecha de que Ariadna estaba haciendo crecer en la sombra el recelo de los paramoscovitas, conmigo. Tal vez los rusos se habían enterado de que yo estaba en antecedentes de cómo, cuándo y por qué asesinaron a Earl. Aunque me pareció esta idea un poco absurda — sólo podían haberse enterado por Vera —, tenía que aceptarla. Sin necesidad de motivo alguno y sin que yo hubiese divulgado el secreto de Earl podían encarcelarme los agentes del Vodz cuando quisieran. No era yo tan lerdo que no me diera cuenta. Podían también disparar sobre mí, de frente, por el costado o por la espalda. Cardarme la lana con un peine de ametralladora. No importaba. Aceptar un peligro me obligaría a establecer motivos, causas. A prever su desarrollo, pensar en sus conclusiones. Todo eso era terriblemente incómodo. Mi vida no había tenido nunca ni antecedentes ni conclusiones. Habiendo nacido yo por azar — como cada cual —, ¿para qué?

Ariadna seguía mirando con la expresión de alguien que tiene la conciencia inquieta. Yo añadí:

— ¿Tienes el teléfono de Sonia?

Ella callaba con un aire intrigante. Sacudía yo la pipa contra el mármol de la chimenea. Ariadna parecía pensar: "¿Es posible que no sepa Javier dónde encontrar a Sonia?". Había cierta compasión en su semblante.

Estaba yo de lleno en la idea tan española — tan *spánida* — de la perfección de la realidad. De la realidad cualquiera que sea. Perfecta en su maldad, en su imperfección, en su vileza. "Este sería un momento ideal — pensaba — para revelarle a Ariadna lo que quise decirle aquel día que nos separamos en las orillas del bosque." Pero había una pequeña dificultad, y era que aquel día yo no quise decirle nada.

Cuando acabó el bombardeo volvieron a subir las muchachas. Con ellas venía el oficial que mandaba la batería de la calle. Era grande, aniñado y locuaz. Su barbilla estaba un poco perdida hacia abajo de tal forma que recordaba a la gente que tiene bocio. Entraba, se sentaba y pedía una taza de café. Todos se acercaban a escucharle. Yo me dije: "Éste es el héroe de la casa". Pero Marta coqueteaba más conmigo que con él.

Viendo un poco asustadas a las chicas — algunas bombas habían caído cerca — me puse a contar chistes de guerra y a hacerlas reír. Marta se quitaba de la manga pelusas y telarañas atrapadas en la escalera del sótano. Aprovechando un momento de conversación general con el artillero, quien me imitaba contando también cuentos de guerra, me aislé con Ariadna y le pregunté:

— ¿Piensas salir esta tarde?

— No lo sé, Javier.

La perfecta realidad tiene a veces bromas torpes. En aquel momento sonó en el pasillo una ronqueta, un timbre de la portería y Ariadna salió con una luz dorada en los ojos.

El artillero terminaba su cuento y en medio de las risas de María Jesús y Marta yo sospeché que Ariadna no volvería al cuarto. Me levanté y me despedí bastante nervioso simulando un quehacer. Matías me seguía con la mirada, receloso. El artillero había terminado su café y dijo que salía conmigo. En la escalera me tomó del brazo:

— ¿Ha visto usted? Esas chicas son tontas. Lo que me molesta es que no dan importancia a nada de lo que hacemos.

— Pero a usted le estiman.

— Sí, claro. Y a usted también si les trae una lata de sardinas.

Aventuré una pregunta:

— ¿Y ésa a quien llaman Ariadna?

El artillero me dio con el codo:

— Ya he visto que está usted por ella.

El aliento del artillero olía a licor. Se lo dije y él me guiñó el ojo.

— Arriba tienen una botella de anís escarchado para mí. Para nadie más que para mí.

Aceleraba yo el paso tratando de llegar a la calle con la esperanza de encontrar a Ariadna. Cuando ponía el pie en el umbral vi arrancar un coche y a través del cristal los ojos de Ariadna, que me reconocieron con una calma perfecta y sin asomo de culpabilidad. El hecho de que hubiera salido de mi lado de una manera tan evidentemente innoble me hizo daño. Me sentí lleno de rencor aunque no exactamente contra ella. El artillero hablaba aún, sin soltar mi brazo, pero yo no lo oía. Le pregunté quién era Berard y él dijo, señalando el coche con un gesto de la mandíbula:

— ¿Ése? ¿Ése del coche? Creo que es un "misterioso".

— ¿Tan misterioso?

— Oh, sí — decía él, irónico —. Muy misterioso.

Yo tenía mi coche allí y los seguí. Los seguí desesperadamente, como en esas persecuciones frenéticas de policías y ladrones. Pero al mismo tiempo tenía miedo de que se detuvieran. "Si se detienen y yo los alcanzo, ¿qué va a pasar? ¿Qué voy a hacer?" Creo que tenía un poco de miedo físico. Si Berard se creía más débil que yo, sacaría la pistola. Y yo no llevaba armas. Me tranquilicé pensando que los "misteriosos" tenían verdadero pánico a cualquier incidente escandaloso.

Salieron de la ciudad y yo detrás de ellos. Iban hacia Pinarel,

369

hacia mi valle. Creo que estaban seguros de que yo los seguía. Aceleraban, furiosos. Yo también. A fuerza de aceptar el hecho miserable de aquella fuga llegué a hacerme un plan. Es decir no había plan alguno, pero de un modo inconsciente me di cuenta de que me proponía algo contra ellos. Yo conduzco un coche bastante bien. "Si los alcanzo en una curva — pensaba — empujaré su coche con el mío, por un costado, por el costado interior. Es posible que yo me mate, pero es más probable que ellos salten por la tangente de la carretera." Creo que en aquel momento lo habría intentado, pero mientras llegaba a su altura y nivel cambié de idea. Cuando estaba cerca aflojé la marcha y los dejé adelantarse un trecho. Pensé incluso que si se detecontinuaría hacia Pinarel para incorporarme a mis fuerzas.

Sin embargo en aquellos días tenía mi vacación de convaleciente. No había que pensar en reincorporarse a parte alguna.

La realidad podía ser horrible. Y estúpida. Pero perfecta como siempre en su horror y en su estupidez.

XVII

Pronto llegamos a un bosque. El camino entraba bajo los pinares. Se detuvieron por fin delante de la puerta de una casa de campo. Me esperaba otra sorpresa: en el porche estaba Sonia.

Pálido por el asombro detuve el coche detrás de ellos. Ariadna me vio bajar sin extrañeza, tomó a Sonia por la cintura — lo que me dejó más perplejo aún — y entraron en la casa simulando no haberse dado cuenta de mi presencia.

Era Berard grande, como había dicho Marta, lento de movimientos y lacónico. Parecía un buey soñoliento. Vino hacia mí con la mano tendida. Dijimos nuestros nombres y yo me quedé como el que espera una explicación. Nadie hablaba. Por fin él refunfuñó:

— Ariadna tenía razón. Tenía razón y le sobraba. Bueno, yo me voy otra vez a la ciudad. No vendré hasta la noche. Ariadna y usted tienen su vivienda arriba, según dice Sonia.

Aquel hombre seguía hosco y cerril pero hablaba amistosamente. Y no parecía francés. Si lo era debía haberse naturalizado, pero sin duda había nacido en otra parte del mundo. Su actitud amistosamente distraída me molestaba.

Y añadió:

— Yo tengo el cuarto aquí abajo, pero sólo vendré de tarde en tarde.

Subió a su coche y se fue sin añadir palabra. Pareció que iba a rozar mi coche con una aleta, pero supo evitarlo. El camino estaba tan malo y Berard conducía tan descuidadamente que el coche no parecía deslizarse sobre ruedas, sino caminar a trancos desiguales.

Entré en la casa y encontré a Ariadna sonriente. Sin embargo tenía las mejillas mojadas.

— Ya suponía yo que vendrías — dijo.

Lo absurdo es que lo dijo como si tal cosa. Yo seguía perplejo y desorientado:

— Y... ¿ahora?

— Pues ahora estamos juntos.

Sonia en la puerta comenzaba a sonreír como una gatita.

— ¿Sientes haber venido? — me preguntó Ariadna con una tilde de ironía.

Parece que Ariadna había estado varios días en la calle de Mendizábal esperando mi llegada.

— ¿Y si yo no hubiera venido? — pregunté.

— Pero has venido, Javier. Si no hubieras venido — y ella parecía querer reír — estaría aquí sola. Bueno, con Sonia.

— Y con Berard.

— Es verdad. También con Berard.

Al ver que Ariadna no había escapado con Berard, sino que los dos habían ido a la casa de reposo esperando que allí me reuniría con ellos, me puse a pensar: "¿Qué necesidad tenían de aquellos trucos? ¿No podían habérmelo dicho francamente?". Se lo dije a Ariadna y ella respondió:

— A ti te gustan las cosas inesperadas y sin base, es decir sin motivos. ¿No es eso?

Yo seguía reprimiendo mis nervios. Como no estaba seguro de conseguirlo subí al segundo piso y me puse a fumar nerviosamente acodado a una ventana. Tenía delante un claro del bosque cerrado por altísimos árboles en una comba de anfiteatro. Abajo se oían las voces alegres de las dos hembritas. Alegres. Parecían antiguas amigas.

"¿Es posible que Ariadna tenga talento para la intriga? No lo habría imaginado nunca. Pero ¿qué clase de intriga? ¿Y para qué?"

Estaba el caserón en medio de unos antiguos cotos de caza que habían sido de los duques de Villahermosa, los mismos duques de los que habla Cervantes en la segunda parte del *Quijote*. Los duques que reciben al caballero de la Triste Figura y lo agasajan y se burlan de él.

Aquella casa la llamaban *la casa del Montero* y la finca, como digo, la Sureda. Durante la monarquía vivía allí el intendente de caza, un empleado de la administración. Pero le faltaban habitaciones de lujo dispuestas para recibir a los duques si querían hacer noche allí. Yo pensaba que si hubiera estado a solas con Sonia en aquel caserón lo habríamos pasado muy bien. Pero estaba también Ariadna. Y vendría Berard por la noche. Aquel hombre grande y peludo que yo no sabía quién era y que fumaba unas tagarninas malolientes me inquietaba. Vendría por la noche a la Sureda. ¿Cada día? ¿O sólo de tarde en tarde?

Dos horas después de llegar nosotros comenzó a llover. Las mujeres me llamaron y yo bajé pensando: "Ahora habrá que hablar. ¿Qué palabras diremos?". Sonia, la rusa, iba y venía, deslumbrada. Nunca había estado Sonia en el campo, es decir viviendo más de un día en un lugar como aquél.

Me habían llamado para tomar una taza de café. Sonia se puso a hablarme de Vera con una simpatía y una compasión insinceras. También Vera solía hablar así de Sonia y yo supuse que aquélla era una forma no de su piedad, sino de su inquina. Parece que se odiaban. Yo había tenido poca relación con Vera. Su trabajo en el estado mayor y sus amores con Michael la absorbían. Los dos eran muy recelosos de la gente, pero creían en el amor y se abandonaban el uno al otro crédulamente. Yo pensaba que me habría gustado cultivar aquella credulidad con Sonia. No con Ariadna, sino con Sonia.

La rusa fumaba y decía:

—Cada vez que salgo de la ciudad me parece que van a llevarme al campo enemigo. Que por equivocación vamos a meternos en las filas contrarias. No tengo sentido de la orientación.

Ariadna me miraba sin decir nada, pensando en su propia "soltería", en Berard, en mi persecución, en la sorpresa de la Sureda. Comprendí que Sonia hablaba para rellenar de algún modo el silencio. Ariadna esperaba que hablara yo, pero una vez más fue Sonia:

—¿Habéis visto vuestro cuarto arriba?

La rusa nos empujaba al uno en brazos del otro. Pero en aquel momento se oían cañones. Eran los de Pinarel y Sonia parecía asustada.

Ariadna, Sonia y yo estuvimos diez días en la Sureda sin salir apenas porque llovió todo el tiempo. Parece que en la ciudad sucedió lo mismo y que a causa de la lluvia torrencial se rompieron algunos albañales en los barrios del sur y las trincheras estaban inundadas.

En la Sureda el agua fue más benigna aunque no cesó día y noche.

Hacía casi negras las frondas verdes y según como llegaba la luz les daba ocasionalmente destellos de plata. Era una lluvia de temporal, constante y densa. Desde las ventanas yo me sentía tan lejos del mundo que me compadecía a mí mismo. Si hubiera estado a solas con Sonia todo habría sido distinto. Ariadna se daba cuenta y callaba. A veces parecía un poco avergonzada. En la casa había víveres y vino. Bebíamos más que comíamos.

Ariadna y yo dormíamos arriba. Sonia abajo. A veces venía Berard, pero venía de noche y se iba antes del amanecer.

La lluvia ponía triste a Ariadna, quien me dijo una noche:

— Eres demasiado confiado y te vas a ver en dificultades.

Luego añadió sonriendo:

— Tal vez te salvaré yo.

Quiero contar aquello sin ser licencioso, aunque no hubo promiscuidades por lo menos en el terreno de los afectos si bien las hubo más tarde. Bueno, eso fue en otro lugar y no en la Sureda. Yo preguntaba a Ariadna:

— ¿Saben las chicas de Mendizábal que has venido aquí?

— No, aunque suponían que iba a alguna parte con Berard. Un poco grotesco. Ya se lo decía yo a Sonia, pero las gracias de los rusos parece que son así. Bien, no protestes. Me he fugado con un hombre que no eres tú. Berard no lo sabe. Era un instrumento ciego. No estaba en antecedentes. Viendo que nos seguías en el coche llegó a tener miedo. Porque la verdad es que nos seguías encarnizadamente. La broma, como ves, era sólo de Sonia.

Yo debía estar fosco y malcarado y ella añadió:

— No esperabas pasar la vacación conmigo, ¿eh?

— Es que Sonia... — dije yo.

— Sonia está enamorada de Berard. Ya te lo dije. Te lo dije a tiempo. ¿O es que no te acuerdas? Creo que te lo dije en el hospital.

Si me hubieran dicho cuando perseguía el coche de Berard que aquello no era una fuga sino una broma inocente, me habrían hecho muy feliz. Ahora todo me parecía sin importancia y deseaba otra vez únicamente a Sonia.

En fin, reanudamos la misma vida de Pinarel antes de la guerra. La Sureda era francamente un palacio aunque había perdido parte de su decorado interior. Quedaba la comodidad y el regalo. Había muchos dormitorios. Aquella tarde primera hicimos las paces Ariadna y yo como se puede imaginar y después bajamos a ver otra vez a Sonia, que iba y venía por la planta baja. Yo confieso que aunque había tenido en mis brazos a Ariadna había poseído en mi imaginación a Sonia. La rusa había llegado el mismo día por la mañana. La primera sorpresa para ella fue la cama. Una enorme cama de matrimonio. Ella no había dormido en cama sino en los períodos de su vida en los que estuvo fuera de Rusia. En su país la cama es todavía un lujo. La mayor parte de la gente duerme en sofás o en el suelo, según decía Sonia. Sin sábanas. Con una manta. A menudo los hombres duermen vestidos. En algunas casas en provincias tienen una cama para enseñarla, pero no la usan.

Se iba a perder Sonia en su gran lecho como un conejito en una estepa nevada. Feliz el que la encontrara, desnuda.

Eran muy diferentes Ariadna y Sonia. Pronto me di cuenta de que Sonia tenía dos personalidades muy bien definidas. La *privada* y la *pública*. Pasaba de la una a la otra, aunque eran contrarias, sin esfuerzo y en las dos daba la impresión de ser igualmente natural y sincera.

El segundo día estuvo lloviendo toda la mañana y casi toda la noche. Amainó un poco al amanecer, pero después volvió a oírse la lluvia en las frondas del bosque. Fue una sorpresa para mí despertar por la mañana al lado de Ariadna después de tanto tiempo de separación. Hubo un incidente que me conmovió. Había besado yo todas las cicatrices de su cuerpo. Ocho cicatrices. Las del muslo derecho eran las únicas feas porque allí la piel había dejado hoyos y accidentes que rompían la graciosa línea natural. Al despertar por la mañana la besé en los senos, en el vientre. Y dije:

— Quiero besar otra vez tus muslos. Primero el bonito. Luego, el feo…

Esa desgraciada palabra — el *feo* — descompuso el rostro de Ariadna como el de una niña a quien se le roba un juguete. Comenzó a sollozar. Yo me di cuenta de que me había conducido estúpidamente y comencé a acariciarla con más ternura que nunca. Pero era tarde. Ella lloraba. Era — debo confesarlo — su llanto lo que me estimulaba más en aquel momento. Más que el deseo de reparar mi inconsciente ligereza. Más que mi contrición.

Era una mañana tibia y luminosa a pesar de que el invierno se hacía presente en las nubes.

Yo seguía besando a Ariadna aunque polarizado — todavía — hacia Sonia. Después me levanté y me asomé a la ventana, pero no vi abajo coche alguno — el mío lo había encerrado en el garaje. Bajé a ver a Sonia con el pretexto de preparar el desayuno. Parecía la rusa una mujer diferente del día anterior. La mayoría de los rusos tienen una personalidad falsa más fuerte que la verdadera. Cuando Sonia se mostraba tal como era resultaba una especie de gatita tímida y de odalisca en agraz. Consciente de su belleza y vehementemente egoísta. Entonces todos los vicios sociales que me atribuía a mí brotaban de ella sin que nadie pudiera remediarlo.

Estaba arriba Ariadna esperando el desayuno que le había prometido. Pensaba yo en ella con un poco de remordimiento. Yo creía que tenía derecho a aquellos idilios de distracción. En las costumbres españolas nadie reprocha a un hombre esas cosas. Tampoco Ariadna me lo había reprochado, es verdad. Se limitaba a interferir físicamente, a hacerse presente entre la rusa y yo. Si me veía a mí impaciente decía en voz baja:

— ¿No te das cuenta de que ahora hay un peligro detrás de cada puerta?

Parecía haberse contagiado de Michael. La cosa era para tomarla a broma.

Sonia tenía miedo a la soledad. Cuando hablaba de su soledad nocturna se veía en sus ojos la llamita verde de los fuegos fatuos. Porque había noches que no venía Berard.

Como digo estuvo lloviendo todo el tiempo. La lluvia producía varios rumores que sonaban juntos. Uno sobre el bosque de pinos, otro sobre los encinares. Otro, aún, sobre el rincón del jardín donde había ocho o diez manzanos muy altos y corpulentos cuyas frutas maduraban en noviembre. También la lluvia repicaba en los vidrios de las ventanas y en las canaleras de desagüe que sonaban a veces a tubo obstruido como si las gárgolas se atragantaran. Todos esos rumores juntos me parecían nobles y confortables.

Según Ariadna yo había dicho mientras dormía el nombre de Sonia. Me lo recordaba ella sin rencor, guiñando un ojo.

— Si quieres ir con Sonia — me decía — sólo te pido una cosa: que me dejes a mí dar el paso difícil. Si es necesario iré y le diré: "Javier es un hombre encantador. No puedes imaginar la maravilla que es estar en sus brazos. Te lo presto".

¿Hablaba Ariadna en serio? Yo no sabía qué pensar. Todo lo que se me ocurrió fue decir:

— Mira, Ariadna, un día voy a desaparecer y no sabrás nunca más de mí. Me matarán o me iré yo a alguna parte. Lo más probable es que me maten. ¿Oyes? Bueno, antes lo menos que podemos hacer es tratar de conocernos el uno al otro. Tú me ofreces a Sonia, ¿no es eso? ¿Se puede saber por qué actúas así?

Ella se puso triste, se inclinó y acercó un escabel a la cama, una especie de escabel de guitarrista que no sé qué objeto podía tener allí. Luego dijo:

— ¿No estás loco por ella?

No quise responder, pero miraba al techo donde la pintura antigua formaba una especie de mar con litoral y arrecifes. En un ángulo había un ángel de escayola con su pierna al aire y en ella algunos pequeños desconchados que daban la impresión de sarna o sarpullido. Yo dije como para mí mismo:

— Haz lo que quieras si puedes salvar tu virginidad — ella me miraba con humor —. Sí, lo que en Pinarel llamábamos *virginidad* — ella reía con un gorjeo agudo y festivo en la garganta —. No, no es necesario reírse así. Tú no sabes lo que es esa clase de virginidad.

— ¿No lo he de saber?

Calculaba yo las posibilidades que había con Sonia. No era difícil embaucar a Ariadna y aprovecharme de su ofrecimiento. Ella se dio cuenta y dijo con una indignación cierta o fingida:

— Eres un cerdo. ¿Tú no sabes que yo no tengo virginidad alguna que salvar?

Se refería a la virginidad del deseo animal anterior al amor.

Con esas cosas comenzábamos a hacernos amigos otra vez. Yo cuidaba de mostrar mayor devoción por sus cicatrices. En eso era sincero y veraz.

Nunca he tenido una sensación más placentera de comodidad. Supongo que Ariadna tampoco. El ideal sería vivir en un palacio como aquél, sin servidumbre, es decir sin testigos. Que todas las puertas pudieran estar siempre abiertas.

Soltar la ducha en el cuarto de al lado con las grandes ventanas abiertas, el cielo bajo y espeso, la luz color topacio y la lluvia en el aire con ese olor de maderas y miel silvestre de algunos bosques es algo que no podré olvidar. Si a eso añadía las voces de Sonia y de Ariadna que sonaban por la mañana como pífanos gloriosos, la Sureda me resultaba un paraíso.

Sonia parecía desmejorada. Y contradictoria en su carácter. A veces un poco brutal y a veces bastante infantil.

Trataba yo de enseñar a Sonia a reunir sus dos personalidades en una sola espontánea y natural. No era fácil aunque me ayudaba Ariadna. Entre los rusos la sinceridad se considera en general como tontería. Pero no hay para los rusos más disyuntiva que ser sinceros — es decir, estúpidos — o ser inteligentes, — es decir sospechosos de traición. La cosa es bastante complicada. Hay que ser muy valiente entre ellos para atreverse a mostrar la propia inteligencia y usarla de un modo y en una dirección espontáneos. Yo la besaba a Sonia y le preguntaba si había estado Berard la noche anterior. La segunda vez que hice esa pregunta comprendí que era indecente y me propuse no insistir. En el muro, encima de nuestras cabezas, había una estampa galante del siglo XVIII con pastoras columpiándose y enseñando las piernas. La estampa, en vitela, era muy luminosa.

Claro es que besaba a Sonia delante de Ariadna. Pero si la hubiera besado a sus espaldas Ariadna no hubiera protestado. Lo comprendí un día que nos dejó solos más de dos horas. Aquella tarde Sonia y yo hablamos mucho, pero no hicimos más que hablar. Me acordaba yo del *muslo feo* de Ariadna y me sentía lleno de contrición.

Trataba a Sonia como a una niña, lo que a menudo la extrañaba y a veces excepcionalmente la ofendía. En mi aire patriarcal ponía yo cierta seducción. Una mañana mientras me afeitaba en el baño pasó ella entre mi espejo y yo, bajándose un poco. Le di una palmada en el trasero y ella se irguió y alzó la cabeza ofendida como si fuera a morder. "He ido demasiado lejos", pensé. Al ver en mi cara la expresión de inocencia, Sonia se aguantó y siguió su camino. Como desagravio aquella mañana salí al bosque y le traje un ramo de flores silvestres, muy hermosas. Por decir algo, le dije: "Son lirios de Cataluña".

Sonia sólo podía ser sí misma, elemental y natural cuando ella voluntariamente quería. No se la podía obligar. Yo me sentía feliz aquellos días. Berard no me había robado a Ariadna. Por el contrario, Sonia y yo podríamos haber engañado a Berard. Aunque ésta no es la expresión. Nadie engañaba a nadie. Nadie ha engañado nunca a nadie a mi alrededor.

Las faenas de la casa eran pocas y Sonia no sabía hacerlas. Las hacíamos Ariadna y yo. La rusa no sabía hacer una cama. La infantilidad de aquella muchacha me conmovía. Cuando perdió la imponente máscara de su carácter marxista, engeliano, leninista, resultó enternecedora como una niña abandonada. Lo malo era que recuperaba tarde o temprano la máscara.

Lo mismo que a los niños a ella le gustaba — creo yo — tener miedo. La trataba yo de igual a igual, pero ella a pesar de todo, a pesar de sus pequeñas reacciones de rebeldía física, quería ser tratada de arriba abajo. Porque me creía políticamente importante y si no la trataba con altivez la defraudaba.

La intensa vida amorosa de Ariadna y mía se reflejaba en Sonia de algún modo. Al encontrarnos por las mañanas tenía un escorzo juvenil como si nos saludara con las puntas de sus pechos. Otras veces jadeaba más de lo necesario haciendo algún pequeño trabajo. Ariadna calibraba diestramente la significación de todas aquellas cosas y pensaba: "Anoche no vino Berard".

Había un reloj de rincón grande, alto y sonoro, con algo de ataúd. No funcionaba, como suele pasar con las máquinas de las casas de campo. Ariadna lo miraba y decía de pronto:

— En esa hora en que se detuvo el reloj pasó algo.

No podía tolerar que el reloj siguiera marcando inútilmente aquella hora. Yo cambié de posición las saetas y le di un abrazo.

— ¿Ves? En la hora que señala ahora pasó otra cosa.

Aquellas tonterías entre Ariadna y yo desconcertaban a Sonia porque no estaba acostumbrada a ninguna forma de infantilismo idílico.

Cada día cuando comenzaban a envolvernos las sombras aparecía en la casa un murciélago. El murciélago iba y venía con esos movimientos de mariposa que les hacen parecer a un tiempo ágiles y torpes. Sonia se cubría la cabeza con una toalla porque decía que los murciélagos se agarran al cabello. No podía menos de extrañarnos que un animal ciego recorriera las habitaciones, pasara entre nosotros, subiera escaleras arriba sin tropezar nunca. Expliqué a Ariadna que el animal tenía una sensibilidad secreta muy fina y que gracias a ella se orientaba lo mismo que si tuviera ojos. Tuve que explicar varias veces lo que aquello podía ser para que Sonia llegara a aceptarlo. Les dije que yo tenía una sensibilidad parecida, pero en el plano moral.

El murciélago vivía en el desván más alto. Lo había visto dormir allí durante el día, colgado del techo. Habría sido fácil matarlo, pero decidimos vivir con él y considerarlo nuestro amigo. Sonia se acercaba a veces a los cristales, miraba los árboles frescos y luminosos y volvía hacia mí tratando de hablarme de política, es decir ejerciendo su personalidad *pública*.

Por la mañana, si la lluvia amainaba, yo salía y me ponía a cortar leña con un hacha sólo por hacer algo. Mis músculos querían emplearse rudamente después de haberse empleado tan dulcemente mis nervios.

Aquella tarde estábamos los tres en una sala de la planta baja. Ariadna tenía un libro en la falda, pero no leía. Sonia se había puesto confidencial. Nos habló de sus padres muertos en Rusia. Dijo cosas de sentido vago y poco preciso, pero yo comprendí que sus padres habían hecho alguna imprudencia en París y habían pagado con sus vidas.

— Tu padre era inocente — le dije yo —. Hiciera lo que hiciera estoy seguro de que era inocente.

— No. Ni mi padre ni mi madre eran inocentes. No eran inocentes, sino culpables de inocencia, lo que es otra cosa muy diferente. Sin embargo yo lo quiero a mi padre.

Yo estaba cerca de la ventana, con la frente apoyada en el cristal frío. Detrás de mí oía hablar a Sonia y a veces remecerse a Ariadna en su sillón.

— Culpables de inocencia — repetía Sonia.

Me volví a mirar pensando que la crueldad de Sonia rebasaba mis previsiones. Fuera seguía lloviendo. Hablando de sus padres Sonia se ponía más vivaracha y el lóbulo de su oreja derecha — sin pendiente — vibraba a veces con los movimientos de su cabeza, como un granito de uva.

La lluvia era un acto de sencilla bondad de la naturaleza. Todo podía ser bondadoso en la creación menos Sonia, con su risa, y yo contemplando a Ariadna que había estado a punto de escaparse con Berard, pero que seguía siendo mía.

Los padres de Sonia no habían hecho nada pero los habían matado. Es decir, a la madre no la mató nadie: se suicidó: Al padre lo despreciaba Sonia por su infamia — la ejecución — y lo quería por su inocencia. Juzgaba Sonia a la gente de un modo raro. Yo desempeñando el puesto de jefe de brigada tenía que ser para Sonia honrado, leal, virtuoso y digno de admiración — mientras no me ejecutaran, claro. La virtud y el éxito político eran inseparables para Sonia, quien me admiraba desde el fondo de sus bonitos ojos grises pero de pronto se quedaba confusa porque yo disculpaba a sus padres y los creía inocentes. Y porque le hacía la corte a espaldas de Ariadna y de Berard. Ella amaba al Vodz o bien, como solía llamarlo yo, al Uro. No comprendía que la desgracia de sus padres fuera bastante para acusarlo — al Uro. No creía que su padre vivo o muerto tuviera tampoco tanta importancia. Ariadna nos escuchaba un poco aburrida. A veces dejaba caer la cabeza en el respaldo del sillón, miraba al techo y producía un suspiro sonoro.

Hay que conocerlos a los rusos. En ellos no sólo miente la palabra, sino la mirada y el gesto. Seguía lloviendo. La lluvia era como un tapiz sin terminar. Hilos entrelazados y compactos por arriba y sueltos por abajo. Un tapiz chino sin terminar.

Tanta lluvia comenzaba a enervarme. Me acordaba de los días de sol de Pinarel y entre todos mis amigos recordaba con frecuencia a Ramón, con quien un día lejano había peleado. Pero ahora lo recordaba muerto y sentía respeto por él.

Busqué algo que beber y encontré aguardiente. Durante la guerra todos buscábamos a veces un trago de alcohol. Los rusos bebían como esponjas. El alcohol seca los nervios de los rusos, tan húmedos con la nieve y los bosques y las lluvias de temporal de su país. En la cabeza de un ruso verdadero hay siempre hojas de abedul podridas por la lluvia. Y sus botas huelen a bosque. No tienen más remedio que beber para recuperar de vez en cuando su condición humana. Algo de eso me pasaba a mí aquel día. Había demasiada lluvia. Saqué tres vasos de un cristal muy fino como sólo se encuentran en los palacios abandonados. Llené el de Sonia y el mío y a Ariadna le serví apenas una cuarta parte. La rusa bebió su vaso de un trago y volví a llenárselo. En aquel momento había un gran silencio en la sala. A veces en aquellos paréntesis de mudez que teníamos se oía un ruido lejano y próximo al mismo tiempo. Un ruido sordo que venía del jardín. Era una manzana que caía del árbol y se incrustaba o rebotaba en el suelo húmedo.

Al levantar un libro que había en la repisa de un armario vi debajo un viejo telegrama. Estaba allí desde antes que llegáramos nosotros. Un telegrama siempre despierta curiosidad porque representa un momento de tensión en la vida de alguien. En aquel caso no había tensión alguna, sin embargo: «*Berard y compañía listos llegarán día siete. Necesario contar con la Sureda hasta el día 12. Tomen disposiciones.—Teniente secretario*».

Me intrigó quién podía ser aquel secretario y a qué disposiciones se refería. Ariadna había salido al porche. Fui al lado de Sonia, la tomé por la cintura y salimos también al porche trasero de la casa. Seguía lloviendo. Cada gárgola tenía abajo, en la tierra, una especie de poceta de piedra donde el agua al caer hacía un ruido resonante y salpicaba.

En algún lugar había canaleras de zinc en las que sonaba el agua de un modo que me parecía lleno de intimidad. Se lo estaba diciendo a Ariadna cuando Sonia me miró un poco extrañada y me dijo con cierto acento ofendido:

—Tú debes ser un intelectual. Sólo un intelectual aguantaría esta soledad y diría cosas como ésa. Mi padre era también así.

Recordaba yo el telegrama: «*Tomen disposiciones*». ¿Qué disposiciones? Por un instante pensé que podría ser una orden para que instalaran micrófonos — Sonia me dijo que a sus padres los habían *cazado* así, con el sistema de esconder micrófonos bajo las mesas —, pero a mí no me importaba. No tenía miedo a caer en una inocencia culpable. Ni a ser *cazado*. ¿Cómo podía ella usar esa palabra para referirse a su padre muerto?

Así como hay casas de campo para el invierno o para el verano, la nuestra parecía construida para el otoño. No le faltaba misterio. Pero no el misterio que viene de los asesinatos — ni de las brujas o fantasmas —, sino de una melancolía de gente pacífica.

Un día amaneció soleado y sin lluvia. Yo salí de casa y fui a la cochera donde teníamos el automóvil. Llamé a Ariadna. Quería ir al pueblo a comprar algunas cosas. Sonia vino corriendo y nos dijo:

—No os vayáis, por favor.

No quería quedarse sola. Yo le dije que podía venir con nosotros.

Era un coche convertible. Entretanto el cielo se había vuelto a cubrir de nubes. Venían las dos sentadas delante conmigo y yo sentía contra la mía el anca juvenil de la rusa. Las nubes bajas tenían algo dulce y sólido como panales del otoño. Hablaban Sonia y Ariadna y sus voces me acariciaban el tímpano.

Compramos en una aldea próxima algunas cosas de comer. Yo era el intendente, el mayordomo, y ellas las cocineras.

Cuando volvimos comenzaba otra vez a llover. La nube más grande, encima de nosotros, tenía la forma de un cetáceo. Había algunos triángulos azules por el cielo, aquí y allá. El camino era malo en algunos lugares y tenía promontorios desde los cuales el coche quería saltar como desde un trampolín. Al llegar a casa las mujeres se quedaron un momento en el porche mientras yo llevaba el coche al garaje. Era dulce la soledad con Ariadna y Sonia, aislados por la lluvia. Parecía que no hubiera guerras en el mundo. Al salir del garaje descubrí que el lado sur de la casa tenía macizos de flores que me han parecido siempre exóticas por su nombre: rododendros.

Hundido en un sillón trataba yo de no pensar en nada, rehusando entrar en los problemas que a veces nos envolvían a los tres. El incipiente sortilegio de las sombras — nos esperaba una noche larga y densa — era un poco más dulce con el miedo de Sonia. Porque Sonia tenía miedo a la soledad. Se oyó caer otra manzana en el rincón húmedo del jardín. Sonia parecía un poco desamparada tal vez porque Berard no se había presentado por allí en los últimos dos días.

— ¿Pertenece Berard a la NKVD? — pregunté.

Ariadna alzó las cejas para hacerme una seña con la cual quería decir que no debía preguntar aquellas cosas. Otra vez pensé que en los rincones de aquella casa podría haber micrófonos ocultos. Se lo dije a Sonia, cuyo silencio era una especie de respuesta dilatada y hueca. Ella parecía alarmada recordando que uno de aquellos micrófonos había sido el comienzo del fin de sus padres. Yo insistía, para adobar y estimular su alarma. Ella anudaba y desanudaba un cinturón que tenía una hebilla de plata representando un ariete, una cabeza de carnero topador.

Había momentos en los que no creía en los micrófonos, pero la alarma de Sonia se me contagiaba.

— ¿También tú tienes miedo? — pregunté a Ariadna, quien negaba muy tranquila. Entonces me dirigí a Sonia —: Es una vergüenza. Tú sí que tienes miedo. Todos los rusos tenéis miedo. Os alimentáis del miedo como algunas personas se alimentan del veneno.

Sonia me miró fijamente:

— Mientes — dijo, y añadió alzando la voz con el vaso de whisky en la mano —: Mis padres eran culpables de inocencia y los han matado. Yo no soy culpable de nada y sin embargo podrían matarme. Pero no me importa. No creas que tengo miedo. Nací y he vivido veinte años sin encontrar placer alguno en la vida. Ahora he venido aquí por orden superior y por orden superior tengo que esperar en el silencio, la soledad y la lluvia. La vida debe ser otra cosa, sin embargo — Sonia parecía dispuesta a hablar largamente —. El único que debe saber lo que es la vida es el Uro, como dices tú. El padre infernal. Y Berard. Pero nadie sabe lo que piensa Berard. Y yo no tengo miedo. Desde que estoy en España no tengo miedo a nadie. ¿Es que estoy yo en la vida, en la corriente de la vida? No sé. Nací y sé muy bien cómo era el aire a mi alrededor cuando nací porque he leído trescientas páginas donde mi padre lo explica con una minuciosidad que los editores rusos llaman con desdén formalismo impresionista. Porque mi padre era o quería ser escritor. El libro de mi padre trataba de mi nacimiento. Una fantasía. Bueno, todo es tontería. Recuerdo como si fuera ahora a mi madre vestida de blanco y yo sentada en su falda. Ella llevaba unas blusas de seda blanca con siete botones en el pecho y seis en el puño de cada manga. Yo no sabía contar todavía, pero hacía algo mejor que contarlos. Cada botón era un niño y tenía su nombre. El primero era Ivan, el segundo Aliosha, el tercero Vania, el cuarto Nicolai, el quinto Mikhail, el sexto Vasili y el séptimo Fedor. Pero sólo recuerdo las cosas del tiempo en que ya podía hablar y entender lo que hablaban los mayores. Mi padre cuenta en ese libro otras cosas anteriores. Y después de haberlas leído yo tengo la impresión de que las vi y sentí yo misma. Incluso en los meses en que tenía una vida vegetativa..., ¿no se dice vegetativa?, dentro del vientre de mi madre. También me acuerdo de cuando nací. Es raro, ¿verdad? Y no creáis vosotros que mi padre escribía todo eso de un modo sentimental. No. Mi padre no era sentimental ni mucho menos. Cuenta las cosas como si explicara objetivamente un misterio de la naturaleza.

Yo sonreía oyéndola y pensando: "Otras rusas han venido a España como traductoras, como secretarias, como espías". Esta debía haber venido en calidad de *presea,* es decir de algo precioso y sin objeto ni uso definido. Sonia necesitaba hablar porque al lado de la intimidad nuestra — de Ariadna y mía — se sentía desaparecer. Hablaría mucho más. Tal vez estaba arriesgando algo, pero era gozoso hablar. La rusa nos daba a Ariadna y a mí su riesgo y su secreto, que era tal vez su tesoro. Sobre una ventana, por la parte de afuera, piaba un zorzal tardío o extraviado. Yo pensaba mirando a Sonia: "Ahora será ya nuestra amiga para siempre". Ella continuaba como si hablara para sí misma:

— Voy a hablar. Hablaré tanto que tendréis que pedirme que me calle. Entonces yo, sentada en la falda de mi madre, ponía nombres de personas a los botones de su blusa. Pero a las personas les daba nombres de cosas. Mi madre era la Lámpara, mi padre el Balcón. Otros amigos que venían a vernos eran la Silla, la Escoba, la Miel, la Nuez — este último era muy viejo —, el Armario. Y yo los llamaba así cuando comenzaba a hablar: "Eh, tú, Nuez, dile a la Escoba que me compre una muñeca". Pero en la escuela no valía poner nombres ni pedir muñecas. Allí estaba encima de todos el retrato del Vodz. El hombre más bueno del mundo que nos daba miedo porque sin dejar de ser bueno podía matar a nuestros padres. Lo amábamos por bueno, lo temíamos por asesino. ¿Por qué el hombre del retrato era de una bondad criminal y terrible? ¿Quieres tú decírmelo, Ariadna?

Yo la miraba embobado — la estimulaba a seguir hablando, con la mirada — y Ariadna me invitaba a seguir escuchando en silencio. Sonia se levantaba:

— No creáis que hablo por el alcohol. Sin beber hablaría lo mismo. No me mires así, Javier, que no estoy loca. Es que estoy haciendo la prueba. La gran prueba. ¿Qué prueba? ¿Es que yo no soy un ser humano también, como vosotros los españoles? ¿Es que no puedo hablar cuando quiera y como quiera? Aquellos botones de la blusa de mi madre con sus nombres son el último recuerdo que tengo de una vida segura. Después ya no sé lo que es la felicidad ni la desgracia, ni el dolor ni la alegría. Seguía en la escuela. Teníamos maestras que no podían enseñarnos gran cosa porque no sabían casi nada. Y lo poco que sabían no tenía importancia al lado de la necesidad de encontrar algo que comer y un harapo para defenderse del frío. En invierno era horrible. Llevaba la maestra los pies envueltos en trozos de arpillera, siempre mojados y dejaban una huella en la madera como la pata de un elefante. Los recuerdos de infancia son importantes, ¿verdad? Yo recuerdo a aquella horrible mujer con simpatía. Me quería la maestra, pero antes de querer a alguien hay que vivir, ¿no es eso? Era necesario vivir. Y para vivir hay que comer, abrigarse y dormir. Ellas no pensaban en otra cosa. Me querían a su manera, sin embargo. Yo no tenía hambre, no necesitaba nada. Vivíamos sin lujo, pero sin miseria. Mi madre trabajaba y mi padre también. Sabía varios idiomas mi padre y además de su trabajo regular hacía traducciones del inglés y del alemán. Pero tiene razón Javier, si piensa que los dos tenían miedo. A medida que en Rusia se está más cerca de las fronteras, del extranjero, se tiene más miedo. Y también a medida que se vive mejor. Es natural. Los obreros no tienen miedo porque lo que pueden quitarles, la vida, es tan poco... Se limitan a morder su pan negro y húmedo y a esperar su muerte animal. Yo en este momento tampoco tengo miedo. No lo creéis, pero es verdad. No tengo miedo y no sé por qué. Tal vez porque estoy en España.

Ariadna miraba los rincones con recelo, a pesar de todo. Y Sonia seguía hablando. Mientras hablaba yo vi entrar una abeja por una ventana. En el zumbido conocí qué clase de abeja era: una obrerita. Una obrerita extraviada, que volaba de noche y que había hallado entreabierto el panel de la ventana. Tenía las alas azules. Tal vez el color era un reflejo de la pantalla de la lámpara. Yo pensaba: "¿Será una de las abejas de Hijares? ¿Una de aquellas cuyas alas pinté yo de azul? ¿O de las que pintó el yugoeslavo Cyril?". La abeja no hablaba porque cuando están solas no hablan. Se había posado en la pantalla y no hablaba. Quien hablaba como una borrachita — sin estarlo — era Sonia:

— Han matado a mi padre, se ha suicidado mi madre y yo estoy aquí con vosotros. Yo soy también un ser humano y desde que murieron mis padres estoy en entredicho con algunos camaradas de las alturas de la NKVD. Yo, la hija. Porque ser hija de dos culpables — culpables de inocencia — puede ser un delito. No protesto. No creáis que protesto. Yo también puedo ser culpable. ¿De qué? De mil cosas graves. Aquí en el bosque y a solas con vosotros se puede decir todo. Estoy diciéndolo todo. Estoy diciendo más cosas que en toda mi vida.

Yo seguía mirando la abeja. Ariadna escuchaba, pero advertía yo que tenía una actitud crítica y como en guardia. No se abandonaba. Tampoco se abandonaba Sonia del todo a pesar de las apariencias. No podía abandonarse porque no se pertenecía. Su vida era propiedad secreta y pública del padre infernal. Pero seguía hablando y daba una impresión de sinceridad. A veces yo iba a decir algo y Ariadna me atajaba con la mano porque deseaba seguir oyendo a Sonia o porque temía a mi espontaneidad y al peligro de mis palabras. Sonia decía:

— Soy ahora una cosa distinta. ¿Una mujer? No sé. Más bien una especie de estatua levantada en una esquina o en un cruce de caminos españoles. La gente pasa y va a lo suyo. ¿Qué es lo suyo? ¿La guerra? ¿Para qué? No lo sé, la verdad. Entre los rusos nada es de nadie. Incluso la guerra. La guerra es cosa del Vodz. Nadie puede decir que tiene nada suyo. Vosotros tenéis vuestra vida, vuestra guerra, vuestra muerte. Los rusos no podemos dar a nadie nada porque no tenemos nada. Nuestra guerra, nuestra sangre, nuestra muerte no son nuestros, sino del Vodz. Tú decías un día, Javier, que tu muerte es tuya y que nadie puede quitártela. En Rusia la muerte no es nuestra. ¿La muerte de mi padre? Era otra y no la suya. En cuanto a mi madre, ya se sabe que en Rusia el suicidio es un crimen y el suicida un criminal. Tampoco nuestra muerte nos pertenece. Todo es del Vodz. Así, sucede que no podemos dar nada a nadie ni recibir nada de nadie. No existe la amistad ni el amor. ¿Cómo es posible? Todo el mundo tiene algo tremendo que decir y nadie sabe a quién decirlo. Todos tienen algo tremendo que decir. ¿A quién? ¿Hay alguien bastante seguro para poder decírselo? Sólo se lo podría decir a una persona: al Vodz. Al Uro, como tú dices. Él es el único en Rusia a quien se podría hablar en confianza. El único que no traicionaría. ¿A quién iba a ir el padre infernal con el cuento? Él es el único y detrás de él no hay nadie. Todos tenemos algo tremendo que decirle al camarada Uro y nadie se lo puede decir. Lo que le diría yo es lo siguiente: Aquí estoy. Me han traído a la vida y aquí estoy. Me han matado a mis padres sin saber por qué. Los mismos que lo mataron no lo sabían. Con mi madre han matado a los siete muchachos, es decir a los siete botones de su blusa. Y estoy sola. Y no creo en Dios. Tampoco creo en el capitalismo ni en la libertad ni en el bien público. Tengo que creer en el Vodz, pero es una creencia que no me da placer alguno porque sólo veo alrededor recelo y miedo. Nada tengo yo en la vida que me haga pensar que vale la pena vivir. Quiero a Berard, es cierto. Lo quiero porque habla en nombre del Uro que ha decidido que mi padre sea asesinado. Tú, no, Javier. Tú no quieres matar a nadie. Ariadna tampoco. O tal vez... Bueno, tú sólo quieres oírme y sonreír. Como Ariadna. ¿Para qué? El padre infernal representa el último misterio y ese misterio va a tragarnos a todos un día. Se tragó ya a mis padres. Es probable que el Uro escuche estas palabras mañana si es que quedan registradas en alguna parte. Pues bien, ese misterio es lo único digno verdaderamente de amor que he conocido en mi vida. El Uro es la verdad. Ha matado a mis padres, puede matarme a mí esta noche. Es la muerte. Es decir, la única verdad incuestionable. La muerte. El Vodz en dos patas, tripón y callado, es la muerte. Una muerte con bigotes. Está idiotizando a los obreros, a los campesinos de los koljoses. Y a los comisarios militares que envía aquí... Y yo lo quiero a él y quiero a Berard por eso: porque asesinan. ¿Veis como también sé llamar las cosas por su nombre?

Yo pensé: "Es bueno saberlo, Berard asesina también". Miré

a Ariadna, cuyos ojos parecían perdidos en el aire. Y Sonia seguía:

—El Uro tiene razón. No sonríe, sino que brama en un rincón y nos recuerda a todos con su bramido nuestra miseria, nuestro misterio y la ruina de nuestra vida. Es decir, la verdad. La verdad es el crimen. No hay más que el crimen en el mundo. ¿Qué dices tú, Javier? ¿Y tú, Ariadna? ¿Tenéis miedo? Tal vez no lo tengáis. Sois valientes. He oído decir, Javier, que eres un león. Bueno, nadie lo ha dicho. Lo digo yo después de oír hablar de ti a los unos y a los otros. Debes ser valiente como un león. A pesar de todo...

—No —le interrumpí—. No soy ningún león. Además, el león no es tan valiente como crees. Hay otros seres más valientes que el león. Por ejemplo, la pulga. Me gustaría tener el valor silencioso y ágil de la pulga que ataca al león, lo vence y le bebe la sangre. Eso es valentía. Eso es inteligencia.

Sonia no sabía si yo hablaba en serio:

—Bueno, valiente como una pulga, entonces.

Pero sus propias palabras la hicieron reír. Ariadna soltaba la carcajada. Yo sentía las vibraciones de aquella risa en mi médula. La abejita de la pantalla se había detenido en una flor color rosa pintada en la seda blanca. Estaba yo pensando que el Vodz y sus comisarios de la NKVD asesinaban por la necesidad de dar un sentido a la vida rusa. Nadie hacía nada importante en Rusia. Unos contaban patatas en los koljoses, otros vainas de fusil en las fábricas, algunos vigilaban a los que las contaban y otros vigilaban a los vigilantes. Si de vez en cuando el Uro no matara a algunos millares de individuos la vida entera de aquel país carecería de fondo, de proyección moral. Con la muerte la realidad toma una dirección justa. El riesgo constante y la ventana abierta sobre el infinito. Un gran riesgo. Una dimensión trascendental. El terror y la sangre inocente son religión. El Uro le daba a la gente esa religión. La segunda razón es que los hombres del Uro no tienen fe en nada. No tienen siquiera fe política. En ese caso hay que compensar la falta de fe con la complicidad. Tres individuos que han intervenido en la muerte de otro estarán juntos, ligados por su crimen hasta el último día de su vida. No hay religión, pero hay sangre inocente por medio, que es lo mismo. No hay convicciones, pero hay complicidades. Son incómodas las complicidades, pero ligan más estrechamente que las convicciones.

Yo no decía nada de eso, pero lo estaba pensando sin dejar de mirar la abeja que ahora pasaba por el filo de la pantalla deteniéndose de vez en cuando a comprobar que aquella materia no era vegetal. Las palabras de Sonia — que se dirigía a Ariadna — sugerían esas y otras cosas. Oyendo a Sonia iba yo entrando poco a poco en la vía de una admiración que a mí mismo me extrañaba. Y comparaba a la rusa con Ariadna. Pero no podía ver a Ariadna como veía a la rusa. Estaba Ariadna demasiado cerca de mí. A veces no podía decir si la quería o la odiaba, aunque en este último caso debo añadir que yo amaba mi propio odio, que guardaba en él incluso una reserva de voluptuosidad. De una clase especial de voluptuosidad que se podría llamar — pensaba con humor — óptima. De todas maneras ella estaba dentro de mí y se confundía conmigo mismo. No podía compararla con Sonia porque no me era posible situarlas en el mismo plano. Y allí estaban. Cerca de mí. Viéndolas recordaba por asociación mental inconsciente que había visto en el garaje una rata. Una gran rata campesina. Y que no tenía miedo, el animal. Estaba yo en la puerta y ella en el rincón derecho del fondo. Y estaba en cuclillas, orinando. Me miraba cínicamente y orinaba. Nunca había imaginado yo una rata orinando. El recuerdo me hacía sonreír y Sonia no sabía a qué atribuirlo.

— Sí, el Uro — dijo de pronto —, con su traje de sarga marrón. El animal milenario de grandes cuernos que muge en lo alto de los montes Urales. Cada vez que muge doscientos millones de rusos se estremecen, ¿verdad? Pues bien, yo lo adoro, al Vodz. Por eso, porque asesinó a mis padres y puede asesinarme a mí acusándome también de inocencia. Porque a pesar de todo eso me pide que crea las cosas que dice él, el Uro, y finge que acepta que yo las creo. El Uro se retrató un día con una niña en los brazos. Una hija suya grandullona y fea. ¿No os acordáis? Doscientos millones de rusos han visto aquella foto y se han estremecido. El Uro tenía una hija grandullona y fea en los brazos y le sonreía. Le sonreía debajo de los cuernos, digo, de los bigotes. Y doscientos millones de rusos sonrieron también contemplándolos. Yo odiaba a aquella hija grandullona y fea toda sayas y refajos, y me habría querido poner en su lugar. Yo. Millones de mujeres y quién sabe si de hombres habrían querido estar en el lugar de aquella hija que debía tener los dientes sucios. El hombre que podía matarme aquella noche y justificar de ese modo mi miedo — porque todos tenemos miedo y de ese miedo nace nuestro amor al Uro — era capaz de tener en sus brazos una chica de fuertes caderas que ya no era una niña ni tenía atractivos de mujer. Y el Uro le decía ternuras con un timbre sobreagudo. Yo soy más hermosa que su hija y el Uro podría decirme ternuras a mí. Yo lo adoraba al Uro y lo adoro ahora. ¿Ves, Javier? Soy sincera. Digo la verdad. Yo, sin cuidado ni miedo. O con un miedo monstruoso que es amor. Berard es mi amante platónico, pero yo estoy enamorada del Uro. Más me vale, porque Berard no me quiere. Está enamorado intelectualmente de una inglesa fea que se llama Nancy y que colecciona discos con música negra de percusión: *tam-tams.* Tú eres cobarde, Javier. Tú tienes miedo a los micrófonos que puede haber debajo de las camas. Yo no, yo adoro al Uro, que es para mí un hombre lejano, poderoso y lleno de atractivos en quien se resumen los siete chicos de la manga de mi madre con sus siete nombres. Pero el Uro es también todo lo contrario. Y voy más lejos. Tú lo insultas al Uro, pero yo me atrevo a decir las verdades escondidas y seguras y es peor. Es como si hablara delante de una montaña nevada, de una cresta canosa. Yo me pertenezco, ahora. Y no es por el alcohol, repito. Tal vez es la primera vez que me pertenezco, en mi vida. Es mi lujo y quién sabe si os lo debo a vosotros, que me escucháis ahí como esfinges: a Ariadna y a ti. Yo me pertenezco y digo al Uro que es el mayor criminal que ha tenido el mundo desde la lejana prehistoria. Pero no hay que engañarse, por eso mismo el Vodz es el más humano del mundo. Sí, no pongas esa cara, Javier. ¿Hay algún ser en la historia de la creación que no haya matado en su imaginación a alguien? ¿Quién podría decir que no ha querido alguna vez asesinar a alguien? No sólo a los que odian, a aquellos a quienes odian, sino también a alguna persona amada. Ese odio y ese deseo de hacer el mal es lo que nos une y nos identifica a todos. En otros países como España, Francia o Inglaterra, donde cada intelectual como tú, Javier, da la impresión de ser el secretario de un estafador, se cree que os une lo contrario: el amor. ¿El amor? Millones de seres humanos han pasado por la vida sin saber lo que es el amor, pero ni uno solo sin conocer el odio y sin esconder en el fondo de ese odio el deseo de matar. El deseo frustrado de abrir las venas al prójimo. El Uro es perspicaz. Sabe mirar y ver y entender lo que ve. ¿Tú me ves a mí? Yo tengo amantes ocasionales que me llaman *ángel,* que me dan nombres de animalitos, de plantas, de cosas graciosas. Pues bien, los primeros deseos míos fueron criminales. Si de mí dependiera estaría salpicada de sangre desde la infancia, como lo están algunos de tus amigos, sobre todo ese apoplético y de gran papada a quien llamáis Justiniano. Ese que parece infatuado y lo está en su interior desde que mató a cuatro heridos. O los criminales del otro lado, los que mataron a vuestro amigo del bosque. A Novaes el gaitero gallego. ¿Te asombra que sepa tantas cosas? Es la obligación nuestra aprender esas cosas. Déjame que me ría, Javier. Ya digo que los primeros deseos míos fueron criminales. Un día que mi padre me hizo bajar de sus rodillas y besó a mi madre yo dije entre dientes llena de odio: "Ojalá te mueras". Otro día que mi padre no quiso llevarme al cine yo le dije: "Te mataré". Mi padre reía y yo odiaba a mi padre más por aquella risa. Creo que fueron mis primeros sentimientos de veras humanos. Si eso sucedía conmigo en la pureza de mi infancia, ¿qué no sucederá con la pobre gente que no ha conocido ninguna clase de amor? Todos han querido matar y se han aguantado. ¿Por miedo a la muerte? No, por miedo a la vida. Y porque no eran bastante humanos. El Uro es un monstruo, pero la vida es monstruosa. El hombre es un criminal nato y lo humano es odiar, asesinar, destruir, traicionar, mentir... y dominar. Por eso es el Uro el más humano de los seres hasta hoy conocidos y por eso yo lo adoro. Y si él oye un día estas palabras mías se dará cuenta de que estoy diciendo la verdad. Podrá matarme o premiarme, pero sabrá que lo adoro como a un héroe de balada antigua. Se dará cuenta porque verá que lo comprendo. Comprendemos por el amor y no por la inteligencia. ¿Ves? Esta opinión podría costarme cara, porque no se ajusta al racionalismo socialista. Pero no importa. Comprendemos por la voluntad de comprender, que es amor. El padre infernal sabe que lo comprendo y que lo amo. Yo, Sonia, que he venido aquí a fisgonear las posibilidades del crimen. Todos saben a lo que vengo y me reciben bien precisamente por eso. Hasta un cura pequeño, pescozudo y granuja que dice misa en Madrid a nuestra salud. Un cura con voz de chantre que según dicen manosea la bragueta de los monaguillos y a mí me pone la mano entre los omóplatos y me llama camarada. Todos. Hay en Madrid, donde he pasado un mes, una agrupación que llaman la Cofradía de los Entusiastas. Todos son delicados y humanitarios. El secretario es un poeta de Cádiz. Pues bien, todos allí tratan de señalarnos al amigo y al enemigo para quienes tienen hecho ya el ataúd. Se quieren mucho y se mecen unos a otros en los ataúdes imaginarios cantándose nanas de *réquiem* y repitiendo exclamaciones como *ay, madre,* tan inocentes y tiernas que da gozo oírlos. Para que no se enojara el secretario de la cofradía hemos tenido que matar a varios individuos inocentes, claro. Es humano el crimen. El padre infernal sabe que lo comprendo y que lo amo. Yo, Sonia, soy la única persona que queda en mi familia. Soy tan humana como el Vodz y por eso lo entiendo. El daño que me puede hacer el Vodz no me importa. ¿La bala en el corazón? ¿El sanatorio Rosa Luxemburgo y el aneurisma? Mi miedo es el miedo al misterio que siento en los mugidos del Uro. Sólo él se atreve a ser quien es: frío, amoroso, embustero, veraz y sobre todo criminal. Los demás sólo dicen verdades fraccionarias, pero él se atreve a afrontar el embuste total de la humanidad. Todos los que mentimos — ¿y quién no miente? — adoramos al Vodz porque sabe decir nuestra verdad y afrontar nuestro riesgo. Yo agradezco al Uro que haya asesinado a mis padres porque con su muerte he aprendido a vivir, es decir a morir. Me ha resuelto el horror a la muerte. Mucho me interesaban mis padres, pero me intereso mucho más yo misma. ¿No te parece, Javier?

Escuchaba yo a Sonia pensando que hablaba como una persona adulta porque el terror nos envejece. Pero físicamente Sonia era *nueva* con su cintura de ondina — así decían en tiempos de nuestros abuelos — y su voz cristalina y monótona, de plegaria. Lo que no podía entender era que estuviera arriesgando tanto, en aquel instante, con sus palabras. Llegué a una conclusión cómoda: ella confiaba en Ariadna y en mí. Ella tenía una confianza sin límites en nosotros y nos la pagaba a su manera. ¿Sin límites? Todas las cosas tenían límites, en Sonia, porque el infinito había sido desterrado de su cabecita y de su corazón. Ariadna parecía decirme con sus grandes ojos quietos:

"Recuerda que no debes fiarte. Recuerda que eres mal vidente y que necesitas discos y fotografías y otras señales para sacar una verdad velada."

Al oír — en mi mente — estas palabras de Ariadna pensaba que tal vez Sonia estaba mintiendo y usando alguno de los subterfugios que emplean los agentes provocadores. Ella fue al lado de Ariadna, se sentó en el brazo de su sillón con la respiración acelerada y dijo en un tono de voz diferente:

— Tal vez la policía vendrá, me llevará a Rusia o me matará aquí mismo, en España. Bien. Tenemos muchos agentes de busca y captura. Y otros que vigilan a los vigilantes. ¿Cómo les llamaríamos? ¿Rebuscadores? El más cretino acaba siempre por encontrar algo y alguien. Yo aceptaré desde el primer momento los vicios y crímenes que me atribuyan: que soy una miserable bujarinista, trotskista, saboteadora, espía. Diré a todo que sí. Es posible que no les baste. Es posible que me pidan nombres de cómplices. Y los diré. Dos o tres nombres. O seis. O veinte. Entre ellos el tuyo, Ariadna y el de Javier. Diré que a través de vosotros yo tenía relaciones criminales con el espionaje alemán o inglés. ¿Qué más da? Llevaré diez personas al matadero. Así seguiremos alimentando la hoguera de los entusiastas perecederos. No creas que tú harías otra cosa, Javier, león, héroe y pulga de león. Si yo te acuso y te detienen acabarás por aceptar también que eres un bujarinista...

— No, no — interrumpí yo —. Bujarinista, nunca. En español esa palabra tiene una resonancia demasiado sucia.

— Bueno, yo lo diré por ti y es igual. La verdad es que eres como los otros. Que tampoco mereces vivir. ¿Has dicho la verdad, toda la verdad, a tus soldados? ¿A tus jefes? No. Mentiras prudentes. Mentiras idealistas. La libertad, el amor, el bien, todo el repertorio. ¿Te dices la verdad a ti mismo? No. Tal vez tú has querido en algún momento la muerte de alguien. ¿Por odio? ¿Por amor? No me mires de ese modo. El Uro quiso hace cuatro años la muerte de su amante. Y la mató. ¿No recuerdas que los periódicos dijeron que se había suicidado? Todos sabemos que no hubo suicidio. Que el Vodz la mató. ¿Es que no la quería? ¿O la quería demasiado? Todo es posible, pero es una cuestión que sólo a él le incumbe. Sabemos que el Vodz sale por la noche del Kremlin en su coche blindado y va al cementerio y se queda a la luz de la luna con la cabeza baja frente a la tumba. Y vuelve al coche con los ojos húmedos. Yo lo imagino así sobre la nieve, bajo las estrellas, y pienso con envidia en su amante muerta. ¿Romanticismo? ¿Por qué no? Hasta los animales pueden tener su derecho al ensueño. Con mayor motivo nosotros. ¿Vosotros no sois románticos alguna vez? En ese caso, ¿cómo pagáis el peaje de vuestro ateísmo? ¿No sois ateos? — yo respondía a todo con leves movimientos denegatorios, que la confundían —. Pues bien, el único que parece vivir porque se atreve a vivir es el Uro. Yo diré todo lo que quieran, me acusaré de todos los crímenes y el Vodz me escuchará y sabrá que estoy mintiendo. Y le agradeceré que necesite de todas mis mentiras para matarme, él, que podría matarme sin que yo le diera pretexto alguno. Y el Vodz me agradecerá mis embustes que le darán el pretexto. Los dos nos agradeceremos mutuamente nuestra grandeza secreta mientras a mí me matan en la Lubianka. Y el Uro, descornado y mocho, seguirá mascando su pan negro en el Kremlin. Así debe ser la relación entre el padre infernal y yo, la hija angélica. Y así será tal vez un día más cercano de lo que tú crees, Javier. Tal vez mañana. ¿Ves? Lo digo sonriendo. Convencida, sin miedo y riendo. ¿Quién tiene miedo aquí? ¿Quién decís que tiene miedo aquí? ¿No seréis vosotros?

Oyéndola unas veces yo dudaba y otras estaba convencido de que había micrófonos. Recelaba de las sillas, las mesas y las camas que podían oírla y oírnos. La noche anterior Ariadna y yo pensábamos en los micrófonos cuando oíamos algún rumor de ratones en los desvanes. Lo mismo que esos animalitos, los micrófonos propagaban la peste. Una peste que todavía no tenía nombre verdadero. Pero Sonia volvía a hablar esta vez con una exaltación muy armoniosa. Ariadna escuchaba con la boca entreabierta sin entregarse del todo, como se escucha un aria en la ópera.

Fuera, la brisa rizaba las praderas y la superficie del agua de los charcos.

—Sí, Javier, diré tu nombre. Y tal vez el tuyo, Ariadna. Diré otros nombres, los que quieran. Diez, quince, veinte. Si sucede lo que estoy pensando no sólo nos habrán quitado la vida, sino el derecho al respeto de los demás. Es lo que han hecho ya con algunos españoles. Estoy pensando en uno a quien han asesinado porque era un héroe verdadero y sin embargo no creía en el Vodz. Y vivía fuera del corral del Uro. No quería agarrarse a la ubre materna. Porque el Uro tiene su ubre, tierna y oblonga. Lo han matado, al héroe, pero eso no basta y ahora lo calumnian para que su recuerdo no sea edificante. Dirán que somos cobardes, traidores, vendidos, y antes de que me maten lo habré firmado con mi mano. También firmó mi padre. El Vodz quiere firmas. ¿Qué firmó mi padre? Que era culpable de sinceridad. Repito que cuando un hombre es sincero el Vodz dice: "La sinceridad no existe". Ese hombre orgulloso de su sinceridad es peligrosamente inocente. Y lo envía a los subterráneos del metro o a las minas. Cuando es inteligente y precavido lo mira con recelo. Sabe que miente por su cuenta y no por la del Vodz. La inteligencia miente. Hay que vigilarlo. El inteligente y el embustero que mienten por su cuenta suelen ser ambiciosos. Y la ambición puede enloquecerlos y hacerlos traicionar. ¿A quién? Al Vodz. ¿Tú sabes? Hay que ser inteligente para volverse loco. ¿Qué solución hay en todo esto? La de las hormigas: ser humilde, activo, neutro, silencioso, ciego y trabajar hasta que llegue la muerte. Mientras el último aliento nos permita seguir con el pico, la pala, el fusil, la máquina o el sexo. Porque hay quien trabaja con el sexo. Hay que seguir adelante sin pensar y sin hablar. ¿Tú has visto que la hormiga arrastra una hoja o un grano y si le cortas una pata sigue tirando y si la partes por la mitad sigue tirando aún hasta que muere? Pues eso es lo nuestro. ¿Qué hacemos ahora? Vosotros hacéis cada día el amor. Yo de vez en cuando. Sí, podéis reíros. También a mí me da risa esto de hacer el amor a veces bajo la mirada tolerante del Vodz. Porque aquí han puesto fotos del Vodz. Alguien, otras hormigas que pasaron por aquí antes que yo, colgaron encima de la chimenea esta foto del Vodz. Sí, aquí, en tu feudo, Javier. En el valle de Pinarel. Ahí lo tienes. En España igual que en Rusia. Ahí, con la mano en la abertura de la chaqueta, como Napoleón. Es ridículo. El Vodz seguramente se ríe y espera los informes de la NKVD. Entretanto tú puedes hacer el amor, con tu pelo hirsuto. Piensas que Ariadna es la mujer de tu existencia. Tal vez piensas que soy yo o que es otra. En todo caso la existencia no es tuya ni mía. Es un accidente en el cual sólo manda el Vodz por ahora. Tú crees que estoy loca. Es posible que sea yo un caso raro de sinceridad no estúpida, de sinceridad inteligente, es decir peligrosa y hasta traicionera. Sí, yo. No me mires así. Digo mi verdad con toda mi fuerza, con los ojos, la voz, con mi cuerpo entero.

Ariadna dijo:

— Sí, todo eso está muy bien, pero el Vodz reventará y se pudrirá como los demás, como cada cual. Entretanto tú eres joven y le gustas a Javier. El Vodz es la muerte y tú eres la vida. Yo también soy la vida, claro.

Sonia, sin escuchar a Ariadna, me miraba a mí.

— Yo sé lo que piensas. Piensas que soy una pobre mujer, una atrasada mental, que he venido a España a vigilar a los vigilantes en el nombre del Vodz. Y tú te crees más listo. Pero puedes equivocarte, ¿no es verdad? Yo puedo ser otra cosa. Y aquí estamos. Ariadna dice que ella y yo somos la vida. ¿Qué vamos a hacer con esta vida? Tú dirás: nada. Vivir es vivir. Y se acabó. Pero eso es falso. Entre la vida y la vida está la nada que se trenza y destrenza con ellas. Y en nombre de esa nada habla el Vodz. Tú tienes miedo a todo, Ariadna: a los enemigos de enfrente, a los de al lado. A los ratones magnéticos, a los micrófonos ocultos. Tienes miedo al miedo también. Bueno, en cambio yo no. Ven aquí, Uro. Sí, tú, padre de la humanidad avanzada y progresiva como dices tú mismo riendo debajo de tus bigotes. Ven y ábreme las venas. Con tus uñas, con tus dientes o de un modo un poco más higiénico: con tu cuchillo. Porque mi sangre y la tuya y la de todos es tan sucia como la de las ratas. Me darás la muerte y yo te lo agradeceré. Primero porque me enseñaste a morir sin miedo asesinando a mi padre. Después porque te adoro y es dulce morir a manos de aquel a quien se adora. ¿Romanticismo? No sé. En el romanticismo hay vértigo y nosotros tenemos la cabeza segura en los hombros. Pero yo puedo insultarte también ahora. Puedo insultar al Uro sin dejar de adorarlo. Blasfemo en este momento, pero se blasfema de las divinidades y no de las personas. Mis padres aceptaron la muerte preocupados sólo por la idea de dejarme a mí en la vida. A mí joven, sola y sin caminos. ¿Sabes tú lo que eran mis padres para mí? El camino de la vieja felicidad. Lo único que me ligaba a la idea tuya de la felicidad. Es decir un ideal y una ilusión. Los botones de la blusa de mi madre con nombres de personas. Las personas con nombres de cosas. Y todos callados e integrados en una realidad un poco tonta. Nada. ¿Agradezco bastante al Uro que mataran a mis padres? No lo creo y ésa es mi culpa. Tal vez no se lo agradezco bastante. Si me mata estará en su derecho. También ha matado a la Silla, a la Ventana, a la Mesa, a la Miel, a la Pimienta. Y me ha dejado sola y desnuda con la monstruosa verdad. Bien, no me importa. Es decir, me importa mucho. Entretanto tú estás seguro de ti. Piensas que tienes derecho a sonreír del Uro mientras te rezuma en la piel cada noche con Ariadna el gozo del amor. El rocío del amor. Pero ten cuidado. Podrías equivocarte.

— Claro que sí — dije yo —. Todos pueden equivocarse. Yo y Ariadna. Tú y el Vodz. También el Vodz puede equivocarse.

Y dios mismo. ¿Quién sabe si la creación entera no es una equivocación de Dios? Pero nada de eso importa.

Sonia me miró confusa y como angustiada. Miró mis labios desollados por la intemperie, mis manos frías, mis pies, es decir mis borceguíes militares con caña de tres hebillas. Luego se levantó. Era delgada como un arlequín. Dio unos pasos y sonrió:

— Dios. ¿Todavía crees en esas tonterías?

— Yo, no, exactamente — dije un poco confuso —. Es Él quien cree en Sí mismo a través de mí. Se sirve de mí para crecer en Sí mismo. Bueno, mi dios es diferente del tuyo. El mío se llama el Hidrógeno.

Sonia reía. Me miraba y reía. Caminaba de un rincón a la ventana y otra vez al rincón con buen porte. Ella tenía *porte*. En cambio Ariadna tenía *continente*. También Ariadna reía. Me miraba con su expresión alerta y confiada al mismo tiempo.

En este lugar de mi informe ante la asamblea de la OMECC me interrumpe una voz que sale de la parte trasera de la sala. ¿Es posible que sea todavía el Lucero del Alba?

Pero no es él, sino el obispo de Mondoñedo. Yo puedo verlo un momento en que la luz del reflector cae sobre él. Es un vástago podrido de Roma, como tantos otros. Va vestido de pontifical no sé con qué objeto. Bajo su mitra bordada de oro por las monjas — esposas del Bienamado —, la boca abierta del prelado da una impresión un poco chocante:

— Ariadna.

— ¿Qué sucede con Ariadna? — pregunto yo.

El presidente golpea la mesa con el martillo y me ordena que calle, ya que los diálogos entre los delegados están prohibidos. El obispo continúa:

— Yo salvé la vida de Ariadna con una sola insinuación que hice en latín. Dije que la piedad era el mejor sentimiento de nuestra alma, y añadí: *Omnem crede tibi diluxisse supremum.* Se lo tradujeron al adalid y bastó con dejarle el nombre de Ariadna a su ayudante general, quien telegrafió a Pinarel. Yo, pues, lo hice todo para evitar los destrabalenguas de los indultos. Porque cada condena es un trabalenguas legal y el indulto tiene que destrabarlo. Yo puse crisma encima de la vértebra cervical de más de veinte mil españoles. Yo. Me considero, pues, obligado a ser un promotor de la piedad humana. Y ahora tengo que asistir aquí al innoble espectáculo de un ateísmo declarado, descarado y arrogante. Yo, que salvé a Ariadna porque supe que era devota del Cristo del Coloquio.

— Yo digo lo que decía Sonia. Además, yo no soy ateo.

Lo he dicho muy de prisa, para que el presidente no me interrumpa. Pero el obispo no me oye:

— Todo esto sería menos lamentable si permitiera hablar a aquel hombre hoy dolente *tum vertice nudo excipere insanos imbres, coelique ruinam.* Él quiere hablar. Yo sé que él quiere hablarnos. ¿Se lo permitirán? Eso es lo que yo querría saber de la presidencia. Pero no me hago ilusiones. Sé que no me contestarán. Sin embargo...

Por una alta vidriera entra el sol, que toma los colores más extraños en los que domina el anaranjado y el topacio. Un reflejo devuelto por el mármol bruñido de la tribuna cae sobre un delegado completamente calvo. Su cabeza parece hinchada, tumefacta y en descomposición. Y el obispo de Mondoñedo sigue hablando e intercalando frases latinas. Yo pienso:

— ¿Por qué me ha interrumpido ese hombre que asaba caracoles en la llama del candil?

Pero de momento su intervención me permite descansar.

XVIII

El discurso del obispo se interrumpe con la intervención siempre inoportuna del Lucero del Alba, que infla su viejo buche y pide un descanso en las tareas de la OMECC.

— No se trata de interrumpir la asamblea — dice —, sino de intercalar un paréntesis folklórico.

Nadie le contesta.

Poco a poco recupero la ilación y vuelvo al lugar donde estaba cuando me callé. Yo estaba en la Sureda con Ariadna y Sonia y me acerqué a esta última y le dije mirándola a los ojos:

— Sonia querida, has dicho todo lo que se podía esperar que dijera una mujer inteligente y sola. Porque estás sola. Terriblemente sola con tu sombra espantada perdiéndose en otra sombra espantada también: la del Uro. Él tiene más miedo que tú. Y también está solo, el pobre.

Ella pareció quedarse meditando un momento. Ariadna quiso romper aquel diálogo lleno de escondidas y peligrosas trampas y decidimos que era tarde, que teníamos hambre. Fuimos a la cocina y nos pusimos a preparar la comida. Sonia, que no sabía hacer nada, tomó un estropajo y se puso a pasarlo por una mesa chapada de zinc. Seguía con ideas fijas:

— ¿Conoces tú a un tal Mikhail Bulkin? — me preguntó —. Es el amante de Vera y está o ha estado en tu brigada. No tengas cuidado, yo sé quién es y dónde está, pero no diré una palabra.

Ariadna volvió a hacerme una seña por detrás de la rusa, para que no hablara. Sonia añadió, como quejumbrosa:

— ¿Conociste a Earl el americano? ¿O al menos has oído hablar de él? ¿No? ¿Que quién es Earl? Earl no es nadie. Ya no es nadie. Es posible que hayas oído hablar de él, eso lo creo. En caso de mentir no mientes por miedo. Eres valiente como una pulga, aceptado. Bueno, te aseguro, Javier, que por mí puedes estar tranquilo. ¿Tú sabes? Desde que estoy en España no he hecho nada contra nadie. Naturalmente veo cosas y cosas. Pero no he dado un paso ni siquiera contra Berard. ¿Qué me miras? ¿Por qué me miras así? Berard es un hombre valiente, aunque no tanto como una pulga. Más bien como un piojo de esos que devoran a los dos ejércitos contrarios en los campos de batalla. Ése podría ser mi hombre. Es frío, amoral y eficiente como un piojo. Y lo quiero, no me mires así. No lo conoces. Lo has visto, has hablado con él, pero no lo conoces. Yo lo quiero y él en cambio está deslumbrado por una inglesa fea e inteligente. ¿Qué estoy diciendo? Nunca he hablado con nadie como hablo con vosotros, Ariadna. ¿Estoy loca? No, no es eso. Pero ¿qué pasa en España? ¿Qué pasa con vosotros los españoles? Cuando llega una aquí se le aflojan los resortes de la voluntad. Veo un árbol, una casa, un hombre sentado a la puerta y siento necesidad de confianza. Los españoles, aun los más falsos, nos parecen algo así como monstruos de honradez. Y hablo. Hablo contigo, Ariadna, con Javier. ¿Por qué? Tú dices que estoy demasiado sola. Es verdad. Los únicos amigos que he tenido en mi vida son los botones de la manga de mi madre. Es verdad que estoy sola, Ariadna, pero todo el mundo está solo en estos tiempos. El Vodz también, tienes razón. Aunque él se atreve a estar solo. Se atreve a mugir en lo alto de la pirámide orgulloso y seguro de su soledad. Está solo y tiene miedo. Vosotros no lo tenéis. Tú, Javier, no necesitas insultar al Uro porque no le tienes miedo. Y como no eres mujer, si te mata no sentirás voluptuosidad alguna. ¿Verdad? Bueno, algunos rusos aunque son hombres sienten esa voluptuosidad igual que nosotras.

— No son hombres. Son maricas hiperbóreos.

Ariadna soltó a reír. Era una risa como se suele decir desopilante. Sonia me pidió que le explicara lo que aquella frase quería decir. Cuando se lo expliqué sonrió con un rincón de los labios. Luego dijo:

— No creas, también los hay en el sur de Rusia.

Yo tenía ganas de decirle a Sonia que sabía el asesinato de Earl. Sabía los nombres de los rusos que intervinieron y el hotel donde se llevó a cabo. Por fortuna me detuve a tiempo. Earl había desaparecido en las contingencias de la ira civil como una gota en el mar. Una vez más pensaba que la muerte y el terror que engendra en los que sobreviven dan trascendencia religiosa a la realidad.

— El Vodz también está solo, tienes razón — decía Airadna —. Está solo como uno de los picos nevados de los Urales visitado por brujas sanguinarias, con nieblas y celliscas que sólo él conoce.

Seguíamos preparando la cena y yo pensaba que el terror da un aura metafísica a las cosas, no sólo en la vida rusa, sino en todas partes. Veía el retrato del Vodz y me daban ganas de decirle: "Te comprendo. Eres un solitario que hace cosas dignas de encomio. Tus distracciones y solaces son trascendentales a pesar de tu realismo materialista. La acumulación de zanahorias, bayonetas y tractores en la vida rusa sería una actividad beocia si tú, Vodz admirable, no hicieras temblar a tus súbditos". El Uro mataba a sus enemigos y a sus amigos. Las religiones nacen así y la religión soviética tenía su virtud natural: la vida dispersaba a los rusos, pero la muerte los unía. Sin el terror el edificio se desmoronaría bajo el peso de su propia falta de sentido. Yo no tenía miedo, pero disfrutaba del miedo grandioso de Sonia, que no sabía en realidad lo que era el amor aunque gozaba a menudo de sus orgías.

Ariadna iba y venía por la cocina.

— ¿Quieres un poco de café? — preguntaba a Sonia.

— No. Lo tomaré después de cenar. Y tú, Javier, olvida ese nombre que te he dicho antes. Quiero decir el nombre de Earl. Es peligroso que lo recuerdes. No lo repitas delante de nadie.

Estuvimos en aquella casa dos días más de los calculados. Ariadna no tenía prisa. Llamé por teléfono al cuartel general y el teniente ayudante me dijo que podía quedarme unos días aún. Encontré en un desván algunos libros antiguos. Libros latinos en ediciones viejas. Había unas *geórgicas* de Virgilio en las que busqué pasajes relativos a las abejas y encontré aquel que dice:

His quidam signis hoec exempla sequnti esse apibus partem divinae mentis et haustus aethereos dixere.

Virgilio recuerda en esas palabras que algunos han dicho después de observar la vida de las abejas, que esos insectos tienen consigo una parte del alma divina y de los *efluvios celestes*. Yo hablaba de esto a Ariadna porque Sonia no quería tomarlo en serio.

Sonia estaba indignada contra Berard, que no había venido en los últimos días, y decía que volvería con nosotros a la ciudad. Seguía mostrándose confidencial, pero cuando yo le pregunté por algunas particularidades de la vida de Berard, ella se dio cuenta de que el tipo me intrigaba y desvió la conversación. Yo insistí y entonces ella se puso a decir vaguedades. Los datos que yo recogía de Sonia — sobre ella misma — resul-

401

taban demasiado heterogéneos para hacer una suma, es decir una síntesis. A veces me parecía una mujer de genio y a veces se me descoronaba por las vertientes de la vulgaridad.

Una tarde Sonia llamó por teléfono a Berard. Aunque hablaban ruso yo comprendí que ella le pedía permiso para salir de la Sureda. Deduje que Sonia estaba a las órdenes de Berard, lo que me pareció bastante natural después de lo que había visto.

Sonia y yo subimos a Pinarel dos o tres veces. La última nos acompañó Ariadna, quien quiso a todo trance acercarse al claro del bosque donde yacían nuestros amigos. Fuimos. El *comendador* — la estatua orante — parecía haber crecido y con el peso haberse desnivelado un poco. Días después fueron algunos soldados que habían sido canteros o albañiles y estuvieron trabajando para nivelarlo. Le dijeron a Ariadna que aquel *comendador* — lo llamaban así — parecía estar vivo y que no sólo crecía, sino que se negaba a tomar la posición vertical. Ariadna reía, pero detrás de su risa había como un temblor supersticioso. En cuanto a Sonia, miraba de reojo la estatua y decía:

— Los españoles están locos.

— No es locura — decía yo —. Es otra cosa. Y de esa cosa te estás contagiando tú.

El mismo día tratamos de volver a la ciudad, pero nos sucedió en el camino algo penosamente desagradable. No muy lejos de la Sureda, al salir del bosque donde estaba la casa, encontramos cuatro hombres caídos a un lado del camino. Entre los cuerpos había distancias de ocho o diez metros. Ariadna fue la primera que los vio. Yo tuve la misma impresión que había tenido Ariadna delante de los cuerpos de Novaes y del Doncel. Eran hombres caídos en una cacería extraña. Muertos llenos de vida pero vacíos de sangre. Aquello era difícil de explicar, incluso a una mujer como Sonia.

Al principio creímos que todos estaban muertos, pero uno de ellos respiraba. Había que hacer algo. Aquel hombre que vivía nos tenía miedo. Me tenía miedo a mí.

Me acerqué y al inclinarme sobre él me dijo: Yo soy Carlos.

Comencé a incorporarlo. Una vez de pie podía caminar apoyándose en mí. Y hablaba. Decía con una extraordinaria calma:

— Han cometido conmigo un error. Creen que soy otro, pero soy Carlos y ellos buscaban a mi hermano Rafael.

Estábamos a poca distancia de la casa y decidí volver allí porque temía que se muriera en el coche si lo llevábamos más lejos. "Yo soy Carlos", repetía. Sonia protestaba con cortas exclamaciones en ruso y evitaba tocarlo en los vaivenes del coche. Debía estar pensando en nuestra falta de sentido lógico. En Rusia — en la Lubianka — hacían las cosas mejor. El herido hablaba y preguntaba Sonia:

— ¿Qué dice?

Yo no le contestaba. Frené al llegar a la Sureda y llevé a cuestas el herido hasta el dormitorio de la planta baja, que había ocupado Sonia. Por las heridas comprendí que no viviría mucho.

Sonia estaba ofendida y alarmada. Fue al teléfono y llamó a la ciudad pidiendo a alguien que fuera a buscarla. Luego se apartó hasta el extremo contrario de la habitación. Desde allí me miraba y repetía:

— Están locos, los españoles.

Yo no le hacía caso.

Dimos al herido agua con un poco de coñac. Pensé en ir a buscar un médico, pero el herido se dio cuenta de que iba a marcharme y me agarró la mano convulsivamente para impedir que me separara de él. Decía: "Diga a todo el mundo que yo soy Carlos. No Rafael, sino Carlos". No me soltó hasta que acabó de morir una hora más tarde. Hablaba, decía palabras vagas repitiendo sobre todo su nombre y el de su hermano. Sonia, que había salido del cuarto, iba y venía por el porche, nerviosa, y la oía hablar con Ariadna, indignada. Llegó por fin el coche que Sonia había pedido por teléfono y lo oí arrancar. Yo pensaba: "¿Se habrá ido nada más Sonia? ¿O también Ariadna?". La idea de quedarme con el muerto en la Sureda no era muy confortable.

— ¡Ariadna! — llamé.

No contestaba nadie. Salí al porche. Ariadna estaba allí viendo alejarse a Sonia.

— ¿Quién conduce el coche? — le pregunté.

— No sé. Un ruso.

— ¿No es Berard?

— No.

Ariadna volvió a entrar conmigo:

— ¿Qué hacemos ahora? ¿Qué dirán los compañeros cuando se enteren?

La casa estaba poblada por un silencio amalgamado de sombras vivas. Cuando hay un muerto en casa las sombras parecen animarse. Ariadna tenía en sus ojos una calma artificial. La luz de las ventanas era como la levadura agria de la noche.

Ariadna miraba el muerto desde la puerta:

— Hay que llevarlo con los otros. Y dejarlo allí.

— No.

— ¿Por qué?

— Si hiciera eso tendría una impresión de complicidad. Sería como si lo hubiera asesinado yo.

— Entonces...

— Dejémoslo aquí.

— ¿En la misma cama?

Yo comprendí que todo aquello era confuso y difícil. Pero inevitable. ¿Qué ser humano puede dejar de asistir a un hombre herido y agonizante caído al lado de un camino? Ariadna estaba decepcionada con la rusa.

— ¿Tú has visto? Salió de estampía. Y eso no me parece que está de acuerdo con sus discursos.

— ¿Por qué no?

— Había cierta grandeza en todo lo que dijo. Bueno, es igual. Vámonos.

— Tal vez — dije yo — se considera humana a su manera.

Anochecía y cuando nos disponíamos a ir al coche vimos que el cielo se iluminaba de un color muy vivo, entre rosa y azul. Ariadna dio un grito. Eran bengalas de señales de artillería y debía dispararlas alguien que no estaba lejos de la casa. Las bengalas duraron largo rato, más de un minuto, y Ariadna tuvo miedo.

— ¿Qué es esto? — preguntó volviendo a entrar de espaldas en la casa —. Parece como si el cielo se vistiera de gala.

Poco después se oyeron dos explosiones cerca.

— ¿Quieres decirme — preguntó Ariadna de veras asustada porque relacionaba todo aquello con el muerto — qué sucede, Javier?

— No lo sé — decía yo —. Todavía no lo sé.

Estábamos otra vez dentro de la casa.

Apagamos las luces que habíamos encendido y se oyeron otras dos explosiones. Eran granadas de grueso calibre. Ariadna, visiblemente incómoda, gruñía:

— Vaya una tarde. ¿Qué va a suceder ahora?

Los hechos excedían mis previsiones y me encogí de hombros.

— Mejor sería que sacáramos al muerto de aquí — dijo ella.

Yo negaba y Ariadna abría unos ojos inmensos. Unos ojos inadecuados a la situación.

— Pero éste es un lugar peligroso. No es un lugar para una cosa como ésa. Nos echarán la culpa a nosotros.

La miraba yo, simulando calma. Todo aquello seguía siendo excesivo.

— Dejémoslo — dije —. Que los compañeros lo vean.

Ella encontró por fin en mi voz el timbre que esperaba. Más tranquila se sentó en el brazo de un sillón, apoyó el codo en el respaldo y dijo con una voz sin sonoridad:

— Es imposible, Javier. Tal vez tiene razón Sonia cuando dice que estamos locos en España. ¿Sabes lo único que ella ha dicho en relación con el muerto? Que *los camaradas* no saben matar *con eficiencia.*

Yo me sentía en deuda con el muerto. Fui a la chimenea apagada y con un carbón escribí en una tira de papel: "Es un error. Yo soy Carlos". Luego fui al cuarto donde estaba el cadáver y dejé el papel sobre su pecho, una parte metida dentro de la camisa. Ariadna miraba desde la puerta, asustada:

— Ya estás jugando. ¿Por qué juegas?

— ¿Yo?

— Sí, con la muerte.

— No. Es que le prometí al hombre proclamar que es Carlos. Decir a todo el mundo que no es Rafael, sino Carlos. Esa es la mejor manera de hacerlo, creo yo.

Ella se acercó a la cama y deletreó:

— Yo soy... Earl.

— No, yo soy Carlos.

Pero tenía razón. Al escribir el nombre estaba el papel apoyado en una consola que tenía el ensamble de dos tablas en diferentes niveles, lo que le dio una pequeña joroba a la *C*. Las dos últimas letras, *os,* eran sólo un trazo hacia abajo. En lugar de Carlos se podía leer Earl. El azar. Pensé que debía romper aquel papel, pero me pareció desagradable poner mis manos en el pecho del muerto. Había consumido ya el fluido nervioso que necesitaba para un hecho como aquél. El azar seguía actuando:

— Está bien así — dije.

Ariadna deletreaba desde lejos: "Es un error. Yo soy Earl". Pero el cuarto estaba lleno de silencio y salimos. Ariadna se había vuelto a sentar en el brazo del sillón. Miraba el cuarto funeral sin decir nada.

405

— Cierra la puerta — me pidió —. En ese papel has escrito Earl. ¿No sabes que ese nombre puede ser fatal para ti, para mí, para todos?

La puerta del cuarto era más dramática cerrada que abierta.

Ariadna se fue al porche suponiendo que yo la seguía, pero en aquel momento oí llamar a la puerta de servicio por la parte trasera de la casa. Salí y me encontré con un hombre gigantesco, de aire selvático, vestido como un explorador antiguo. Llevaba una escopeta de caza y hablaba español con acento extranjero. Era hombre desenvuelto, pero sin gracia. Sus mejillas eran rubicundas. Sacudía los pies contra el suelo para desprender el barro de las botas. El gigante, cuya expresión parecía bastante estúpida, hablaba:

— Yo soy Albert Hymenroad — hizo una pausa como dando lugar a que yo reconociera el nombre, y al ver que no me hacía efecto alguno añadió —: Perdone que venga a estas horas. Esos *sons of bitches* del estado mayor me han jugado una mala partida. Hay bromas puercas y bromas limpias. ¿Sabe lo que pasó? Yo fui al cuartel general. Todos me conocen, allí. Todos han leído algún condenado libro mío. Porque yo soy escritor. Bien. Hay una palabra que me molesta: admiración. *Hell,* todos me admiran, pero hay admiraciones insidiosas. En el estado mayor, sí. No han podido resistir las ganas de darme un susto. Pero yo no me he asustado. Soy un viejo *bastard,* duro de pelar. Los obuses del 15.5 zumbaban sobre mi cabeza. Y aquí estoy. Yo, Hymenroad. Yo, el famoso *gosh dam bastard.* Vivo de milagro, pero vivo todavía.

Yo pensaba: "Estos americanos están más locos que nosotros en todos los sentidos. Y no lo saben. Nosotros al menos lo sabemos". Ariadna se asomó, impaciente. El americano estaba de espaldas a la puerta y no la vio. Ariadna puso una cara muy triste y se sentó, resignada.

Cada vez que yo quería hablar Hymenroad me atropellaba con sus palabras, que sin embargo sonaban cordiales y amistosas. Era un gigante bondadoso. Y continuaba:

— El cuartel general del sector está en un palacio. Yo sé que hay en estos montes caza mayor. Y vi en el palacio un armario lleno de armas. Escopetas de los duques. Verdaderos duques, hostia. El palacio tiene una galería de tapices representando las escenas que describe Cervantes. Un tío con *guts,* Cervantes. Con más *guts* que la estatua de la libertad. ¿Hay aquí *dam* jabalíes o venados? Eso dicen. Yo quería salir de caza con esta escopeta que tiene una dedicatoria de la fábrica de Éibar: "A su excelencia el duque de Villahermosa, homenaje de tal y tal". Con letras de oro. Una joya. Yo quería salir a cazar un jabalí hispánico. Y el general español que manda el sector y un ayudante que estaba con él a quien llaman *el Porcelana* me dijeron: "Vaya usted con la escopeta que quiera". Y un teniente fue al armario y me dio un puñado de cartuchos. Mírelos. Iguales que los de caza. El mismo calibre. ¿Qué carga cree usted que tienen? Magnesio rojo y magnesio azul. Son bengalas para hacer señales a la artillería. Me los dio el teniente y me dijo: "Buena caza". Yo salí y anduve por ahí. La caza del venado es entre dos luces. Esta es la hora, al caer la noche. No vi venados, pero saltaron tres faisanes, apunté al aire y *bum, bum,* los dos cartuchos. ¿Sabe qué pasó? Dos bengalas en el aire y todo el cielo y los árboles y el suelo y el *dam* faisán rojo por un lado y azul por otro. De horizonte a horizonte. Los españoles parecen serios, pero van en sus bromas demasiado lejos. Yo alcé la cara como los *hicks* que miran los fuegos artificiales. Azul y oro. La cola de un pavo real. Y los artilleros enemigos apuntaron sus piezas por mis bengalas y comenzaron a sacudir leña. ¿No han oído? Una granada estalló tan cerca de mí que sentí en la cara la bofetada del aire. Y tuve que salir corriendo. ¿Es ésa manera de tratar a un amigo que escribe crónicas en favor de ustedes? Es lo que yo digo, hostia. No hay atenuantes. Lo hicieron a propósito. Ya me extrañaba a mí que los cartuchos pesaran tan poco. Tenga, sospese éste. ¿Eh? No había error posible, pero yo no me fijé. ¿Qué le parece a usted? ¿Usted cree que es manera de conducirse?

— Hombre — contestaba yo reprimiendo la risa —. Usted debe tener enemigos, como cada cual. Bien, pues para acabar con un hombre tan grande como usted no hay más remedio que usar la artillería pesada.

Hymenroad estuvo dudando un momento. Soltó a reír con la boca abierta mostrando los dientes fuertes y bien alineados, pero cuando dejó de reír yo vi algún recelo en sus ojos. Parecía pensar: "¿Y qué necesidad hay de acabar conmigo?". Le ofrecí algo de beber.

El americano, al descubrir a Ariadna en las sombras, en un extremo del cuarto, se detuvo y esperó la presentación. Luego miró a su alrededor, se sentó.

— Este cuarto está oscuro — dijo.

Ah, él quería ver a Ariadna mejor. Yo le dije:

— No encendemos la luz porque después de haber visto sus bengalas los observadores de la artillería enemiga deben estar vigilando. Lo que podemos hacer es cerrar la ventana y encender fuego en la chimenea. Pero nosotros... — añadí mirando a Ariadna — íbamos a marcharnos en este instante.

Ella subrayó mis palabras y Hymenroad preguntó:

— ¿Hay alguien más en la casa?

— No.

El escritor bebía su aguardiente y envolvía a Ariadna en codiciosas miradas. Tenía el vaso en la mano.

— Yo nací — dijo, evidentemente satisfecho de sí mismo — con una botella bajo el ala.

Me asusté pensando que tal vez nos iba a contar su vida.

— Tengo algo de sangre mediterránea porque mi padre era un vinatero de California hijo de griegos. Yo también sería vinatero, pero al morir mi padre el negocio anduvo en litigio y los abogados *gosh dam* se quedaron con todo.

Se veía elegir entre su dicción las palabras más sonoras y cuando no las hallaba en español intercalaba exclamaciones en inglés. Tenía una mujer enfrente, la guerra a su izquierda y la caza mayor a la derecha. El paraíso prometido. Se veía decepcionado por la perspectiva de tener que salir de allí. Aunque hablaba bien español a veces colocaba alguna palabra de un modo arbitrario:

— Yo soy un valedor..., un valeroso *pioneer* — miraba alrededor y añadía —: Bueno, se acabó el trago.

Yo le volví a llenar el vaso. Parecía el americano feliz. Ignoraba que había un muerto al otro lado de la puerta. Ariadna estaba bastante perpleja por mi silencio en relación con ese importante hecho. Y recordé de pronto que en aquella casa había cajas de cartuchos sin abrir, con el precinto de la fábrica. Fui a buscarlos. El americano pareció codicioso. Yo pensé: "Ahora saldrá otra vez detrás de los faisanes o los jabalíes", aunque no era fácil porque la noche iba cerrando. El americano volvió a sentarse frente a Ariadna:

— ¿Dicen que se van ustedes dos? ¿Usted también? ¿O se queda usted, señorita?

— No — dije yo secamente —. La señorita no se queda. Nadie se queda. Es decir puede quedarse usted al menos hasta mañana. Andar por ahí de noche es arriesgado y el bosque debe estar hecho un fangal, con la lluvia.

Hymenroad miraba como un detective primero a Ariadna, después a mí. Después otra vez a ella.

—Ah, ya veo —le dijo—. Usted, señorita, se oculta de los republicanos. ¿Es una aristócrata? Si se queda usted aquí, señorita, le daré noticias de los borbones. Yo los he conocido en Italia. Bien, al parecer la señorita no es su esposa —me dijo a mí disculpándose, y yo pensé: "No eres buen psicólogo"—. Tampoco la señorita es su amante y por eso decía que si se queda en la casa le daré noticias de los borbones. Bueno, yo me quedo aquí porque mañana al amanecer saldré a cazar mi *dam deer*. Hostia, quiero volver al cuartel general con un venado para que vean que con bengalas y todo maté mi pieza. Por esa razón me quedaré aquí esta noche, si es posible. Ya sabe usted, señorita: si está escondida huyendo de la policía republicana no se preocupe, que por mí nadie sabrá nada. Lo mismo le digo a usted, caballero. Yo sé guardar un secreto. Y tantas gracias por su hospitalidad. ¿Hay más aguardiente? ¿Y leña? ¿También habrá una cama donde dormir?

Yo le indiqué con un gesto la puerta cerrada:

—Ahí. Los cuartos de la planta baja son más seguros en caso de que caiga una granada en la casa. Pero no encienda la luz. Acuéstese a oscuras.

Seguía Hymenroad bebiendo y mirando a Ariadna. Detrás de ella había en el muro una estampa antigua: un ángel de una belleza tentadora, con dobles volúmenes ligeramente acusados bajo el canesú de oro. El americano veía la estampa cada vez que miraba a Ariadna. Yo pensaba que algunos americanos son seres tan animalizados que hasta sus virtudes más altas, cuando las tienen, parecen virtudes de perro o de foca. Es posible que no sea justo en esta opinión, pero era todo lo que se me ocurría en aquel momento irritado por las galanterías de aquel beduino con Ariadna.

Cuando ella se levantó para salir conmigo él nos siguió hasta la puerta. Ariadna entró en el coche aburrida y congelada. Arrancamos sin volver la vista atrás. Me gustaba saber que Hymenroad iba a compartir el cuarto con un muerto y tal vez la cama si se acostaba —como yo le recomendé— a oscuras. Comprendo que era una broma deplorable. Ariadna estaba alarmada, sobre todo cuando supo que era un periodista conocido.

— Tal vez dormirá en paz — dije yo — sin enterarse de que hay un muerto. Es posible también que vea el muerto y que el incidente traiga cola. Seguramente escribe para algún periódico inglés o americano. Y si cuenta la cosa, ¿cómo la contará? *¿Un muerto en el dormitorio de la duquesa?* ¿Dirá eso? Porque a ti te dará un título. Los americanos son un poco sensacionalistas. Debíamos haberle advertido lo que sucedía. Además el nombre del muerto, es decir el nombre *Earl,* escrito en aquel papel, puede darle una pista. Es un nombre americano. ¿Tú qué crees, Ariadna? ¿No tengo razón? Todo esto es triste, confuso y arriesgado. Por si no bastaba hemos perdido la amistad de Sonia. ¿Tú crees que la hemos perdido?

Yo aceleraba en las sombras. Me arrepentía de haber dejado aquel papel, pero eso de *Earl* no lo escribí yo, sino el azar, y me gustaba ver qué sucedía con las cosas que propiciaba el azar, ver qué hacía el destino con nosotros cuando no oponíamos resistencia a las pequeñas tonterías inefables.

Todavía pensé que si algún americano se había dado cuenta de la desaparición de Earl y andaban buscándolo, el escritor Hymenroad creería haber hecho un descubrimiento con aquel cadáver. Cuando llegamos a la carretera general dije:

— Si ese periodista escribe sobre el muerto, tanto mejor. Es necesario que todo el mundo se escandalice con estas cosas. Que cada uno sepa lo que hacen los otros cuando se cometen atrocidades. Es necesario que lo que hace la gente a escondidas se divulgue a los cuatro horizontes. Habría que gritar nuestras miserias y no sólo las de nuestros enemigos. No me hago ilusiones sobre la condición humana, pero tal vez a fuerza de poner en evidencia esas cosas los hombres de mañana sabrán evitarlas. Ese muerto debe dar la vuelta al mundo. Todos los caídos en nuestro valle deben dar la vuelta al mundo.

— Es más probable — dijo Ariadna — que el americano se calle y te acuse y que la policía, al saber que llevaste el herido a la Sureda, te lo haga pagar de algún modo.

Llegamos a la ciudad y llevé a Ariadna a la calle de Mendizábal. Antes de separarnos ella me dijo lo mismo que le había dicho yo un día en el hospital:

— Mira, Javier, te lo pido por favor. Oigas lo que oigas de mí, no creas a nadie y no me juzgues hasta el final. Tú nunca quieres conocer los motivos ni calcular las consecuencias. Nunca quieres buscar motivaciones ni... Bueno, yo me entiendo y tú

410

también. Oigas lo que oigas sobre mí, espera a hablar conmigo antes de formar opinión.

— ¿Por qué van a hablarme de ti? — le decía receloso.

No hablamos más. Me habría gustado ver los ojos de Ariadna, pero en la noche no veía sino la silueta graciosa de su cabeza con el halo de su pelo, un poco crespo. La besé y dije:

— Bueno, es tarde.

Ella se metió en la casa. La batería que había en la esquina de aquella calle la habían quitado. Fui al estado mayor, donde las oficinas trabajaban día y noche. En un vestíbulo, tumbado en un diván, vi a Justiniano dormitando. Tenía las botas y el cinturón sueltos. La piel de Justiniano no tenía la pigmentación de los que vivían al aire libre — en las trincheras. Debía estar en alguna oficina de la retaguardia. Dijo que andaba buscándome y que los moscularis me citaban para una entrevista al día siguiente en un lugar secreto. Tan secreto que ni siquiera el inspector de la policía militar, Justiniano, lo sabía. Al día siguiente a las once de la mañana encontraría yo en la calle de Maura esquina a Santa Marta un oficial de milicias que me conduciría al lugar de la entrevista. Cuando Justiniano me hubo dado el encargo encendió su cigarro con un mechero maloliente y se marchó. En la puerta se volvió a decirme:

— A esa reunión no debes faltar como has faltado a otras. Si no vas creerán que les declaras la guerra.

Yo vi algo nuevo en la cara de Justiniano. Su cara abotargada, con la córnea de los ojos rojiza y estriada, me pareció más desagradable que otras veces. Dormí en el mismo diván dejado por él y que olía a su mechero, a bencina.

Al día siguiente, antes de acudir a la cita, encontré en la calle a mi oficial adjunto que había bajado de Pinarel. Iba con otro, los dos muy amigos míos y bastante contrarios a los paramoscovitas. Les hablé de mi cita misteriosa y el adjunto dijo:

— Ten cuidado con esa gente. Nunca se sabe lo que traman.

Se ofreció a seguirme a distancia y a tomar nota del lugar a donde me llevaban. Como su amigo tenía también aficiones al contraespionaje, organizó con otros dos que sacó de no sé dónde un servicio de cobertura como decía él, medio en broma.

A mí me dejaron en la esquina de la calle de Castelar y de Armijo a las once. Desde allí tenía que ir a pie a la esquina de Maura. Eché a andar sintiéndome en el centro de una pequeña farsa que podía traer complicaciones.

XIX

Fui a pie a la esquina indicada, donde encontré un capitán bajo y gordo. Nos saludamos sin darnos la mano y echamos a andar juntos. Tenía un perfil cetrino, color de níspero, y no hablaba. Al pasar junto a las ventanas abiertas de un piso bajo vi en el cristal, como en un espejo, que mi capitán ayudante nos seguía sin perdernos de vista. Anduvimos cosa de un kilómetro, doblando dos calles, y por fin nos detuvimos ante una casa en apariencia ordinaria.

Pero los moscularis tenían también sus servicios de *cobertura*. Y aquel kilómetro lo anduvimos en procesión ocho personas muy espaciadas, cubriéndonos recíprocamente. Detrás de mí iba mi ayudante, un hombre calmo en apariencia pero parafernal — digámoslo así — en sus nervios. Siguiéndolo, un musculari a pie y vigilando al musculari uno de los oficiales amigos de mi ayudante. Todos formaban como una cadena de precauciones. La procesión de la cautela.

Los moscularis nos llevaban siempre la ventaja del cínico sobre el ingenuo, pero a su vez ellos eran también víctimas inocentes del Kremlin, cuyas intenciones nunca conocían.

Nos habíamos detenido frente a un postigo de buen aspecto y entramos.

En aquella entrevista no sucedió nada. Yo no comprendía que me hubieran llevado allí y menos con tanto sigilo. Luego supe que se habían dado cuenta los moscularis de la *procesión de la cautela* y tal vez por eso renunciaron a llevar adelante la intriga, cualquiera que fuera. Durante aquella entrevista yo aguantaba la risa con dificultad y ellos se daban cuenta y destilaban su bilis.

Allí estaba el secretario general de los paramoscovitas indígenas. Un hombre pequeño, oliváceo, de aire labriego, que hablaba con acento andaluz cerrado. Cerca de él su cortejo tutelar. Daba la impresión de un hombre honesto a quien obligaban a ejercer profesionalmente cierta alta picardía de la cual no acababa de enterarse.

Eso mismo sucedía, creo yo, con muchos de los que aceptaban la disciplina del Vodz. Los más, eran idealistas de quienes los moscularis se burlaban a sus espaldas y a veces en sus narices.

Se burlaban de ellos incluso cuando los veían afrontar los mayores peligros. Seguían burlándose de ellos cuando habiendo muerto el idealista heroico — a veces a sus manos — le organizaban un hermoso entierro. Yo me acordaba de Earl.

El secretario llevaba puesta una boina aunque estaba dentro de la casa. Y paseaba con las manos en los bolsillos del pantalón. Al verme dijo:

— Hola, Baena.

Es el truco de todos los políticos, recordar los nombres. Había en su expresión una inocencia de campesino un poco leído o de agente vendedor de fertilizantes. El secretario añadió:

— ¿Tienes mucho trabajo en Pinarel?

Además me tuteaba. Conocía mi nombre y me tuteaba.

— Tú sabes que hay faena para todos.

El secretario se sentó. Me ofreció un cigarrillo de una cajita que tomó con las dos manos como un celebrante y dijo que él no fumaba porque le hacía daño al estómago. Luego exclamó con la vista baja:

— Sí, tienes razón. Hay faena para todos.

Luego se volvió hacia un oficial de milicias con cara de garbanzo y preguntó:

— ¿Están listos los coches?

El oficial, en lugar de contestar, salió a comprobarlo.

Hablamos largamente del tiempo y de los bombardeos y del material mecánico ruso que había en Albacete y que debía ser transportado a Pinarel. Pero no era aquél el objeto de la reunión. El secretario decía:

— Tenemos que vernos y hablar más despacio, Baena. Ya veo que te ha nombrado el ministro de la Guerra jefe provisional de una división...

Yo no sabía nada y él vio la sorpresa en mi rostro. Acusó esa sorpresa con otra más atenuada y continuó:

— Una división que está en cuadro. Que no existe y que tú tienes que organizar. ¿No te habías enterado?

Era evidente que no me había enterado. Pero aquél no era el asunto importante. El secretario seguía evitando tratar la materia para la cual me había convocado. Se refirió a la dificultad de los aprovisionamientos, a las masas oprimidas y a los enemigos de clase. No ponía gran fe en lo que decía. Aparecieron otros dos individuos, uno con cara ovalada de cuchara. Los dos habían formado parte de la caravana del recelo. El silencio

413

se hacía incómodo a medida que había más gente. Uno de los recién llegados preguntaba por los chóferes. Siempre andaban preparando viajes. El secretario dijo una vez más, sin mirarme:

— Pues sí, camarada Baena. Tenemos que reunirnos un día y hablar sin prisa.

— ¿De qué?

— De todo. A mí personalmente me gustaría verte más cerca del partido. Javier Baena es alguien y no parece bien verlo por ahí a salto de mata como un francotirador. ¿Eh? ¿Qué te parece?

Antes de que yo contestara preguntó otra vez:

— ¿Están listos los coches?

Yo pensaba: "Dice que soy alguien. Javier Baena es alguien". Otro viejo truco.

Luego volvió el silencio. Un miliciano que estaba en la puerta, un hombre bajito, de cabeza rala y ancha boca burlona, preguntó a otro por los coches. Al miliciano lo conocía yo. Se llamaba Benigno y lo habían echado del sindicato socialista de la construcción por hacer raterías y hurtos en la caja común. Entonces se acercó a los bosquimanos de Pinarel, pero ellos no lo quisieron recibir. Recuerdo que Novaes me decía: "Ese Benigno es un amarrete". No sabía lo que quería decir con eso.

Viendo que nadie me decía nada me levanté y me dispuse a salir. Tampoco me retenían. Pregunté al secretario si querían algo concreto de mí. Los de la procesión de la cautela parecían mirarme con rencor. El secretario dijo:

— Nos veremos pronto. Ahora están esperando los coches.

Y añadió una vez más, dirigiéndose al *amarrete* Benigno:

— ¿No están los coches abajo?

En fin, yo salí delante de ellos. Vi los famosos coches frente a la puerta.

Fui a buscar el mío, que había dejado junto al parque, y marché a Pinarel. Iba pensando en aquella extraña entrevista en la que no había sucedido nada. ¿Tal vez decidieron abstenerse de plantear la cuestión después de haber comprobado que había tomado precauciones para acudir a la cita? Aquella experiencia me dio con ellos una reputación de hombre astuto y avisado que me dañó al principio pero me favoreció más tarde.

De regreso a Pinarel me encontré con la orden del ministro de la Guerra según la cual la división que yo tenía que concentrar debía estar lista para ser revisada — sin armas — algunos días después. Yo suspendí los permisos a los oficiales y jefes. Las nuevas unidades iban concentrándose allí, día y noche. Muchos de los oficiales se instalaban en el convento donde yo tenía el lugar de mando, una antigua cartuja al otro lado de Los Juncos, con imágenes religiosas en las esquinas de los corredores, en los dinteles de las puertas, en los frontis y tímpanos de las arcadas.

Conseguí mapas en escala muy reducida y estudié en ellos los alrededores de Pinarel hasta reconocer los accidentes, desniveles, puntos fáciles y lugares inaccesibles del valle entero. Suponía que la revista que me anunciaban llevaría consigo también alguna clase de ejercicio táctico. Cada día llegaban unidades nuevas. En mis reconocimientos me acompañaban algunos oficiales cuyo carácter estudiaba. Eran gente admirable en algún sentido, pero debajo de su lealtad yo iba descubriendo rasgos menores que definían su personalidad en relación con las tareas de cada día. Y hacía clasificaciones arbitrarias, para mi uso secreto. Recuerdo entre otros a los *tímidos secuaces* (obedientes y sin criterio), los *inseguros* (que necesitan estar a la sombra de un jefe u otro y ocasionalmente maniobran con su adhesión o su desafección), los *implorantes* (siempre pidiendo favores), los *atónitos* (perplejos), los *taciturnos leales,* los *indelebles* (los mejores), los *grajos sombríos* (pesimistas), los *empapelados* (que habían tenido líos anteriores y disgustos con la administración militar), los *sarracenos* (que habían intervenido en tareas políticas y ejecuciones y de los cuales con un pretexto u otro sería bueno librarse).

También había otras categorías, como las de los héroes ciegos y la de los valientes *inicuos* (valientes por vanidad). Ah, y la de los *voceras* que prometían grandes cosas y no hacían nada. Estos eran los más fáciles de identificar porque eran los únicos que hablaban de lo que iban a hacer en el terreno *de la verdad* y echaban roncas y anticipaban bravuras.

Claro es que nadie más que yo conocía estas definiciones.

A veces la selección era difícil. Llegaban *sarracenos* respaldados por los *moscularis* — en realidad aquella división iba a darles, según creían, prestigio en el valle — y me veía en dificultades si quería rechazarlos porque tenía que oponerme a un partido político en el que intervenían desde el embajador jorobado de Madrid y la NKVD hasta el mismo Berard. Pero hacía lo que podía. Era más fácil eliminar a un oficial dudoso y tal vez bueno que a uno evidentemente nocivo, pero respaldado. Así poco a poco la selección iba haciéndose al revés.

Trato de recordar más definiciones — de las que usaba para clasificar a los nuevos —, pero no lo consigo. Fatigado del esfuerzo ante la sala del abadiado me callo. El presidente de la OMECC, que se da cuenta, mira a Ariadna en su tribuna como si fuera a proponerle que tome la palabra otra vez mientras yo descanso, pero no dice nada. Un secretario oprime un resorte y el adalid reaparece en la pantalla. El presidente se dirige a mí:

— La fatiga le lleva a buscar rasgos de color y detalles pintorescos por encima de la sustancia de su testimonio, pero nada de eso nos interesa ahora. Además, lo consigue usted sólo a medias. Trate de ajustarse a los hechos generales. Quiero decir que no nos interesan sus clasificaciones y definiciones secretas.

Se calla. Aprovechando ese paréntesis se alza una voz en el fondo de la sala:

— Con la venia... — repite dos veces.

Me vuelvo a ver quién es. Se trata de un hombre de media edad, moreno, con el pelo planchado y brillante. Se estira los puños de la camisa, alza la mandíbula como si quisiera provocarnos a todos a singular combate y dice:

— Señor presidente: usted es la mariposa que en sus alas tornasoladas lleva por el campo internacional la bandera de la paz. Y usted es la abeja que liba en las flores de todos los jardines del mundo las esencias de la convivencia pacífica.

Hay rumores de sorpresa y una expresión de impaciencia en algunos. El orador se da cuenta y alza la mano en el aire con un gesto que recuerda el saludo de los legionarios romanos:

— Este breve exordio es necesario para decir que yo y el país suramericano que represento y que no es la Argentina como dicen algunos susurros que han llegado hasta mí, sino Santo Domingo del Benefactor, antes, digo, de que yo y la nación cuya representación encarno pidamos al señor presidente una medida de conmiseración y de piedad para el epígono que yace...

Al decir estas palabras vuelve a levantarse un murmullo en la asamblea. Se ve que es un rumor de desagrado y el orador recoge velas:

— No voy a solicitar su libertad. Voy a solicitar solamente una concesión: que sea permitido al llamado adalid hacer uso de la palabra. Expresarse y ser oído de esta magna asamblea.

416

El presidente, golpeando la mesa con el martillo, dice:

— ¿Hay algún delegado que se oponga a esta proposición?

Nadie dice nada. El presidente accede. Pero el delegado alza la voz otra vez:

— Es prematuro. El adalid no ha sido advertido todavía y propongo que retiren la imagen de la pantalla mientras le transmiten el acuerdo oficialmente y el interesado toma disposiciones para dirigirse a este comicio intercontinental. Debo advertir que aunque en este momento los labios del adalid se mueven no habla para nosotros, sino para la mosca que está posada en el dorso de su mano y que es su única compañera de ergástula.

Alguien dice a mi lado:

— Esa mosca la llama *Cristobalina*.

Yo siento la luz del reflector sobre mi rostro. Es una invitación a que siga hablando y lo hago:

— Seguía, como digo, en Pinarel. La división no tenía armas todavía. La instrucción se hacía a cuerpo limpio y los artilleros de los tanques pasaban el día oyendo teorías y viendo los dibujos que un instructor *indeleble* hacía en las pizarras. Sólo teníamos unos cincuenta fusiles, que eran los que usaba la guardia. Las demás armas estaban en el frente. Escaseaban las armas en todas partes entonces.

La división debía ser integrada por unos once mil hombres de buen ánimo y más o menos fogueados. Yo llamé a los Pomares para pedirles que tuvieran listo un equipo de aviones de caza día y noche con objeto de defender nuestra concentración de los bombardeos enemigos, ya que no teníamos en Pinarel artillería antiaérea.

En mi convento vivían más de doscientos oficiales. Los había de todas clases como he dicho, aunque de un modo u otro conseguía que sólo quedaran conmigo los mejores.

En la manera de elegir sus celdas unos mostraban sentido práctico y otros no. Algunos habían buscado celdas románticas, laberínticas, sin sol y húmedas. Eran los *efímeros*. Gente de fantasía más que de imaginación. Otros preferían lugares orientados al mediodía aunque fueran vulgares y sin misterio. Algunos sacaban las imágenes que encontraban dentro y las dejaban en el suelo al lado de la puerta como si estuvieran de guardia. Tenía yo mi oficina en una enorme sala con una mesa vieja en un lado y un gran mapa de España detrás. Todo el edificio tenía un aliento frío e inhóspito. Traté de conseguir que un ingeniero de la división reparara el viejo motor para tener agua corriente, pero después de dos días de trabajo el ingeniero me dijo que el motor no tenía arreglo. Ese supuesto ingeniero era un joven de apariencia delicada y más aburguesada de lo que en aquellos días se solía ver. Yo me preguntaba de dónde habría salido.

El carácter de jefe de la división era sólo administrativo y técnico, es decir provisional y para el período de organización. Como algunos de los comandantes habían sido amigos míos en otros frentes la relación era natural y sin violencia. Ellos me ayudaban a seleccionar a los otros. Había incidentes, claro. A veces muy delicados. Pero no había mala sangre.

Algunos jefes de batallón eran militares profesionales. Con ellos no había más remedio que tomar una aire jerárquico porque si no se decepcionaban. Especialmente un comandante de Guadalajara que de vez en cuando quería tantear mis conocimientos y mi derecho a dar órdenes. Yo le impresionaba fácilmente hablando de cotas, niveles, fuegos cruzados, tiro rasante o por elevación, coordinación de movimientos, etc. Aquel día le hablé de nuestro poder de concentración de fuegos, dibujé unos ángulos pedantemente en el encerado y al parecer lo dejé no sólo convencido, sino orgulloso de mí, porque dijo:

— Espero que usted mandará la división. Estamos hartos de ser mandados por gentes analfabetas.

Yo lo clasificaba para mis adentros: un *claudicante*. Uno de esos que van a todas partes faltos de fe y que esperan la menor oportunidad para justificar su abandono del puesto. Por el momento el hombre mostraba fe en mí. Más fe que yo mismo. No es raro. A menudo la tarea del jefe en la guerra es infundir una fe que a él le falta.

Me dedicaba aquellos días a conocer mejor los cuadros. Recuerdo que a veces lamentaba no tener intervención ni iniciativa en la marcha general de la guerra porque estaba viendo que cometíamos errores de bulto sin que nadie hiciera nada por corregirlos. *Verbi gratia:* el enemigo no mantenía en sus frentes sino puestos aislados de vigilancia. Su defensa era terriblemente elástica. Atacaban, daban un golpe de frente y se retiraban dejando dos baterías y seis u ocho nidos de ametralladoras. En cambio nosotros situábamos enormes masas inmóviles mal alimentadas, mal armadas, que se extenuaban esperando y

418

se incapacitaban para los ataques a fondo. Yo habría hecho una guerra de maniobras y movimiento. Pero los moscularis sólo escuchaban a los suyos. Y los suyos eran los de Moscú. Moscú hacía *su* guerra. No la *nuestra*. Además, yo en realidad no era nadie para influir en la estrategia general.

Un día vino Ariadna a verme.

— ¿Quién te ha traído? — pregunté.

— Adivínalo.

Me miraba gravemente. No quise adivinar. Me dijo que había venido no para verme, sino para hacer una visita al claro del bosque, al cementerio de los bosquimanos. Fue allí y al volver me contó no sé si en broma que el Comendador — la estatua — crecía, de veras. Yo creo que era un efecto de la luz a distintas horas del día. El mármol cambiaba de color. Por la mañana tomaba un color rosáceo y parecía más grande porque recibía luz directa. Por la tarde tenía sólo la luz reflejada por los pinos. Y sus sombras eran verdinosas.

Ariadna pasó la noche conmigo y por la mañana se fue a la ciudad. Tuvimos esa intimidad mecánica y rápida de los viejos matrimonios. Conseguí que trajeran a Michael. Vino lleno de curiosidad. Tuve con él una larga entrevista a solas que tomó cierto aire conspiratorio. Le recomendé que hablara siempre español y que cuidara sus contactos personales. Todavía le advertí que si oía a alguien hablando ruso tratara discretamente de escuchar.

— ¿Me has traído aquí de agente de información? — preguntaba cómicamente receloso.

Llevaba Michael una barba como la de los sargentos de 1870. Era imposible que lo reconociera nadie. Aquel mismo día cité a los oficiales, de capitán para arriba. Nos reunimos en la sala capitular del convento.

El día antes había habido un bombardeo de aviación y la tropa se dedicaba a remover ripios y escorias a los lados de las calzadas de Pinarel. La parte baja — de basalto — de la verja del parque de Alvear había sido cuarteada, pero la casa seguía intacta. Algunos capitanes al llegar me daban la novedad en relación con el trabajo de desescombro.

En la sala capitular la reunión tenía gracia por el contraste severo de las sillas de madera labrada, los estrados, el artesonado, algunas altas imágenes contorneadas de luz vespertina y el aire ascético de todo, con las expresiones abiertas de los soldados, sus voces francas y sus risas. Entre ellos había hasta media docena que se habrían dejado matar por mí — y yo por ellos, claro. Estábamos en aquella asamblea más de cien. Un letrero en caracteres góticos decía sobre el lugar de la presidencia: *Pax hominibus bonae voluntate*. Como si los frailes quisieran desmentirse a sí mismos, en los bajorrelieves de la sillería había escenas de un gran realismo satirizando al clero secular y a otras órdenes religiosas. La sátira a veces era inocente — un cura gordo comiéndose un cerdo — y a veces no tanto. Había curas con cuernos persiguiendo ninfas desnudas. Parece que la *bonae voluntate* es más fácil en los letreros que en la práctica y que los frailes tenían sus resentimientos y sus hieles cáusticas.

Distribuí entre los oficiales copias de los mapas de Pinarel y sus alrededores y les recomendé que los estudiaran. Aunque hice la presentación de algunos oficiales nuevos, de Michael no dije nada y por esta razón debieron suponer que pertenecía a la NKVD. La gente era discreta. Esto no le gustó mucho al americano, que se dio cuenta del equívoco. Pero a mí no me dijo nada.

Cuando terminó la asamblea, Michael se puso a revisar las instalaciones de drenaje y lo vi ir y venir con herramientas en las manos. Poco después las llaves de agua comenzaron a funcionar. Me dijo que no había tenido que hacer casi nada porque el motor estaba en buenas condiciones. Pensé que el ingeniero me había engañado. Lo llamé y llegó un poco prevenido, pero seguro de sí. Le ofrecí un destino en otra unidad — fuera de nuestra división — y él dijo que no se iría sin órdenes superiores a las mías porque había sido enviado a Pinarel por el comandante Verín, a cuyo servicio personal estaba. Yo no comprendía. En fin, ofrecí al ingeniero un vaso de vino, le di dos paquetes de cigarrillos y lo devolví a su batallón. Me quedé pensando que aquel jovenzuelo se permitía sabotear la organización de la división — el servicio de aguas — y al verse en peligro se escudaba en el nombre de Verín, un comandante gallego que era la mano derecha de los moscovitas en España.

Ese Verín era tontivano y fatuo, aunque tenía sus ángulos buenos. Era también dado a la intriga y un poco excéntrico. Allí donde llegaba instalaba a su lado un balde con hielo y botellas de vino blanco y una cesta con botellas de licores. Se lo permitían como una rareza de *vedette*. A mí no me era agradable.

Tampoco desagradable. Por lo visto Verín tenía intereses personales en la división — es decir intereses reflejos de Moscú — y aquello me puso en guardia.

El día siguiente fue de gran movimiento. A las ocho llegaron hasta diez o doce moscovitas con sus trajes nuevos — demasiado planchados — y sus boinas. Parecían funcionarios en vacaciones. Se distinguían entre sí por el pelo. Unos llevaban la cabeza afeitada y otros tenían grandes pelambreras románticas. Estos últimos no eran militares, sino policías. Y mostraban siempre alguna clase de fatiga nerviosa, como si no durmieran bastante.

Con ellos venían Ivan Ivanovitch y Fedor Gavrilovitch, que habían intervenido en el asesinato de Earl. También Vera, la amante de Michael, quien delante de la gente hacía como si no me conociera. Los judíos suelen ser muy aptos para esta clase de simulaciones. Llevaba Vera un jersey veteado de verde oscuro y marrón. Vi que Michael evitaba encontrarla, lo que me pareció prudente.

Los rusos iban y venían, se reunían y formaban sus conciliábulos aparte. Algunos tomaban aires patricios con nuestros soldados, quienes los miraban con humor.

La revista general era a las diez, y a las nueve y media estaban ya los once mil hombres formados en una ancha explanada en las afueras, entre la estación de Los Juncos y las estribaciones de la sierra. Llegó también el jefe de estado mayor del sector, un teniente coronel profesional, bajito, de aire severo, con sobrecuello de felpilla sobre el de su gabán militar. Su hermetismo era una afectación que ya conocía porque estaba de moda entre los paramoscovitas. Ese teniente coronel me hizo rectificar una de las formaciones y cambiar de frente cuatro batallones de infantería. Cuando quiso hacer lo mismo con otras unidades le dije en voz alta que aquello podría estar bien en una parada de los tiempos de la monarquía, pero no entre nosotros. Extrañóse un poco del acento de mi observación y no se atrevió a insistir pensando tal vez que yo tenía asideros más sólidos que él en las alturas.

Terminada la revista la división desfiló delante de los rusos — ¿por qué los rusos? — y de mi propio estado mayor. El desfile se hizo a los acordes de una banda de música que sacaron de no sé dónde. Todas aquellas formalidades al alcance de la artillería pesada enemiga tenían algo atrevido y meritorio. Yo pregunté al teniente coronel qué tenían que hacer allí los rusos y él me dijo que se trataba de ver si la división inspiraba confianza para darle o no material ruso de guerra. Yo pregunté:

— ¿Pero ese material no se los hemos comprado y pagado? ¿No es nuestro? ¿Por qué han de distribuirlo ellos?

El teniente coronel se negó a responder.

Hubo comida extraordinaria para la tropa, con vino. Nosotros comimos como siempre de un modo ascético y frailuno aunque trajeron café y licores para agasajar a los rusos. Yo tenía a mi derecha a Vera, recelosa y esquiva. A mi izquierda a Ivan Ivanovitch con su cabeza rapada. Enfrente a Fedor. Me felicitaron por la revista, pero comenzaron a bromear sobre la diferencia que había entre aquellos movimientos y los de orden abierto, es decir de guerra. Yo les pregunté cuáles eran las experiencias que tenían ellos de la guerra activa y confesaron que ninguna. Esto les hizo callarse y reflexionar por algún tiempo. Luego hablamos sobre cosas inocentes e insustanciales. Como siempre que estaba con rusos recordaba aquel día el incidente de Earl y me encerraba un poco en mi concha.

Fedor Gavrilovitch, tratando de poner una especie de misterio en su voz, dijo que me aguardaba una sorpresa. Un ejercicio táctico. Yo pensaba que cualquiera que fuera el ejercicio, si lo hacíamos sin armas sería incompleto. La falta de material de guerra era para mí una ventaja porque aligeraba los movimientos. No había que emplazar baterías ni disponer depósitos de municiones ni gasolina para los tanques, sino nada más situar las unidades. También tenía todo aquello un aspecto desairado. Era como bailar sin música.

Seguimos charlando. Los cortos brazos de Ivan Ivanovitch aleteaban cada vez que insistía en que Vera tradujera algo. Su cabeza monda y amarilla recordaba la de magistrados de los sainetes.

De la lejana capilla venía un sonido de órgano. Alguien se divertía tocando los motetes de ritual cuya música escrita debía estar en el facistol del coro.

Había sobre nosotros flotando en el aire una masa de humo azul de cigarro que tomaba formas caprichosas.

Fedor alargó la mano, tomó una pulgada de sal y la arrojó a su espalda. Un movimiento supersticioso. Ivan, ofendido, dijo:

— Parece mentira, Fedor.

Luego suspiró y se puso a mirar al techo. Era su manera de decir que no estaba de acuerdo. El estilo de Ivan era el de los rusos *afligidos*.

A las dos y media en punto sacó Fedor un papel y me lo dio. Yo me puse la pipa en los dientes y leí sin prisa: "Fuerzas enemigas de composición e importancia ignoradas avanzan sobre Pinarel por las carreteras de levante y del norte con vanguardias motorizadas y tanques". Me levanté y subí a mi cuarto despacio porque no quería mostrarme oficioso ni servil.

Llamé por teléfono a los cuarteles y alojamientos con el mapa delante y envié motociclistas con órdenes numeradas. Diez minutos después estaba de nuevo con los rusos, quienes se inclinaban sobre los mapas y discutían apasionadamente en su idioma. La cabeza monda de Ivan me impresionaba. No era aquel hombre muy inteligente y yo creía que tal vez la falta de pelos agravaba su caso porque cada pelo es probablemente una antena que recoge mensajes y nos previene y advierte de las intenciones ajenas. Fedor trataba a Ivan con un inconmensurable desprecio, al que respondía el de la cabeza monda con una especie de sumisión contrita. Aunque a veces se atrevía a hacerle alguna observación impertinente.

A las tres menos cinco minutos salieron todos comprobando antes que sus relojes estaban sincronizados con el mío. Yo fui a la cocina. Vera estaba allí:

— ¿No ha ido con ellos? — le pregunté.

— No. No me necesitan para ese trabajo — dijo ella frotando entre las manos un objeto de carey que no pude identificar, tal vez una peineta.

Bajando la voz añadí:

— Esos dos tipos, Ivan y Fedor, son los que hicieron lo de Earl, ¿no es verdad?

Ella me miró en silencio con ojos de búho. Le pregunté por Sonia para obligarla a hablar y para superar la dificultad de aquella alusión a Earl. Vera dijo, en francés, que Ariadna se había quedado en los Pomares trabajando con Berard.

— ¿Quién es Berard? — pregunté, por oírla.

Ella dijo entre dos sorbos de su tercera taza de café:

— *Il s'agit d'un volontaire français.*

Michael me había dicho más de una vez que Vera sólo sabía mentir realmente en ruso y que en otros idiomas se le notaba fácilmente el engaño. Tenía razón. Vera me miraba como si yo la asustara un poco. Yo solía pensar: "Es fea. Es muy fea. ¿Qué es lo que Michael encuentra en ella?". Tenía esa fealdad activa y agresiva de algunas rusas. "Tal vez tiene — pensé — atractivos secretos." Ella se daba cuenta de mis reacciones. Michael no estaba por allí. Había ido a vigilar los movimientos de las unidades de enlace.

Vera me dijo de pronto:

— ¿No estuviste en la Sureda con Berard?

— Sí, pero no cambié más de dos palabras con él. No sé quién es y por eso te lo preguntaba.

Yo pensaba que se acercaba el momento de salir y hacer la ronda — el recorrido redondo — de mis fuerzas. Pero Vera esperaba.

— ¿Y Sonia? — le pregunté.

— ¿Qué te importa Sonia? Los hombres sois unos ilusos. Sonia sabe lo que quiere y no está por ti.

Aquello me sonó como un insulto:

— ¿Y tú? ¿Por quién estás tú?

— Yo soy taquígrafa y traductora — dijo ella rascándose con el lápiz en su pelambrera crespa —. Soy un cero a la izquierda. Pero Sonia es alguien. Ella viene de padres diplomáticos. También Fedor e Ivan son importantes aunque tú no lo creas — a mí me parecía ridícula aquella manera de hablar, pero ella seguía —: Muchos de vosotros tratáis a los rusos despegadamente y hacéis mal. Creéis que no son más que policías, Javier. Y el error puede costaros caro.

Yo me quedé de una pieza. Sentí algo bajo y soez en la voz de aquella judía que quería que nos humilláramos a sus pies o a los pies de Fedor. Yo tenía la impresión contraria. Creía que en general la gente respetaba demasiado a los moscularis.

— No comprendo lo que dices, Vera. ¿Es una amenaza? Lo siento, pero en el informe escrito sobre las revistas militares de hoy tendré que dar conocimiento de esas palabras tuyas. En mi informe al estado mayor central.

Era mentira, pero trataba de ver su reacción. Ella se puso muy pálida.

— Javier — suplicó —, no digas a nadie nada de mí, para bien ni para mal. Yo no he dicho nada. Yo no volveré a decir nunca nada. Podéis maltratar a los rusos. Podéis insultarlos. Estaréis en vuestro derecho. Pero no digas mi nombre en vuestros comités y sobre todo no lo escribas en ningún informe.

— Lo siento mucho — insistí —, pero en mi informe añadiré también todo lo que acabas de decir ahora. Tenemos órdenes.

Ella me tomó las dos manos con las suyas:

— ¡Por lo que más quieras, Javier! Michael me ha dicho que eres amigo suyo.

— ¿Y eso qué tiene que ver?

Vi que sin soltarme las manos ella estaba dejándose caer en el suelo para ponerse de rodillas.

— Está bien — dije —. Levántate.

Ella obedeció temblorosa repitiendo:

— Soy un cero a la izquierda.

Yo oía el soniquete de su voz humilde y arguyente. Todo aquello había sido una sorpresa porque creía que Vera era una mujer razonable. Tal vez lo era a su manera. Al ver que yo no decía nada volvió a tranquilizarse y a susurrar en voz confidencial:

— Tú comprendes, yo no soy nadie, es decir no pertenezco a los cuadros de la NKVD. Es verdad que a veces en medio de una reunión de comité alguien levanta la cabeza y me pide mi opinión. Y luego lo que yo digo lo escuchan con interés.

— Cállate.

Por lo que acababa de ver no creo que Michael estuviera muy seguro viviendo cerca de una mujer que se mostraba tan nerviosa. Pero tal vez aquel día Vera estaba exhausta *de amor*. Michael debía fatigarla. Y a veces la fatiga sexual se manifiesta por cierta flojedad nerviosa y por una irresponsabilidad chocante en las palabras. Es decir por una conducta un poco histérica.

Calculé que las tropas debían estar desplegadas y que los rusos habrían llegado ya a sus destinos y salí dispuesto a recorrer el sector. Alguien se había llevado mi coche. Frente al cuerpo de guardia había en cambio un carruaje magnífico con el chófer, un cabo, al volante. Le pregunté de quién era el coche.

— Del comandante Justiniano — me contestó.

— Está bien — le dije —. Dame el volante.

Él se negó. Le informé de que estaba hablando con el jefe de la división y le pregunté si seguía negándose.

— Sí, señor.

Llamé al oficial de guardia, arresté al cabo y di orden de que no lo pusieran en libertad sin órdenes personales mías.

El pobre conductor quedó en un calabozo bastante cómodo.

425

Había sido la sacristía del convento y tenía dorados y sedas y cristales delicados como un tabernáculo. Me fui en busca de mi gente.

Las tropas habían tomado posiciones con rapidez y exactitud. No había un solo error. Veía que la tropa tomaba la cosa un poco a broma. Al fin y al cabo, bailar sin música es siempre un poco ridículo.

Cada unidad estaba en su lugar. Patrullas de exploración motorizadas, secciones de artillería antitanque, tanques ligeros, carros de asalto, ametralladoras, masas de infantería, morteros, enlaces, reguladores de tiro, secciones de infantería con cañones de acompañamiento — teóricamente, claro. Artillería ligera y pesada, más enlaces, más observadores de tiro. Una sección antitanque de reserva — sin armas. Todo estaba perfectamente distribuido en una extensión de más de seis kilómetros y en una profundidad de diez o doce, puesto que se trataba de una maniobra de defensa según me habían dicho. Yo me sentía un poco napoleónico y vigilaba el terreno para que no hubiera sorpresas en forma de simas o barrancos como le sucedió a Bonaparte en Waterloo. Luego me burlaba de mí mismo.

Iban los rusos de aquí para allá discutiendo en su idioma y consultando los mapas. Como siempre Fedor — hombre peludo — maltrataba a Ivan mondo y lirondo. Tenía la ventaja de sus antenas.

El comandante Bartolomé — un joven de maneras escuetas y tajantes, que cojeaba aún de su última herida — me ofreció un trago de vino y me quedé con él fumando y cambiando impresiones.

— Espero que con esto se acabará la verbena — me dijo —. Digo, la de los camelovitches.

Yo solté a reír y no dije nada. Bartolomé se había dado cuenta de que no me gustaban los rusos. Tampoco a él, por lo visto. Pero era mejor no confiarse y seguí callado.

A las cuatro y media las fuerzas regresaban a sus cuarteles y los rusos, el jefe de estado mayor y yo volvimos al convento. Allí seguimos discutiendo sobre los mapas. Es decir discutían los rusos y yo escuchaba sin entenderlos. Aunque discutían mucho entre sí parecían estar de acuerdo con mi plan de defensa y con mi despliegue. Según decían mi ejercicio había sido correcto, aunque dejaba que desear en las previsiones para el contraataque. Esto era un reparo para dar ponderación a sus opiniones. Yo les dije que para la ofensiva necesitábamos más material móvil.

En aquel instante entró Justiniano muy inquieto. Me pidió casi llorando — la cosa no podía ser más cómica — que pusiera en libertad a su chófer. Yo me negué. A Justiniano le sacaba de quicio la idea de que el chófer pudiera pensar que no tenía bastante autoridad para librarle del arresto.

— Perdona — le dije —, pero no tengo tiempo.

Volví como digo con los rusos, y al verme gritó Fedor debajo de su boina navarra con una especie de destemplada cordialidad:

— Camarada, su división tendrá todo el material soviético que hay en Albacete.

Se quedaba esperando mi reacción. Pero yo pensé: "No será mucho material cuando una sola división puede absorberlo". Volvieron a felicitarme — sobre todo Fedor — y se marcharon. Ivan, a quien no había dado oportunidad de hablarme, se volvió desde la puerta y estrechó sus propias manos en el aire como signo de camaradería. Yo pensé: "Ese es un gesto español que ha debido aprender por ahí".

En cuanto a Justiniano me esperaba en todas partes. Me asediaba sin vergüenza. Y mantenía el tono implorante:

— Tú eres un jefe benévolo — decía — y somos antiguos amigos. Además, el cabo es militante del partido.

— Bien, que duerma esta noche en el cuerpo de guardia y mañana veremos.

Justiniano perdía los estribos:

— Me vas a obligar a plantear el asunto en el partido. Ya sé que a ti no te importa, pero a mí me escuchará el partido por lo que tú sabes. A mí me consideran un individuo seguro, por lo que tú sabes. Y si planteo la cuestión a fondo…

— ¿Cómo, también tú me amenazas?

Justiniano recogió velas:

— No, hombre, qué disparate. Al contrario. Para que veas que te considero como el amigo de siempre voy a decirte algo que te interesa de veras. ¿Tú sabes que no vas a ser el jefe de la división?

— ¿Yo?

Confieso que la noticia me decepcionó un poco.

Después de esa importante confidencia Justiniano insistió en pedirme la libertad de su chófer. Yo me fui sin contestarle y me metí en mi cuarto.

427

Justiniano sabía más que yo sobre mí mismo. Y lo sabía de buenas fuentes aunque no quiso revelármelas. Al día siguiente me comunicaron por teléfono que el comandante Verín estaba nombrado jefe de la división. Yo me quedaría en la unidad como jefe de estado mayor, lo que quería decir que haría todo el trabajo y Verín se llevaría el crédito. (De antemano se lo cedía.) La impresión primera fue de frustración aunque todo iba a depender del género de relaciones que se estableciera entre Verín y yo y de lo que pudiéramos hacer en los frentes. No me hacía ilusiones, sin embargo.

Nos habíamos conocido Verín y yo al principio de la guerra en los días del contraataque sobre Pinarel. Verín era un hombre joven, tranquilo y no muy ágil ni rico de ingenio. Tenía una ambición sorda y tenaz de campesino gallego. Aquel día me llamó por teléfono desde la ciudad. Después de darse a conocer como jefe de la división preguntó:

— ¿Hay novedades?

— Tu nombramiento — dije yo en broma.

— Puedes dar permiso a los oficiales que lo pidan. Permisos de cuarenta y ocho horas.

Aquello me gustó. Naturalmente todos los oficiales querían ir a la ciudad, donde tenían la novia o la esposa. Los permisos que di comenzarían a ser efectivos al día siguiente por la mañana. Pero antes de acostarme volvió a sonar el teléfono:

— Suspende los permisos.

— Están ya dados.

— No importa. Suspéndelos. Ah, oye, y si llaman del Ministerio de la guerra di a todo que no. Para nosotros no existe el Ministerio de la guerra.

Yo comprendí que se trataba de un doble truco. Dificultades con los de abajo — los oficiales — y con los de arriba, es decir con el Ministerio. Y había una cabeza de turco: yo. Bueno, veríamos. La intriga parecía bastante simple.

A mí no me sonaba mal cualquier clase de indisciplina — toda mi vida había vivido al margen de la obediencia —, pero en plena guerra aquello me parecía peligroso. No sabía lo que había detrás, aunque lo sospechaba. Me quedé pensando: "Para que Verín se atreva a estas provocaciones es necesario que tenga detrás toda una perspectiva de cimborrios bizantinos y de torretas piramidales: la NKVD. El Kremlin". Y decidí que con Verín los moscularis entraban en Pinarel por la puerta grande.

A mí me pedían que representara el papel de encubridor. Era incómodo y me sentía lleno de malos presagios. Encubridor y además víctima consciente. Consciente y propiciatoria.

Tenía que pensar despacio en todo aquello. Suponía que no podría ser siempre leal a Verín, pero tampoco veía claros los medios de resistir a las provocaciones de su partido. No era tarea liviana.

Suspendí los permisos. Como esperaba, la cosa fue agria y escandalosa. Para cubrirme de algún modo dije a los oficiales más resentidos que eran órdenes del nuevo mando. Aquel resentimiento — y si era posible un poco de resistencia y hasta de alboroto — era lo que Verín esperaba. Contra mí, claro. No contra él, sino contra mí. Parece que algunos jefes lo comprendieron sin necesidad de que yo hablara.

Vera se había quedado en el convento-cuartel dos o tres días. A pesar de su fealdad los hombres la seguían como si dejara a su paso el olor de almizcle de las cabras del Tibet.

Al día siguiente por la mañana el ingeniero que no había podido arreglar el motor de agua instaló en un momento un teléfono directo con el comité de guerra de los mosculares que estaba en la ciudad.

Verín trataba de hacerme impopular con los cuadros. No por él mismo, sino por el partido. Cumplía órdenes. Pero me estimaba a su manera. Nunca me he equivocado yo en esta cuestión de los afectos humanos. La necesidad de pensar de una manera y actuar de otra hacía perder unidad y densidad al carácter de Verín. Así no era raro verle una expresión congelada en momentos en los que había que decidir algo rápidamente. Cuando Verín decía: "Según y conforme, compañero...", quería decir que aún no conocía la opinión del partido en aquella materia. Y si al decirlo se mojaba el labio superior con la lengua su confusión llegaba al rojo-blanco. Yo observaba todo aquello con humor y callaba.

Hizo su entrada en el cuartel-convento de un modo imponente. Delante de él venía el ingeniero que no había querido arreglar el motor del agua, con la arrogancia de los abanderados. Hablaba mucho y repetía la palabra *coyuntura*, con la que al parecer estaba encariñado. Detrás venía Justiniano con una cesta de cristales centelleantes. Eran botellas de vino y de licores. Dejó la cesta encima de la mesa de mi oficina. Verín dijo con aire de modestia:

— Es un regalo de una admiradora, tú sabes.

Venían todavía tres o cuatro oficiales más que no se separaban de él y que celebraban lo que decía como los gitanos con el torero de moda.

Hablaba Verín de sus admiradores convencido y halagado, aunque no era tan tonto que no pusiera de vez en cuando un gesto ambiguo de ironía. Más tarde observé que dondequiera que fuera le precedía la cesta del vino. A veces me guiñaba el ojo y me preguntaba indicando las botellas: "¿Qué te parece?". Yo trataba de ponerme a tono: "Si le destripan a uno en el frente por lo menos que el olor que salga del arca del cenar sea de tres cepas". Verín reía: "De cuatro cepas". Bebimos para celebrar su llegada. Luego me preguntó de un modo falsamente distraído si los oficiales estaban contentos o si había protestas por la cancelación de los permisos. Yo disimulé:

— No sé. A mí no me ha dicho nadie nada.

Esperaba que aquello le molestaría. Verín era intrigante, pero no tenía bastante imaginación para encubrir sus intrigas y era fácil seguir de cerca sus intenciones.

Poco a poco se iba creando una atmósfera fría y llena de riesgos magnéticos. Yo me daba cuenta, pero seguía mi táctica de hacerme el sueco. Me negaba a reconocer la existencia de cualquier peligro. En la retaguardia y en el frente.

Por el momento las personas con quienes había tenido alguna clase de rozamiento personal acudían a la camarilla de Verín. Los sentimientos que los aglutinaban eran híbridos de NKVD, política y falso profesionalismo.

Verín andaba husmeando por todas partes y buscando reflejos evidentes de la sumisión de los cuadros a su persona. La verdad es que fuera de la camarilla no los encontraba y en ella más que una adhesión inteligente lo que hallaba era la solidaridad un poco boba del partido. Mis incondicionales — como Michael y algunos *indelebles* — estaban un poco a la expectativa sin saber qué hacer. Los que rodeaban a Verín eran tres o cuatro pelafustanes y algún que otro tímido secuaz como el ingeniero. Yo había citado a los jefes de unidad — de compañía para arriba — a las cuatro de la tarde en la sala capitular del convento. Mientras llegaba la hora, Verín y yo estábamos solos en mi oficina y el comandante, después de llenar otra vez los vasos y contemplar un momento el enorme mapa de España que cubría el muro, me dijo:

— ¿No te escriben cartas a ti?

Sacó una del bolsillo y me la mostró. Una mujer le decía que era el oficial más popular de España y que un día sería *nuestro* Voroshilov.

— Si la historia es cierta — le dije —, Voroshilov es el menos inteligente de los jefes rusos. Sería mejor que te hubiera comparado con otro.

Engulló mi observación muy a disgusto.

En aquel momento se oyó el timbre de uno de los teléfonos. El secretario del ministro de la guerra preguntaba por Verín, quien hacía gestos denegatorios. Yo dije que no estaba. El ministro preguntó quién era yo y me ordenó que enviara tres batallones a la ciudad para ponerse a las órdenes del gobernador militar. Verín seguía haciendo gestos.

— No, no puedo disponer de esos batallones — le dije.

— ¿Por qué?

— Los cuadros de oficiales están incompletos — era mentira —, y aunque estuvieran completos no puedo disponer de las fuerzas sin autorización del comandante, que no está aquí.

— ¿Cuándo llegará? En cuanto llegue dígale que se ponga al habla conmigo.

Y colgó. Verín bebía su tercer vaso y decía:

— Lo que quieren es deshacer la división. Saben que va a ser la mejor división y quieren matarla en la cuna. Pero... les faltan redaños. ¿Tú has visto al secretario? Quiero decir al subsecretario. Es un vasco gordo y tripón que se las quiere echar de Maquiavelo. Si vuelve a llamar dile que no estoy, y si insiste mándalo a bailar el *aurresku* con el padre cura — yo esperaba que Verín dijera otras cosas escatológicas, más graves, pero a veces se reprimía —. Vamos a ver. ¿Qué hora es? Ah, falta hora y media para la reunión. Bueno, pues aquí me tienes. Ayer mandaba una brigada. Hoy, una división. ¿Qué mandaré mañana?

Se pasó la lengua por el labio superior. El alcohol daba a su cerebro una animación lenta y torpe:

— Ya ves, nos llaman sólo comandantes. Comandante de brigada, de división. Falsos pudores, ¿verdad? ¿Por qué no hemos de llamarnos generales si lo somos en realidad? ¿No te parece?

Yo no creía necesario contestarle. Veía un título con letras rojas en lo alto de una proclama doblada a medias sobre la mesa.

La palabra *proletariado* esplendía y yo trataba de hacer mentalmente combinaciones de sílabas sobre esa base: prole, proliferante, prolífico... Seguía Verín esperando mi opinión y yo haciendo juegos gratuitos — en mi imaginación — sobre la raíz *prole*. El deseo de Verín de ser llamado general me parecía grotesco y me decepcionaba. En los primeros tiempos de la guerra Verín no era así. Uno puede ser ridículo — y sin duda yo lo soy de vez en cuando —, pero no en esa dirección. Volvió a sonar el teléfono y Verín dijo:

— No contestes. Debe ser otra vez el vasco tripón.

Señalaba el maletín de cuero que había en el suelo a un lado de la mesa:

— Ese es nuestro teléfono. Un hilo que nos comunica con los únicos que pueden darnos órdenes.

Se refería a los súbditos del Vodz. El teléfono seguía sonando. Yo no podía resistir y lo tomé. Era el comandante Bartolomé, que se había incorporado a la división tres días antes sin estar curado de las últimas heridas. Se resentía todavía de la pierna y yo le había dicho que no debía darse de alta aún, pero él insistía en que las piernas sólo sirven para correr y que ni él ni los suyos corrían nunca. Al menos hacia atrás. Las nieblas húmedas de aquellas noches le dañaban y como íbamos a estar allí algunas semanas quería aprovecharlas y volver al hospital. Yo le dije que entregara el puesto al capitán más antiguo y que se fuera. Cuando colgué, Verín torció el gesto:

— Uno que se da de baja. Eso voy a arreglarlo yo un día. Un comandante que se da de baja sin más ni más.

Se le trababa la lengua — que normalmente no estaba muy suelta — y se le perdían los ojos. Yo le dije que Bartolomé era de lo mejor de la división. Tenía de aquí — cabeza —, de aquí — corazón — y de aquí — testículos. La cosa le hizo gracia, pero insistía:

— ¿Por qué? ¿Porque lo han herido cinco veces? ¿Y qué? ¿Cuántas veces has estado tú herido?

— Una vez y sin importancia.

— Eso demuestra que sabes guardarte. Los mandos deben cuidarse. Yo no he sido herido ninguna vez, es decir una vez en la evacuación de Toledo. En una mano.

Miraba su propia mano ya curada. Yo recordaba que aquella herida era "una cuestión a dilucidar" como el mismo Bartolomé me había dicho un día. Decían que se la había hecho el mismo

432

Verín para distraer la atención del estado mayor central, que quería exigirle cuentas de la catástrofe de la retirada de Toledo, en la que se perdió una brigada casi sin combatir. Fue un hecho vergonzoso. "Esas heridas en las manos y en los pies de los jefes a veces son verdad y a veces maula. Hay opiniones dispares. Cuando la bala le atraviesa a uno el pulmón es otra cosa." Esto decían algunos. Verín lo sabía y hacía su lista de maldicientes en calma. La venganza es un plato que se sirve frío, solía decir el Vodz. Y Verín golpeaba la mesa con la mano abierta y se ponía a hablar de los "emolumentos". A mí me parecía que estaba oyendo hablar a un viejo cajero de regimiento de los tiempos de la monarquía. Los "emolumentos", es decir las asignaciones de dinero hechas por el Ministerio a la división.

Mientras revisábamos las cuentas yo comenzaba a percibir que en la obsesión de Verín por el Vodz no todo era grotesco. Había un horizonte poético, hecho de alusiones geográficas de la vieja Rusia. Verín se sentía más ruso que español y lamentaba que España no tuviera una frontera común con Rusia para incorporarse a ella como una provincia más. Detrás de esas nociones bastante irresponsables yo veía a veces bosques de abedules de tronco blanco y fantasmal. Y estepas nevadas con trineos y lobos. Veía viejos lozanos de barbas kirguises o tártaras y oía las campanillas de las troicas.

Volvía Verín a hablar de que éramos o debíamos ser verdaderos generales y había en su manía una especie de congoja. Yo le contesté con bromas y burlas antimilitaristas. Él suspiraba:

— Déjate de zarzuelerías, Javier.

Pero el zarzuelero era él, a quien imaginaba con fajín y borlas y yelmos emplumados. Le censuré el mantener a su lado como ayudante a un joven que no sabía una palabra de cuestiones militares. Verín, que estaba bastante borracho, se levantó porque se daba cuenta de que la inmovilidad en la silla agravaba su situación y se puso a pasear por el cuarto.

— Admito que es un lego — dijo — en materia de guerra, pero tiene bastante mala intención. Y en estos tiempos la mala intención cuenta.

Bueno, los paramoscovitas estaban haciéndose con el valle de Pinarel y yo era en cierto modo su cómplice. Un cómplice pasivo. Verín estaba con un ojo ahogándose y el otro pidiendo auxilio. Yo pensaba: "Si sigo diciendo amén a las reflexiones

de Verín haré un día carrera militar y política con los moscularis". Pero lo nuestro no era una carrera, sino una devoción.
Verín alcanzaba la botella de coñac.
Llegó Justiniano, a quien Verín le ofreció el vaso que acababa
de llenar.
Me levanté y los dejé solos. "Cuando llegue el momento de la
reunión — pensaba — Verín estará como una cuba." Al salir
del cuarto oí a Verín que decía a Justiniano:
— Es lo que yo digo. Ya estoy harto de los oficialitos que se
dan de baja y se van al hospital. Que si lo han herido, que si
no lo han herido. Cuatro veces me han renovado la tropa de
la brigada. Y luego me vienen con historias.
Con Justiniano usaba Verín un acento diferente, más seguro de
sí y más agresivo. Trataba de poner en cada palabra toda su
pujanza.
Yo salí en busca de Michael, a quien había ordenado que nunca viniera a mi oficina si no lo llamaba, para evitar que los
moscularis se dieran cuenta de nuestra relación. Escaleras arriba y cerca ya de mi celda encontré a mi amigo, que también
me buscaba. Junto a las puertas de algunos dormitorios estaba
la consabida guardia de santos y ángeles. Michael me dijo:
— Tengo un problema. Quiero salir de la división lo antes posible.
— ¿Se puede saber por qué?
En aquel corredor había una hornacina y en ella una planta de
mejorana bienoliente. Yo me preguntaba quién regaría aquella
planta para que estuviera tan fragante. Michael decía:
— Sospechan de ti y por el hilo de esas sospechas me encon-
trarán a mí. No, nada de fantasmagorías. Si tú salieras de esta
división yo me quedaría, pero estando tú es mejor que me
vaya.
— Vamos, Michael, dime lo que has oído.
Al decirlo pensaba en Vera, la fea, lasciva y ocasionalmente
implorante Vera. Seguramente era ella quien le exhortaba a
dejar la división.
— ¿Lo que he oído? Más de lo que supones. Un ruso. Ése del
cigarro puro, ése de la boina y el cigarro...
— ¿Fedor Gravrilovitch?
— No los conozco por los nombres. Ése decía: "¿Quién es
Baena?". Otro dijo que no estabas en el partido y entonces Fedor soltó a reír. "¿Cómo es posible que tenga un puesto im-

portante sin estar en el partido? ¿Es un... idealista? Un idealista español, ¿verdad?". Aquella risa me sonaba a mí como una música funeral. Entre risas y bromas se oyó dos o tres veces el nombre de Earl. Hablaron también de Sonia y de la Sureda y de vuestras orgías...

— Allí no hubo orgías. Yo estuve con Ariadna y eso es todo.

— Hombre — dijo él dando la última succión al cigarro y tirándolo después —, me alegro. Yo había oído otra cosa.

Vera debía haberle hablado de orgías con Sonia y Ariadna. Michael fue a pisar la colilla que seguía ardiendo en el suelo y continuó:

— No sé lo que hablaron pero se referían a ti. No tienen fe en ti, ni en nadie. Ni en su propia sombra. Todo lo que hacen es mandar informes a Moscú insultando a los españoles y adulando al Vodz. No se fían de nadie. ¿Por qué crees tú que no nos dan las armas? Dicen que no han llegado de Albacete. Mienten. Están en la ciudad, a media hora de aquí, pero no las traerán hasta que las tropas suban a la línea. Once mil hombres con armas podrían rebelarse y acabar con los mosculáris y con los paramoscovitas españoles. Dicen que la gente no tiene conciencia de clase y tampoco creen que la tienes tú.

Michael no lo decía todo. La abominación peor estaba en mi falta de conciencia de clase. Yo pensaba: "Claro que no tengo conciencia de clase". Pero Michael seguía:

— Mis recuerdos de Moscú (de los que hablé aquella noche en el bosque) fueron una broma de niños al lado de lo que comienzo a ver por aquí. Ni un solo ruso piensa que nosotros debamos triunfar, ni arriesga tanto así — señalaba el canto de una uña — para que triunfemos. Van a otra cosa. Nadie da un paso sin un doble fin y ese doble fin ni siquiera saben ellos a dónde conduce. Es el Vodz el único que lo sabe. Y óyeme bien lo que te digo: el Vodz quiere sembrar aquí el terror para que esta guerra le sirva de caja de resonancia por todo el mundo y sus enemigos tiemblen en Filipinas, en Cape Town, en la Guayana y en Corea. Eso es lo primero. Por otro lado quieren enseñar al *führer* los dientes de su armamento para pactar un día ventajosamente con él y abandonar el resto de Europa a la ruina.

Aquello que decía Michael parecía una locura.

— Bien, pero ¿y tú? ¿Qué piensas hacer? — le dije yo entre ofendido y humorístico —. ¿Te vas del país?

435

Michael apoyó el codo en el muro rascándose la cabeza al mismo tiempo:

— No, hombre. ¿Quién habla de eso? Me voy de la división.

Era Michael uno de esos hombres elementales a través de los cuales se filtran los últimos entresijos de la difícil verdad. Yo veía en sus inquietudes un túmulo negro sobre el cual se acostaba Vera desmayada, enlutada y rígida como la doncella que en la segunda parte del *Quijote* se finge muerta de amores — en casa de los duques. Es decir no veía sino la comedia que podía haber en todo aquello. Michael se daba cuenta:

— Mira, Javier. Han comenzado a hablar mal de ti para "separarte de las masas" como ellos dicen. Cuando te hayan separado te aniquilarán. Te envilecerán en la vida y en la muerte. Dirán de ti en letras así de grandes que eres maricón, traidor, cabrón, sarnoso, cobarde, leproso. Tú no los conoces.

Yo pensaba que el reo más calumniado por la envidia, el rencor y la saña — suponiendo que Michael tuviera razón — después de muerto se viste de gala en el recuerdo de los otros.

— Han comenzado a insultarte y a escupirte a tus espaldas — insistía Michael —, y seguirán haciéndolo después de haber acabado contigo.

Hablaba Michael con los ojos irritados de no haber dormido y las comisuras de los labios caídas. Y repetía:

— Estás solo. Date cuenta de que estás solo en medio de toda esa gente.

Yo me negaba a ver el peligro.

— ¿Te acuerdas del caso de Earl? — preguntaba Michael entornando un ojo y poniendo el otro, inyectado en sangre, casi redondo —. Bien, pues lo que hicieron con él fue por orden de la Embajada, que les dio el nombre y la pista. El nombre tuyo también lo han aprendido esos tíos en casa del embajador jorobado. Tu nombre y otros como el tuyo han ido y venido por el hilo del teléfono y por las ondas de la radio desde la ciudad a Madrid y desde Madrid al Kremlin, donde se cuecen esos guisos. ¿Entiendes? Supongamos que no estás en la lista negra todavía. Pero se habla de ti en voz baja. Se habla demasiado, y todos sabemos lo que les ha pasado a otros cientos y a miles de los que se hablaba en voz baja. El jorobado tiene a su lado a un lince con las uñas rojas. Y los dos quieren hacerse gratos al Vodz a toda costa. Para eso no vale dárselas de listos, ni escribir informes brillantes. La única manera que tienen de agradar al Vodz es imitarle: matar gente. Hacer aquí lo que él hace allá. Y aunque el jorobado es un intelectual y se pasa el tiempo diciendo que desde el punto de vista de la democracia hay que calcular los riesgos y no dar un paso arbitrario, es decir, fuera de la ley, aunque dice eso a cada paso lo dice frotándose las manos como una monja, extendiéndolas contra la luz para ver si son transparentes (porque cree que está tísico) y mirando de soslayo al jefe de la NKVD, que siempre está a su lado.

— Bien, bien — dije yo muy interesado en aquellas confidencias por las que veía que Vera no tenía secretos para él —. Tienes miedo y estás en tu derecho. Tienes miedo a los moruecos y tienes miedo a los rusos. Por ahí se empieza.

— ¿Qué quieres decir?

— Tú odias al Vodz y lo adoras. Por ahí se empieza. No me extrañaría que me dijeran un día que eres agente de la NKVD.

Se apartó retrocediendo dos pasos:

— ¿Hablas en serio?

— Sí. Hay que conservar la calma, Michael. Llevas un año viviendo de tu indignación contra el Vodz. En cambio a mí me tiene sin cuidado. Yo vivo igual que antes de la guerra y puedo morir mi muerte y entretanto decir lo que quiero y hacer lo que me da la gana, dentro del plan que uno se ha establecido.

Naturalmente, estaba tirando de la lengua a Michael y él no se daba cuenta. Me interrumpió:

— Tú estás en estos momentos en manos de Verín, que está de acuerdo con Fedor Gavrilovitch, con Ivan y con el *chepa* de la embajada. No es que Verín lo conozca, al embajador. No es necesario. Pero lo sirve a ciegas. El *chepa* es un tío escurridizo como una anguila, pero no le vale. Dice amén a todo el mundo y sin embargo, a pesar de su sonrisa de monja — oyendo estas cosas yo creía estar oyendo a Vera que se las decía a Michael en los paréntesis de su lascivia —, no tiene un solo amigo. Tiene mucho miedo a tener amigos. Él sabe que un amigo puede fallar y en su falla puede arrastrarle. Cuando llega el boletín con las órdenes del día de Moscú (por la radio secreta) se pone amarillo como un limón. Como un muerto. Pues bien, ese tío ha dicho tu nombre. Y es un pajarraco de mal agüero que no se equivoca nunca. ¿Me oyes?

Michael decía "un paharraco" como los andaluces de quienes había aprendido esa palabra. Yo le dije:

—Déjalo. En este momento nosotros decimos también el nombre del jorobadito y el del Vodz, y como dice Ivan Ivanovitch escupimos en ellos. Pero estos once mil quinientos hombres de mi división van a atacar un día próximo y a abrir una brecha en el frente por la que pasarán tres divisiones más. Esto es lo único importante.

—Ya veo. Crees que todo eso de la brecha y las divisiones les interesa a ellos. Un día te vas a llevar un buen chasco.

—De momento sólo me interesa lo que vas a hacer tú. Si te das de baja llamarás la atención. Yo te aconsejaría que te quedaras.

Michael se fue, iracundo. Yo volví a mi oficina y al ver que no podía celebrarse la reunión porque muchos oficiales tuvieron que salir en misiones inesperadas, llamé por teléfono a las distintas unidades, aplazándola. Había encontrado en un pasillo a Justiniano y nos saludamos con un gruñido. No me preocupaba Justiniano. Lo mejor que podía hacer era mostrarle los dientes de vez en cuando. Y lo hacía con pequeños pretextos como el arresto de su chófer, las negativas de gasolina para su coche o de permiso para ir a la ciudad. Estas pequeñas cosas repercutían en su conciencia de antiguo asesino y lo desorientaban. Por esa razón Justiniano tenía desplantes con todo el mundo menos conmigo.

Si alguna vez yo le dedicaba unas palabras amistosas, advertía que le hacían un gran efecto. Debían caer sobre las pestilencias de su memoria como agua de mayo.

Pero aquella noche en mi celda tuve la luz encendida —la vela en un candelero religioso— hasta muy tarde. Estuve pensando en las palabras de Michael. Era Michael un hombre honrado, pero yo prefería ignorar el peligro cuando era tan abrumadoramente superior a mis fuerzas. Y lamenté que no estuviera conmigo Ariadna en aquel momento porque una conversación con ella me habría ayudado. Le habría escrito una carta hablándole de mis problemas. Pero era arriesgado. Como tenía que hacer algo me puse a garrapatear unos versos para probarme a mí mismo mi serenidad. Y escribí un pequeño romance:

> *Tal vez me roban el aire*
> *el soplo del alma mía*
> *y el amor de mis dos manos*
> *y el eco de mi cantiga.*

Al fin y al cabo son cosas
que se dan y que se quitan.
Me quedan mis ojos fríos
y también mi sangre tibia.
Sin querer y por locura
me los dieron con la vida.
Quieren llevarse mis voces
concretas y las ambiguas,
mis celos y mis rencores
de burdeles y de ermitas.
Quieren robarme la fe
vulgar de todos los días
y la del día de fiesta,
que confunde y no ilumina.
Quieren robarme mi nombre
— un nombre que me da risa.
En suma, es fácil que intenten
algo más y lo consigan.
Que vengan entre dos luces
y que me quiten la vida
— al fin y al cabo la tengo
en no demasiada estima.
Pero mi muerte, ah, mi muerte
es y será siempre mía,
no hay quien me la quite ni
quien se atreva a discutirla.
Desde su cumbre os espero,
negra noche o rubio día;
desde mi alcor os perdono,
mesnadas de la porfía.

Escondí el romance como una broma un poco infantil aunque
en él estaba mi alma — al menos la de aquel instante — y me
acosté a dormir.

Al día siguiente desperté y volví a leer el romance. Chasqué
la lengua contra el paladar, iba a romperlo pero lo doblé en
cuatro y lo metí en el bolsillo de mi pantalón. Estaba recordando que Michael había hablado del "témpano de mi corazón". La palabra *corazón* en los labios de Michael armonizaba
con su barba de 1890.

En mi oficina no había nadie. Sobre mi mesa estaba la cesta

de las botellas y al lado de la cesta había una caja grande con cigarrillos de lujo. No importa dónde estaba Verín, al marcharse dejaba siempre algo que en aquellos días de escasez codiciaban los demás. Era como una estela de grandeza. La avidez de los oficiales menores y de los soldados por aquellos cigarrillos proyectaba alguna clase de importancia sobre Verín. Yo no podía menos de reírme de aquello, aunque me guardaba un puñado de cigarrillos para regalarlos, porque yo no fumaba más que mi vieja pipa.

Al lado de la cesta de las botellas había una foto dedicada, de mujer. Una cabeza lánguida que revelaba el erotismo estrafalario de la literatura de principios de siglo. La saqué de allí para que no la vieran los oficiales que estaban al llegar.

Todos los días a aquella hora se redactaba la orden del día siguiente y se hacían los clichés para la multicopista. Yo había tenido dificultades para encontrar un encabezamiento de acuerdo con el espíritu de aquel tiempo. El primer día había escrito: "Esta comandancia se ha servido disponer...". Pero antes de distribuir las hojas a las distintas unidades las recogí y cambié el encabezamiento: "De acuerdo con las instrucciones generales del sector, esta comandancia ha decidido los siguientes servicios para el día tal y tal...". También me pareció inadecuado y un poco autoritario, a la vieja moda. La tercera redacción, que fue la que prevaleció, decía: "Los servicios de la división 47 del ejército popular republicano para el día de la fecha serán los siguientes:". Pero aquel *serán* me pareció todavía demasiado ejecutivo y puse: "... deben ser de acuerdo con las necesidades de la línea general:". Las tareas administrativas de la mañana terminaban pronto. Verín se presentó hacia el mediodía.

Yo no conseguía odiarlo a Verín porque su inclinación galaica a la intriga era bastante inocente. Puesto a intrigar yo podría ser más laberíntico y complejo, si quisiera. Recordando lo que me había dicho Michael se me ocurrió que tal vez lo que se proponían los rusos obedecía a un plan estudiado cuidadosamente y ese plan consistía en la destrucción paulatina y lenta, pero segura, de los más aptos. Era como si tuvieran miedo a que alguien se atreviera a usar su cerebro porque bastaba con el cerebro del Vodz para todas las latitudes y situaciones a donde llegaba la influencia rusa. Pero también pensaba que a fuerza de matar españoles los rusos se harían impopulares y esa impopularidad les crearía graves problemas. Fuera y dentro de Rusia. De eso estaba seguro al fin.

Verín amaba al Vodz con un amor parecido al de Sonia. Verín no diría nunca las cosas que había dicho Sonia porque en primer lugar el Vodz no había matado a sus padres, en segundo lugar Verín no tenía tanta imaginación y finalmente no era una mujer, sino un hombre.

Los periódicos que llegaron de la ciudad traían un nuevo lema: "Vale más morir de pie, que vivir de rodillas". Firmaba una mujer que se llamaba Dolores a quien yo conocía. No era probable que Dolores ni Verín murieran de pie. En cuanto a vivir de rodillas, estaban viviendo en esa posición incómoda a los pies del Vodz desde hacía muchos años y seguirían así el resto de su vida. Además aquellas palabras inspiradas como un lema de propaganda no eran de Dolores ni de Verín, porque las usaban los mejicanos hacía muchos años, desde los tiempos de Juárez.

Los monárquicos españoles no sabían inventar, pero los moscularis mostraban la misma falta de ingenio. También imitaban y copiaban.

Aquella tarde llegaron aviones enemigos y les salieron al paso los cazas de los Pomares, que derribaron un *junker*. Los otros tuvieron que desandar el camino y arrojaron las bombas en el campo, al azar.

Estuvimos atareados sacando a los tripulantes alemanes muertos del *junker* retratándolos y clasificando los papeles que llevaban para identificarlos públicamente como miembros de la legión Condor y denunciar una vez más la intervención de los bucardos del führer.

Mientras yo estaba en esas diligencias llegó al estado mayor un individuo de unos treinta años que era agente auxiliar de la NKVD rusa. Tenía unas trazas bastante singulares. Vestía sobre su uniforme de miliciano un viejo carrik con esclavina. Poseía pequeños sistemas personales para eliminar obstáculos. Por ejemplo, al llegar al cuartel había ordenado al oficial de guardia:

—Llévame delante del comandante Baena.

—No está.

—Dilo otra vez.

Un poco extrañado repitió el oficial:

—No está.

441

— Dilo otra vez.

El oficial respondió mandándolo a hacer gárgaras, aunque a la manera soldadesca, es decir con expresiones menos pulcras. Entonces el desconocido sonrió y dijo conciliador:

— Anda, llévame a ver a Baena. Yo sé que está en el cuartel. Lo sé porque no te atreves a negarlo tres veces. Cada cual tiene su sistema y ése es el mío.

Como yo no estaba tuvo que esperar. Cuando llegué me enseñó unas credenciales y me dijo que necesitaba treinta fusiles para un "trabajo especial". Yo me acordé de Earl y de los cuatro muertos al lado de la carretera de la Sureda.

— No, no se los doy. Usted comprenderá que no voy a desarmar la guardia cada vez que llegue un individuo con un trabajo especial. Además, los trabajos especiales me repugnan. De modo que puede volverse por donde ha venido.

— ¡Dígalo otra vez!

— Perdone, compañero, pero no me da la gana.

Al mismo tiempo pensaba que si me peleaba con aquel individuo no tardaría en verlo incorporado a la guardia personal de Verín. Para dulcificar la cosa añadí:

— ¿Usted sabe las armas que tiene en este momento la división? ¿No lo sabe? Pues yo sí. Y no nos sobran.

Desorientado por mi respuesta dijo Ricardo — ése era su nombre — que necesitaba hablar con Verín y se fue escaleras arriba con el oficial de guardia.

A las cuatro tuvimos la reunión de oficiales en la sala capitular. Yo presenté el nuevo comandante a los cuadros, tarea oficiosa que no era indispensable porque todos lo conocían. Verín hizo un breve discurso mojándose los labios a cada paso mientras yo recorría una por una las caras de los oficiales y trataba de descubrir sus reacciones. Verín no tenía predicamento a pesar de todo. Ni le hacía falta mientras lo respaldaran los rusos. Estaba con la cruda del vino del día anterior y su voz salía como del fondo hueco de una artesa.

Todavía aquella noche vinieron otras gentes, entre ellas Sonia y Berard. Aunque Berard debió acostarse borracho en una de las celdas del convento, cuando yo me levanté al día siguiente ya no estaba. Se había marchado. Era un adicto a las fugas matinales. Yo deduje que dormía poco y mal. Trataba de definir su insomnio. ¿Será un insomnio de espía? ¿O de verdugo? Para mí la realidad de Berard seguía siendo fantasmal. Su imagen se iba haciendo compleja y sin base. Fluida, ingrávida y sin fondo.

Comenzaron a llegar algunas armas a Pinarel, pero en muy pequeña cantidad. Sólo traían uno o dos modelos para que la gente se instruyera. Las demás armas habían llegado al sector, pero nadie sabía dónde estaban. El mismo Verín parecía ignorarlo.

Teníamos en la planta baja algunas ametralladoras de tambor del tiempo de la guerra de Crimea, que se encasquillaban a cada paso. Otras de modelo alemán con cinco cañones giratorios dentro de un grueso tubo y dos rueditas que les daban el aspecto de un juguete de niños. Los oficiales miraban aquellas ametralladoras con recelo y pensaban en la *ayuda rusa* con asombro. Pero nadie se atrevía a decir lo que pensaba, en aquellos días.

Trajeron media docena de morteros anticuados. Yo no comprendía tanta parsimonia y recordaba las palabras de Michael: "No se fían ni de su sombra".

A cada paso se veían las diferencias entre la mentalidad rusa y la española. Cuando las hordas moruecas se sublevaron dimos las armas al pueblo — armas modernas, nuevas y eficaces — sin preguntar a nadie su nombre. Los rusos, a pesar de ser suyos los comisarios y muchos de los cuadros, a pesar de saber que los once mil hombres eran voluntarios y que las armas que nos daban eran viejas y poco eficientes, recelaban y no querían entregarlas hasta que estuviéramos frente al enemigo y obligados a usarlas para defendernos de él. La primera línea estaba sólo a seis kilómetros, pero Pinarel no era todavía "el frente" para los efectos de seguridad de la NKVD.

Michael, que a pesar de todas sus amenazas seguía en la división, vino a verme y añadió a sus informes anteriores otros más sombríos:

— No entregan las armas a la división porque el jefe de estado mayor — y tocaba mi pecho con el dedo — no pertenece al partido y les resulta peligroso. Tú, sí. Dicen que tienen demasiados amigos en los cuadros.

Seguía hablando Michael y yo pensaba una vez más: "Todo eso se lo cuenta Vera". Aquella mujer se estaba jugando su fea cabeza y yo tenía una sombra de envidia por aquel amor secretamente heroico. Al mismo tiempo me decía: "Si los rusos pueden ser tan indiscretos como Vera, su peligrosidad dismi-

nuye un poco. Ya veremos, decía un ciego". Y por una asociación bastante boba me acordaba de aquel ciego a quien yo
servía de celestino durante el baile en el asilo pocos días antes de la guerra.
Qué cosas tiene la vida.

Libro cuarto

XX

Entre el material de instrucción teníamos un tanque ligero ruso bastante mezquino. La artillería ligera enemiga pasaría aquellos blindajes — en tiro directo — como si fueran de cartón. Cuando Verín me preguntó qué me parecía el tanque yo dije que por lo menos protegería a sus ocupantes contra la lluvia y el sol.

— Esos tanques son rusos — dijo muy solemne.

Añadió que el material soviético era el mejor del mundo. No se pudo extender mucho en la materia porque como tenía que ir a la ciudad preguntó si los coches estaban listos y se fue con sus guardias de corps.

En la sala de la OMECC donde estoy diciendo estas cosas — en medio de un silencio de veras reverente — un secretario dice:

— Le ha sido comunicado al epígono el deseo de la asamblea de que haga uso de la palabra al menos una vez. El informe de Javier Baena seguirá después de esta experiencia, que esperamos que sea muy breve.

El secretario se calla y el búho cruza la sala en un vuelo blando en el que se advierte una vez más la suavidad de las plumas remeras. Se instala al pie de un ventanal que tiene jambas con molduras de piedra rosácea.

Desde la pantalla el adalid dice, sin mirar al público, puesto que no sabe dónde está ese público ni puede verlo:

— Uuuuuuuh. Una organisma de la cruzada contra el cisma.

Esa lamentable figura levanta en el aire la mano donde tiene la mosca y la contempla largamente. Parece hinchar el pecho con una larga aspiración y va echando el aire despacio, como una foca. En la sala hay algunas risas, pero la mayor parte de la gente considera el espectáculo desagradable. El francés que está a mi lado dice:

— ¡Qué vitalidad de caimán!

Pero comienzan a oírse los ejercicios digestivos — con el aire que traga regularmente el reo — para mantener los intestinos en uso y como la cosa es desagradable se apresuran a cortar el sonido.

Yo espero sentir el reflector sobre los ojos antes de reanudar mi informe.

Se oye la voz de un secretario:

—Como ven ustedes el preso no consigue articular una idea. Sólo dice incongruencias. Satisfecho el deseo de algunos delegados, Javier Baena sigue en el uso de la palabra.

Yo vuelvo a mi informe:

—Pasamos los quince días que nos quedaban completando la instrucción con los modelos de las armas nuevas y por fin un día llegó la orden. Una orden del comité militar mosculari y no del Gobierno.

Era un día de sol amarillo, ancho cielo y encinas muy negras. Un día de apólogos como los del Conde Lucanor. Un día para incubar epopeyas, me decía yo pensando retóricamente — porque a veces uno piensa retóricamente. En la orden del comité había un error, un gazapo, notable. En lugar de "la orden del Cuerpo" refiriéndose al cuerpo de ejército, decía "la orden del Cuerno". No era extraño porque la *n* y la *p* son vecinas en la máquina de escribir.

Pero no estábamos para melindres gramaticales.

Poco antes del oscurecer, las tropas, todavía sin armas, se instalaron al amparo del terraplén del ferrocarril de Los Juncos esperando órdenes. El comandante estaba en la ciudad con misiones políticas *importantes*. Una de ellas se llamaba Joaquina y otra Juana. Una morena y una rubia, como en la zarzuela. Había que desquitarse de antemano de las molestias del día por si no quedaba ocasión después. Eran las previsiones delectables que yo había buscado otras veces, también antes de la batalla, con Ariadna.

En el cuarto de equipajes de la estación de Los Juncos, el mismo donde había estado presa Ariadna, yo daba con algunos jefes de unidad los últimos toques a la operación. Hacía frío. Nos soplábamos las manos. La estación estaba deshecha por las bombas, pero se habían salvado algunos edificios. De vez en cuando alguien se acercaba con una cafetera y llenaba nuestras tazas. A los soldados les habían distribuido un brebaje negro sin leche ni azúcar.

Mientras preparábamos el ataque — en ausencia del comandante — yo recelaba de los aviones enemigos y miraba de vez en cuando un arbolito que se veía al otro lado de una ventana. Cuando las ramas se movían, me alarmaba pensando que el viento podía barrer las nubes y limpiar el cielo. Era tiempo de luna llena. El comandante Verín me había dicho que la tropa debía estar concentrada en aquel lugar hasta que llegaran las armas. Una orden por teléfono, es decir sin testigos ni comprobantes. Si el enemigo nos bombardeaba desde las nubes y destruía la división me exigirían responsabilidades. Yo no podría demostrar que había cumplido órdenes superiores y Verín probablemente se haría el sueco. Estas reflexiones tan deprimentes comenzaron cuando vi a mi lado a Michael. La presencia de aquel hombre me hacía un efecto desmoralizador porque recordaba sus presagios.

Alrededor de los mapas íbamos señalando las etapas de la acción. El terreno era llano y había pocas colinas. La tierra con el frío estaba dura y la superficie seca y mineral. No había niebla. El ataque sería frontal y duro. La operación iba a ser combinada con otras dos divisiones. Nosotros estábamos en el centro.

A medianoche quedaron los planes ultimados. Michael iba a ocuparse de los tanques de gasolina, que estaban alineados detrás de la estación y camuflados con ramas y trozos de arpillera pintada. Siendo tan importante la gasolina quería yo saber en cada instante dónde estaban los tanques y qué pasaba con ellos. De paso trataría Michael de escuchar a los agentes rusos.

Dos grupos de artillería pasaron en las sombras para tomar posiciones a un lado de la carretera de Los Juncos cerca de nuestra antigua casa. El capitán era un mequetrefe de Cádiz que se había jugado la vida en cien ocasiones sin perder su ligereza trivial. Envié a Michael a decirle que no me taponara la carretera con el fuego de contrabaterías. Lo había hecho en una ocasión.

Poco después llegaron los tanques. Eran veintiséis, cada uno tripulado por un conductor que manejaba la ametralladora y un artillero que iba detrás, de pie. Habíamos quedado en que formarían a lo largo de la calle principal de una aldea en ruinas — en la línea de ataque — y esperarían mi llegada. Los equipos de comunicaciones fueron también a la aldea e instalaron en las sombras los teléfonos con las baterías y con el estado mayor de cada flanco.

Llegaron por fin los fusiles, las ametralladoras y los morteros. Se distribuyeron en la oscuridad a medida que los batallones iban saliendo vía adelante. Esta tarea nos impidió a los jefes dormir un par de horas que nos habrían venido muy bien.

Cerca de la madrugada llegó Verín, como siempre, con un grupo de consejeros rusos y guardias de corps. Volvimos a la estación y nos reunimos otra vez alrededor de los mapas. Uno de esos guardias de corps llevaba colgada del hombro la pistola ametralladora de Verín en su estuche de madera. Otro llevaba la cesta llena de botellas. Un tercer custodio llevaba en un cinto de cuero una bolsa de hule con el libro de operaciones y colgados del cuello los gemelos de Verín. Éste no llevaba más que los guantes de lana en una mano y el cigarrillo en los labios. Laudable desembarazo si hubiera de servirle para algo.

Cuando terminé de exponer sobre el mapa los movimientos correspondientes al primer día de operaciones pregunté a Verín si estaba de acuerdo. Él miraba los mapas vagamente y mascullaba alguna frase sin sentido:

— ¿Las armas están distribuidas? Bien. La operación comenzará al amanecer.

Volví a preguntar si estaba de acuerdo o si sugería alguna modificación. Verín se volvió hacia mí:

— Ya te dije que sí, que estoy de acuerdo.

Era mentira. No habíamos hablado antes, de aquello. Los oficiales profesionales miraban a Verín esperando algún comentario. Yo, dándome cuenta de que Verín había bebido, me atreví a decir:

— Si te parece dirigiré la operación por lo menos hasta el mediodía — yo calculaba que entonces estaría sereno.

Saqué un bloc cuyas hojas estaban numeradas y fechadas. Verín no sé si estaba de acuerdo con el plan de ataque, pero discrepaba en un detalle de importancia:

— Creo — dijo — que la operación debo llevarla yo desde este momento y tú puedes subir a la línea y quedarte a cargo de los teléfonos y en contacto con los flancos por si acaso. Los teléfonos son lo más importante en una ofensiva.

A un lado de la sala hablaban los rusos entre sí. Michael ponía atención. Yo miré a los jefes de unidad. Había silencio en todas las caras y estupor en algunas. Yo no estaba de acuerdo con las palabras de Verín:

— A cargo de los teléfonos — dije — está un sargento de ingenieros.

— Bien, entonces — concedió Verín — quédate en la línea, vigila la artillería y los tanques y yo llevaré la operación hasta las doce. Entonces vendrás tú a relevarme.

Esto tampoco tenía sentido. ¿Relevarle? La desconfianza iba ganando a los jefes de unidad, que seguían mirando fijamente

a Verín, y yo pregunté al comandante para facilitar las cosas:
— ¿Te das cuenta de la posición de nuestros flancos en el momento de comenzar el ataque? Si he de relevarte debemos ponernos antes completamente de acuerdo.
Estábamos delante de un mapa. Le pasé el lápiz.
— ¿Quieres señalan la posición de esos flancos?
Verín marcó un punto. Un punto al azar. Un solo punto. La posición de los flancos debía señalarse en el mapa con dos líneas curvas de más de medio metro de extensión. Y Verín había marcado un punto como la maculatura de una mosca. Luego levantó el rostro y miró a los rusos. El silencio se hizo más denso y penoso. De pronto nos dimos cuenta de que el jefe, el enamorado filial del Vodz, el hijo predilecto del padre infernal, no podía leer un mapa.
Uno de los comandantes de batallón — un profesional ya maduro — se llevó las manos al vientre y se dejó caer sentado en el suelo. Otro dijo — sin dejarse caer — que "la cabeza le daba vueltas" y que no creía que estuviera en condiciones de subir a la línea. El primero decía que debía tratarse de un ataque de apendicitis. No era que tuvieran miedo. Les habría sido más fácil — si se tratara de miedo — hacer aquellas comedias antes a solas conmigo y sin esperar que estuviéramos todos reunidos. Tenían pánico a la responsabilidad que les caía encima.
Yo me hice el sueco y pregunté a Verín:
— ¿Tienes algo que decirme?
— No. Al amanecer comenzará el ataque. Eso es todo.
— ¿No hay preguntas? — añadí dirigiéndome a los jefes de unidad.
Nadie dijo nada. Algunos me miraron como pensando: "¿Qué preguntas? Todas las respuestas nos las han dado ya y no pueden ser más siniestras". En el suelo se quejaba el comandante de uno de los batallones. Entre los otros había caras largas y ojos sombríos. Desde aquel momento yo comprendí que la operación sería un fracaso. Si con los mayores cuidados y previsiones podía fallar, ¿qué sería en las condiciones nuestras de incuria? Verín no sabía nada ni parecía importarle sino la parte espectacular. De vez en cuando alzaba la voz y miraba a los rusos. Era una especie de *prima donna* ocupada sólo del espejo. El espejo era el Kremlin. Yo dije, doblando el mapa:
— Entonces cada cual a su puesto.

Los rusos fumaban en un grupo aparte.

Salieron todos los oficiales menos Michael y los dos enfermos. Uno de ellos se acercó y me dijo en voz baja:

— Prefiero que me fusilen a ir al ataque con Verín. Ese comandante es imbécil.

Yo le dije:

— Tienes toda la razón. Es imbécil. Vete al hospital.

Poco después se me acercaron los rusos. Uno de ellos me dijo, señalando a Verín, que estaba con Justiniano en un extremo de la sala:

— Un gran comandante, ¿no es verdad?

Yo le dije:

— Tiene razón. Un gran comandante.

Cuando el ruso se alejó me dijo Michael:

— Lo que estás haciendo no es honrado, Javier.

Yo le respondí:

— Tienes razón, no es honrado.

Michael pareció indignarse, pero de pronto se dio cuenta de que en aquellas condiciones era lo único que yo podía hacer y sonrió. Luego salió, despacio. Se acercaba Verín.

— Ya ves — me decía, dramático —. Se me han dado de baja dos comandantes.

Era como si dijera: "¿Tú crees que yo merezco una desatención como ésa?". Yo no salía de mi asombro viéndolo reaccionar de un modo tan comedido.

— Tienes razón — le dije —. ¿Por qué no los fusilas?

Verín se dio cuenta de mi sarcasmo, soltó un juramento y se fue. Mientras yo me guardaba los mapas, el coche con Verín y sus amigos, incluidos Justiniano y el "ingeniero", salió a toda marcha. Detrás en otro coche iban los rusos. Yo me quedé en tierra. Yo solo, en la puerta, con mis bolsillos inflados de papeles, el mapa plegado en quince o veinte dobleces que empezaban a romperse. Me sentía en una situación ridícula que me recordaba los films de Chaplin. "Lo han hecho a propósito — pensé —. Lo han hecho porque no estoy en el partido." No debía quejarme. A otros por esa misma frívola razón los habían matado. O los iban a matar más tarde.

Había una motocicleta cerca y su ocupante antes de arrancar se estaba acomodando la carabina a la espalda. Me acerqué y ocupé el sillín de atrás.

— Mira a ver — le dije — si puedes pasar a aquel coche.

La carretera estaba llena de vehículos y nuestra motocicleta se deslizaba entre ellos mejor que el coche de Verín. Pensaba yo en Michael, que siguiendo mis instrucciones evitaba acercárseme y hablarme en público.

Rebasamos el coche de Verín cuando otra moto que venía en dirección contraria frenó y se detuvo. Era el comandante ruso de los tanques que venía a darme la novedad. Le gustaba conducirse de un modo formalista:

—Los tanques —me dijo— han llegado al punto de partida y esperan órdenes.

—Desplieguen en dirección suroeste para dispersarlos por si aparece la aviación enemiga y sigan esperando.

El ruso viró en redondo delante de nosotros. Yo pensaba: "Ese hombre está descansado y fresco. Ha debido dormir". Aceleramos porque el día llegaba con rapidez y la operación debía comenzar a la hora prevista con minutos y segundos.

En cuanto llegué envié a las baterías partes escritos: "Rompa fuego sobre los objetivos señalados a las siete en punto".

Antes había que desplegar las fuerzas que llegaban a cubierto de la vía del tren.

Los movimientos primeros fueron saliendo bien. Aunque la dirección de la operación *la llevaba Verín,* yo iba dando las órdenes porque estaba seguro de que si no lo hacía yo, no lo haría nadie. Verín iba y venía, bebía un trago y de vez en cuando blasfemaba y preguntaba:

—¿Dónde está Baena?

Habíamos decidido que nuestra aviación de bombardeo no iniciaría el ataque hasta que la infantería se hubiera puesto en marcha precedida por los tanques rusos. A las siete y cuarto el fuego se concentraba sobre los lugares señalados, y quince minutos después salieron los tanques con sus secciones de infantería detrás. Entonces —toda la maquinaria ya en marcha— me retiré al puesto de mando dejando la operación en manos de Verín.

Llamé a los Pomares para que la aviación despegara. Me contestaron que los equipos de bombardeo necesitaban órdenes de la dirección de aeronáutica dependiente del Ministerio de la guerra. Fui a decírselo a Verín —él me había asegurado que todo estaba listo en los Pomares— y Verín comenzó a gritar diciendo que iba a fusilar al ministro de la Guerra. Se veía que aquel primer tropiezo iba a costarnos caro. "Esta es —me decía — la primera sorpresa del día. Ojalá no haya otras." Por otra parte parece que el famoso hilo directo con el Vodz no funcionaba.

La artillería tiraba muy bien.

Yo pensaba con una resignación melancólica que los aviones enemigos llegarían en cualquier momento y no tendríamos nada que oponerles.

Habían instalado la centralilla de teléfonos en el sótano de una casa en ruinas. Allí estaba también el equipo de reparaciones de las líneas telefónicas.

El telefonista había recibido ya algunos partes del grupo primero de artillería. Acababa yo de leerlos cuando apareció Verín con tres rusos, uno de ellos Ivan, el de la cabeza monda. Delante de ellos tomaba Verín un aire napoleónico:

— Hay que darse prisa — me dijo — porque si no van a llegar antes que nosotros los de Bustillo.

Éste — Bustillo — era el que mandaba la división de nuestra derecha.

— Ellos tienen objetivos distintos — dije yo —. A donde nosotros vamos no llegará nadie antes ni después.

Verín se inclinó a ver los partes y volvió a salir con los rusos. Desde el primer peldaño de la escalera me dijo:

— Ya sabes. Al mediodía me relevarás.

Con aquello quería decir que por el momento no debía tratar de intervenir en la operación, ni mucho menos dirigirla. La verdad es que no la dirigía nadie. Verín daba por descontado que iba a ser un gran éxito y lo quería todo para él, es decir — hay que ser justos — para el partido. No puedo comprender cómo esperaba un éxito si todo anunciaba la catástorfe.

Se oyeron motores de aviación y cuando salía pensando que podrían ser nuestros aviones estallaron dos bombas cerca. Por fortuna no eran mayores que las bombas de mortero. Pero al otro lado de la calle en ruinas había dos heridos del equipo de comunicaciones. Más abajo vi el tanque de gasolina número dos cubierto a medias por un árbol. Acudieron a auxiliar a los heridos y volví a la centralilla a ver qué noticias había sobre los otros depósitos de gasolina. Cuando terminó el bombardeo llegó el parte de Michael: *Sin novedad.* Las baterías estaban también intactas, aunque había algunos artilleros heridos y uno muerto. El primer muerto del día. La cosa no iba todavía demasiado mal.

454

Me senté al lado del telefonista. Fuera se oían las voces de Verín. En aquel momento Michael llegó indignado.

— Esto no hay quien lo entienda — dijo —. Tres batallones han ido sobre objetivos falsos.

Tenía un raspón de granada en la cara — alguna esquirla pequeña — y se había puesto una tira de tafetán.

— Los dos batallones — decía — cuyos comandantes se dieron de baja y el sexto han ido sobre objetivos que eran para la segunda fase de la operación, es decir para mañana. Los van a aniquilar.

Comenzaban las sorpresas. A Verín se le habían ido de las manos tres batallones. Poco después volvían rechazados los restos de dos de ellos. El otro, el sexto, se había incorporado a la acción de Bustillo, cuya división avanzaba de acuerdo con el plan.

En aquel momento llegaba el oficial ruso de los tanques:

— Seis tanques han rebasado el pueblo de P. y han encontrado y *pasado* tres baterías ligeras. Esperan órdenes formados en arco al otro lado de la aldea. Hay un tanque perdido.

— ¿Cómo es eso?

— Lo han incendiado arrojándole gasolina desde los tejados. El conductor y el artillero eran rusos.

A aquel oficial se le veía bastante escéptico en relación con Verín y quería entenderse conmigo. Los aviones enemigos volvían. Salí en busca de Verín en una motocicleta y tardé en encontrarlo. Los rusos que lo acompañaban estaban fuera de sí porque creían que los batallones nuestros que habían sido rechazados y volvían eran tropas enemigas que contraatacaban. Uno de los rusos venía sobre mí agitando las manos en el aire:

— Hay que tomar alguna medida.

Me lo decía creyendo realmente que estábamos perdidos.

— Tranquilícese — le dije —. Esas tropas que vuelven son nuestras.

Eso de *tranquilícese* no le gustó. El comandante Verín amenazaba con fusilar a media humanidad. Luego añadía:

— ¡Y los de Bustillo se nos han adelantado!

El ruso hablaba del contraataque enemigo. Yo le expliqué que no había tal contraataque. Eran tropas nuestras rechazadas. Él me miraba con la boca abierta. Le dije a Verín que el batallón sexto había establecido contacto con la infantería de Bustillo y trabajaba con ellos. Esto acabó de sacarlo de quicio. Juraba por su madre que al comandante del sexto batallón iba a empalarlo vivo. Bustillo no era paramoscovita. Yo cambié una sonrisa con el ruso Ivan. La sonrisa de él era de admiración y la mía de ironía. Las dos se referían a Verín. Volví a mis teléfonos pensando que todo estaba perdido. Y así fue por lo menos el primer día.

Verín andaba intrigado por lo del tanque:

— ¡Yo no he visto que se haya perdido! Necesito alguien que lo haya visto. Un tanque es un tanque y además es un tanque ruso. ¡Un tanque ruso no puede perderse!

Me miraba con recelo como si yo me lo hubiera comido, el tanque.

La aviación nuestra no llegó. Ni bombarderos para ablandar las posiciones contrarias, ni "cazas" para protegernos de los bombarderos enemigos. Resultados del maquiavelismo de Verín. Encontré en el sótano nuevos partes. El contraataque del enemigo había comenzado y se extendía.

Salí y busqué al comandante de los tanques. Pudimos maniobrar con ellos y mientras la artillería concentraba fuegos sobre el sector "equivocado" — el que debíamos atacar al día siguiente —, se pudieron reagrupar las fuerzas. Con bastante dificultad. En todo caso el plan inicial estaba deshecho y no podíamos hacer otra cosa que tomar medidas defensivas, al azar. Mi situación era absurda. Mandaba la operación Verín, pero cuando las cosas iban mal venían los rusos y el mismo Verín a que las enderezara yo.

Mientras enviaba instrucciones a las baterías llegó Verín al sótano dando órdenes a algunos oficiales:

— Hay que hacer un escarmiento.

Los "escarmientos" de Verín consistían en hacer fusilar soldados inocentes. Tal vez *culpables de inocencia*. La ejemplaridad según la escuela del padre infernal.

— Salgan y cumplan mis órdenes — gritaba Verín.

Los otros salieron y yo le pregunté:

— ¿Qué órdenes son ésas?

Salí y antes de llegar a la calle oí una descarga de quince o veinte fusiles. "Ya está", pensé. Lo peor era que el mismo Verín hacía aquello por vanidad. No dirían de él: *es un imbécil*, sino *es un monstruo*. Él lo prefería, como cualquier hijo de vecino.

456

Por fortuna no habían fusilado a nadie todavía y las descargas eran contra un avión de reconocimiento. Pero un pelotón de infantería llevaba a los presuntos reos contra el muro. Éstos, que iban desarmados y con las manos sueltas — sin atar —, al darse cuenta de lo que se trataba se pusieron a cantar una canción revolucionaria. Entre los que cantaban había un sargento y dos soldados amigos míos a quienes había conocido en el bosque de Pinarel. Yo creo que algunos soldados del pelotón no sabían aún de qué se trataba. Me dirigí al oficial y le ordené que fuera con su gente a cubrir la retirada de una sección de ametralladoras que se defendía con dificultad. Lo dije como si ignorara que el pelotón tenía otras órdenes. El oficial vaciló un momento y como a él tampoco le gustaba actuar de verdugo se apresuró a obedecer. Uno de sus sargentos era Galo, el del Cristo del Caloco. En cuanto a los presuntos reos me miraron asombrados. Les devolví las armas y les dije:

— Tratad de uniros a la gente de Bustillo.

Les expliqué más o menos cómo y dónde la encontrarían.

Bajé al sótano. La centralilla seguía recibiendo partes. Todo funcionaba mejor o peor, menos Verín. Éste creía que los fusilamientos se habían llevado a cabo y se ponía más conciliador conmigo. Pero los aviones bombardeaban otra vez nuestras posiciones y un tanque de gasolina ardía. A medida que avanzaba el día iban tomando las cosas un aire más confuso y las líneas previstas en los mapas se deshilachaban. Entretanto las alas derecha e izquierda habían cubierto sus objetivos y el ataque sólo fallaba en el centro, es decir, en nuestro sector. Si el enemigo no empujaba más en el contraataque era por miedo a verse envuelto por los flancos. Menos mal. No debía tener organizada la defensa "en profundidad".

A las dos de la tarde todo estaba fuera de control. Nadie sabía lo que sucedía en ninguna parte. A media tarde un batallón entero llegó desordenadamente buscando camiones vacíos para escapar. Fue difícil contenerlo.

— ¿Y los rusos? — pregunté yo a Verín.

— No sé. Bastante hago con saber dónde estoy yo.

Se habían marchado los rusos. Estaban seguros de que el contraataque sería duro y no querían esperar. Además debían tener hambre y nosotros sólo podíamos ofrecer raciones frías.

Los de Bustillo me dieron por teléfono la noticia de que el comandante del sexto batallón — el batallón nuestro que se les había incorporado — había muerto en la línea. Poco después llegaba Justiniano con sus pequeños ojos de lechuza estriados y fijos. Yo me puse a darle instrucciones sobre la situación de las unidades, los tanques de gasolina, las baterías y los depósitos de municiones. Cuando Justiniano estuvo al tanto comenzaron a llegar los partes nocturnos. Hasta el batallón "perdido" nos envió sus noticias a través de los teléfonos de Bustillo. Confirmaban la muerte del comandante. Con todos los partes reunidos y en manos de Justiniano, en quien tenía yo una extraña y arriesgada confianza a pesar de todo, le dije al comandante Verín:

— Bueno, me voy.

— ¿Tú?

— Sí. No te preocupes. No tengo ataque de apendicitis alguno. Tampoco me doy de baja. Pero hay que tomar el puesto del comandante muerto. Voy a cubrir esa baja. No puedo hacer nada mejor, creo yo, por el momento.

— Tú te vas para no estar conmigo. Y eso es una puñalada trapera.

— No es cosa de enzarzarnos ahora en palabras, pero me alegro de que lo comprendas.

La base de Bustillo estaba a diez kilómetros por una carretera bastante segura, aunque había sido batida todo el día por el enemigo. Busqué un coche. Cuando me dirigía al de Verín oí su voz detrás:

— Mira, Baena, comprendo que estando en desacuerdo como estamos no debemos seguir juntos. Es verdad. Pero quédate esta noche aquí. Quiero que me redactes un parte sobre el tanque desaparecido. Te suplico que te quedes.

— Justiniano puede hacer eso.

En las sombras de la primera noche se veían detrás de Verín las caras expectantes de sus amigos. Verín estaba indignado, no sólo porque me iba, sino porque me iba a un sitio de peligro. Yo comprendí que habría preferido Verín tener algún pretexto para echarme encima a la policía política.

Yo me negué y Verín añadió:

— Pues en mi coche no te irás.

— Es igual. Me iré a pie.

Y eché a andar. Hacía falta verdadero heroísmo para una cosa así, pero también para quedarme. Verín podía acabar conmigo fríamente y tal vez Justiniano. Michael y Vera sabían por qué.

458

Verín no me odiaba ni yo a él. Era un galleguito ordinario en tiempos de paz y un alma rendida al Vodz y esclava — como los antiguos siervos de la gleba — desde que comenzó la guerra. Detrás de mí dejaba yo a los paramoscovitas, al partido, a los moscularis; dejaba el nombre de Earl, los informes de Justiniano e incluso — tal vez — la historia extraña del muerto abandonado en una cama de la Sureda. Dejaba también quizá los micrófonos ocultos — si los había — y al pequeño secretario general del partido paseando por el cuarto con las manos en los bolsillos y repitiendo:

— Tenemos que hablar, Baena, pero ahora no es posible porque nos esperan los coches.

Comenzaba a comprender que la guerra no interesaba realmente a los paramoscovitas, quienes estaban dispuestos a sacrificarnos. Sólo algunos españoles conocían bien este doble fondo de la cuestión. Verín era uno de ellos. Yo estaba seguro de que conocía los secretos designios del taciturno Vodz. Cada vez que Verín me pedía que me quedara a dormir allí aquella noche yo me veía dormido y con una pistola moscularis en la frente. Earl, el fantasma de Earl, estaba quizá detrás de todo aquello. La muerte a mí no me asustaba gran cosa, pero me molestaba la idea de que se creyeran más listos que yo. "Voy a demostrarles que soy menos estúpido que ellos. Y luego me iré con Ariadna a alguna parte." Siempre hay alguna parte en el mundo adonde ir. Me sentía un poco fracasado, pero no vencido del todo. Había perspectivas, aún. Y si no las había me gustaba inventarlas, delinearlas en mi fantasía.

Caminaba en las sombras de la noche hacia las posiciones de Bustillo y al llegar al lugar donde teníamos emplazada la última batería del sector tomé el teléfono y a través de nuestra propia centralita conseguí la conexión con él. Le dije que iba a hacerme cargo del batallón que había quedado sin jefe y Bustillo pareció receloso:

— Estos no son momentos para venir con intrigas — dijo —. No lo digo por ti, sino por Verín. Te advierto que si quieres llevarte el batallón tendrás dificultades porque está integrado ya en nuestra división y trabaja con nosotros. Ahora, si no es cosa de Verín ven cuando quieras.

Dije a los artilleros que iba a ver si un tanque perdido estaba por allí y salí caminando en las sombras. Pronto los perdí de vista. Los artilleros debieron quedarse llenos de dudas viéndome a mí — el jefe de estado mayor — solo y a pie por aquellos lugares.

Una parte de la carretera, hacia la segunda mitad del trayecto, había estado en poder del enemigo aquella mañana. Yo sentía en las sombras como si hubiera caballos muertos, pero de pie y todavía piafantes, sobre todo en la dirección del campo enemigo. Era miedo, pero una especie de miedo infantil con el que se podía jugar.

Y allí estaba yo para unirme a un batallón en contacto *interstcial* — era ésta una expresión que yo empleaba para indicar que nuestras unidades habían perforado en distintos lugares la línea enemiga. De momento lo único que tenía que hacer era llegar a mi destino. Debía ver a Bustillo y luego subir a la línea. Era un descanso, caminar. Me sentía ligero y sin peso. Y por hacer algo recitaba para mí:

> *En suma es fácil que intenten*
> *algo más y lo consigan,*
> *que vengan entre dos luces*
> *y que me quiten la vida.*
> *Pero mi muerte, ah, mi muerte*
> *es y será siempre mía,*
> *no hay quien me la quite ni*
> *quien se atreva a discutirla...*

Era noche cerrada. En algunos lugares a mi izquierda y a una distancia de dos o tres kilómetros se veían incendios de mata baja y arbustos. En las sombras de la noche el fuego tomaba a lo lejos un aspecto parecido al de una ciudad iluminada. El fuego en la noche es muy decorativo. No se ven palpitar las llamas ni se ve el humo. El fuego es neto, inmóvil y suele tomar formas geométricas con una tendencia a la simetría como si quisiera ponerle a la noche de pronto sartas de coral y rubíes.

Los reflejos de aquel fuego daban a una nube baja un tono rosáceo. Era aquella nube como un gran echarpe de muselina.

A veces se oía sobre mi cabeza pasar una bala. Un *pst* rápido, casi siempre quince o veinte metros por encima, sin peligro. Es decir con la dosis indispensable de peligro para dar una sensación voluptuosa.

Vi dos muertos al lado de la carretera. En el borde, a la izquierda, sobre el pavimento blanco. En su estólido y tremendo reposo.

Los dos con el estigma ya de las cosas inorgánicas.

¿Por qué los muertos nunca nos inspiran piedad, sino una especie de fría inhibición? Ellos han muerto ya y nosotros no queremos morir aún. Y eso es todo.

XXI

Con los muertos de guerra yo me daba cuenta de lo que tenemos de carnal los hombres. En los hombres yo no veía nunca
—en tiempo de paz—sino formas morales. Un hombre inteligente o tonto, franco o torvo, dañino o benigno, turbio o
claro, complejo o simple, generoso o rapaz. Nunca veía en el
hombre, por decirlo así, su entidad carnal. En los muertos de
guerra me daba cuenta de pronto de que eran y habían sido
antes que otra cosa, carne. Carne vulnerable.
Seguía caminando. Lejos se oía una ametralladora. Una buena
ametralladora que no disparaba sino ráfagas cortas de cuatro
o cinco tiros. Los buenos tiradores de ametralladora no sueltan
nunca ráfagas mayores.
Viéndome a mí mismo en aquel instante caminando a pie sin
haber dormido en dos días conjeturaba si mi escape de la división era o no el reconocimiento público del fracaso. No podía haber hecho otra cosa. No era bastante fuerte para pelear
yo solo contra los enemigos francos de enfrente, los enemigos
cautos de al lado y los vigilantes de detrás. Yo no era un vencido. Iba a otro terreno en donde me fuera posible todavía la
maniobra y tal vez la victoria. Alguna pequeña victoria.
Esta reflexión me hacía gozar, en cierto modo, de mi desgracia.
Y seguía caminando. Había un poste de telégrafo caído, pero
los hilos estaban enteros aún. Una granada había arrancado el
poste de cuajo. Tuve una reflexión práctica: "Este poste cruza-
do en la carretera impide la circulación de los vehículos. Corta
la carretera. Voy a sacarlo de ahí". Probé a levantarlo yo solo.
No podía. Seguí mi camino, extrañado de haber tenido de mis
fuerzas físicas una idea tan excesiva.
Cerca de la base de Bustillo pensaba: "¿Qué clase de persona
será?". Nos tuteábamos sin conocernos —por teléfono—, cosa
bastante frecuente en aquellos tiempos. Pensaba en otras cosas
tediosamente triviales, pero en la guerra nada es de veras te-
dioso y nada es tampoco de veras interesante. Me preguntaba
quiénes serían los soldados de la división a quienes mi marcha
perjudicaría directamente.
Y seguía oyendo alguna bala que pasaba muy por encima de
mí. Un objeto móvil y amenazador, en las sombras. De ese ob-

jeto dependía que yo me convirtiera en un poco de materia inerte como la de los muertos que había dejado atrás. Yo relacionaba las balas con los insectos zumbadores, con las abejas por ejemplo, con las abejas laboriosas, danzantes y elocuentes. Tenía sed. No había agua a mi alcance y no la encontraría hasta llegar a la base. Vi otro muerto a un lado de la carretera. La primera vez que vemos un muerto caído al aire libre nos da la impresión de que es sólo un manojito de harapos. Cuesta trabajo darse cuenta de lo que es y una vez sabido es difícil darle la espalda y seguir adelante. Supuse que tal vez aquel muerto tenía una cantimplora colgada de la cintura, con agua o vino. Pero me habría dejado morir de sed antes que ir a investigar.

Seguí adelante y poco después llegué a mi destino.

Tenía Bustillo su estado mayor en una casa que estaba todavía de pie, un antiguo palacio de piedra con balcones volados y aleros saledizos. Bustillo me recibió afable y sonriente. Su expresión parecía la de un comerciante próspero. Había dos teléfonos sobre la mesa y otro en una caja de cuero llena de hilos y bobinas. Entre dos balcones había una copia de un fragmento del Entierro del Conde de Orgaz con grandes cabezas de expresión lastimosa. Era Bustillo un hombre maduro, saludable y discretamente satisfecho de sí. En cuanto me vio comenzó a hablar:

— Me ha llamado Verín para decirme que tú estás agotado y que no debo permitirte reemplazar al comandante muerto. Yo no sé qué pensar. Parece que estás fatigado y se ve que no has dormido en algunos días. Pero ya digo que no sé qué hacer. ¿Tú qué dices? Habéis tenido mala suerte en la operación de hoy, pero así son las cosas. Otro día os irá mejor. Verín cree que estás inhábil para el servicio. Yo creo que exagera. ¿Qué dices tú?

Yo buscaba tabaco para la pipa.

— Si puedo dormir cuatro o cinco horas me levantaré fresco y fuerte.

Comencé a contar lo que había sucedido en mi división, mientras fumaba. No dije nada contra Verín. Cuando terminé me fui a dormir a un cuarto contiguo sin esperar a que Bustillo hiciera sus comentarios. Yo comprendía que en medio de nuestro fracaso no le disgustaba que mi división hubiera quedado mal porque así destacaba más el trabajo de la suya.

Me solté las cuerdas de las botas y me dejé caer en un colchón que había en el suelo. Sentí un gran deseo de estar al lado de Ariadna, aunque no podía decir que la quisiera como en los tiempos de Pinarel, o que la quisiera simple y llanamente. Cuando yo no me quiero a mí mismo no puedo querer a nadie. Necesitaba de ella y eso era todo. A Sonia la recordaba con codicia, pero antes que la hembra veía en ella el agente ruso. Un instante antes de dormir tuve tiempo todavía de pensar que tal vez yo me desinteresaba cada día más de la guerra y de la política de la guerra. En aquel instante me habría gustado estar lejos del frente, pero no exactamente por miedo y ni siquiera por la incomodidad de la guerra, sino por una sensación creciente y verdaderamente angustiosa de esterilidad.

Desperté al día siguiente en medio de un fuerte bombardeo. Después de tomar una taza de café y un panecillo llamé a Verín por teléfono, pero no estaba y en su lugar se puso Justiniano. Le pregunté cómo iba la cosa por allí.

— Están pegando fuerte — dijo como si tuviera yo la culpa.

Le pedí que me enviara los tanques llenos de gasolina y municiopes. Con ellos y el batallón sexto me encargaba de restablecer la situación.

— Espera — dijo —, que aquí viene Verín.

Al ponerse al teléfono Verín comenzó disculpándose. Luego dijo:

— Tú estás agotado y necesitas descanso, Baena. Ayer se lo dije a Bustillo.

Trataba de situarse por encima de nuestras dificultades. Yo le dije que necesitaba los tanques y que si los enviaba inmediatamente y su artillería abría fuego sobre el lugar X durante media hora, antes del mediodía estaría la situación restablecida. Pero insistía en tener los tanques inmediatamente. Al mismo tiempo me preguntaba si a los paramoscovitas les interesaría de veras que la situación se restableciera. Le di razones tácticas que no comprendió. Todavía Verín vacilaba:

— ¿Cuántos tanques?

— Todos. Veinticinco.

Eso le recordó el tanque perdido y se puso a hacer extremos de condolencia. Un tanque ruso no podía perderse. Eran máquinas perfectas. Además, mientras no lo viera no aceptaría que se hubiera perdido. Ocurrían cosas raras en la guerra. ¿Dónde estaría aquel tanque? Eso era lo que él quería saber.

Luego volvió a preguntarme por mi plan táctico. Yo pensé que si se lo exponía con detalles corría el riesgo de que el enemigo se enterara porque en aquel caos podía tener algún hilo conectado con nuestra red. Y dije:

— En serio. No me preguntes más y mándame los tanques ahora mismo. En diez minutos deben estar aquí. Todo se puede salvar.

— Si sale mal la operación te fusilaré.

— Conozco esa música, Verín. Todo Cristo conoce esa música en tu división.

Colgué el teléfono pensando que Verín era capaz de escuchar. Milagros del abandono de los rusos — que habían salido de estampía la tarde anterior. Cuando ellos lo dejaban solo, Verín se humanizaba. Y los rusos no era fácil que volvieran. Consideraban el lugar inseguro.

Salí en busca de Bustillo. No lo encontré. El bombardeo de la aviación enemiga no lo había despertado. Estuve vacilando antes de tomar una determinación porque no estaba seguro de que el batallón sexto me obedeciera sin órdenes de Bustillo, sobre todo en una misión difícil. Decidí esperar.

Media hora después estaban allí los tanques. Venía con ellos por fortuna el comandante ruso con el que solía entenderme. Traía una comunicación de Verín que prometía comenzar a tirar con toda su artillería inmediatamente. Y así fue.

Dejé una nota a Bustillo diciendo lo que íbamos a hacer y salí con los tanques. Yo pensaba: "Si el enemigo tiene organizada la defensa en profundidad estamos perdidos. Si no tiene fondo vamos a hacer un trabajo rápido y brillante". Por la conducta del enemigo el día anterior suponía que no tenían preparada aquella defensa.

La operación salió como una seda. Costó trabajo romper la línea enemiga, pero abrimos por fin una brecha de medio kilómetro por donde metimos el batallón cubierto por los tanques. Rota la línea encontramos detrás poca resistencia y el caos fue notable entre las fuerzas enemigas. El cielo estaba cubierto de nubes, lo que nos facilitó los movimientos y redujo los de la aviación morueca.

Cuando la gente de Verín vio la situación despejada avanzó y al caer la tarde habíamos tenido una victoria completa. Encontré a Michael por casualidad en un lugar del campo que era exactamente el que Verín había marcado el día anterior al azar con el lápiz sobre el mapa. Se lo dije y Michael apretó los dientes:

— Ese zascandil, cabeza de cemento.

— Estaba borracho.

— En estado normal habría hecho lo mismo. O peor. Pero yo no he venido a decirte esto, sino a abrirte los ojos. No hay peor ciego que el que no quiere ver.

— ¿Qué pasa?

Me dijo Michael que los rusos seguían ocupándose demasiado de mí. Estaba rebosante de confidencias:

— Oí también a Verín decir por teléfono hablando con el cuartel general mosculari que tú saboteabas la disciplina y habías impedido el fusilamiento de un pelotón de cobardes. Y luego los enviaste al sector de Bustillo. Que estimulabas las deserciones. Ten cuidado, Javier. A veces pienso que eres imbécil y otras que eres un suicida. Estás en la boca del lobo y no quieres verlo.

Yo me encogí de hombros.

— Esa gente — dije — puede matarnos a ti y a mí y a cualquiera de nosotros impunemente.

— Es verdad.

— ¿Puedes tú evitarlo? ¿Qué puede hacer un individuo aislado contra el Vodz, sus agentes, los alemanes, los italianos, los moruecos y — añadí riendo — la *morisma infiel?*

No sabía Michael quién era la morisma infiel y por un momento creyó que me refería a Sonia. El equívoco me divirtió. Luego pregunté:

— Si es verdad lo que tú dices, ¿por qué Verín me trata con tanta consideración?

— Para no levantar la pieza. Para no asustar a la caza. Quieren tenerte a mano y confiado hasta el momento de arrinconarte y darle al gatillo.

Y hacía con el dedo el gesto de accionar el de una pistola.

¡Verín! Probablemente se daba cuenta de que en mi confianza y en mi descuido había un desprecio y una superioridad naturales. Y ésa era mi única arma por el momento. ¿Qué diría cuando le enviara el parte detallado de la operación? Perdí dos tanques, destruidos por el fuego directo de las piezas del 7.5. Dos granadas les acertaron de lleno, pasaron los blindajes de un costado, estallaron dentro y mataron a los tripulantes. Los tanques quedaron deshechos. Al principio yo no entendía lo que pasaba con aquellos tiros rasantes. Las granadas iban a estallar ocho o diez kilómetros detrás contra unas colinas. Yo me preguntaba qué era lo que aquellos artilleros tirando por baterías, a toda prisa, trataban de destruir en aquellas colinas con tanto ahínco. Por un instante anduve desorientado.

En fin, tomamos unos trescientos prisioneros y bastante material.

Pero Verín estaba fuero de sí con la pérdida de los tanques. Se llevaba las manos a la cabeza y le decía a Justiniano:

— ¡Ya son tres! ¡Tres tanques rusos!

Justiniano era un hombre de máscara impasible. A veces le temblaba un párpado y eso era todo. Verín añadía:

— ¡Tengo que verlos con mis propios ojos!

No comprendía yo la manía de confirmar las pérdidas de tanques visualmente.

Como era imposible esa clase de confirmación, Verín envió el parte al cuartel general después de dármelo a mí a corregir. El comunicado fue una obra maestra de vanidad. Tenía la virtud de ponerse a sí mismo por las nubes y de no citar a nadie más y mucho menos a mí. La cosa era de una injusticia tan monstruosa que daba risa. Y en su misma comicidad el absurdo hallaba su disculpa.

Aquella noche hubo una reunión de jefes de unidad para tratar de los tanques perdidos. Para Verín aquellos tanques no habían sido destruidos por el enemigo — siendo rusos tenían que ser invulnerables —, sino escamoteados, huidos al campo contrario o quién sabe adónde. Con la euforia de la victoria hizo un discurso bastante fluido:

— El interés primordial de nuestros grandes aliados rusos es evitar que una parte del material de guerra que nos envían caiga en manos del enemigo porque ocho horas después ese material está en manos del estado mayor de Berlín. El segundo interés primordial — había dos intereses primordiales, al parecer — es que no se filtre ninguna clase de material de guerra desde el frente a zonas de la retaguardia incontraladas — con eso quería decir "no moscularis". Los poderosos tanques rusos gracias a los cuales...

Pero llegaron comunicaciones de la ciudad. Comunicaciones urgentes llamando a Verín para un *mitin de masas*. Esos mítines eran como los tedéums del enemigo después de sus victorias.

Antes de marcharse el comandante, varios jefes pidieron la palabra. Uno de ellos había sido ayudante mío y no podía tragar a Verín.

— Yo creo — dijo — que el enemigo no tiene nada que aprender ni imitar de los tanques rusos. Son máquinas defectuosas. Ese tanque ligero ruso no ofrece bastante masa para el retroceso del cañón. No creo que resistan mucho después de hacer cincuenta disparos. Comenzarán a desintegrarse.

Verín a medida que escuchaba iba poniéndose pálido de ira:

— Un tanque ruso no se desintegra.

La reunión terminó sin llegar a un acuerdo sobre los tanques.

En la ciudad el partido de los paramoscovitas presentaba a Verín como un héroe legendario. Bustillo se reía viendo todo aquello. Nombraron a Verín jefe de cuerpo de ejército. Como Verín no había tenido animadversión personal contra mí — aparte de los incidentes de los tanques rusos vulnerados — recabó y consiguió que me hicieran comandante de la división. Lo malo era que me habían impuesto a Justiniano como jefe de estado mayor y que mi división pasaba a formar parte del cuerpo de ejército de Verín, quien por lo tanto iba a seguir mandándome. Bustillo no acababa de creer lo que veía y cuando me miraba parecía pensar: "Ya sabía yo la noche que llegaste que traías gato encerrado". Pero no decía nada. Me consideraba tal vez un tipo maquiavélico, peligroso. Entretanto yo pensaba: "Verín me da el mando de la división porque quiere tenerme a mano". No era sólo su interés, sino el interés de los rusos. ¿Para qué?

Yo estaba tan asombrado como Bustillo. "Cosas como ésta — pensaba viendo a Verín mandar cuarenta mil hombres — van a ser nuestra ruina, pero ¿qué podemos hacer?" Como he dicho, los rusos no se habían planteado nunca la necesidad de la victoria. Pensaban que había otras combinaciones mejores que esa victoria, para ellos. La verdad era que el triunfo de los paramoscovitas en España, si llegaba por haberse convencido el Vodz de que nos convenía, tampoco nos resolvería problema alguno. Estaríamos peor que con los moruecos. Y a la vista del laberinto político que ellos iban urdiendo no podíamos evitar por el momento la reflexión de que lo ideal habría sido entenderse los españoles de los dos bandos sobre los cadáveres de los Luceros del Alba y los Verines. Pero los caudillitos en un lado y los pequeños Vodz en el otro crecían como los hongos después de las tormentas. Por el momento esa reflexión — la unión nacional contra los imperialistas extranjeros — care-

468

cía de base y de posibilidades. Pero me daba cuenta de que ésa era también la obsesión de los mosculáris. Y hacían todo lo posible por prevenirse contra ella y evitarla.

El que salió de todo aquello loco de alegría fue Michael.

— Pero ten cuidado porque te la tienen jurada.

No sé si se refería a los mosculáris o a los moruecos de enfrente. Su entusiasmo le dio una idea rara. Yo creo que en aquellos días Michael, por influencia de Vera, estaba cambiando. Vera hablaba mal de los rusos y como ella era una rusa más, Michael se quedaba pensando que no todo el mundo ruso bajaba la cabeza ante el Vodz. Aquello le animaba — le hacía sospechar que había democracia en Rusia — y por una alteración de perspectivas lo acercaba inconscientemente a los mosculáris. Yo estaba atento al fenómeno y lo dejaba hacer.

— Ten cuidado — me repetía —, porque en todas partes hay *razvedka*.

Razvedka es espionaje.

Se obstinaba en enseñarme ruso. Alzaba una mano en el aire con el puño cerrado y un dedo libre y vertical:

— *Raz*.

Luego ponía dos en V:

— *Dva*.

Después liberaba otro dedo con una expresión triunfal. Ya eran tres:

— *Vziali*.

Yo miraba la enorme sortija de sello que llevaba y al darse cuenta Michael me explicaba que no la llevaba como adorno, sino como arma. Un puñetazo con la sortija de sello era temible. Y volvía a decirme los números. A mí el número cuyo nombre me parecía más cómico era el cuatro: *chitiri*, o algo así. Ahora no lo recuerdo.

Nuestras líneas quedaron rectificadas hacia adelante y por el momento estabilizadas. Yo me rodeé de mis incondicionales imitando a Verín, entre ellos un oficial a quien había salvado de la ejecución días antes. Pero Justiniano me imponía su miserable presencia.

Normalizada la situación a veces me llamaban a la ciudad y tenía entrevistas con el general jefe del sector. Me dijeron que iban a enviarme un equipo especial de fortificaciones. Yo habría preferido aprovechar la victoria con nuevas maniobras, pero como digo los rusos no querían la victoria. Lo que querían era

469

mantener indecisa la balanza española para jugar a la guerra o a la paz según sus intereses con Alemania.

Al llegar un día al estado mayor del sector me encontré otra vez con el secretario general de los paramoscovitas. Parecía más débil, más frágil y más honesto que nunca. Su pequeña cabeza era también más pálida bajo la boina negra. En cuanto me vio me dijo:

— Vaya, Baena, me he enterado de que todo va bien en tu sector gracias a Verín, pero tú has perdido tres tanques rusos, ¿no es eso?

— No — le dije secamente.

Al llegar a este punto de mi declaración en el abadiado el presidente de la OMECC golpea la mesa con el martillo y dice:

— Algunas personas que pertenecen a las subcomisiones desean hacer preguntas.

Desde un alto ventanal entra sesgado un rayo de sol en el que flotan miriadas de partículas de polvo. A veces atraída por la claridad llega a ese camino luminoso una mosca que parece de oro. Y se la ve revolcarse en la luz. Otro rayo de sol se quiebra en la vidriera inmediata, resbala por el saetino de plomo y pega una oblea dorada al otro lado, en la sillería.

Oigo la primera pregunta que el presidente lee en un papelito:

— ¿Usted tenía en su división a Justiniano? ¿Y lo encubría? Quiero decir, ¿encubría su cuádruple crimen?

— ¿Les extraña a ustedes? Yo había pensado más de una vez en denunciarlo, pero ¿a quién? Los moscularis respaldaban a todo el que mataba. Y comenzaban a demostrar que eran más fuertes que las autoridades españolas. Por lo demás entonces todo el mundo hacía cosas que no iban con su carácter. El carácter es en gran parte resultado del convenio social, y ese convenio, es decir la ley, estaba roto. No necesito advertir que nunca permití a Justiniano acercarse al hospital de sangre ni tratar con nuestros heridos. Sospechaba que era un loco sádico.

— Podría haber intentado la denuncia, a pesar de todo.

— Es verdad, pero veía en los ojos de Justiniano algo peor que lo que podía sucederle con mi denuncia. Esperaba que él mismo se castigaría. El tiempo me desmintió y al darme yo cuenta tuve que tomar la iniciativa como diré más tarde.

El presidente parece vacilar un momento, alza la cabeza, mira

470

la sala a lo ancho y a lo largo, baja la vista y lee algo en otro papel. Luego consulta con un secretario en voz baja. Encima de él, más al fondo, sigue el sillón de la infanta Palmatoria vacío. El presidente alza la cabeza con aire soñoliento y dice:

— ¿Quiere usted contestar a las preguntas siguientes? ¿Pensaba usted sobrevivir a la guerra?

—Naturalmente, uno piensa sobrevivir, siempre. Aunque a veces estaba seguro de que me iban a matar. ¿Quién? Bueno, concretamente nadie. Me mataría la vida como a cada cual. Tal vez el enemigo, en acción. Y posiblemente yo mismo. No es que pensara suicidarme. Nunca he pensado en eso de un modo deliberado, pero a veces llega una voz misteriosa de algún rincón de uno mismo y dice palabras tentadoras. En aquellos días esa voz la oía a menudo. Veía tantos embustes a mi alrededor que tenía ganas de descansar en una verdad. En la verdad última.

— Es una reflexión extraña en un militar.

— Yo no he sido militar nunca. He sido un civil armado.

Se oyeron rumores en la sala. El presidente sale un momento del estrado. Mientras tanto se ve la figura del feto sobrealimentado en el fondo sobre la superficie blanca de la pantalla de vidrio.

Mi vecino francés dice:

— ¡Cuántas enseñanzas vivas en esa guerra de ustedes!

Poco después vuelve el presidente y me indica que puedo continuar con mi declaración. Yo carraspeo, miro a la tribuna donde Ariadna espera mis palabras y vuelvo a mi informe:

— Ya dije que querían estabilizar el frente en aquel sector. Tenía yo en mi división un jefe de ametralladoras que se llamaba Pontejos y que se pasaba el tiempo fabricando teorías tácticas de tiro ilustradas con dibujos. Su manía más importante era la de cruzar fuegos, lo que no era extraño en un oficial de ametralladoras. Dibujaba mal, pero al menos en sus dibujos había una gran claridad y algún detalle cuidadoso. Además sabía algo que Verín ignoraba: leer mapas. Los hacía con la escala al pie y las cotas marcadas con exactitud. Era un poco mitomaníaco y a veces inventaba cosas que a él mismo le parecían ciertas después.

En mi trinchera, aunque parezca raro, yo seguía con las costumbres de los tiempos de paz. (Tenía el puesto de mando en

471

una casa detrás de las líneas, pero me pasaba el día con los soldados.) Había hecho pequeños descubrimientos. Naturalmente nadie sabía nada de ellos. Cuando caía alguien herido de muerte, mientras lo atendíamos lo mejor posible yo ponía atención a lo que decía y recogía sus palabras o sus balbuceos. No era sólo una curiosidad como la de las voces del bosque después de las tormentas, sino también una defensa porque el espectáculo de la muerte de un compañero me habría dolido demasiado si no superara mi dolor con alguna clase de curiosidad intelectual.

Los balbuceos de todos los heridos de muerte solían tener una congruencia muy rara, siempre superior a lo que hacíamos o veíamos. Eran balbuceos lúcidos e inteligentes. Incluso en los heridos en el cráneo. En éstos una parte de los reflejos desaparecían, pero la fuente del intelecto se refugiaba en las partes sanas y seguía en acción. Llegué a la conclusión de que el cerebro era lo último que moría en todos nosotros. Probablemente muchos muertos, después de la muerte somática, sueñan aún durante algunas horas o algunos días.

Hubo en aquellos días un incidente muy feo en mis líneas. El aprovisionamiento se interrumpió. Llamé por teléfono al intendente jefe, un militar profesional, quien al día siguiente me envió comida para mí y para el estado mayor. Yo le acusé de querer producir una reacción subversiva en mis líneas dando de comer a los oficiales superiores y no a la tropa. Viéndose perdido el capitán intendente declaró que hacía aquello por instrucciones especiales y secretas de la jefatura del partido — yo pensaba en el comandante Verín. A fuerza de preguntas capciosas logré que dijera el nombre de mi cordial enemigo. La policía envió un *exhorto* judicial a Verín, quien contestó diciendo que era mentira y que el capitán de intendencia era un saboteador a quien había que fusilar.

Fusilaron sin más al pobre oficial, hombre de cabello gris y piel de un amarillo hepático. Era paramoscovita reciente, de los que se acercaban al partido para encontrar seguridad, y no podía comprender la catástrofe que se le venía encima por su obediencia al partido y por las declaraciones de Verín. Yo no tenía la menor duda de que el pobre hombre decía la verdad. La primera verdad le costó la vida.

Antes de ser fusilado se reveló como un espiritista y teósofo y prometía a los soldados visitar a sus parientes muertos y darles noticias de ellos. Yo andaba más alerta que nunca. Para no descubrirme dándome por aludido tenía que hacerme el tonto, lo que era fácil porque los paramoscovitas están siempre dispuestos a creerlo, de los demás.

Hacía semanas que estaba sin noticias de Sonia ni de Ariadna. Entre los que me rodeaban no había nadie que conociera a la rusa ni supiera nada de ella. Yo callaba y esperaba. A veces venía Michael, que estaba pasando por una de sus crisis antimoscovitas más violentas. Tenía un cuadernito con tapas de hule en el que apuntaba las cosas que oía o aprendía sobre los moscularis. Lo apuntaba en taquigrafía inglesa para que nadie lo entendiera más que él, según me dijo.

Era una especie de diccionario unas veces irónico, otras humorístico y otras sarcástico. He aquí algunas de las definiciones que recuerdo:

Materialismo histórico. — Doctrina según la cual se toma la realidad, se la desfigura y se la obliga a adaptarse a un esquema preconcebido. O se toma un hombre, se le corta una pierna, un brazo, la mitad de la cabeza, hasta poder acomodarlo exactamente al molde hecho por los bonzos del Kremlin.

Centralismo democrático. — Principio según el cual los moscularis de la boina permiten hablar a los indígenas para mostrar su adhesión incondicional. Tienen los paramoscovitas indígenas libertad para adherirse a lo que dicen los moscularis del Vodz, después de demostrar que lo han comprendido bien.

Obstruccionismo. — La tendencia de algunas gentes imprudentes a decir las cosas como son.

Internacionalismo. — Doctrina según la cual los moscovitas tienen derecho a llevarse las máquinas españolas y el oro y la plata españoles a su país y los obreros españoles deben dejarse matar por el Vodz para que los burócratas de Moscú puedan seguir esclavizando a los obreros rusos.

Izquierdismo, derechismo, centrismo. — Cosas que son virtudes o vicios según se produzcan dentro o fuera del Kremlin.

Demagogia. — Ciencia que hay que aplicar de una manera dialéctica, es decir sin creer nunca en lo que se dice. El que cree lo que dice cuando adula al pueblo es un necio idealista. (A menos que sea el Vodz.)

Ya digo que Michael tenía otras definiciones que en este momento no recuerdo. Sus notas fueron creciendo y comenzaron a ser un problema porque no podía llevarlas consigo y tampoco tenía dónde esconderlas. Un día se dio cuenta de que alguien había andado en ellas. Las quemó tal vez tardíamente y yo le dije que estábamos en una época donde no había lugar para la ironía ni tampoco para el humor. Ni siquiera para investigar sobre la vida de los insectos. Porque mis juegos con las abejas se habían hecho sospechosos también.

En aquellos días recibí un exhorto judicial — del juzgado militar del cuerpo de ejército — pidiéndome declaraciones escritas sobre el oficial que en lugar de fusilar a un pelotón había escapado a las filas de Bustillo. Era una obra maestra de coacción indirecta y de perfidia.

Yo lo rompí y traté de pensar en otra cosa. Cuando se lo dije a Michael, mi amigo brooklynita se quedó dudando:

— ¿Firmaste algún recibo cuando te entregaron el exhorto?

No había firmado nada. Menos mal. Michael parecía hombre prudente, y desde aquel momento, a partir de aquella pregunta sobre mi firma, confié más en su cautela y previsión.

Fui a la ciudad. Los bombardeos continuados la habían destruido en parte y habían endurecido mucho a la población civil. Aquel día era gris. Los días típicos de aquella ciudad eran grises con una llovizna fina y el suelo mojado y brillante. Caminar por el parque yo solo y sin prisa era el único lujo que podía permitirme en aquel tiempo. No había niños en el parque. El parque sin niños adquiría como una dulzura desolada.

Pero estamos en el paraninfo del abadiado del Campo de Marte hablando a la asamblea de la OMECC. Me escuchan en silencio. Tal vez el público encuentra mi informe pálido y en general menos interesante que el de Ariadna. Habla Ariadna con símiles más atrevidos y rasgos más coloristas. Además es mujer y el público está formado por hombres. Es natural.

Sigue Ariadna en su tribuna, ahora con el velo alzado sobre la cabeza. Parece insensible a la atención o a la indiferencia de la sala.

Yo me callo para descansar.

En la pantalla está todavía la figura del hombre enterrado debajo de su monumento. Tiene algo de la reina Batra de Homero. Es decir, de batracio blando y sin formar. El secretario de actas pone el sonido en la pantalla y se hace un silencio completo. Yo trato de oír también.

Tiene el monstruo todavía los brazos levantados por encima de la cabeza, como en un gesto de baile. Muy flacos. El antebrazo ha perdido el vello, las axilas también. Parecen los brazos de goma o, mejor, de masa de harina cruda, y dan la impresión de que pueden doblarse en cualquier dirección.

Tal vez el preso mismo tiene una impresión parecida y quiere comprobar que dentro de la carne hay huesos. Con una mano tantea los de la otra, sube hacia la muñeca y trata de identificar el cúbito y el radio. Luego su boca se alarga en forma de trompa y se distiende por el lado izquierdo. Es su manera de sonreír. Alguien habla a mi lado. Dice que el adalid es inteligente porque trata de conservar en uso sus intestinos tragando aire.

El hombre gordo de mi derecha cree que así y todo sus intestinos llegarán a ser poco a poco reabsorbidos.

— En cuanto a los huesos — añade tomando un acento doctoral —, tal vez se han descalcificado lentamente y no me extrañaría que fueran blandos como la misma carne. Los huesos de un muerto pueden conservarse muchos siglos porque son ya materia mineral, pero los de un vivo si no se alimentan van perdiendo su dureza y pueden llegar a reblandecerse. Claro es que ese hombre no los necesita como tampoco los necesita la oruga. ¿Para qué? Es posible que viva sin ellos muchos años.

El adalid dice algo. Todos callan y en el silencio se oye:

— Cúbito y falangina. Radio y falangeta...

Luego emite un largo siseo por la nariz (*Sssss...*) como el de un vagón del metro cuando pierde el aire de los frenos. El vecino gordo dice:

— Todo él es pulmones.

Cerca de mí alguien declara que sería piadoso matarlo. Yo no lo creo. Todo lo que vive en la naturaleza desea seguir viviendo y tiene derecho, porque mantiene alguna forma de perfección gracias a la cual la vida le es debida y nadie en el mundo tiene derecho a destruirla. Además es necesario repetir que ese hombre no sufre. Se ve a sí mismo en los espejos, tantea sus huesos con placer y no vive solo. Vive — lo digo en serio — con una mosca, esa Cristobalina de la que hablé antes. El poeta Rivero escribió unos versos sobre el caso. No recuerdo exactamente, pero comenzaban diciendo con un ritmo de habanera:

En la cripta vivía el adalid
acompañado de una mosca viuda.

A la hora en que suelen soltar los gases nutricios en su celda se le ve respirarlos con avidez. Y de vez en cuando palpa los muros pensando que encima de aquellos bloques de mármol está su misma figura en tamaño natural. No. Ese monstruo expiatorio y respiratorio es feliz. Y repite de tarde en tarde con voz femenina: *¡Caray!*

El presidente me pregunta:

— ¿Prefiere usted dejar para mañana el final de su declaración?

— yo digo que sí —. Entonces se suspende la sesión. Mañana por la mañana se reanudará con el informe de Javier Baena, al cual seguirá la contrarreferencia de Ariadna, la testigo áulica. Los varones decimales seguirán siendo los mismos hasta el final de las tareas de la asamblea, y si algunos comités lo desean pueden obtener la reproducción exacta de las palabras de Ariadna y Javier en las cintas sonoras y en cualquier idioma de los anunciados en la agenda oficial.

Finalmente el presidente nos da las gracias a Ariadna y a mí.

La gente va saliendo a los pasillos. Yo me deslizo hacia el museo religioso tratando de evitar a los curiosos que quieren hacerme preguntas.

Anochece y por los vitrales de los corredores entran vagas luces que se tiñen de amarillo y de rojo.

No me detengo en el museo, porque un paje femenino me da la siguiente nota: "Voy a tu casa, Javier. Te esperaré allí, si no tardas demasiado. — Ariadna".

Salgo de prisa y cruzo la explanada del Campo de Marte sin llamar la atención. El Lucero del Alba me reconoce y grita haciendo bocina con las manos:

— Venga usted, Baena. Venga a ver lo que han escrito aquí al pie del monumento. Aquí, con tiza de colores para que sea más escandaloso. No sólo insultan al epígono, sino también a su progenie. ¿Qué culpa tiene su progenie?

Eso es verdad, pero me excuso y sigo mi camino. Cuando me veo en la avenida que conduce a mi casa las luces eléctricas que formaban letreros parecen más compactas. Hay como lingotes de oro o de esmeralda entre las palabras.

No veo a nadie por la calle. Pronto estaré con Ariadna. La compañía de la mujer nos proporciona el placer de la soledad completa. Un hombre es media soledad nada más. Y hay en esa media soledad una gran melancolía. Con la mujer, nuestra soledad es perfecta y deleitante.

Para mí el amor es la identificación con la soberbia complejidad de la naturaleza. El amor es el milagro natural. Yo creo que no debemos amar con el amor intelectual, moral y afectivo más que a la Nada o al Todo. Desear a la mujer y amar a la Nada. Proteger a nuestros hijos y amar al Todo. Acompañar a los tristes y amar al Infinito. ¿A Dios? Bien. Es cuestión de nombre. Matar a nuestros enemigos sin odio en la guerra y amar a Dios. Amarlo más cuando menos sabemos quién es — y ni siquiera si existe.

Yo no necesito amar. Mi amor por todos los seres humanos a quienes he tratado en mi vida no ha sido más que un amor intelectual. Suelo pensar: "Los pobres han nacido como yo, sin deseo expreso de nacer. Han nacido y pasan por la vida atareados desarrollando sus aptitudes y adquiriendo alguna nueva en la medida que les es posible. La tarea más importante es la de aprender a morir. Tratemos de no estorbarles en ese tránsito y en esa tarea". He pensado eso al verme delante de los otros, de todos los otros, menos de Ariadna.

Algunas flores del reguero que corre en el encintado de la acera están cerrando sus corolas para dormir. "Mañana al amanecer — pienso — volverán a abrirlas."

Ariadna tiene una llave con la que puede entrar en mi casa. Y la usa muy pocas veces. Hace años que no la ha usado.

Cuando abro la puerta y entro no es Ariadna quien me espera, sino Berta. No puedo disimular mi decepción y ella se da cuenta y ríe. Ríe con los ojos, con la boca, con el pecho, con el estómago, con el sexo. La del sexo es una risa vertical.

— Pones una cara tan estúpida — dice — que no puedo evitarlo. Firmé la nota con el nombre de Ariadna porque sabía que era la única manera de hacerte acudir.

Y vuelve a reír. Cuando logra tranquilizarse me pregunta lo que he dicho en la asamblea, pero está prohibido divulgar las tareas de la OMECC y prefiero callarme. Berta trata de contener la risa y no puede. Es Berta muy diferente de Ariadna. Después de haber estado hablando de sí misma un buen cuarto de hora sin que yo la escuche, cubro sus labios con los míos y entonces ella dice con la voz del que despierta de un sueño pasando un brazo detrás de mi cabeza:

— Tú eres el único que me entiende en este mundo, Javier.

Ya digo que no he escuchado nada de lo que ha dicho. Pero la he besado. Era todo lo que ella quería.

Habla Berta de sí misma. Siempre habla de sí misma, en contubernio escandaloso con su propio espejo. Entretanto yo pensando en la asamblea de la OMECC me encuentro como fuera de la realidad. Dice Berta:

— Eres un caso raro. Tal vez alguien se equivocó y te dieron un cuerpo que no te correspondía, un planeta que no era el tuyo, una constelación equivocada. No eres partícipe serio ni responsable de esta vida de la que sacas tantas dulzuras. Yo sé que te gustan en la vida las cosas que no han existido nunca. Y son las que buscas. Pero transiges calladamente con todo lo demás.

— ¿Y tú?

— A mí me basta con lo que toco y veo — dice ella mostrando su cuerpo depilado como el de una estatua de mármol —. Ten cuidado, Javier. Esas cosas que no han existido nunca son las que te matarán un día.

Voy a la cocina a buscar algo de comer. Ella no quiere nada:

— No comeré hasta mañana — dice —. Sólo beberé algo. Tengo hambre. Si me ves comer con hambre yo sé que sentirás en mí todo el proceso digestivo. Mientras coma me verás sentada en el retrete. Yo sé lo que es tu imaginación.

Esa es una idea de Rivero y no suya. Rivero se lo ha debido decir porque tiene a veces sugestiones escatológicas. Berta sigue:

— Soy una especie de fantasma, es decir un fantasma plástico. Carne. Sólo carne. Lo sé. Y no quiero que tú te enteres demasiado. Ariadna no es tan hermosa como yo, pero es ella. Tiene esas cosas que tú buscas y que no existen. Lo estás pensando y puedes decirlo. Dilo en voz alta. No me importa. Ella tiene imágenes, ideas, vacíos interiores que tú llenas.

Me levanto a cerrar una ventana por la que entra aire de tormenta y vuelvo al lecho, que es ancho y cuadrado. Callamos los dos. Por fin ella, mirándose al sesgo en un espejo del muro, dice:

— En todo caso tengo ganas de que sea de día.

Siempre tiene ganas Berta de que sea de día. A Ariadna en cambio le gusta la noche. Para Berta la vida es una sucesión de mañanas de sol en las cuales el color de su piel y las proporciones de su cuerpo toman la fragancia y la armonía y toda la clamorosa apelación de las que son capaces.

Vuelve a hacerme preguntas sobre lo que dijo Ariadna y lo que dije yo. Me doy cuenta de que ha venido a casa por curiosidad. Casi todas las decisiones de las mujeres son así.

— Ariadna ha hablado de sí misma y de mí. Yo he hablado de mí y de ella. Pero lo único bueno que ella y yo tenemos, eso no va a entenderlo nadie.

— ¿Qué es? — dice ella mirando su propio pie en el aire.

Yo no respondo. Tal vez es natural que nadie lo entienda ya que lo que yo y ella tenemos de original y genuino no es para entenderlo, sino para percibirlo como un peligro o como una promesa o un rayo de luz o una música o una oración. No es cosa de entenderlo. Berta ha dejado caer un pie y levanta el otro:

— ¿Dices que la segunda reunión será mañana?

— Sí. Pero estoy pensando en los versos que hizo Rivero al hombre del monumento. Aquellos que empiezan:

> *En la cripta vivía el adalid*
> *acompañado de una mosca viuda...*

Berta cree que trato de buscar querella como siempre que me refiero a Rivero. Los ojos de Berta me miran llenos de amor... por sí misma. De un amor que se hace un poco tonto porque ella cree que es una artista genial. Sería mejor que se amara sólo por sus pechos y sus muslos y no por su genio.

Todavía con la pierna desnuda en el aire — una pierna perfecta — ella dice que resiste sobre la punta de sus pies más que ninguna otra bailarina de su tiempo, más que las antiguas rusas, más que la Pavlova. Yo pienso: "Bueno, ¿y qué? Yo he venido a casa esperando encontrar a Ariadna".

XXII

Seguimos en la cama. Berta me mira tan de cerca que no puedo mirarla yo y los dos cruzamos los ojos.

— A ti — dice de pronto — debían haberte matado durante la guerra civil.

— Lo he pensado yo también. Pero Ariadna y yo estamos más vivos que nunca. Para ella y para mí la muerte misma es un elemento integrador de nuestra virginidad. Yo la necesito a Ariadna. Yo la buscaré. Ella y yo...

Berta mueve la cabeza de un lado a otro y repite:

— Ariadna es posible que viva siempre, pero tú no lo creo. Ni yo. Nosotros moriremos, nos enterrarán y se acabó. Sobre la tumba lloverá y crecerá la hierba.

Yo doy la razón a Berta, pero en silencio y para mí mismo. Mientras pienso todo esto Berta mira su propio pie alzado en el aire — todavía — y dice:

— Insisto en que tú no debías haber nacido, Javier. Pero naciste y el error le corresponde a alguien.

Mi caso no es extraordinario. Es el de millones de hombres que tampoco debieron haber nacido, que nacieron por error, por descuido, y que vinieron al mundo sin que nadie los esperara ni los deseara. Aunque ése no es el verdadero problema. El error consiste en algo más sencillo y más complejo.

Berta fuma sentada en el lecho. Al echar el humo por las narices lo hace como los chicos pequeños cuando aprenden a fumar.

Estuvimos juntos hasta avanzada el alba, y a la hora de comenzar la sesión de la OMECC salimos. Yo sé que a Berta le molesta ser poseída una vez más cuando está arreglada y lista para marcharse. Espero a verla maquillada y perfecta y deshago su cuidadosa tarea en un minuto. Es una broma pesada. Se enfada y le gusta. Ella cree que es amor. Todas las mujeres creen que nuestra voluptuosidad y nuestro deseo son amor.

Por fin salimos a la calle. Ella se va en otra dirección aunque piensa ir después, según dice, al museo religioso.

Cuando llego al Campo de Marte el Lucero del Alba, que ha pasado la noche al pie del monumento, me dice algo desde lejos. Yo acorto el paso para que vea que le escucho.

— Se lo digo a usted, señor — me grita —, porque usted pertenece a la falange de los desprevenidos. Es indecente lo que pasa. Los niños vienen aquí a escribir obscenidades en el mármol. ¿Ve usted? Desde que canonizaron al padre Claret...

Me señala unos trazos escritos en tiza amarilla. Otros en rojo y en blanco. Yo no puedo leer desde tan lejos.

— Lamentable — le digo sin saber de qué se trata.

Sigo mi camino. Tengo la impresión de que me acompaña una abeja. Se adelanta quince o veinte pasos, vuelve sobre mí, zumba cerca de mis oídos. "Ya lo sé — le digo —. Tu cerebro está lejos, en la colmena, y desde allí te envía mensajes que tú captas con tus delicadas antenas. Pero esta flor que llevo en la solapa y que me ha puesto Berta ya no está viva. No te interesa porque no está viva."

Natalio se ha quedado atrás y sigue dando voces. Todavía tiene sus bigotes flotantes y su cráneo de vieja calavera mellada. Mellada por un colmillo.

En el abadiado ocupo el mismo puesto que ayer. La sala, llena. Ariadna está hablando cuando entro. Parece continuar la misma narración mía de ayer, pero no es cierto. Habla de Berard. Hace comentarios sobre su relación con Etienne Berard.

— Berard — dice con un acento un poco más cantarín que ayer porque es su acento matinal — era un hombre grande. Grandizo, como dirían las campesinas de nuestra tierra. Físicamente no era moreno ni rubio. Era castaño, unos días claro y otros oscuro según la luz. No era gordo ni flaco. Tenía piernas largas, pero andaba despacio. Estoy segura de que en el frente no era cobarde ni valiente. Debía ser nada más que eficaz. El exceso de celo estaba muy mal visto entre los peces gordos paramoscovitas. Luego supe que no había combatido nunca. Era una especie de burócrata de importancia cuya oficina nadie sabía dónde estaba.

»Tenía una falta completa de donjuanismo. Nunca me hizo la corte ni mucho menos una declaración de amor. Yo tenía ganas de preguntarle a veces si estaba casado, pero es difícil esa pregunta en una mujer. Entonces no sabía nada de su vida privada. Vivía Berard en un hotel que estaba en la esquina de la misma calle Mendizábal, aunque al otro lado del parque. Un hotel de aire romántico para poetas como Espronceda o enamorados como Bécquer. No le iba bien a un hombre tan realista.

»Cuando Javier aparecía en la calle de Mendizábal con su aire hosco y silvestre todos nos quedábamos un poco asombrados. Yo la primera. Había cambiado Javier. Era más esquinado y adusto, más arisco. Nunca solía hablar mucho, pero entonces miraba con grandes ojos quietos y no decía nada. Según veo Javier está otra vez en la sala y supongo que todos esperan que siga hablando él y no yo...»

Me levanto al sentir el reflector sobre los ojos. Desde que he entrado en la sala he buscado en vano el búho en las repisas altas y en los capiteles. No está, o al menos yo no lo encuentro. Detrás y encima de la presidencia el trono de la infanta Palmatoria sigue vacío. El presidente me dice que tengo la palabra y yo balbuceo torpemente tratando de recoger mis recuerdos.

— Aquellos días buscaba a Sonia y no la encontraba nunca. Me rehuía o creía que me rehuía y eso era ofensivo para mi vanidad viril.

Yo había pedido a Ariadna que me ayudara a encontrar a Sonia. Me costó trabajo decidirme a pedírselo. Había en esa determinación algo de veras humillante. Ariadna me miró con una piedad amistosa y citó a Sonia por teléfono en la casa de la calle de Mendizábal.

Luego Ariadna me dijo que estaba embarazada. La noticia pudo ser terrible, pero en medio del dramatismo de las cosas que nos rodeaban fue sólo como una novedad impertinente. El sobresalto de la paternidad llegó, pues, amortiguado.

Aquella tarde estuvo también Berard. Yo fui a la cocina a beber agua y al volver le vi sentado al lado de Ariadna. Me saludó con un gesto como si pensara: "Éste es el de la Sureda". Era cerca del anochecer y la atmósfera de aquella casa, como siempre, nos hacía olvidar la guerra.

Ariadna y Berard estaban hablando entre sí en voz baja como si estuvieran confesándose. A mí me daban ganas de reír. Pero mi situación me parecía menos vejatoria esperando a Sonia, quien me saludó al llegar, indiferente y fría. A Berard y a la rusa les parecía cómodo recalar en aquella casa, ya que pasaban por delante de ella muchas veces cada día. Yo pensé que iban allí como se va al café o al teatro.

Sonia se acercó a la señora del pelo blanco y le preguntó por su madre como una muchachita bien educada. También aquello me sorprendió.

— ¿Vive su madre con usted?

— Sí — dijo la señora, arrellanándose en su silla baja —, pero no sale apenas de su habitación. Es sorda y no se entera de los bombardeos. A pesar de sus años, no crea usted, tiene ideas propias sobre la situación.

— No nos quiere a nosotros, supongo.

— ¿Que no? — dijo Marta escandalizada —. Ella es la más radical de la familia.

— La única radical — corrigió la madre medio en broma, pero con un fondo de severidad.

Entre aquellas palabras de Marta y de su madre yo recibía a veces una mirada de Ariadna como una ráfaga de luz gris, poco brillante aunque muy expresiva. Era como si me dijera: "No te preocupes, ya te contaré lo que me sucede con Berard".

Marta estaba encantadora, aunque yo seguía viéndola tan lejos como a Sirio titilando en la noche. Mis afanes se prendían en los muslos de Sonia que pasaba cerca de mí o en el rumor de la voz de Ariadna al otro lado de la habitación. Junto a su caballete María Jesús con un pincel en la mano se gallardeaba echando atrás el busto. Amparo callaba y hacía labor de punto mirando a veces a Sonia, cuya manera de hablar español la impacientaba y confundía. Matías fumaba en el quicio de la puerta y su cara a la luz eléctrica tomaba sombras verdosas.

Como la pintora necesitaba mucha luz estaban encendidas todas las de la habitación. Según Matías cada lámpara era una pequeña estufa y aquella abundancia de luz calentaba el cuarto.

Yo seguía al lado de Marta, quien me trataba como a un novio potencial de esos que llevan la amada al altar cubierta de velos blancos. Nada hay más dulce que la inclinación de una jovencita española por su *novio potencial*. Todo es nuevo en las miradas, en los gestos. La palabra *novia* viene del hebreo *nub*, que quiere decir fructificar y también aumentar y crecer. El latín la recoge y dice *nubere,* casarse, y de ahí viene núbil y también novio y novia. Pero me gustaba pensar que en la palabra había algo de *nueva, de novedad,* porque todo era nuevo en las miradas, en los gestos de Marta. Algunas de aquellas miradas tímidas, atrevidas, contritas y hasta de vez en cuando desvergonzadas valían por una posesión. La tensión nerviosa mía junto a Marta — con la voz lejana de Ariadna que seguía hablando a Berard — y la presencia inquieta de Sonia no podría describirlas sin ser ridículo y grotesco. La cosa, sin embargo, me parecía muy seria, a mi manera. Marta me deseaba a mí sin darse cuenta. Yo deseaba a Sonia. La joven rusa a Berard y éste tal vez a Ariadna. En Ariadna la cadena quedaba rota. Me gustaba a mí dejar el último eslabón en el aire.

Yo miraba a Marta pensando: "La felicidad es idiota, pero dulcísima". Idiota, dulcísima y de otros tiempos. De otros tiempos y ajena. Siempre es ajena. Lo curioso es que todo el mundo piensa lo mismo. Es ajena para todos.

La señora del pelo blanco charlaba de su tema favorito: las dificultades de aprovisionamiento. Según Amparo no se encontraba nada de comer y Sonia, que estaba sirviéndose café en el *buffet,* dijo:

— Yo creo que hay de todo, en España.

Al lado de lo que la gente suele comer en Moscú realmente España nadaba en la abundancia. Es lo que yo dije. Etienne Berard alzó la cabeza desde su rincón y Marta me tocó la mano con un pincel de María Jesús que estaba secando y dijo:

— No hable. Déjelos que hablen ellos.

Marta no dudaba ya de mi devoción y me dedicaba largas miradas que en una mujer de mundo habrían sido procaces, pero que en una virgen eran angelicales. La providencia nos obsequió con una alarma de aviación. Se oyó una sirena y se apagaron las luces. Naturalmente en las sombras yo abracé y besé a Marta. Al principio no encontraba sus labios. Cuando los hallé sentí que ella — con los míos encima — movía convulsamente la cabeza de arriba abajo. Pequeños movimientos que no podía evitar ni dominar. Yo pensaba: "A esta criatura no la ha besado nadie nunca".

En la oscuridad se oían voces y pasos apresurados. Corrían a los refugios. Marta se abandonaba feliz y su cabeza se movía menos convulsivamente. Yo le decía medias palabras que ella contestaba siempre afirmando. No me oía. Habría dicho que sí a todo. Había nacido para decir que sí. Y yo seguía acariciándola. María Jesús debió oír nuestro aliento alterado y dijo desde la puerta un poco histéricamente:

— ¡Marta!... ¡Marta!

Yo sentía en aquella voz la responsabilidad ridícula de la institutriz. Luego desapareció no por miedo a los aviones, sino para no ser testigo de la abominación. De algo que no podía definir sino con gritos. Marta seguía pegada a mí y los dos con nuestros nervios tensos y encendidos. Yo sentía su corazón bajo mi mano, acelerado y convulso también. Sólo temblaba Marta cuando alzaba otra vez la cabeza para besarme. Naturalmente mis caricias tenían un límite. El límite de las vírgenes. Había olvidado yo a Sonia, a Ariadna, a Berard. Y también la guerra y los bombardeos.

Cuando pasó la alarma y se encendieron las luces comprobé que estábamos solos Marta y yo. Ella se levantó y salió sin mirarme. Escapó y comprendí que se iba llena de vergüenza. La seguí por los pasillos suplicante: "Marta...". Pero ella se encerró en su cuarto con llave. Me quedé solo contra la puerta, vibrante y con los labios secos. Sin embargo pude pensar en Berard y me dije: "Naturalmente, el razonable francés ha llevado a Ariadna al refugio, al sótano". Pero era posible también que se la hubiera llevado a otra parte. ¿Adónde? Pegado a la puerta yo repetía: "Marta...". Dentro, ella lloraba.

Oí detrás de mí la voz de la abuelita sorda. Podía ser sorda, pero no era muda:

— ¿Qué hace aquí? Será mejor que se marche. En mi familia hay bastantes militares y todos son tontos. Maldita la falta que hace uno más. Pero si es un miliciano puede quedarse. Los milicianos son hombres sin condecoraciones ni insignias y hasta sin uniforme, pero se baten. Y son jóvenes. Todos son jóvenes. Ahora bien, Marta no le abrirá la puerta. Es demasiado joven para esas cosas. Sea galante. Venga y deme el brazo. Lléveme al refugio, que yo soy también un ser humano. Con esto de que soy sorda me dejan en mi cuarto, pero no soy ciega y me entero cuando cortan la luz.

Le di el brazo. Quise decirle que la alarma había pasado ya, pero sabiendo que era sorda me pareció inútil. Íbamos caminando hacia la escalera en silencio. De pronto ella se detuvo y me miró de frente:

— ¿Qué le ha hecho usted a Marta? Hum, nadie hace nada, pero ahora en la guerra todos se ponen impacientes. Y ella se ha encerrado en su cuarto. Bueno, vamos al refugio. Los jóvenes sólo piensan en una cosa. Valiente simpleza. Siempre la misma cosa.

Caminábamos otra vez. Llegábamos a la escalera cuando vimos subir a los demás. La señora del pelo blanco no comprendía por qué Marta se había quedado arriba. María Jesús al verme a mí con la abuelita pareció tranquilizarse. Yo buscaba a Ariadna y a Berard pero no aparecieron. Se habían marchado. Cuando pregunté por ellos Sonia se adelantó a decir que habían ido a una reunión cerca de Pinarel en relación con los tanques rusos perdidos. Otra sorpresa. Iban a mi sector — a aquellas horas — sin decirme a mí nada. ¿Por qué iba Ariadna a una reunión si no pertenecía a ningún grupo político? Pregunté:

— ¿Dónde es la reunión? ¿En la Sureda?

— No sé — dijo Sonia —. Es posible.

Yo pensaba en Earl y en aquel muerto que dejamos en la Sureda y que no era Earl, sino Carlos. Nadie me había dicho nada de lo que pasó. Al escritor Hymenroad no lo había vuelto a ver.

Volvíamos al salón. La abuelita hablaba otra vez:

— ¿Es verdad que esa joven Sonia es rusa? Mi padre el general Andrade de Sá fue agregado militar en San Petersburgo y era amigo del gran duque Nicolás. No lo digo por presumir. Un gran duque ruso será lo que se quiera, pero lleva la paja del establo en el pelo. ¿Y usted? — preguntó a Sonia —. ¿Conoció usted al gran duque Nicolás?

— No — dijo ella, aguantando la risa.

La abuela no la oyó, pero la vio negar con la cabeza. Y siguió:

— Lo mismo en Rusia que aquí todos los hombres son tontos. Lo único que hacen es perseguir a las muchachas por los pasillos. No, no, déjame que hable, María Jesús. Yo sé lo que pienso de ti, pero no te preocupes que no diré nada.

Yo quería llevarme a Sonia, pero ella no tenía prisa. Se había tumbado en una otomana y miraba al techo, soñadora. ¿Estaría pensando en Berard? La abuelita añadía:

— La gran duquesa llevaba siempre prendidos en la cabeza y diademas. Tenía una cinturita de sílfide. Y decia: *à la votre.* Trincaba como un cosaco.

Yo me acerqué a Sonia:

— ¿Qué clase de sujeto es ese Berard?

— Tú lo conoces — dijo ella incorporándose.

La anciana me miraba con ojitos de ratón y volvía a hablar:

— Todos los hombres son iguales y la intimidad con ellos no tiene gracia ninguna. Es como caminar en un *fiacre.* Te zarandean de aquí para allá. ¿Y qué? Mucho hay que querer a un hombre para tolerar sus exigencias. Mucho hay que quererlo para poder dormir con él y aguantarle sus deseos. ¡Dios mío, es lo que yo digo! ¿Y nosotras qué? Si los queremos ya se sabe, tenemos que tolerarles lo que quieran hacer. ¡Valiente cosa! Luego sale una preñada, que es la mayor tontería. ¿Qué necesidad tiene una mujer decente de estar preñada?

María Jesús se levantó para marcharse, pero Amparo aguantaba la risa. La abuelita disimulaba un eructo y se dolía:

— No te vayas, María Jesús, rica mía. Te digo que no te vayas. Te prometo no hablar más, si es por eso.

Poco después Sonia y yo estábamos en la calle oscura. La batería que días antes estaba allí había desaparecido. Dije mientras ponía el coche en marcha:

— ¡Qué vieja más graciosa! Parece que es de una familia aristocrática.

Pero estaba pensando en Ariadna. Me preguntaba dónde estaría. También pensaba si Sonia viviría en su apartamento sola o con otros. Si había otras mujeres u otros hombres en su casa estaba yo perdiendo el tiempo.

— Déjame en la ronda del Sur — dijo ella vacilando un poco.

La tomé por la cintura.

— No. Hemos quedado en que iré a tu casa. Esta noche quiero estar contigo. Necesito estar contigo y saber que eres mía.

— Qué bruto. Bueno, vamos.

El coche avanzaba en la noche, sin faros. De una esquina salió una sombra y nos echó el alto. Yo le di la contraseña. Seguimos. Sonia parecía preocupada. Entrando en la ronda del Sur me puse a hablar mal de Berard. Sonia preguntó desviando la conversación:

— Si dices que no lo conoces, ¿por qué hablas así de él?

Sin que yo contestara Sonia añadió:

— ¿Tú crees que vais a ganar la guerra?

— No.

— Si la perdéis, ¿qué vais a hacer? Hombres como Berard tienen la llave del futuro para algunas personas. Por ejemplo, para ti.

Conducía yo el coche buscando el lado sureste del parque para ir en la dirección de su casa. Ella seguía:

— Ese hombre es importante allá — *allá* quería decir en Francia o quizá en Rusia —. Él decidió la suerte de mis padres.

Lo decía con cierta admiración. Disimulé mi sorpresa poniendo la atención en el volante. Llegábamos a su casa. Ella seguía hablando de Berard mientras buscaba la llave y yo pensaba en Marta acostada y tal vez recordando mis caricias en la oscuridad. Sonia me había dado la llave y yo trataba de abrir la puerta. Tenía en mis nervios todavía la tensión y el fuego encendido por Marta. Alzaba la cabeza al tirar de la puerta sobre mí y veía a Sirio en el cielo.

La vivienda de Sonia había sido ocupada antes por una persona de gustos decadentes y esa persona debía haber rebasado la juventud. Es fácil deducir la edad de una persona observando el lugar donde vive. Debía ser una mujer y tenía las aficiones del período modernista de principios de siglo: muebles chinos, tapices turcos, un gato blanco disecado con sus ojos de vidrio azul, inmóviles y fijos. Había también muchos cojines negros bordados en sedas amarillas.

La chimenea tenía leña y estaba dispuesta para ser encendida. Sonia frotó una cerilla contra el muro y prendió fuego. Los leños ardían dando un rumor de intimidad. Sonia iba apagando las luces para dejar sólo el resplandor del fuego. Y hablaba:

— A veces tú dices cosas que están bien. En la Sureda dijiste algo sobre los rusos que es verdad. Dijiste que son nómadas. Tienes razón. Somos nómadas. Por eso cuando vamos a dormir nos gusta sentir el fuego cerca.

Yo veía en la pared, al lado de la chimenea, la raya que había dejado la cerilla sobre el estuco blanco. Una persona civilizada habría raspado la cerilla dentro de la chimenea, debajo de un mueble o en la suela del zapato.

— La portera me proporciona la leña. Cada día viene a limpiar el cuarto y deja la chimenea lista. ¿No es encantador?

El fuego de la chimenea me llenaba de añoranzas. Recordaba la casa de mi tío en Orna antes de la guerra. Al amanecer entraba en mi cuarto una doncella y se deslizaba sin ruido por la habitación. Poco después el fuego ardía en la chimenea. La doncella entornaba las maderas de la ventana que yo había entreabierto al acostarme y se iba silenciosa como un fantasma, cerrando la puerta.

Poco después veía en el muro los reflejos cambiantes de las llamas. Cuando había nieve o escarcha en los balcones aquel fuego del amanecer era el placer más delicado y sustancioso de mi vida y me conmovía y me llenaba el alma de un vago sopor.

A veces oía en el balcón un rumor de alas y el roce de la nieve resbalando sobre la nieve. Un pájaro se había posado en la baranda y hacía caer un poco de nieve al suelo.

Aquel ave en los hierros del balcón hacía más presentes ios árboles nevados o los caminos escarchados y hasta las vertientes de las rocas con el agua de los manantiales formando témpanos de hielo.

— ¿En qué piensas? — me dijo Sonia.

Yo me quité la chaqueta de cuero, el correaje y las botas. Sonia me trajo unas zapatillas de piel. "Éstas son — pensé — las famosas zapatillas rusas." Tenía ganas de reír. Las zapatillas eran de hombre, pero no quise hacer preguntas. El cigarrillo encendido en los dedos de Sonia en aquel momento era como una banderita impertinente. Un signo de frialdad y de "amistad distante". Yo no había encendido el mío. Lo dejé en una mesita de laca japonesa que tenía lotos y samurais. Cuando se dio cuenta Sonia arrojó el suyo al fuego y vino a sentarse a mi lado con una mirada de contrición. Yo le pregunté:

— ¿Estás segura de que Berard es francés?

— No es francés, sino ruso. Tan ruso como yo. Más ruso que yo.

Y siguió hablando afanosamente de Berard. Yo la escuchaba con un interés envenenado imaginando a Berard con Ariadna en la Sureda. Decía Sonia que Berard no había sido siempre revolucionario. Había escapado en 1918 de Rusia con otros rusos blancos y vivido en París tres años hasta 1921. En París se puso al servicio de la policía soviética y vigilaba y denunciaba a los aristócratas de la emigración.

Seguía Sonia con sus confidencias. Era buena señal. Sus confidencias eran la antesala de la voluptuosidad — pensaba yo —:

— Fue Berard amigo entrañable de casi todos los aristócratas rusos en París y de los escritores emigrados. Entre éstos había uno que tenía el mismo nombre del autor de *La Guerra y la Paz* y que también se hacía llamar conde. Era un pícaro de altura. Berard intervino en su conversión al sovietismo a fuerza de insinuaciones, amenazas, promesas y sobre todo dádivas. El pícaro se dejó comprar, fue a Moscú e hizo una gran carrera adulando al Vodz. Había conseguido Berard lo mismo con otro escritor emigrado, un tal Kuprin, pero éste era ya viejo y murió a poco de volver a Rusia. Berard era un especialista en conversiones bastante conocido en el mundillo ruso-francés. También intervino en el regreso a Rusia del pobre Kropotkin.

Había nacido Berard en un estado del sur de Rusia a fines de siglo. Sus padres eran grandes burgueses con tendencias aristocráticas. Cuando se produjo la revolución tenía no más de veintidós años. Durante su infancia sentía un terror pánico de los truenos y los rayos. Era muy religioso y comulgaba con frecuencia. Sus padres le preguntaron un día por qué iba tanto a la iglesia y él dijo:

— Para que no haya tormentas.

Entonces los padres creyeron que era un atrasado mental. Pero Berard conservó toda su vida un poco de aquel miedo a los relámpagos y a los truenos.

No pudo ir a la escuela aristocrática de San Petersburgo pero se preparó para el cuerpo de Ingenieros. Un día abandonó también los planos militares y decidió hacerse arquitecto. Era alumno de tercer año cuando llegó la revolución. Salió del país y en Francia descubrió que tenía cualidades especiales para el espionaje. "Tengo talentos vergonzantes", le decía a Kuprin. Desde entonces había pertenecido a la Checa, a la GPU, a la NKVD, sobreviviendo a todas las purgas. Había sido por naturaleza un hombre jovial, pero en la guerra española estaba haciéndose taciturno y melancólico.

Ninguna decepción había alterado su fe fanática en el Vodz. Era Berard como un brazo mecánico del padre infernal que llegaba a todas partes. En España tenía algunos pícaros que le servían secreta e incondicionalmente, entre ellos aquel Benigno de quien hablé antes, un gozquezuelo que compensaba su corta estatura con una lengua de culebra en celo. Sabía que a todo el mundo le gusta oír hablar mal de alguien y se pasaba el día informando a Berard: "¿Ése? — decía con media risa en su cuello enteco. Un cabrón consentido. ¿El otro? Marica. Todo el mundo lo sabe". A fuerza de hablar así conseguía entrar en la confianza de algunas personas que al mismo tiempo le temían pensando que un día podría decir todas aquellas cosas de ellos.

Yo escuchaba a Sonia agradecido por las confidencias. Conocía a aquel Benigno.

Las confidencias políticas representaban, como dije, la preparación de Sonia para la voluptuosidad.

Supe algo de lo que hacía Berard en España. No hacía nada de un modo descubierto, sino disimulándolo bajo diversos pretextos. Además de su labor policíaca probaba materiales rusos: minas, cemento, blindajes, con la apariencia de fortificar los puntos débiles. Pero no podía imaginar qué clase de reunión era aquella a la que había ido con Ariadna en relación con los tres tanques rusos perdidos. En medio de aquellos problemas estaba yo. Y sin embargo yo no había sido convocado.

Muchas cosas me dijo Sonia que no recuerdo. Lo que recuerdo es que se puso a hablarme de su tragedia familiar. Acariciando el gato disecado — lo que a mí me ponía los dientes ácidos — explicó su falta de interés por los papeles que alguien le había hecho llegar de Rusia dándole detalles sobre la muerte de sus padres. Y decía:

— No me interesan esos papeles porque sé mucho más de lo que me pueden contar. Berard me ha dicho lo que pasó, con pelos y señales. No, no me mires así. ¿Por qué siempre que digo el nombre de Berard se ponen tus ojos oscuros? ¿Es por Ariadna? No te preocupes. Es una suerte para Ariadna que sean amigos. Vale más que yo como mujer, Ariadna. Es más guapa. Pero como se ocupa demasiado de sí misma envejecerá antes. ¿Tú sabes? Lo que nos envejece es el espejo. Lo digo de veras.

Yo sonreía mirando el gato disecado y pensando que Ariadna no era la amante de Berard. Sonia seguía preguntando:

— ¿Se te ponen los ojos tan oscuros pensando en Berard y Ariadna? — yo negué. Los españoles sois ridículos. Todo lo reducís a eso. Si una mujer se ha acostado con alguien es impura. Si no se ha acostado es pura. Parece mentira. La cosa es mucho más complicada. Yo no me he acostado con Berard y sin embargo, lo confieso, estoy enamorada de él. En serio, Javier. Pero ya te digo que estoy loca por él. ¿No es eso peor? Los españoles creéis que no. Yo no he estado con él como voy a estar esta noche contigo. Entonces tú tienes privilegios. Tienes una sensación de victoria. Ridículo. Pero los hombres sois así. Bueno, volviendo a lo de antes. Sabía yo más que mis padres sobre lo que les pasaba a ellos mismos. Qué extraña es la vida a veces, ¿verdad? Pues sí, Javier, tú no sabes que Berard estaba entonces en Rusia. Fue él quien fabricó las evidencias contra mi padre.

— ¿Pero qué necesidad había de *fabricarlas*? ¿No estaban dispuestos a matar de todas formas a tu padre?

— Matar es una cosa seria, ¿no comprendes? No se puede matar por la voluntad de una persona o de cien personas. Tiene que ser un acto razonable. Tú matas en la guerra. ¿Te consideras un asesino? Pues bien, ése a quien tú llamas el Uro mata

491

en la guerra. Sólo en la guerra. Para que la guerra sea la guerra tiene que haber razones lógicas y leyes. Berard...

Yo interrumpí a Sonia:

— ¿Qué puesto tiene Berard en la NKVD?

— Berard en Moscú — dijo ella eludiendo a medias mi pregunta — ayudaba al departamento de policía política en Relaciones Exteriores. Es un hombre Berard que está siempre ayudando a alguien. Sin obligación alguna. En relación con mis padres acudían a Berard porque era él quien había promovido el asunto. Entretanto el Vodz esperaba noticias en su rincón rodeado de teléfonos. El Vodz, como tú dices — y ella reía de un modo incontenible —, esperando noticias. No me río de ti. Y no mires alrededor, que no hay ratones magnéticos en mi casa. Me río de otra cosa. Me río de tu manera de pronunciar la palabra Vodz.

Sonia reía a borbotones. Yo la veía reír y pensaba: "Ariadna está con Berard y tal vez se ríe así también en este momento".

— Anda — le dije a Sonia —, explícame el misterio de mi pronunciación. ¿Por qué *el Vodz* te hace reír?

— Es que lo pronuncias como el nombre canalla que tienen los alemanes para el sexo de la mujer. Una palabra muy fea.

— ¿Cómo se dice Vodz en ruso?

Ella lo dijo y yo lo repetí. Sonia seguía con reservas de risa aún en su garganta:

— Esto nos hace reír a nosotras las mujeres pero no a los hombres. Es lo que pasa. Bueno, pues Berard, que fue el que inició el asunto de mi padre, fue también el que lo acabó.

Yo escuchaba a Sonia y miraba las llamas. Había un leño grueso y lleno de savia que a veces dejaba salir un pezuelo azul de fuego siseando como un soplete de gas. El fuego es siempre un espectáculo absorbente.

— Bueno — seguía Sonia —, yo estoy enamorada de Berard, pero no a la manera española. Yo no me quedo junto a él cuando apagan la luz para que Berard me muerda los labios y me dé una sesión de masaje. No. Estoy enamorada sencilla y llanamente. Si me quiere, aquí estoy. Si no me quiere y un día puedo hacer algo por él, lo haré con entusiasmo. También lo haría por ti, no creas. Pero a hombres como Berard hay que dejarles la iniciativa. Que hagan lo que quieran. ¿Parece que le gusta Ariadna? Pues bien, no digo nada, aunque Ariadna no es la mujer que él merece. ¿No crees tú?

— No. Ariadna… — y me callé, tascando el freno.

— Es una pequeña burguesa.

— No. Vosotros, los rusos, sois mucho más pequeño-burgueses. Incluso el Vodz. Es natural. Ariadna y yo hemos rebasado la pequeña y la grande burguesía. Ariadna va más lejos que tú y que Berard, aunque a simple vista no lo parezca y aunque tú no lo creas.

Sonia no se enfadaba. Nunca perdía los nervios. Callaba. Yo seguía mirando el fuego.

— Berard — dije — no es hombre de pasiones. Ni de imaginación. No puede estar enamorado de Ariadna.

Me di cuenta de que yo hablaba mal de Berard y ella de Ariadna. La situación me parecía un poco desairada para nosotros dos. Sonia decía:

— ¿Para qué quieres que Berard tenga imaginación? No hace falta entre nosotros más imaginación que la del Vodz. Bien, lo que me gusta en Berard…

— Bah, te gusta el hombre y es todo.

— No estoy segura de que Berard sea un hombre. Lo digo en serio. Berard hace muchos años que ha dejado de ser un hombre por la causa. No podría explicar eso fácilmente, pero tú que tienes imaginación comprenderás. ¿Tú no has visto que Berard no tiene reacciones humanas? ¿No lo has insultado todavía? ¿No? Pues bien, yo sí. Bien, soy una mujer. Los insultos de una mujer no hieren a un hombre, pero ya te digo que Berard no es un hombre. Yo he visto a otros insultarlo y decirle esas cosas que los hombres no suelen tolerar. Pues, nada. No reacciona. Estoy segura de que si alguien le llama hijo de puta, contestará con la mejor buena fe: "¿Usted conoció a mi madre?". No es que domine sus nervios. Es que no tiene nervios más que para la causa.

Yo comenzaba a irritarme, en serio:

— Oye, Sonia. En todos los países y en todos los tiempos, cuando un hombre vive de su salario está subordinado a la empresa que le paga. Entre esa clase de personas siempre hay alguna que no es capaz de replicar a los insultos del gerente. El estómago es importante. Berard ha podido identificar el estómago con la causa, es decir con la NKVD, pero a mí me da la impresión de que es un hombre vulgar sin sentido moral.

— ¿Sentido moral? ¿Y eso qué es?

— ¿No lo sabes?

—Bueno, sí. Sentido moral. ¿Para qué? Si lo tiene para la causa es todo lo que necesitamos.

Yo cambié de tema:

—¿Qué clase de hombre era tu padre? ¿Decías que era escritor?

—Escribió un libro en París.

—¿Se publicó?

—No. Berard atrapó el manuscrito y lo llevó a Moscú. Una vez allí el falso Tolstoi lo retocó y lo convirtió en una especie de epopeya del nacimiento del Vodz. El libro de mi padre se dedicaba entero y verdadero a contar cómo nací yo. Pero ahora refiere cómo nació el Vodz. Es como si me hubieran sacado a mí de la cuna y lo hubieran puesto a él ya grandullón y con botas. Eso me encanta. Pero ¿qué te importa a ti todo esto? ¿Cómo es posible que estando metido en este lío de la guerra te quede curiosidad para una cosa así?

Pronto dejamos los diálogos político-literario-históricos y Sonia me mostró que podía ser la *fembra placentera* del Arcipreste.

Al amanecer nos despedimos tiernamente.

Yo volví a mi puesto. Encontré una comunicación del estado mayor moscurali en relación con el exhorto judicial que no había devuelto. En el dorso del mismo papel escribí la respuesta y dije que no sabía nada.

Entonces casi todas las divisiones del ala derecha...

Al llegar a esta parte de mi informe el presidente de la asamblea golpea la mesa con su martillito y me interrumpe:

—A la asamblea no le interesa el aspecto militar en el que ha insistido bastante. Como su intervención sólo tiene en esta reunión un carácter auxiliar, puede sentarse y esperar que volvamos a preguntarle si el caso llega. Entretanto la testigo áulica continuará el informe.

Ariadna parece sorprendida como si no esperara su turno tan pronto. Se cubre otra vez con el velo, se levanta y dice:

—El carácter de Etienne me parece distinto de lo que Sonia y Javier pensaban entonces. En todo caso los hechos que ella ha citado son verdaderos.

»Era verdad también que yo estaba embarazada. Mis efusiones con Javier en la Sureda habían dado fruto. Yo pensaba en ese fruto con miedo. Las circunstancias para ser madre no podían ser más aventuradas y peligrosas.

»Aquella noche me llevaron a Pinarel. No sé por qué Javier

494

tenía con los rusos la reputación de ser un militar que con los tanques podía hacer maravillas. Desde la famosa operación de las avanzadas de los Juncos pensaban que con algunas secciones de tanques y una buena ocasión podía cambiar el orden del universo. Estoy exagerando, claro, pero trato de mostrar el asombro mío en aquellos días.

»Parece que en el sector de Javier habían capturado un tanque enemigo *vivo* y que ese tanque no aparecía por parte alguna. Yo sugerí que..., bueno, la idea me la dieron las mismas sospechas de los rusos. Como explicaré ahora...».

XXIII

— Aquello del tanque se complicó de prisa y en términos raros.
Era un tanque inexistente, pero la imagen de aquel tanque se
sumaba a las de los tres tanques rusos perdidos. En la imaginación de los rusos eran ya cuatro tanques extraviados.

»Antes de que se planteara el problema del tanque enemigo
capturado y desaparecido tuvimos una reunión en Pinarel — la
reunión a la que aludía Javier — presidida por Berard. Asistie-
ron muchos capitanes y jefes de batallón, entre ellos Pontejos,
el comandante de ametralladoras. Todos estimaban a Javier,
pero las intenciones de los rusos iban encaminadas a averiguar
hasta dónde llegaba esa estimación. Andaban buscando testigos
directos o indirectos de alguna forma de desamor contra Javier.
Querían ver si podían *separarlo* de las masas antes de matarlo.
La reunión fue en la antigua comandancia, o sea en el convento.

»La sala capitular era grande y las voces resonaban lúgubre-
mente. Los capitanes y jefes no acababan de entender las intenciones de Berard y de otros rusos — Ivan Ivanovitch entre
ellos, con su enorme cabeza afeitada. Estaban allí los mejores capitanes, los *indelebles,* como decía Javier. Y la discusión
tomó las direcciones más inusuales. Pontejos se ponía a discutir los problemas de los fuegos rasos de los cañones antitanques
respondiendo a un ataque "masivo" como decía él. No podía
comprender nadie que lo único que los rusos querían era encontrar indicios de la impopularidad de Javier. Parecía una torpeza el buscarme a mí como cómplice. Pero la verdad sea di-
cha, ellos no me habían buscado, sino que me había ofrecido
yo por razones que más tarde trataré de explicar si es que no
las han comprendido ustedes antes de que yo las explique.

»En la reunión estuvo también Justiniano, que unas veces acusaba y otras defendía a Javier, siempre con elocuencia. Cuando
lo defendía era — según advertía en voz baja a Berard — para
reforzar la acusación. No les importaba descubrirse delante de
mí, porque la mayor parte viéndome con Berard me creían su
amante. Yo contribuía a aquel equívoco hasta cierto punto, claro, pero con un poco de repugnancia. Al principio me gustaba
Berard, pero un día que me abrazó me pareció que olía muy
raro. Así como a sangre y a goma de borrar.

»Atacaron a Javier dos comisarios de batallón — paramoscovitas — que habían sido preparados por Ivan Ivanovitch, el de la cabeza afeitada. Sus acusaciones causaron sensación. Dijeron que tenían noticias de que los tanques desaparecidos habían sido remolcados a la retaguardia. Al parecer alguien escondía armas con intenciones subversivas.

»— ¿Y los tripulantes rusos? — preguntó Michael con su voz de trueno —. ¿Dónde están esos tripulantes?

»Estas palabras causaron no menos sensación. Era verdad que los tripulantes debían estar en alguna parte aunque nadie hablaba de ellos. Michael afirmó que los tanques habían sido destruidos por la artillería y esto pareció indignar a Ivan Ivanovitch, quien advirtió de un modo ligeramente amenazador que los tanques rusos eran invulnerables para la artillería ordinaria.

»Entonces Pontejos comenzó a hablar de la vulnerabilidad de cualquier tanque atrapado entre los fuegos de dos cañones del 5.5. Ivan Ivanovitch se levantó como un muñeco mecánico:

»— Ese no es el caso porque el enemigo no tiene 5.5 — y volvió a sentarse.

»La cosa era al final tan desorganizada que Berard tuvo que recoger velas. Dijo que en todo caso era posible que el enemigo hubiera destruido aquellos tanques o por lo menos que éstos se hubieran quedado sin gasolina en territorio peligroso. Y poco después se levantó la sesión sin haber llegado a un acuerdo. Lo único cierto era que los moscovitas habían descubierto en parte sus intenciones con Javier. Yo me había enterado de ellas por lo menos.

»Al día siguiente alguien inventó lo del tanque enemigo apresado en nuestras líneas y remolcado a la retaguardia. Como es natural, el cuerpo del delito tampoco lo hallaban. Yo traté en vano de averiguar dónde había nacido el infundio. La idea de un tanque extraviado siguiendo a Javier por las calles desiertas de Pinarel y disparando sobre él sus ametralladoras de niebla era una imagen que parecía muy adecuada a su carácter.

»Después de la reunión, Berard me llevó a la Sureda porque yo no quería volver a la calle de Mendizábal. Pero en la Sureda había alguien viviendo. Estaba la inglesa Nancy, una mujer larga, fea e inteligente. Era muy flaca. Rubia y seca. La Sureda se iba convirtiendo en una especie de hotel para los turistas del paramoscovitismo internacional. La inglesa parecía feliz.

497

Allí, cerca de los frentes, se encontraba a gusto rodeada de gramófonos, discos de música negra y máscaras de etíopes. Tenía también un lebrel largo y fino como ella, que bostezaba mostrando los últimos molares, tumbado en la alfombra. Nancy era de una familia inglesa muy rica.

»Yo me acordaba del muerto, del muerto *por error,* que *era Carlos.* Y tenía miedo cuando pasaba cerca de la habitación donde dejamos el cadáver.

»Antes de volver al frente Javier pasó por la Sureda y se quedó conmigo una noche. Se hizo también amigo de Nancy. Al día siguiente de haber estado Javier llegó Berard con dos moscularis más. Me pidieron francamente que testificara contra Javier. Yo dije haciéndome la tonta y tratando de averiguar más datos concretos:

»— ¿Cuál es el testimonio que quieren?

»De los otros agentes, uno era tuerto y lo disimulaba con las gafas, uno de cuyos cristales — el que correspondía al ojo inútil — estaba empavonado. El otro agente era un ruso del sur aunque parecía un alemán.

»— Queremos que digas — me sugirió Berard — si te consta la existencia del tanque capturado por haber oído hablar a Javier. O por haberlo visto.

»— Yo no lo he visto — dije —. ¿Dónde está ese tanque?

»El tuerto parecía ofendido por mi manera de mirarlo. Abrió la mano y la dejó caer en la mesa:

»— El tanque existe — dijo —. Cuando la NKVD dice que existe nadie tiene derecho a dudar. El tanque existe y hay gente dispuesta a usarlo un día contra nosotros. Porque hay quienes roban armas y las esconden con fines subversivos. Ese tanque existe.

»— Pero ¿dónde está? — preguntaba yo inocentemente.

»El tuerto golpeó su cartera llena de papeles:

»— Aquí está.

»Me daba cuenta de que tratando de poner las cartas boca arriba ayudaba a Javier.

»— ¿De qué acusan a mi marido?

»— Todavía no lo acusa nadie. Estamos investigando. Quisiéramos saber qué tiene que ver el muerto que apareció en esta casa con un americano llamado Earl. Y también otras cosas. Otras muchas cosas. Sobre todo en relación con los tanques. Pero a su marido no lo acusa nadie.

»Yo estaba asombrada. No sólo por el peligro en que de pronto se veía Javier, sino también por la falta de tacto de aquellos hombres. Berard les dijo algo sombríamente, en ruso. Por el acento comprendí que se ponía de mi parte. El tuerto bajó el tono para decir:

»— Lo único que queríamos de usted era que testificara haber oído hablar a Javier Baena del tanque en un sentido contradictorio. Una vez dijo, por ejemplo, que el tanque existía. Otra vez dijo que no. Eso nos habría bastado. Suponiendo que sea verdad. ¿No lo es? Entonces no hemos dicho nada. Hágase la idea de que no hemos dicho nada.

»Y el tuerto golpeó otra vez en su cartera. Añadió que se trataba de un tanque ligero con tracción de cremallera, armado con un cañón del 5 y dos ametralladoras que disparaban sincronizadas con el motor. Era un tanque Fiat 83. Berard interrumpió y volvió a hablar con el ruso desabridamente. El que parecía alemán se puso a cerrar la cartera después de guardar en ella los papeles. El otro, visiblemente confuso, se disponía a marcharse. Cuando yo me quedé sola con Berard le pregunté:

»— ¿Hay de veras algo contra Javier?

»Berard no me contestó. Más tarde dijo:

»— Todas las precauciones son pocas, tú sabes.

»Pensaba yo en Javier solo y abandonado a su suerte, taciturno, friolento y perseguido por un tanque que nadie había visto nunca. Berard se quedó el resto del día con Nancy en las habitaciones de abajo. Yo pensaba que Berard no tenía contra Javier sino puntos de vista impersonales. Pero suponía que aquellas opiniones impersonales podrían ser peligrosas. Antes de marcharse vino a despedirse y me dijo:

»— Javier se divierte con Sonia. ¿No lo sabías?

»Yo por seguir el juego me hice la ofendida. Así creía estar en mejores condiciones para ayudar a Javier. Por otra parte creía que aquélla era la reacción que los rusos esperaban de una española.

»Al día siguiente hubo un bombardeo muy fuerte. Los depósitos de gasolina incendiados llenaban el horizonte de humo negro y daban a la guerra un aire torvo y primitivo como en tiempos — pensaba yo — de los cartagineses.

»Entrábamos en la primavera. La tierra era verde en unos sitios y terriblemente calcárea en otros. Algunos días se sentían en el aire, aunque no estuvieran, las tórtolas y las cigüeñas pacíficas. Y yo pensaba de vez en cuando que me habría gustado oír las campanas. Pero las torres de las aldeas próximas estaban mudas.

»Por primera vez desde mi fusilamiento en Pinarel me daba cuenta de que el haber sobrevivido representaba una verdadera victoria. En cuanto a Javier no lo veía. Lo imaginaba friolento y gris en la trinchera pensando en las abejas a las que había pintado las alas de azul.

»Mi embarazo comenzaba a notarse y decidí que debía pasear y hacer ejercicio. Era agradable salir por las mañanas y recorrer el vasto parque de la Sureda visitando todos los rincones. En una glorieta había algunas estatuas, entre ellas un niño de mármol, desnudo. Aquel niño tan blanco sobre el césped verde me hacía pensar en mi propio hijo.

»Me sentía en una situación incómodamente falsa y trataba de sacar de ella algún partido en favor de Javier. Nunca pensé que hubiera dramatismo alguno en aquello y por eso no trato tampoco de crearlo ahora artificialmente con mis palabras. Berard venía a ver a Nancy y cuando no la encontraba — ella tenía un cochecito con el que iba y venía — subía a verme a mí. Parecía yo la amante de Berard. Absurdo y un poco siniestro. Berard volvía al viejo tema: "Javier y Sonia se entendían". Para que no hubiera duda me dijo — consultando un cuadernito — las noches que Javier había pasado con ella en su vivienda. Yo me fingía ofendida:

»— ¿Ah, sí? — y al ver que Berard afirmaba, soñoliento, añadí —: ¡Pues que se ande con cuidado! Tengo yo secretos suyos que pueden costarle caros. ¡No sabe de lo que yo soy capaz!

»Todo esto era pura comedia, pero Berard pareció satisfecho de mi reacción. Debió pensar: "Esta vez va entrando por el buen camino". Quiso besarme y yo lo rechacé. Luego, cuando Berard se marchó, me quedé pensando que había tratado de comprobar — con su beso — si yo estaba dispuesta a alguna forma de venganza y si en ese caso podría serle útil. No por él mismo, sino por los intereses y las intrigas de su partido. Todo eso era bastante burdo. Los rusos son muy toscos y elementales en la preparación de las intrigas. Sólo son complicados en el ejercicio de la crueldad, en la aplicación del castigo.

»Una de las cosas que me extrañaba era que Verín no apareciera nunca en aquellas insinuaciones. Parecía especialmente interesado en escurrir el bulto.

»Al oscurecer la Sureda tomaba un aire misterioso que a veces me asustaba: "Es la casa ideal para un crimen", pensaba. Hice relación con algunos campesinos de la aldea próxima que al ver que la guerra parecía estabilizada se acercaban otra vez a sus casas.

»Berard no vivía en la Sureda. Yo no sabía dónde vivía Berard porque había abandonado su hotel de la esquina de la calle de Mendizábal. Cuando venía a ver a Nancy y no la encontraba charlábamos mucho. Un día volvió a decirme que necesitaban declaraciones mías contra Javier. Yo le repliqué:

»— Sé que están concentrando armamento. Tanques, ametralladoras y morteros. Unas veces del enemigo y otras de los que envían los rusos. Tienen algún lugar secreto. No sé dónde. Tal vez en alguno de los frentes donde los paramoscovitas no han podido entrar todavía.

»Esto último lo dije medio en broma. Berard tomó nota y me dijo sin perder su aire soñoliento:

»— Javier se comunica con el alto mando enemigo por medio de abejas con las alas pintadas. Un truco inteligente.

»Yo me fingí asombrada y le pedí detalles, pero Berard creyó que había dicho bastante y se marchó. Se hacía cada día más torvo, gris y adusto. Iba y venía en un coche — el mismo coche parecía tener movimientos recelosos — con escolta armada. Yo me preguntaba si aquella escolta era para protegerlo o para vigilarlo. Naturalmente yo le estaba mintiendo. Alguien había pensado en matar a Javier y una pequeña acusación bastaría. Pero una acusación mayor convertiría su problema en un caso político temible. Javier podía llegar a dar la impresión de un enemigo poderoso, tan poderoso que valdría la pena pactar con él en lugar de destruirlo. Eso creía yo entonces y por eso le había dicho a Berard que nuestros amigos concentraban armas — no sólo tanques — en algún lugar con fines subversivos. Sabía que todo aquello era peligroso, pero no más que la guerra misma, y el instinto me decía que estaba obrando bien. Podía ser que mataran a Javier o a mí o a los dos, pero lo que hacía era lo mejor que podía hacer.

»A veces salía al parque y me estaba contemplando al niño de mármol largos ratos sobre el césped del jardín. Pensaba en Javier, quien vino a verme un día terriblemente excitado. Yo pensé: "Los rusos ya no disimulan con él y debe haber visto la muerte más cerca que aquel día en Pinarel cuando la muerte vino al portal llevando la guadaña al hombro". Pero su excitación venía de otra causa.

»— Sigo trabajando — dijo — con las abejas. Cada enjambre ha sido antes un ser humano. En una antigüedad de algunos millones de años el hombre aprendió a usar fuerzas desintegradoras de las cuales fue víctima. La cosa es larga y difícil de explicar, Ariadna, y yo la he descubierto a través del lenguaje mismo de las abejas. Tengo la teoría entera, perfectamente articulada.

»Traía consigo a veces una pareja de abejas en una jaulita y las observaba horas enteras. Una tenía las alas azules y la otra rojas. Por fin las soltaba y salían como minúsculos proyectiles.

»Yo quería hablarle de los peligros de Berard y él no me escuchaba. Le parecían alarmas exageradas y las atribuía a mi estado. Se volvía a su trinchera sin haber escuchado una sola de mis advertencias. Yo me quedaba un poco resentida.

»Un día vino Michael y yo le pedí que pusiera en circulación en su sector la especie de un plan subversivo.

»— ¿Quién se subleva? — dijo él, asombrado.

»— Nuestros amigos.

»— ¿Dónde?

»— Aquí, en el valle de Pinarel.

»Michael sabía que era mentira y me pedía que le explicara con qué fin hacía aquello, pero yo, pensando en su amistad entrañable con Vera, no quise. Prefería que pensara que buscaba la ruina de Javier. Me miraba y parecía decirse a sí mismo: *Oh, la perfidia de las hembras.* Yo expliqué:

»— Los moscularis no nos quieren como amigos y tenemos nuestra vida pendiente de un hilo. Tal vez de un hilo del teléfono. Lo mejor que podemos hacer es reforzar, agravar y engrandecer nuestra enemistad. ¿No podemos menos de ser peligrosos? Seamos lo más peligrosos posible.

»— ¿Qué buscas exactamente con esto?

»— No te lo digo porque tú le irás con la historia a Vera.

»— Yo, no. Es ella quien me habla a mí día y noche. Me dice cosas tremendas.

»— ¿Qué cosas?

»— Me ha contado cómo el Vodz mató a su mujer, Nadia, una judía que estuvo con Vera en la escuela, de niña. La mató hace tres años. Los periódicos dijeron que Nadia se había suicidado.

»Michael parecía querer contármelo. Me preguntó si estábamos solos en la casa y se sentó en la cama con una pierna doblada y el pie apoyado en el jergón de hierro. El crimen del Vodz fue una de esas cosas que sólo podían pasar en Rusia. El Vodz estaba enamorado de Nadia como no lo había estado de ninguna otra mujer. Era ella treinta años más joven que él. El Vodz la llamaba siempre con nombres de animales: conejito, paloma, oca silvestre. El Vodz no empleaba nunca diminutivos en su conversación ordinaria, pero con su Nadia era otra cosa: gallinita de Georgia, gusanito, cangrejito de mar — esto cuando ella se enfadaba. Por la noche si estaba despierta la llamaba lechucita de buen agüero y si dormía le decía: *modorrita*. Pero aquí hay un detalle curioso. No podía tolerar el Vodz que ella durmiera cuando él estaba despierto. Si Nadia se dormía él la despertaba y le decía: "¿Adónde te vas cuando duermes, palomita? ¿Adónde te vas sin mi permiso? ¿Olvidas que yo soy tu Vodz?". Y entonces ella se sentaba en la cama y se ponía a fumar y a beber café hasta que se dormía el Vodz. Después de dormirse el Vodz ya era diferente: podía dormirse también. Pero dormían juntos pocas veces. Él no le permitía a ella alejarse e irse al reino de los sueños. Para evitar aquella incómoda impresión dormían separados.

»Tampoco permitía a Nadia salir del Kremlin. Ni sola ni con él. Y el Vodz no la llevaba a ninguna parte. Cuando ella le preguntaba por qué, el Vodz decía:

»— Te permito salir sola, pero no te lo aconsejo. Te invito a venir conmigo, pero no te insistiré demasiado si tienes algún reparo, corderita. ¿Sabes por qué? Tú eres mi flanco descubierto, ardillita. Yo soy un guerrero en facción a todas horas, de día y de noche, dentro y fuera del Kremlin. Soy un guerrero y no debo andar por ahí con un flanco descubierto. Mucho menos en mis peleas con los amigos. Las batallas con los amigos son complicadas. Los enemigos no me importan porque buscan mi muerte y yo sé cómo madrugarles. Pero los amigos buscan sólo mi menoscabo. Todos los amigos buscan disminuirle a uno. Conmigo no se atreven por aquello de la diñadura, como decíamos en la cárcel de Tiflis hace cincuenta años. Pero tú eres mi flanquito descubierto. Tengo amigos, es verdad, pero los más antiguos son los más sospechosos. No me siguen como es debido. Algunos tienen la inclinación al viraje. Buscan la virada, la virazón. Y es justo que yo me defienda. Al volver la esquina se encuentran a veces con una sorpresa: la pistolita en

503

la nuca. ¡Paf! La triquiñuela les gusta y buscándola acaban por encontrarla. ¡Paf! Dentro de la pistolita hay una triquiñuela. Unos hierritos engrasados. ¡Paf! Ellos se la buscan.

»— Déjame ir contigo — decía Nadia.

»— No, corderita. Es peligroso. Peligroso para ti. Eres mi flanco descubierto.

»Esto le decía, Ariadna. Yo lo sé exactamente por Vera, a quien se lo contaban las amigas de Nadia. Pero a veces el Uro no podía evitarlo y la llevaba a alguna parte. Una noche la llevó a casa del mariscal mayor del imperio. El Vodz le decía:

»— Mira, Nadia Alliluova, palomita sin hiel, te voy a llevar a casa del sargento Klementi — así llamaba el Uro a su más importante mariscal. Y le decía —: El sargento Klementi es el más tonto del Ejército Rojo, de la estepa, del bosque y de la Bielorrusia. Es un sargento sin ambages. No es un esquivón como otros. Como tu hermano Kaganovitch, que algunos días me mira desviado, en diagonal. No me mira a los ojos. Yo le dije el otro día: "¿Por qué no me miras a los ojos?". Y tu hermano me miró y al mismo tiempo se le pusieron tres pelos de la ceja izquierda tiesos. Y yo le dije: "En la cárcel de Tiflis cuando era joven había un bolchevique reservón. Es lo único que yo no he podido tolerar en la vida: el género reservón". El sargento Klementi no es reservón y por eso te llevo a su casa. También porque su mujer cuando la miro aprieta los muslos. ¡Je, je! Venadita del bosque, tú sabes que no me gusta enseñar mi flanco descubierto, pero a casa del sargento Klementi te llevaré.

»Y la llevó. Vivía Klementi en una casa independiente con jardín por los cuatro lados. El Vodz no iba nunca a casas de pisos, de vecindad, porque podía encontrar a algún ciudadano soviético en la escalera, lo que debía ser grave con el Vodz igual que con Alejandro I o con Nicolás II. Pero a casa del mariscal se podía ir. Antes le sometían la lista de invitados, que eran no más de siete. El Vodz es supersticioso y le gusta el número siete. A veces cuando le enseñan la lista él tacha un nombre o dos. Mal negocio. Por haberlos tachado ya nadie los vuelve a invitar en ninguna parte. ¡Ojo a la triquiñuela! Y la *Pravda* y la *Izvestia* no imprimían ya nunca sus nombres.

»Oyendo yo a Michael pensaba: "Es un narrador, un actor, un imitador genial". Y le decía:

»— ¿Cómo recuerdas tan bien lo que te ha dicho Vera?

»Michael reía nervioso y decía:

»— *Es un secreto.*

»El secreto consistía en que Michael había escrito aquellas cosas antes de contarlas. Hacía tiempo que pensaba escribir un libro con sus recuerdos personales de Rusia añadiendo las cosas que Vera le contaba y que venían, según creía, a completar muy bien los informes que había adquirido de primera mano durante su permanencia en Moscú. Escribía todo aquello y después quemaba los papeles, según decía para que la NKVD no los encontrara, pero una vez escrito todo aquello *se le quedaba en la cabeza.* Ése era su secreto. Yo le decía:

»— *Sigue, anda, y no olvides ningún detalle. Cuéntalo como contaste las cosas que viste tú mismo en Moscú.*

»Entonces yo me ponía cómoda para escucharlo mejor y era como estar en el cine. Y él continuaba:

»— Llevó a Nadia a casa del sargento Klementi y allí había seis personas. Había tachado el Vodz a la última de la lista, a un tal Ludkiowski que se suicidó al día siguiente. Uno de la vieja guardia. El Vodz los llamaba *colaterales.* Aquel colateral Ludkiowski le estaba estorbando hacía tiempo según le dijo a Nadia porque aunque lo miraba de frente a veces descubría en su mirada un vacío. Una especie de *vacío reparón.* Las marcas de viruela del Vodz despertaban a veces en los que le miraban un vacío reparón, que le resultaba intolerable. Y el Uro sugirió a la mujer del sargento que invitara a Ludkiowski. Y lo invitaron sólo para que a última hora el Vodz pudiera borrarlo de la lista. Con lo cual decretó su suicidio.

»— ¿De dónde sacas esas palabras de *triquiñuela* y *vacío reparón?* — le preguntaba yo a Michael.

»— Traduzco al inglés lo que me cuenta Vera y luego al español. Con ayuda de un diccionario, claro. Si salvo la vida y vuelvo a Brooklyn escribiré un libro y todo será dictarle a una maquinita, a un dictáfono y darle después los auditivos a una linda mecanógrafa. Y cobrar el cheque. Pero si no salvo la vida, mala suelte. No me importa, Ariadna. No creas que me importa. La vida es esto: mis barbas españolas. ¿Has visto que las barbas mías son así como históricas? Beber otra vez *scotch* en los bares de la Quinta Avenida no añadirá nada nuevo a mi existencia, Ariadna.

»— Bueno, sigue — le decía yo, alucinada —. El Uro tachó al invitado del vacío reparón, éste se saltó la tapa de los sesos y todo quedó en orden. Pero ¿cómo recuerda Vera tantos detalles?

»— Como los recordarás tú misma. ¿No recuerdas ahora lo que os conté sobre mi entrevista con el Vodz? Vodz no hay más que uno en el mundo, Ariadna. Y en Rusia todos se acuestan con la imagen del Vodz en la mente porque tienen su retrato encima de la cama y es lo primero que ven al despertar. Sin necesidad de retratos a nosotros nos pasa lo mismo si oímos algún detalle sobre la vida del Uro. Bueno, pues fueron a casa del mariscal. Allí había cuatro hombres más y dos mujeres. Ellas eran amigas de la infancia de Nadia y esposas de miembros del buró político. Ninguno de los invitados preguntaba nada al Vodz. Se limitaban a responder si él preguntaba. Era una noche de invierno con la tierra llena de nieve y el cielo de estrellas. Al Vodz le gustaba a veces sentir el frío del invierno. Tomaba dos o tres tragos de vodka y se asomaba a una terraza. La casa de Klementi tenía una torrecilla de tres pisos de altura desde la cual se alcanzaban las afueras y los alrededores de Moscú. Y el Vodz solía subir allí algunas veces. Era el año del terror contra los campesinos. Millares de ellos morían bajo las bayonetas del ejército rojo y más aún se morían de hambre en los caminos. Pero en aquellas reuniones estaba prohibido hablar de política a no ser que sacara el tema el Vodz. Y hasta que se sentaron a la mesa nadie dijo sino cosas neutras como el frío que hacía en la calle o lo bueno que sería que Livtsof cumpliera su promesa de cultivar naranjas en Moscú.

»Sentados ya a la mesa el sargento Klementi, vestido de gala y lleno de entorchados, dijo que había malas noticias de Ucrania. Al oírlo el Vodz alzó un poco la cabeza sobre el plato — cuando el Vodz comía parecía meter la nariz en la sopa — y preguntó:

»— ¿Qué noticias?

»— Tres mil muertos en una sola aldea. En Ilia — dijo el sargento.

»Nadia suspiró y dijo a la mujer de Klementi:

»— ¿Cuándo acabará todo ese horror?

»— ¿Dónde está el horror? — preguntó calmamente el Uro.

»No contestaba nadie. El Vodz, mirando fijamente a su mujer, dijo:

»— Tres mil muertos en una aldea. ¿Y qué? En una sola eyaculación del hombre hay más de tres mil gérmenes como dice Livtsof. Mueren en un lado y nacen en otro. ¿Y qué?

»— Son seres humanos — dijo Nadia.

»— Son campesinos, puercos, hijos de la gran perra.

»Cogió una hoja de lechuga y la alzó entre los dedos índice y pulgar:

»— Para que esta lechuga llegue a un restaurante de fábrica de Moscú, ¿cuántos campesinos hay que matar? ¿Tres, cuatro, quince? Aunque sean veinte. Son enemigos nuestros. ¿Y qué importan sus vidas en la mayor parte de los casos? La mitad son inválidos por el reuma, la otra mitad puercos zaristas, vagos y remolones. Hasta el nombre es enemigo nuestro: *kristianski.* ¿Por qué los campesinos rusos son los únicos que tienen en su nombre la idea de Cristo? Eso querría que me dijeran en la Academia. Y también querría cambiarles el nombre de una vez. Debíamos llamarlos *piojera.* Son, sin duda, las parásitos de Rusia.

»— Pero se mueren de hambre, Joseph — balbuceó Nadia.

»— No creo que se muera de hambre ningún animal o ser humano de los que viven en el campo. Hay zanahorias, hay raíces, hay topos y ratas que se pueden comer. ¿Se muere de hambre un zorro? ¿Y un águila? ¿Se muere de hambre un oso? El que se moriría de hambre sería el obrero de fábrica si no le enviaran patatas del campo. No vamos a comer cemento ni ladrillo, ¿eh? Pero el campesino no se muere de hambre.

»— Las noticias — insistió Nadia tímida — dicen que se mueren de hambre en toda Ucrania. Y en el sur.

»Alzó el Vodz la cabeza:

»— ¿Qué noticias? Las noticias las hago yo.

»— Joseph, tú no puedes saber todo lo que pasa en el mundo.

»— Yo sé todo lo que pasa en el mundo que me interesa desde el Báltico hasta el mar Negro.

»Había un silencio sepulcral. El Vodz bebió un sorbo dejando una huella de grasa en el cristal, y en aquel momento Nadia dijo airada:

»— Será verdad todo lo que tú dices y yo no lo niego, pero los campesinos se mueren de hambre.

»El Vodz se atragantó y comenzó a toser. Salpicó de saliva a la mujer del mariscal, que estaba enfrente, y siguió tosiendo. Echaba miradas furiosas alrededor. Se atragantaba. Se levantó y siguió tosiendo. Nadia se atrevía a golpearle la espalda. Pero habría sido inútil. Joseph llevaba debajo una coraza de acero que lo protegía. Y seguía tosiendo. Nadia lo quería llevar a un

507

cuarto próximo y el Vodz se negaba y seguía tosiendo, con la cara roja y malva. Nadia le dijo en voz baja, muy excitada:

»— Pasa aquí al lado, querido, y quítate el chaleco de protección.

»El Vodz le dio un revés con la mano:

»— ¿Qué protección? Yo no llevo protección ninguna.

»La mujer del mariscal se llevó a Nadia gemebunda al cuarto contiguo. En una comisura de los labios la bonita Nadia tenía un poco de sangre. El Vodz se calmaba y en medio de un silencio angustioso volvía a la mesa. Parece que la crisis pasó en cuanto le dio el golpe a la hermosa judía. Siguió la comida como si no hubiera pasado nada. El mariscal buscaba temas neutros y uno de los invitados contaba anécdotas sobre la lucha contra los campesinos con un fondo entre cómico y vil. A través de ellas aparecía el clásico mujik como el enemigo inveterado de Rusia.

»El Vodz se fue calmando con aquellos cuentos.

»En un extremo de la sala había un perro acostado sobre una colchoneta cubierta con una piel de oso. Por la noche el mariscal hacía salir al perro y se acostaba a dormir. Allí mismo, en el suelo. Un mariscal debe estar en las mismas condiciones físicas que un soldado de filas. Al Vodz le gustaba aquella costumbre del mariscal. Éste sabía que una de las cosas que más halagaban la vanidad del Vodz era la opinión del escritor francés Barbusse, quien en la biografía del Vodz había escrito: *Tiene cabeza de sabio, cara de obrero y traje de soldado.* Y al volver la mujer del mariscal conciliadora y sonriente dijo aquella frase mirando al retrato del Vodz que dominaba la sala. Y añadió:

»— Eso dice Nadia. Yo diría más: clarividencia de dios, porque el camarada Joseph ha acertado de lleno en sus medidas sobre el problema agrario. En este momento la radio que tengo en el cuarto de al lado da la noticia de que gracias al discurso del camarada Joseph los campesinos de todo el suroeste del país han acordado aceptar las normas y prometen duplicarlas en la primavera próxima.

»Los invitados, que llevaban media hora en un silencio completo, comenzaron con una cadena de elogios:

»— Grandioso, espléndido, sobrehumano, sublime, prodigioso — y seguían así. Cuando todos terminaron el Vodz añadió con una modestia cazurra:

»— Eficiente nada más. Eso es lo que habría que decir. Eficiente. A la mitad de los campesinos que han prometido duplicar las normas los voy a enviar en masa a Siberia. A desyermar el desierto. Y allí doblarán las normas puesto que lo han prometido. Los que se queden en Ucrania cumplirán su palabra y la palabra de los otros. A eso llamo yo eficiencia.

»Comenzó a reír con el vientre. La mujer del mariscal suspiró en éxtasis y dijo:

»— La providencia ha dado a Rusia un hombre como tú, camarada Joseph. Uno solo, pero nos basta.

»— ¿Cómo que os basta? — dijo él, receloso.

»— El campesino — se atrevió a decir uno de los invitados sirviendo vino a la mariscala y tratando en vano de disimular el temblor de la mano — es la rémora de nuestro país.

»— Éste ha dicho la palabra justa — subrayó el Vodz —: la rémora. ¿Dónde está Nadia? Que venga Nadia a la mesa.

»Trataba de justificar la mariscala la ausencia de Nadia:

»— Está nerviosa y prefiere descansar un rato.

»El Vodz repetía:

»— Que venga a la mesa ahora mismo.

»Apareció Nadia con una falsa calma en los ojos. Se había puesto polvos en los labios cubriendo la equimosis que se comenzaba a formar en una comisura. La mariscala sonreía también y hacía bromas conciliadoras.

»— Bien, Nadia — dijo —. Más vale que vengas, porque de otro modo nuestro Vodz no comerá. Si no estás tú delante no come.

»Comprendían todos que había que simular ligereza de ánimo y despreocupación. Y reían con cualquier pretexto y aun sin pretexto alguno. Nadia era la primera en reír y simular una afabilidad de buen tono. Pero hubo un incidente. A los postres la mariscala ofreció helado. Y fue preguntando quiénes lo tomarían con crema de frutas y quiénes con chocolate. Todos lo querían con chocolate menos el Vodz, que encendía su pipa y declaraba que no quería ni helado, ni crema, ni chocolate. La mariscala se quedó un momento dudando antes de dar órdenes a la cocina, y Nadia creyó facilitarle la tarea diciendo con una sonrisa amable:

»— Helados para todos menos para Joseph y para *Wrangel*.

»*Wrangel* era el perro que dormitaba en la piel de oso. El Vodz al oír aquello alzó una ceja y conteniendo sus nervios tomó un aire ausente y desdeñoso. Cuando Nadia fue a servirle el Vodz le dijo algo entre dientes. Algo que nadie más que ella comprendió. La pobre Nadia recibió tal impresión que vertió un poco de café en el mantel.

»Poco después salió del cuarto. La mariscala fue a ver lo que sucedía y cuando salía del comedor el Vodz la retuvo y le dijo:

»— No se encuentra bien Nadia. Es mejor que se vaya a casa.

»La llevaron al Kremlin en el automóvil del mariscal. Cuando volvió el chófer comunicó a la mariscala por el teléfono de servicio que la camarada Nadia había llegado a casa y entrado en ella sin novedad. El Vodz parecía receloso, aún:

»— ¿Sin novedad? ¿Qué novedad podía haber?

»El Vodz bebió otro vaso de vodka y subió a la terraza a fumar una pipa al aire libre.

»Pero no estuvo solo mucho tiempo. La mariscala fue detrás. En el comedor quedaban los invitados muy nerviosos, menos el mariscal, que nadie sabe por qué se mantenía siempre tranquilo con el Vodz. Era uno de los misterios de Moscú. Tal vez el más grande misterio allí donde tantos había.

»La mariscala llevaba al Vodz el vaso que éste había dejado en la mesa mediado de vodka.

»— Camarada — le dijo —, aquí hace frío.

»— Tú vas menos abrigada que yo — respondió el Vodz mirando sus brazos desnudos —. Bebe tú ese vodka.

»Obedeció la mariscala. El Vodz miraba la lejanía de llanuras y bosques nevados.

»— No sabía que desde aquí — añadió — se podía ver Novo Devichi.

»Era Novo Devichi el cementerio de los distritos del lado oriental de la ciudad. El Vodz seguía mirando en aquella dirección:

»— Muchos amigos tengo allí. Verdaderos amigos. Toda la vieja guardia se va concentrando en Novo Devichi.

»Pensaba la mariscala que se refería a los viejos camaradas muertos de muerte natural. Sospechaba que podía referirse también a los que mandó matar, pero no quiso darse por aludida. El Vodz añadió aún:

»— A los bolcheviques colaterales los mando allí.

»Pero de pronto preguntó:

»— ¿Por qué has venido aquí a la terraza?

»— Me dolía un poco pensar que estabas solo.

»Iba a decir algo más pero se calló. Y bajaron en silencio hacia el comedor. Un gramófono oculto tocaba música. Al Vodz le gustaba la ópera italiana y los tenores que aguantaban largo una nota alta. A veces preguntaba: "¿Eso es lo que llaman el *do* de pecho?". En aquel momento había en el gramófono un tenor con el famoso *do* de pecho. Cuando la canción acabó el Vodz declaró que las artes eran la sal del mundo. Todos acogieron aquella opinión con elogios y el mariscal la apuntó en un cuadernito que llevaba siempre consigo.

»Pero el Vodz tenía ganas de marcharse. Todos se daban cuenta y nadie se atrevía a preguntarle ni a retenerlo. Era difícil hablar delante del Vodz y también era difícil callar. Por fin el Vodz se marchó a hurtadillas. Sólo supo que se marchaba la mujer del sargento.

»Volvió el Vodz al Kremlin en su largo coche blindado, que tenía algo lúgubre como las ambulancias de los hospitales. Nadia estaba todavía vestida, sentada al lado del fuego.

»— ¿Qué te habías propuesto tú esta noche?

»— ¿Yo? ¿Por qué lo dices?

»— ¿Qué sentido tiene acusarme de matar millones de campesinos?

»— Yo no he dicho millones.

»— Sí, millones. Y en público. ¿Qué sentido tiene? ¿Eres una perra trotskista?

»— ¡Joseph!

»— Quieres envilecerme delante de la gente y tú no sabes que eso es envilecer al régimen, a la revolución, a la historia, al destino. Eres una traidora. ¿Quieres decirme aquí a solas por qué éramos el perro y yo los únicos que no queríamos helado? ¿El perro y yo? ¿Es que todos los judíos sois así? ¿Por qué comparar al perro *Wrangel* conmigo y a mí con el perro? ¿Eres una judía sionista como tu hermano?

»— Joseph, mira que te oyen. Que la guardia está ahí fuera.

»Pero el Vodz no hacía caso:

»— Has venido llorando todo el camino en el coche, ¿verdad? ¿Para que se dieran cuenta el conductor y los policías? ¿No les has dicho que llorabas porque yo te había pegado en público y te había echado de la mesa? ¿No lo has dicho, perra judía? Todos los judíos sois así. Necesitáis envilecer a los otros para ponerlos a vuestro nivel. Vosotros no podéis elevaros, pero podéis disminuir a los que os permiten acercaros. ¿No es eso?

¿Ibas llorando todo el camino? Ya veo. Hice mal en advertirte que eres mi flanco descubierto. Aunque tal vez lo sabías antes de que te lo dijera. Tal vez lo sabías mejor que yo. Y por eso hablaste de los que se mueren de hambre en el campo y me comparaste con el perro y también probablemente juntabas la rodilla por debajo de la mesa con el comisario de la industria ligera. ¿No es eso? Por la cara de espanto del comisario cada vez que yo lo miraba me lo puedo imaginar. Los judíos sois así.

»— ¡Pero, Joseph, tú sabes que todos palidecen cuando tú los miras!

»— Ése no palidecía, sino que se ruborizaba. ¿Era por eso?

»Nadia se levantó y buscó el gabán:

»— Déjame salir, Joseph.

»— ¿Tú? ¿Adónde vas? ¿Crees tú que mi mujer puede salir y marcharse como una mujer cualquiera?

»— Déjame salir. Envíame a Siberia, a Vorkuta, pero déjame salir.

»— No. A Vorkuta envío a la gente que no me interesa. A los que quiero por alguna razón, amigos o amantes, a ésos los envío a otra parte. ¿Sabes adónde los envío? A Novo Devichi. ¿No lo sabías?

»— Déjame salir. Iré a casa de mi hermano. Déjame salir.

»— ¿Para qué? ¿Para ir llorándoles a los policías de la escolta? ¿Para envilecerme mañana con el comisariete de industria? Es eso lo que quieres, ¿verdad?

»Nadia se sentía enloquecer y gritaba:

»— Sí, para eso. Para envilecerte a ti, cara de sabio, traje de soldado, corazón de hiena y mano de verdugo. Para envilecerte con cualquiera, para ir ahora mismo a la calle y decirle a uno de los centinelas de tu guardia: "Soy la mujer del Vodz, pero estoy harta de él y de sus manos manchadas de sangre". Estás loco. Déjame salir porque estás loco.

»Nadia gritaba y parecía dispuesta a todo. El Vodz sacó un revólver pequeño, de ancho barrilete, que solía llevar consigo. Nadia gritaba como un verdadero reo de muerte. Disparó el Vodz dos veces. Una a la cabeza y otra al corazón. Nadia tardó más de una hora en morir y durante aquel largo espacio ni el Vodz llamó a la guardia ni pidió asistencia alguna. El Vodz cuando la vio agonizar quiso reanimarla con coñac y té que él mismo preparó y le ofreció llamándola palomita y conejito. Por fin Nadia murió y el Vodz llamó al jefe de la guardia y le dijo:

»— Mi esposa se ha suicidado. Avise usted a los camaradas. Hay que hacerle un entierro oficial. Estaba enloquecida por celos y cosas de mujer.

»Cuando Michael terminó con su narración yo estaba de veras abrumada. ¿Y era aquel Vodz el que decía que iba a salvar al pueblo español? Pero cuando comenzábamos a hacer comentarios se oyó llegar el coche de Nancy. Siempre estaba Michael receloso de aquella inglesa por su estrecha amistad con Berard. Michael se fue.

»Yo no sé quién puso en circulación la especie — Michael no lo hizo —, pero de pronto la gente comenzó a hablar de un plan subversivo en la ciudad. Mis sentidos andan en general más de prisa que mi conciencia. Antes de saber lo que es un hecho, un escándalo o un suceso edificantes percibo cómo huelen. En aquellos días yo percibía olores raros. A agua de lluvia y a sangre. Y a rosa y a macho cabrío. Debía ser el olor a Pan — al macho cabrío divinizado — de España. Tal vez era sólo mi embarazo.

»Me preguntaba Berard muchas cosas sobre nuestros antiguos amigos del bosque de Pinarel ya muertos o vivos y las escribía en ruso en un bloc que llevaba en el bolsillo. Tenía dos plumas estilográficas, pero una de ellas, según dijo, no era tal pluma, sino una pistola. Alzando la palanquita de la tinta disparaba.

»En aquellos días bombardeaban el valle constantemente. Estaban las noches llenas de balas trazadoras y las sombras destilaban esquirlas de metralla. Después de la medianoche comenzaban a cantar los gallos en la aldea próxima. Se oían más gallos que nunca, aunque los campesinos negaban que tuviesen aves cuando íbamos a comprar.

»Me sentía yo llena de impresiones contradictorias. Por si faltaba algo cada día tenía que ver el retrato del Vodz al pasar por el salón de la planta baja. Aquella sorna de criminal próspero y afortunado — sus crímenes le daban grandeza de un modo u otro — me irritaba. Yo me tragaba mi irritación y eso tenía que hacer daño a mi bebé antes de nacer.

»Recordaba que la propaganda rusa había hablado del *suicidio* de Nadia en términos que resultaban halagadores para el Vodz. Recordaba incluso una crónica periodística de un turifetario morueco en algún lugar —en un diario de derechas— que decía más o menos: "Muere de amor. Una rusa que muere de amor porque no puede tolerar el desvío del héroe".

»En resumen el Vodz era el héroe por el cual se suicidaba la hembrita soñadora. Yo me preguntaba: "¿Es posible que la humanidad sea tan estúpida y que mi bebé tenga que venir a la vida a formar parte de esa humanidad?".

»Las noches que estaba sola en la Sureda los cañones parecían sonar mucho más cerca.

»Yo comprendía que la gran crisis se acercaba. No sabía exactamente en qué iba a consistir aquella crisis, pero sabía que sería una prueba difícil para Javier y para mí.

»En aquel tiempo yo dormía mal. Y de día leía libros. Leía mucho. Todo lo que encontraba en la casa. Recuerdo una página de una novela de Dostoyewski, creo que de *El Idiota,* donde se habla de un tal Hipólito que estaba enfermo de tisis y antes de morir veía un insecto o un bicho indefinible en su dormitorio. Parecía un escorpión, pero era una alimaña más fea y muchísimo más grande. Un monstruo único en su género. Hipólito creía que aquel animal había surgido de la noche, especialmente para él. Era un reptil largo, como de seis palmos, con el cuerpo escamoso y la piel color canela. Su cabeza tenía el grosor de dos puños juntos, y el cuerpo, que al principio era ancho, se adelgazaba hacia la cola de modo que al final ésta era delgada como el dedo meñique. Tenía dos patas que salían del cuerpo muy cerca de la cabeza. Luego el vientre liso por los dos costados y muy abajo otros dos pares de patas exactamente iguales a las anteriores. Las patas eran de una longitud algo mayor de dos palmos. Visto el animal en su mitad superior parecía desde lejos un tridente. No se veía bien la cabeza, pero el enfermo Hipólito distinguió dos bigotitos como dos agujas de color canela. Eran movedizos y vibrátiles. En la punta de la cola y en la extremidad de cada pata se erguían otros dos bigotitos iguales. Por lo tanto había dieciséis bigotes en total. Cuando abría la boca se veía, por dentro, color carmesí.

»El animal corría de prisa por la habitación apoyándose en sus patas. Unas veces arrastraba la barriga por el suelo, otras parecía oír algo que le llamaba la atención y se levantaba con la cabeza erguida. El cuerpo y las patas se movían sin ruido. El animal se escondió bajo la cómoda, pero no había bastante sitio y una tercera parte quedaba fuera. Luego salió y se metió debajo de la cama. Correteaba por los rincones. Se veía que era demasiado grande para esconderse. Hipólito estaba sentado en un sillón y encogía las piernas para que no lo rozara. Esperaba que el animal no se atrevería a trepar ni por la pared ni por el sillón.

»Creía el enfermo Hipólito que había algo fatal y misterioso en aquel animal y allí estaba con sus piernas encogidas pensando: "Si puede trepar por las paredes quizá pesa demasiado para mantenerse en el techo y caerá sobre mí". Los bigotitos que tenía en las patas no bastarían para asegurarlo en el techo...

»Aquello que leía en la novela parecía tener relación conmigo. La bestia la tenía yo unas veces cerca y otras lejos, pero siempre a la vista. Y pensaba: "Es posible que yo muera esta noche como Hipólito". Tal vez yo iba a morir aquella noche en un bombardeo.

»Entre la preocupación de aquel bicho, el niño de mármol al que miraba a menudo desde mis ventanas y las conversaciones con Nancy cuando por azar se quedaba todo el día en la Sureda se me pasaba el tiempo. Si me abrumaba la sensación de "no hacer nada" pensaba que estaba esperando a mi hijo. Me preparaba a ser madre. La guerra justificaba lo que de extraño pudiera haber en mi situación de presa voluntaria, de confinada en la Sureda.

»Un día llegó Berard y yo le dije todas esas cosas, incluso lo del animal que parecía un tridente. Él se sentó, encendió un cigarrillo ruso de larga boquilla y abominable tabaco y respondió:

»— Dices tonterías. Estás fatigada y lo comprendo. Lo mejor sería que te fueras a otra parte porque el valle de Pinarel va a caer. Y tal vez la ciudad. Esto no lo sabe sino muy poca gente. No lo sabe ni siquiera el Gobierno, porque el Gobierno es el último que se entera de ciertas cosas. Hemos decidido abandonar el valle y tal vez la ciudad porque no nos conviene sostenerlos. Hay gente incontrolable. Pero antes vamos a presentar batalla de frente en algún lugar de las líneas de este sector. Un ataque desesperado. Si por casualidad sale bien habremos ganado algo, aunque tal como están las cosas no servirá en definitiva más que para valorar la capitulación. Si sale mal el volumen de la hecatombe nos dará prestigio militar y en los dos casos quedará justificado el abandono de la ciudad. Ya ves, te hablo con el corazón en la mano.

»—No te lo agradezco, Etienne.

»Berard se quedó pensando. Miró a su alrededor como si estuviera en el cuarto la alimaña de Hipólito y por fin dijo:

»—Es verdad. Tal vez hablo demasiado contigo. Tomo drogas para dormir y a veces no sé lo que digo.

»Miraba como si se preguntara a sí mismo: "¿Por qué se me aflojan los nervios y digo palabras imprudente?". Yo creo que se contagiaba de nuestra inocencia, de lo que Javier llamaba en Pinarel nuestra virginidad. No ignoraba yo que aquellas confianzas podían ponerme en peligros nuevos. Berard me abrazó y me besó, lo que me dejó sin aliento. Parecía que Berard podía ser también un ser humano. Había detrás de mí varias macetas de geranios y al echar la cabeza atrás sentí el olor de una de ellas. Olían a sudor de axila y un momento sentí repugnancia porque relacioné aquel olor con Berard. Luego Berard dijo:

»—Veo que sigues pensando en Baena. Y no te conviene. Se comunica con el campo contrario pintando las alas de las abejas. Esas abejas pintadas —insistía Berard— vuelan al otro lado. Hay quien busca el alfabeto, es decir la clave.

»—¿Por qué me lo dices a mí?

»Paseaba Berard por la habitación distraído y excitado. Era la primera vez que lo veía con los ojos estriados de venas rojas. En aquellos días Berard bebía y pasaba las noches en extrañas diligencias. Oyó llegar a Nancy y fue a su encuentro.

»No había dicho yo a nadie más que a Javier que estaba embarazada, pero comenzaba a sentir que la preñez es el verdadero estado de gracia de la mujer. Como el estado de apetencia viril es el estado de gracia del hombre. A muchos hombres les parece vergonzoso y culpable su propio deseo. A nosotras nos parece angélico. Un hombre ansioso de la hembra, enamorado o no, es un hombre *en estado de merecer*. Y si no consigue a la mujer y devora su propio deseo es un hombre en estado de gracia. Un hombre frustrado es ridículo para los hombres, pero debe ser meritorio para Dios porque como ha dicho alguien —un poeta, no sé quién y no sé dónde— Dios mismo es eso: un enamorado incomprendido. Eternamente enamorado de todos y eternamente incomprendido por todo el mundo.

»Dormí hasta el día siguiente y desperté cuando la luz me daba en la cara. Me dolían los huesos aquel día. Pensaba en Javier y tenía ganas de llorar.

»Mi embarazo comenzaba a notarse y yo estaba preocupada porque me habría gustado tener un lugar más tranquilo que la Sureda. Nancy se pasaba semanas enteras tocando discos de música negra con tam-tams y coros diabólicos que daban la impresión de estar en una selva de África. Y recibía gente rara. Yo me quedaba arriba, en esos casos.

»Un día llegó Nancy con un francés. Al parecer era un escritor paramoscovita y traía ídolos negros, pieles de león curtidas y collares hechos con dientes de gorila. Parece que entre la gente literaria estaba todavía de moda el arte negro.

»La inglesa tenía docenas de discos de gramófono con extraños conciertos báquicos de tambores sordos y gritos inarticulados pero muy rítmicos.

»Era Nancy una mujer liberada de los convencionalismos de la vieja aristocracia y entregada a los moscularis. Me dijeron que había escandalizado a su familia y que en Londres la tenían por una mala cabeza. Era un poco chocante en su manera de buscar el amor, pero era discreta. Adoraba a los españoles. Me decía con entusiasmo que había tenido un amor ocasional con un miliciano bárbaro y magnífico y que ese hombre le había dicho: "Eres fea y extravagante, pero eres una verdadera mujer. Cuando acabe la guerra, si vivo, no me importaría casarme contigo". Éste era el timbre de gloria de aquella hembra inspirada y un poco aturdida.

»— ¡Casarse con una mujer como yo! — repetía llena de gratitud. Yo pensaba que el miliciano debía ser un pícaro.

»Mi niño en la matriz me reclamaba para sí. Hice una amistad estrecha con Nancy, que me quería por ser española, por ser la mujer de Javier y por no discutir sus actos. Estuve varias veces a punto de decirle que los moscularis habían decidido abandonar el valle y la ciudad, pero recordaba bien las recomendaciones de Berard — no decirlo a nadie — y me callé.

»El escritor francés paramoscovita había venido a España en una *tournée* de turismo político.

»No creía yo en el amor de André por Nancy. Primero porque André se adoraba a sí mismo. Después porque Nancy no era mujer para suscitar pasiones. Se podía querer a Nancy como amiga, admirarla por su inteligencia, pero no era una mujer para el amor. El caso de Berard con ella no podía comprenderlo. Más tarde pensé que tal vez Berard era un homosexual. A los invertidos les gustan las mujeres intelectuales.

»Estuve pensando en mí misma convencida de que debía hacer

algo para salvarme y para salvar a Javier. O para perderlo. La muerte mía o la de él no me parecían desgracia alguna. Es la muerte sólo un espectáculo raro e incómodo para los demás. Pero la muerte tiene sus leyes como la vida. Y hay que morir bien. Javier puede vivir de cualquier modo, pero necesita morir bien. A mí... Bueno, yo estaba embarazada. Yo con mi vientre cada día un poco más hinchado debía pensar en mí misma con egoísmo. Mi hijo y yo éramos dos. Es lo que decía el Lucero del Alba en las estaciones del tránsito cuando me hacía bajar del tren con él. La fracción periódica pura. Bien, yo debía conducirme de un modo egoísta. Hay un egoísmo no sólo legítimo, sino sagrado. Ese egoísmo que ha puesto Dios en nuestros corazones para que defendamos esta vida que nos ha dado Él y que es su obra. ¿Qué sería de esa obra suya sin un poco de ese egoísmo defensivo? Seguramente Él sabe premiarnos ese egoísmo como un esposo premia la cautela conservadora de la esposa en la que se refugia el hogar, la idea del hogar, la realidad de la familia, la seguridad de la alcoba y del comedor. Dios nos ha dado ese egoísmo para que seamos nosotros — los que somos tal como somos — y no seamos nuestros vecinos ni nuestros amigos ni nuestros enemigos. Ahora bien, yo estaba aprendiendo de Javier a conducirme en la vida sin planes, también. A odiar los planes es decir los motivos y las deducciones prudentes. No tenía planes, yo. Tampoco los tengo ahora. Un plan es un hilo de acero metido en las horas y en los minutos y en los segundos. Un hilo que se curva y se vuelve a curvar pero que da rigidez al tiempo. No quiero que mi tiempo sea rígido, sino suave, blando, fluido y flotante. Había comprendido que la manía de Javier era más que una manía. Era una disposición natural como el ser gordo, flaco, rubio o moreno. Era irremediable. Yo estaba entrando en aquello, también, y lo mejor era que hacía entrar a los demás. Berard venía y me miraba de reojo pensando: "Es tonta. Es una española pequeño-burguesa tonto-erótico-apetecible-objecionable. Tenía Berard una tendencia feudaloide y era natural. Para los rusos el estilo de toda autoridad es feudal. No han conocido otro. Feudaloide. Pero todos ellos son pobres diablos capaces de hacerme fusilar y de llorar sobre la noticia de mi fusilamiento. Igual que el Vodz con su Nadia. El Vodz la mató a tiros en un rincón de su casa, en el Kremlin, aquella noche de tierra nevada y cielo estrellado. Y después iba a escondidas a

Novo Devichi y lloraba junto a la sepultura. Llegaba con su coche blindado, negro y largo, que se quedaba cerca con su cargamento de policías de la NKVD. Y el Vodz bajaba con la pipa encendida para calentarse la mano. También a Javier le gusta tener una pipa caliente las noches de invierno en la trinchera. Y el Vodz o el Uro, como dice Michael, de pie al lado de la tumba lloraba. La cara del Vodz llorando debía ser un poco lamentable. Los súbditos del Vodz pueden hacer lo mismo. Son gente cobarde y doctrinaria al estilo del siglo pasado sin la fuerza que les daba a nuestros abuelos su fe romántica en la libertad. Berard lloró el día que le contaron que a mí me habían fusilado. Para explicárselo ante sí mismo repetía: "Uno es humano, al fin". Y se admiraba a sí mismo en su humanidad. Y después de llorar — lo que no quería decir que le impresionara mucho — se fue a cumplir una orden del embajador jorobado, tal vez. Quizás a matar a otra mujer como yo. Es decir, si no estaba embarazada. Tampoco ellos querían hacer pagar a dos seres los errores de uno solo. Y yo sabiéndome a mí misma embarazada y recordando las palabras de la Herculana pensaba: "Tengo un plazo de vida garantizada, de seguridad y casi de impunidad". Estaba aprovechándolos, haciendo entrar en mis disposiciones e inclinaciones a todos los que se ponían a mi alcance. Yo acusaba a Javier. Berard creía que me conducía sinceramente. No hay nadie que dude de la sinceridad del odio de una mujer contra su marido. Dicen, con fruición: "Traidora y pérfida". Y les gusta que haya traidores y pérfidos en la vida. La mayoría lo encuentran muy natural. El odio de una mujer contra su marido es tan natural como el amor y al mismo tiempo mucho más sensacional. El matrimonio es así. La vida es así. Eso piensan. Y todos creían que buscando yo el descrédito y la ruina de Javier respondía a la naturaleza satánica de la mujer. Yo le decía a Berard: "Hay conspiraciones. Y se pierden tanques y morteros y ametralladoras". Berard se lo decía al embajador jorobado, éste recurría al consejero de la NKVD y el consejero todavía consultaba por radio con el padre infernal. Desde Moscú el padre infernal tosía broncamente haciendo subir y bajar su vientre dentro de la coraza de acero que llevaba debajo de su chaqueta y decía: *Que me los zurriaguen y que se achanten la muy*. Porque el Uro hablaba así en el estilo georgiano de los pilluelos callejeros: *que me los zurriaguen y que se achanten la muy*... Eso de *achantarse la muy* era muy importante entre las gentes como Berard. Sin embargo yo no lo odiaba a Berard, ni mucho menos. Veía en sus ojos que *yo estaba buena* y que un día se atrevería a comprobarlo, a hacer la experiencia. A mí esa perspectiva me tenía sin cuidado. Era Berard ese tipo de hombre que no inquieta nunca a una hembra ni con su indiferencia ni con su amor y ni siquiera con su odio. Bueno, pues del consejero y del embajador jorobado, por los canales jerárquicos regulares regresaba mi confidencia. Lo que querían saber en la embajada era lo siguiente: "¿Ariadna ha dicho nombres? ¿Ariadna dirá nombres?". Todos pensaban en Javier, claro. Y acudían esperando que yo dijera su nombre. Bien, yo dije el nombre de Javier, pero no como Berard esperaba. Yo dije: "Si le pasa algo a Javier, sucederán cosas en el valle de Pinarel, yo sé que nadie podrá evitarlo". Estas eran palabras serias, claro. Aunque parezcan valientes todos esos *tíos cuchipandas* — así los llamaba el sargento Galo, el del Cristo del Caloco — de la NKVD estimaban su propia cabeza afeitada o su cabeza peluda tanto o más que cualquier podrido burgués. A Berard le había dicho yo: "Cuidado con la vida de Javier". Con el rincón de su ojo izquierdo me miraba pensando: "Eso que dice es natural. Primero denuncia a su marido. Luego lo defiende. Es natural. Y como hembra *está buena*". Por esto último y por las garantías que me ofrecía mi embarazo me atrevía yo con Berard y con otros. Ya digo que no lo odiaba a Berard. Lo que pasa es que su manera de hacer el amor debía ser un poco arcaizante. Debía ser uno de esos amantes estilo siglo XIX — como en tiempos de Espronceda — que sofaldaban a las mujeres en los anchos divanes de peluche. Yo había acusado a Javier de estar mezclado en un plan subversivo, y de pronto lo defendía. Lo defendía sólo para hacer más verosímil mi acusación. "Era sincera y se ha arrepentido", pensarían. Una manera natural y femenina de conducirse.

»Yo hacía de Javier un hombre público con proyecciones arriesgadas para los rusos. Eso hacía yo. No me preocupaba de las consecuencias. Por otra parte no quería avisar a Javier ni ponerle en antecedentes de mi juego porque eso le quitaría espontaneidad a él en su relación con los moscularis y le perjudicaría. No sabiendo nada, su naturalidad con ellos era perfecta y ellos la atribuirían sin duda a un talento especial de disimulo. Cualquier atribución de talentos especiales favorecería a Javier porque los rusos tienen miedo de cualquier forma de inteligente disimulo. Con Nancy y con André me conducía yo de un modo diferente. Nancy era una mujer. Flaca, seca, larga, pero una mujer. Entonces yo no necesitaba hablarle. Una mujer con un cerebro de macho — esto le atraía a Berard. Ella sabía la relación de Javier con Sonia y no necesitaba más para deducir el resto. Las inglesas con cerebro de macho son muy directas y lineales en sus relaciones. Yo me vengaba, según ella. Y como mi venganza favorecía a los moscularis, Nancy no decía nada. Nancy trataba a Javier cordial y naturalmente y parecía decirle con su abierta expresión: "Eres un buen soldado y además formas con Ariadna una pareja de amantes ideales". Claro, ella no lo creía ni lo decía expresamente, pero esas palabras estaban en sus ojos cada vez que veía a Javier. ¿Con qué fin? En una hembra británica con cabeza de macho las cosas tienen una intención más apoyada que en otras personas. Nancy además era una mujer de conciencia limpia. Pero estaba en una secta y mientras la sangre no la salpicara a ella, todo lo que la secta hiciera estaba aceptado de antemano. Nancy, pues, me quería a mí y sospechaba que estaba vengándome de Javier. A veces me miraba con una infinita simpatía y con cierta admiración como pensando: "Estas españolas tienen a veces verdadera grandeza". Naturalmente yo la dejaba pensar lo que quisiera. Y aunque leía en su cara como en un libro abierto le atribuía esa personalidad misteriosa que tanto gusta a los ingleses: *Hola, esfinge,* le decía algunas mañanas. *Hola, Medea,* respondía ella con intención. Yo busqué en un diccionario qué clase de persona había sido Medea y cuando vi que no había matado a su marido me quedé un momento en duda y pensando: "¿Qué maquinaciones me atribuirá Nancy?". Luego comprendí que me llamaba Medea porque trataba de atribuirme alguna clase de dotes mágicas. Entretanto mi relación con André era difícil. Solía venir a casa lleno de prejuicios y de importantes influencias exteriores que yo ignoraba y contra las cuales poco o nada podía hacerse. Me limitaba, pues, con él a conducirme con una cortesía distante. No tardé en darme cuenta de que él me atribuía todavía más cosas nefandas que Nancy. Pensaba por lo visto en mí como en una española pasional y secreta. Naturalmente de eso se desprendía una especie de admiración de turista. Yo veía que se engañaban conmigo y que de un modo o de otro yo los engañaba a todos. Esto me gustaba. Para desorientar a aquella gente lo mejor era — ésta es una teoría de Javier — no tener planes de ninguna clase. Es algo que ningún ruso puede imaginar. Ahí se desorientan y se pierden. Yo obtenía de mi embarazo como una especie de confianza animal en la realidad: en el agua, en el aire, en el pan. Lo mismo que los *curritos* los de la NKVD no mataban mujeres embarazadas. Yo tenía un plazo despejado y sin sombras que iba a aprovechar lo mejor posible. No digo que estuviera segura del resultado, ni mucho menos. Podía suceder que en una de mis intrigas espontáneas y sin plan *me cogiera los dedos*. En nuestras condiciones aquello podría ser funesto para todos, especialmente para Javier, pero en todo caso gracias a mi intervención la muerte de Javier — si llegaba — sería digna de él. Si lo mataban tendrían que matarlo como a un enemigo considerable. En aquellas condiciones en que estábamos todos la muerte era el accidente más probable, y haciendo yo algo que podría salvar a Javier me conducía virtuosamente. Propiciando en todo caso — en el caso peor — para él una muerte más digna de la que tendría sin mi intervención, también. Así pues, no me preocupaba de mí misma en sentido ninguno, y haciendo lo que hacía estaba o creía estar en lo cierto. Así era yo entonces. Después he tenido que rectificar algunas de estas ideas. En todo caso, y permítame que lo repita una vez más porque entonces era especialmente importante para mí, yo estaba embarazada. Mentiría si dijera que sentía emociones tiernas, es decir crisis de ternura maternal. No. Sólo sentía curiosidad. Y gratitud. Agradecía a mi niño aquellos seis o siete meses de invulnerabilidad que me daba con los funcionarios de la NKVD. Yo creo que esa gratitud era mucho más que los extremos de enternecimiento consigo mismas que tienen casi todas las mujeres que van a tener su primer hijo. También me daba cuenta por primera vez de que el centro de gravedad de la mujer está en la matriz. El del hombre, en el corazón. Yo tenía algunos síntomas raros del desplazamiento de ese centro mío de gravedad. A veces al mirar un objeto éste se movía. Era como si mi mirada lo hiciera cambiar de lugar una pulgada más a la izquierda o a la derecha. También me di cuenta de mi falta completa de curiosidad para las cosas de la vida intelectual. Sólo podía leer libros que me produjeran emociones fuertes de las cuales estuviera excluida mi razón. Yo creo que una mujer embarazada no podría ocuparse nunca de cosas demasiado intelectuales. Toda yo iba animalizándome y no crean que por eso era menos sagaz o menos hábil. Al contrario. Recluyéndome en mi vida instintiva me daba cuenta de que estaba más segura que nunca de no equivocarme. Eran mis defensas no maquiavélicas ni imaginadas, sino instintivas y casi inconscientes. Pensaba en Javier casi constantemente no como en el padre de mi niño, sino como en algunos de los chicos guapos y fuertes y desenvueltos de mi adolescencia. Bueno, no precisamente guapos. Javier no ha sido nunca guapo. Tiene, sin embargo, esas cualidades que gustan a cualquier mujer. Me gustaba que viniera, que me abrazara —Javier no olía a geranio, sino a sudor limpio y a romero— y que me tocara asiduo y obstinado —tozudo de mí y de mi carne— en los senos. Me mareaba yo y había que acumular sobre aquel mareo tantas reflexiones nuevas —por mis maquinaciones de cada día con Berard— que llegaba a fatigarme. Entonces cerraba los ojos, daba un gran suspiro y ponía mis manos detrás de la nuca sobre las almohadas. Javier entretanto hablaba. Lo que más me gustaba de él era que nunca decía cosas que pudieran prestigiarlo, que pudieran darle un halo heroico, dramático. No cultivaba ningún romanticismo, lo que habría sido tan fácil en un hombre que vivía en sus condiciones. Era de un practicismo elemental: "Necesito dos pares de calcetines de lana". También quería una pipa más grande que le ayudara a calentarse las manos en las noches de la trinchera. Necesitaba otras cosas, muchas pequeñas cosas. Yo comprendía que la obligación de todos nosotros era hacerles a los soldados la vida más llevadera. André me ayudaba a encontrar aquellas cosas yendo y viniendo con el coche de Nancy. Reaccionaba ante mi interés de esposa con unas dudas tan escandalosas que me ofendían. Pero no le decía nada.

»André tenía respeto por Javier antes de conocerlo. A mí André me parecía como un niño de los que cantan en los coros de las iglesias. Si André hubiera tenido una visión más fina se habría dado cuenta de que nadie creía nunca lo que decía. Lo oían como una música agradable y lo miraban como un espectáculo, pero no lo creían.

»Y cuando Nancy bailaba danzas negras con la casa llena de resonancias de tam-tams africanos él la miraba un poco asustado y siempre decía algo que trataba de ser chocante: *Uno se siente oruga de noventa anillos,* decía André.

Y Nancy respondía:

»—Ven aquí, oruguita *cute.* Ven que te peine.

523

»Porque Nancy tenía la manía de peinar a sus amantes. Por eso tal vez no tenía ninguno calvo.

»Un día hablando yo con André de la desorientación erótica de Nancy él dijo que era natural y que sólo había tenido dos pasiones en su vida. Se enamoró de un escritor inglés. Un novelista y ensayista de primerísimo rango, según Javier. Era un poco más viejo que Nancy y bárbaramente inteligente. Cuando Nancy se convenció de que bajo ningún concepto llegaría a interesarle a pesar de los blasones de la familia, cayó en una melancolía que le duró algunos años. Y se lanzó poco a poco a su libertinaje sin alegría. Todavía no se podía citar el nombre de aquel autor delante de ella.

»Llegó un día Nancy a recuperar, si no el gozo de la juventud, una cierta conformidad con su destino. Desde entonces decidió que no tenía derecho al mal humor y menos a enfadarse con nadie. Cuando alguno quería reñir con ella y trataba de sacarla de quicio, ella comenzaba a mirarlo con una falsa inocencia y a decirle:

»— Llevas una corbata que va muy bien con el color de tus ojos.

»O cosas equivalentes. Nancy era muy fuerte. Por un lado su fortuna, por otro la cadena de frustraciones — la decepción — cuyo eslabón principal era el escritor inglés. El dolor la había fortalecido. Javier no creía en ese dolor. Decía que Nancy lo había transformado en un pretexto para su libertinaje.

»André declaraba que después de aquel escritor la segunda gran pasión de Nancy era él. Oírselo decir a él mismo era de veras chocante.

»En aquellos días había entre los altos moscularis un terrible espíritu derrotista. André, cuando veía que habíamos perdido terreno en algún frente, cantaba una canción cuyo estribillo era:

> *Tout va très bien,*
> *madame la marquise...*

»El embarazo seguía adelante y cuando llegó el momento me fui en el coche de Nancy al hospital mismo donde había estado en capilla, al hospital donde había hecho amistad con Horacio, el muñeco.

»El parto fue horrible, y lo único tolerable de aquel espantoso hecho fue que no se enteró Javier. "Cuando venga a verme

— pensaba — me encontrará con el niño y eso será todo." Sonia se enteró del parto por Nancy y vino a verme al hospital y después a la Sureda. Me pareció una mujer distinta esta segunda vez y creí que me miraba furtivamente con rencor. Trataba de demostrarme que tener un hijo era vulgar y que a ella no le interesaba una cosa que hacían las vacas, las cabras y las yeguas. Yo no podía comprender aquella reacción tan violenta. Descubría en sus palabras un odio concentrado y oculto que salía en explosiones irregulares y que nunca habría podido imaginar. Sonia no había terminado. Seguía: "No creas tú que el trabajo político nos esteriliza a nosotras. Pero tener un hijo podía ser un truco, un mal truco contra Berard y más ahora en medio de las dificultades de la guerra". Ah, vamos. Sonia creía que mi hijo era de Berard. Aquello era otra cosa. Más que ofenderme, lo que yo sentía era una sorpresa cómica viendo hasta qué extremos la rusa estaba enamorada de Berard. Yo no podía comprenderlo recordando a aquel hombre nebuloso y sin forma cuyas ropas olían a veces a sudor viejo. Alcé la voz para decir a aquella mujer que no era necesario que viniera desde tan lejos — desde Moscú — a decir estupideces, y que Berard sería el último hombre en el mundo con el que yo tendría alguna forma de intimidad. Añadí — comprendo que tal vez fui demasiado lejos — que Berard no había matado a mis padres, y que si los hubiera matado ese hecho no sería un atractivo suficiente para mí. Aunque yo hablaba con calma alzaba la voz porque me había dado cuenta de que los rusos tenían la obsesión del *spanski temperament* (temperamento español) y cuando creían hallarlo en alguna manifestación violenta se intimidaban un poco.

»— Sois malas por estupidez — dije —. ¿Crees tú que por haber salido algunas veces con Berard y por haber acusado a Javier tengo que ser la amante de ese bonzo de la NKVD? No sabéis nada de las relaciones humanas. Sólo habéis llegado a entender dos cosas: el hambre y el terror. Seguís al Vodz. ¿El Vodz es un criminal? Entonces hay que buscar las grandezas y las complejidades de la violencia, del crimen secreto, y encontrar en ellas materia de reverencia. Berard denunció a tus padres. Tú para seguir la escuela del Vodz necesitas enamorarte de Berard porque representa la vileza. Pero todo eso es peor que la locura. Es estupidez. Es insuficiencia y tontería. Es una derivación cobarde del suicidio. Tardé en comprenderte, Sonia,

pero no te preocupes. Te entiendo. Te veo delante entera y
verdadera tal como eres.

»Ella escuchaba impávida:

»— También tú sigues el camino del Vodz. Tú, denunciando a
Javier. Denuncias a tu marido y te acercas a Berard. ¿No es lo
mismo?

»— No. No es lo mismo.

»— ¿Por qué?

»— Porque tú eres tú y yo soy yo. Eso es bastante difícil de
comprender para una traductora de la policía.

»Yo sabía que ella tenía misiones más altas que aquélla, pero
creía envilecerla y humillarla hablándole así. Gritaba y oí acudir a Nancy escaleras arriba.

»Cuando entró la inglesa en el cuarto Sonia se calló y se puso
a simular interés por un libro que había sobre la cómoda. Yo
seguí hablando aunque más tranquila. Dije que me sentía feliz
de ser mujer. No tiene importancia para los demás, pero yo
adoraba a mi niño sin dejar de comprender que en las condiciones en que vivíamos aquel infante era un ancla que nos dificultaba los movimientos a Javier y a mí. La maternidad me
obligaba a recluirme y la soledad me debilitaba.

»Sonia estaba lívida. Nancy nos miraba a las dos y no decía
nada. La rusa había dejado el libro y parecía dispuesta a volver a sus pugnacidades. Yo pensaba: "¿Qué hacen en mi país
estas mujeres? ¿Y por qué se atreven a alzar la voz delante
de mí?".

»Trataba Sonia de sobreponerse a sus odios pero no podía:

»— Tu hijo no será de Berard, pero eso ha sido un truco — repitió —. Un cobarde truco. Has estado nueve meses a salvo de
las investigaciones de la NKVD.

»En aquel momento Sonia me parecía tan grotesca como el Lucero del Alba, como el obispo de Mondoñedo. Y tan peligrosa
— aunque esta idea parezca incongruente — como el Cristo del
Caloco. La inglesa se dio cuenta e intervino:

»— Ariadna, no hagas caso a Sonia. Tiene reacciones tan violentas porque la han llamado de Moscú. Ayer recibió la noticia.

»Vi en la expresión de la rusa un desaliento miserable. Tan
miserable que no podía sentir piedad por ella. No la compadecía. Nunca lograba sentir compasión por un ruso porque me
parecían seres de un género diferente, de una especie distinta,

y según Javier sólo sentimos compasión por los que son nuestros iguales. Nancy miraba con piedad a la rusa, en cambio. Sonia dijo con cierta ira contenida:

»— Si me llaman o no de Moscú es cosa mía.

»Pero la pobre Sonia estaba vencida. Yo no podía compadecerla porque además de ser un animal de otra especie acababa de revelarme que alguien había pensado en mi muerte. "Tengo que decírselo a Javier", pensé. Y tuve miedo. Sentía una especie de gratitud por mi bebé, que tal vez me había salvado la vida. En cuanto a las causas de la inquina de la NKVD o de Sonia o de las dos, no podía imaginarlas. Esas inquinas sin motivo son las más mórbidas y dañinas.

»— ¿Es verdad que te llaman de Moscú? — pregunté amistosa —. Y si es verdad, ¿por qué vas?

»Nancy repitió la pregunta y la rusa volvió a hablar dirigiéndose a ella:

»— No puedo dejar de ir. Dentro de algunos días embarcaré en Valencia. No puedo dejar de ir porque no es sólo la NKVD. No es el consejero de la embajada el que me envía. Y tampoco sé exactamente adónde voy. Nadie sabe adónde voy ni qué es lo que quieren. Tal vez van a darme un puesto en una embajada de algún país de los Balcanes o de Oriente. O me voy a quedar dentro de las fronteras después de lo que les sucedió a mis padres.

»Seguro que si me hubiera conducido con más energía, si hubiera acusado y llevado al muro a tres o cuatro docenas de gente dudosa, ahora me darían un puesto en alguna parte. Pero he sido débil. Todo se ha convertido en vacilación, contemporización, jubilacionismo. He sido dulce y cobarde. Y ahora me llaman y obedezco y voy. No sé adónde. Pero voy porque me llaman no sólo los camaradas para premiarme o para castigarme. Me llaman también otras cosas. ¿Te acuerdas, Ariadna? Me llaman la Nuez, la Escoba, la Ventana, la Pimienta. Me llaman los únicos amigos que he tenido en la vida: los siete botones de la manga de mi madre.

»Nancy, que no estaba en antecedentes, la miraba como si pensara que estaba loca y aquello ofendió a la rusa, quien continuó:

»— Yo vuelvo a Rusia. Sí, Ariadna, yo seré imprudente, seré indiscreta, seré cobarde, pero no me refugio en la maternidad para salvar la piel.

527

»La inglesa se acercaba a la rusa, le echaba un brazo por los hombros y la llevaba hasta la puerta:

»— Vamos, Sonia. Vamos abajo.

»Yo me sentía otra vez llena de odio, pero dudaba de que tuviera derecho a odiar a aquella hermosa mujer que era llamada por el Kremlin tal vez para ser *concentrada* en Novo Devichi. Cuando Nancy y la rusa se fueron al piso de abajo yo me senté en el borde de la cama todavía con el corazón alterado. No odiaba a Sonia. Tampoco la compadecía. Sentía un poco de piedad por mí misma y por mi niño.

»Me intrigaba lo que había de amenaza en las palabras de Sonia. ¿Quién podía estar interesado en mi muerte? ¿Y por qué?

»Dos o tres días después vino Javier a verme y se fingió sorprendido al encontrar al niño. Digo que fingió la sorpresa porque alguien le había hablado antes. Michael pasó por el hospital y aunque me prometió que no se lo diría se lo había dicho. Yo había querido evitarle a Javier las ansiedades, incertidumbres y emociones del parto. Javier miraba al niño y yo lo miraba a él. Es cómica la expresión del hombre cuando mira a un bebé. Parecía decir Javier: "Ariadna, tienes unas sorpresas brutales". Pero yo sabía que no se había sorprendido. Por fin se acercó a besar al niño. Lo besó en el triangulito que formaban sus labios y que parecían una punta de flecha.

»Pero para entonces el médico que lo asistía me había dado malas noticias. El niño tenía rasgos mongoloides y debía prepararme a la idea del fracaso de mi maternidad. No era seguro, pero era más que probable. Supongo yo que cuando el médico me hablaba así era que no tenía remedio. Parece que la cosa no venía de Javier ni de mí. Era una de esas cosas que pasan sin causa aparente y a pesar de todo.

»Mirando a mi niño pensaba: "No eres un ser normal, no eres un hombrecito como los otros. Sin embargo has cumplido una misión". Si las palabras de Sonia eran algo más que locura y dislate aquel hombrecito cuyos nervios estaban desacordados, cuyo cerebro no funcionaría, me había salvado la vida. Pero yo no podía tolerar las palabras de Sonia. Las consideraba una derivación cruel de su miedo. Mi niño era mongoloide. No había articulación entre sus deseos y sus nervios, entre su carne y su alma. Sería tal vez hermoso, pero sería... Yo me resistía a decir la palabra.

»Sería idiota. Si las almas de los que van a nacer flotan en el aire en torno a las madres, el alma que correspondía a mi niño no quiso venir a habitarlo. Tal vez tuvo miedo.

»Mongoloide. ¿Por qué los llaman así, mongoloides?

»No entendía. No quería entender.

»Javier parecía tan taciturno que no me atreví a hablarle de lo que sucedía con el niño ni de la escena de Sonia. Se sentaba en el borde de la cama y se quitaba una bota enorme que quedaba con la caña tiesa y las hebillas tintineantes. Era lo primero que hacía siempre al llegar a casa. Descalzarse es el lujo de los soldados. Al mismo tiempo miraba al niño:

»— Es hermoso.

»Yo no decía nada y Javier añadía:

»— Es más hermoso que otros niños, pero tiene algo extraño.

»Lo escuchaba yo con miedo:

»— ¿Qué es lo que tiene?

»— No sé. Es como una escultura inanimada. Como un querube de los altares de las iglesias. Hermoso, pero le falta algo.

»El niño dormía con los ojos abiertos. Yo se lo hice notar diciendo que ésa era la causa de su extrañeza. Javier seguía mirándolo tan fijamente que yo le dije:

»— No lo mires así que lo despertarás.

»Y era verdad. Aquel muñeco tenía una sensibilidad enfermiza y aunque el ruido de los cañones no lo perturbaba, la mirada mía lo despertaba, a veces.

»Yo tenía miedo de que Javier hubiera hablado con Sonia. Se lo pregunté y por toda respuesta Javier me besó en la frente y me dijo:

»— Lo sé todo, Ariadna. Digo en relación con Sonia.

»Me dijo que se había declarado una sublevación en Barcelona. Una verdadera rebelión armada. Eran nuestros hermanos, los bosquimanos inspirados de Cataluña. Y habían empleado tanques, morteros y ametralladoras. Verdaderos tanques que disparaban por las calles. Por esa razón Javier, que no solía usar armas a pesar de estar en el frente, buscó un revólver y lo llevaba montado en su funda de cuero. Entretanto los moscovitas eran tan disciplinadamente ingenuos que creían hacer méritos informando cada día al Vodz de los desórdenes de Barcelona y exagerando su importancia y magnitud. Con eso no hacían sino evidenciar su falta de habilidad política. E iban siendo llamados de uno en uno, de dos en dos. Los citaba no Kremlin, sino Novo Devichi.

529

»Cada vez que oía una noticia nueva según la cual Ivan Ivanovitch o alguno de sus compinches — cómplices en el crimen de Earl y en tantos otros — habían sido llamados a Moscú, se quedaba Javier un momento pensativo y luego estallaba en una sorda indignación. No se indignaba por la suerte de las víctimas, que le tenían sin cuidado, sino por el sistema político que permitía todo aquello.

»Y volvía a lo mismo:

»— *Creen que los tanques de Barcelona son los que se han extraviado en este frente.*

»¿De dónde habría salido aquella idea absurda? No quise decirle que absurda y todo yo se la había sugerido a Berard.

»La desaparición de Ivan Ivanovitch — el que había descubierto que el pasaporte del americano Earl podía ser usado por un espía ruso — le parecía a Javier humorística porque aquel hombre de la cabeza monda, que en definitiva había sido el culpable principal de la muerte del pobre Earl, tenía la manía de los judíos y solía decirle a Michael mirándolo con una curiosidad de gato:

»— Usted no tiene nada de judío, camarada. En absoluto.

»Michael lo imaginaba en la Lubianka balbuceando — solía balbucear — y diciendo a los de la NKVD si tenían o no algo de judíos. En aquellos rusos la desaparición y tal vez la muerte vil no era más que un accidente del trabajo. Era como el tornero mecánico que se atrapa la mano entre dos ruedas. Y Javier decía:

»— Son los bosquimanos de Barcelona quienes han decidido de Ivan Ivanovitch, el de la cabeza afeitada.

»Javier me dijo una vez más que tuviese cuidado con los rusos y volvió al frente. Yo no quise decirle que Sonia había sido reclamada por Moscú. Tampoco me pareció bien hacerle conocer las palabras amenazadoras de la rusa cuando me dijo que estaba yo aprovechando la maternidad como un truco defensivo. En aquellos días, desde mi rincón de joven madre inmovilizada por mi niño mongoloide, desarrollaba una acción secreta cuya eficacia me asombra hoy cuando la recuerdo.

»Se pasaba Javier la vida en el frente y no en su puesto de mando, sino en las trincheras, donde se encontraba más seguro. Una noche sucedió algo curioso. Un equipo de fortificaciones en el que estaba Berard trabajaba en las posiciones de Javier cuando el enemigo comenzó a bombardear.

»Llegó a la trinchera de Javier un oficial de zapadores sofocado, cubierto de tierra y gesticulante. Andaba en los cuarenta años y era alto y recio. Detrás de su reciedumbre había una sombra de flaqueza y como un anuncio de ruina. Javier, en la oscuridad, antes de verle la cara pensó: "¿Será Berard?". Y sin darse cuenta llevó la mano a la culata de la pistola. Pero era español. Atento a su cara, a su aspecto físico, a la sorpresa de su presencia no oía Javier sus palabras. Entraba aquel hombre dando voces y protestando.

»— ¿Está usted herido? — le preguntó Javier —. ¿No? Entonces siéntese ahí y espere que pase la tormenta. ¿Dónde está Berard?

»Se sentó el capitán y sacó un cigarrillo. Cuando le hubo dado dos o tres succiones volvió a protestar:

»— ¿Cómo es posible que sus centinelas disparen bengalas mientras el equipo trabaja?

»— La culpa ha sido de ustedes — dijo Javier —. El teléfono que me comunica con el comandante de cuarto está cortado, está muerto. ¿Oye? ¿Y Berard? ¿Está ahí fuera? Digo que el teléfono está muerto y que han cortado ustedes el hilo a pesar de que estaba muy bien señalado en el mapa — y le mostró el que tenía en la mano. Yo quise dar órdenes para que no dispararan bengalas antes de las cuatro de la mañana, es decir antes de que ustedes terminaran su trabajo. Cuando fui a llamar vi que sus zapadores habían cortado la línea. La culpa es de ustedes. ¿Y Berard?

»Pareció el capitán convencido. Le ofreció Javier un trago de ginebra, pero él lo rechazó:

»— No, yo no bebo.

»Miraba la insignia de Javier:

»— ¿Manda usted la división? ¿Cómo se llama usted?

»— Le pregunto si está Berard ahí fuera.

»— Ah, Etienne. Sí. Allí está. ¿Cómo se llama usted?

»Javier dijo su nombre y el capitán alzó la cabeza asombrado:

»— Oh, usted es Baena. Fui a la comandancia de la división y me dijeron que no estaba.

»Repetía Javier entre dientes el nombre de Etienne. Le parecía más de mujer que de hombre. Hizo otra pregunta:

»— ¿Han podido poner ustedes las máquinas del cemento a cubierto de la artillería?

»El capitán tardaba en responder. Fumaba.

531

»— Como poder, todo es posible en la vida — murmuró por fin —. Pero hay cosas que no se deben intentar.

»Estaba el capitán sentado en una caja de municiones. A un lado, sobre la pila de cajas y a medias hundida en la tierra, había una bayoneta con el contrafilo dentado como una sierra. Esos dientes de la bayoneta permitín levantar los hilos espinosos de las alambradas para pasar por debajo.

»Javier tomó el arma, desnuda:

»— Esta es la bayoneta que usan en el otro lado. ¿Qué le parece?

»La admiró el capitán de los ojos febriles y Javier volvió a dejarla donde estaba. Entretanto hacía reflexiones sobre Berard. Estaba allí fuera él, en persona, dirigiendo un trabajo de poca importancia pero en el cual se interesaba al parecer el Vodz. Estaba *probando materiales* por orden del Vodz. Tal vez por orden personal y directa del Vodz, cuyo nombre Javier pronunciaba deliberadamente mal como si Sonia estuviera presente y quisiera hacerla reír.

»Del muro de la trinchera cubierta salía una raíz gruesa como el brazo de un niño. El capitán, muy nervioso, trataba de encubrir sus nervios tirando de ella con violencia.

»Pensaba Javier en Etienne. Nombre femenino. El capitán pidió que le firmara la hoja de servicio. Javier estaba mirando una pluma estilográfica que llevaba el otro en el bolsillo del pecho.

»— ¿Cree usted que es una pluma? — preguntó el oficial.

»La sacó y la mostró:

»— Es una pistola. Si ahora levantara este dispositivo — decía más nervioso aún — saldría el tiro. Está cargada.

»Javier pensaba: "Es la de Berard. Se la ha debido regalar Berard". Y la pluma apuntaba hacia Javier, frente al corazón. Javier tuvo miedo un instante suponiendo que aquel oficial podía ser un agente de Berard con propósitos siniestros. Vio un destello en los ojos de aquel capitán, congelado en el aire al chocar con las sospechas vivas de la expresión de Javier. Con un movimiento rápido Javier se ladeó y en aquel mismo instante salió el tiro. La bala raspó la chaqueta de cuero y fue a clavarse en el muro. Una bala de plomo, sin blindar y de un grosor mayor que las de rifle. La *pluma* le había saltado de las manos al capitán de ingenieros, quien comenzó a dar excusas atropelladamente.

»Acudieron los dos oficiales *de cuarto*. Javier dijo recogiendo la *pluma* del suelo:

»— Ha querido matarme.

»El capitán no acertaba a decir nada y estaba muy pálido. Javier pensó que debía ser la primera vez en su vida que le habían encomendado una tarea como aquélla. Uno de los oficiales montó el revólver y Javier dijo:

»— No. Aquí, no.

»Sacaron al otro afuera a empellones. No protestaba. No decía nada. Había comprendido también que las excusas resultarían ociosas y fuera de lugar. Se oyeron fuera otros dos disparos. El capitán cayó en la parte descubierta de la trinchera y después se oyó el esfuerzo de alguien que tiraba de él por los peldaños de la trocha.

»Arrojado el cuerpo delante de las líneas los dos oficiales volvieron a ver a Javier, quien seguía contemplando la *pluma,* cuyo cañón estaba manchado con el humo de la explosión.

»— ¿Hay que dar conocimiento de esto? — preguntaron.

»— No. Nadie ha hecho nada. Nadie ha visto nada. Olvidadlo si podéis, y si no podéis no digáis nunca lo que habéis hecho porque en eso os va la cabeza.

»Se pusieron a contemplar también la *pluma* y sacaron la bala del muro de tierra donde se había incrustado. Javier explicó dónde estaba él y dónde su agresor cuando éste disparó, y cómo el proyectil pasó rozándole el pecho y rompiendo uno de los botones de su chaqueta. Luego se guardó la *pluma,* vacía.

»Salieron al espacio descubierto de la trinchera y fueron más abajo, al sector del tercer batallón. Había allí algunos soldados del equipo de fortificaciones. Mientras los obreros trepaban por las trincheras en las sombras Javier preguntó si Berard estaba allí. Le contestaron que sí y le dijeron dónde. Se veía una silueta grande y pesada a unos treinta pasos. No podía verlo de frente. Hacía un frío cortante y Javier lo sentía sólo en la cara. Llevaba en los pies dos pares de calcetines y en las manos unos guantes gruesos de lana.

»Pensaba en Berard y suponía Javier que aquella noche no podría dormir sabiendo que lo tenía cerca.

»Cuando había viento propicio se oían los motores diesel y hasta el girar de los tambores que preparaban el cemento líquido. Un soldado había señalado a Javier la silueta de Berard, y Javier seguía viéndolo en las sombras.

»Al amanecer Berard fue al puesto de mando y al ver a Javier pareció extrañarse mucho y comenzó a preguntar por el capitán de ingenieros.

»— ¿Qué capitán?

»Berard salía a la trinchera y repetía la pregunta. Todos le contestaban lo mismo:

»— ¿Qué capitán?

»Como los oficiales que lo habían matado estaban durmiendo, los otros mostraban una extrañeza genuina que desconcertaba a Berard. Por fin Javier dijo:

»— Aquí se presentó hacia las dos de la mañana un capitán no sé de qué cuerpo y quiso pasarse al enemigo. Los centinelas dispararon y creo que lo mataron.

»Asomándose cauciosamente pudo ver Berard el cuerpo del capitán inmóvil junto a la alambrada.

»— ¿Dice que quiso pasarse al enemigo? — preguntaba confuso.

»— Eso me han dicho.

»Javier dejaba en la mente de Berard la impresión de que los asesinos que le enviaba preferían pasarse al enemigo antes que cumplir su misión. No podía Berard disimular su asombro a pesar del dominio que tenía de sus nervios y parecía más insomne y gris que nunca.

»Los días siguientes tuvo Javier una sensación persistente de soledad y fracaso. "Tal vez — pensó — el capitán de ingenieros no quería matarme. Tal vez fue un accidente casual." Luego se decía a sí mismo que no había tenido bastante fuerza de determinación para mandar que lo mataran ni bastante generosidad para oponerse a que lo mataran. Y estaba descontento de sí mismo.

»Siguieron algunos días soleados y relativamente calmos. Javier esperaba una oportunidad para venir a verme y se refugiaba entretanto en sus observaciones neutras. Volvía a experimentar con las abejas.»

Otra vez el presidente de la asamblea de la OMECC al llegar Ariadna a este punto de su informe golpea la mesa con su martillo. Yo siento el haz de luz en los ojos y me levanto.

En el estrado la pantalla de proyección está limpia y sin imagen alguna. El francés que tengo al lado baja la cabeza meditabundo con los auditivos puestos para oír las palabras de Ariadna en la versión francesa.

Libro quinto

XXIV

— Berard dedicaba todo su tiempo y sus agentes a investigar en relación con lo sucedido al capitán de ingenieros. No podía concebir que se hubiera querido pasar al enemigo. Un agente suyo no podía hacer una cosa como aquella.

»Al ver Javier que las gestiones de Berard se multiplicaban envió un parte escrito a la comandancia del ejército dando cuenta del intento de deserción del capitán y de su muerte al llegar a las alambradas. Hizo aquello para cubrirse, sin olvidar que aquel parte crearía a Berard una situación equívoca y especialmente peligrosa.»

La sala del abadiado cruzada por dos rayos luminosos que entran por la vidriera de la izquierda parece más solemne. El silencio tiene calidades más religiosas. Se oye a veces la respiración del arzobispo.

El presidente dice:

— ¿Seguían acusándole a usted, Javier?

— Sí, claro. Me acusaban de muchas cosas. A veces una acusación invalidaba a las otras, pero confiaba en Ariadna.

— ¿En Ariadna? — preguntaba el presidente extrañado.

— Sí, en Ariadna.

— ¿De dónde esperaba usted las nuevas agresiones si habían de llegar?

— De Justiniano, bajo el control remoto de Berard. Había moscularis que creían que su fortuna o su desgracia inmediatas dependían de lo que otros habían visto, de lo que otros sabían. De lo que había visto o sabido yo, por ejemplo. Justiniano era una verdadera fuente de intrigas contra mí. Y no hay que olvidar que lo tenía en mi división.

— ¿Cuál fue la primera reacción de usted?

— Lo mejor con los moscovitas es callar y esperar.

— ¿Esperar qué?

— Mentiría si dijera que en aquellos momentos lo sabía.

El presidente hace un gesto de decepción y de impaciencia. Luego golpea la mesa y le da la palabra a Ariadna, quien continúa:

— Aquellos días se celebró una reunión importante en la Sureda. Estaba André, el amante de Nancy, muy interesado en aquella reunión después del escándalo internacional de Munich. A todos les gustaba venir a la Sureda donde tenían la sensación de la proximidad del frente. Una sensación placentera de peligro en medio de una casi total seguridad.

»Vino bastante gente a aquella reunión. La mayor parte conocidos nuestros y también algunos a quienes yo no había visto nunca. Unas cuarenta personas. Esperaba yo que aquélla fuera una gran oportunidad para intentar algo más en favor de Javier. Había un riesgo: Sonia estaba aún en España. Sus reacciones eran imprevisibles y podían ser peligrosas como las de un animal herido — herido de muerte. Yo a vueltas en mi recuerdo con las palabras de Sonia sobre Berard y sobre mi embarazo y mi cobarde maternidad, le tenía un odio que no era el de una enemiga, sino más bien el de una amiga frustrada y defraudada, lo que puede ser peor.

»Javier vino y trajo a Luciano, un socialista con cara de cómico viejo, que era entonces su ayudante. Su cara me recordaba a mí la del Lagarto, el *currito* de Los Juncos, aunque en un estilo más humano, claro. A mí me molestaba que Javier trajera gente nueva a mi casa. Me convenía pasar lo más desapercibida posible.

»Había dirigentes españoles y también representantes del partido francés. Antes de comenzar la reunión se hablaba y cada cual decía lo que pensaba, enfáticamente. Justiniano llegó de pronto con su aire de gladiador diciendo:

»— Hay que abandonar este sector y la ciudad misma por razones estratégicas. Un acuerdo del comité de guerra del partido.

»Javier recordaba a Justiniano que el comité de guerra no tenía independencia alguna, y que no hacía sino obedecer las órdenes de Moscú. Justiniano lo escuchaba con miedo, como se escucha a un loco. Pero parecía pensar: "Cuando este tío se atreve a hablar así es que tiene todavía poderes secretos. Debo andarme con ojo". Este era uno de los trucos que a Javier le daban resultado con Justiniano.

»Estábamos todos en un extremo del jardín y André se ponía a hablar. Proponía elegir una mesa de discusión. El público lo formaban unas cuarenta personas que iban sentándose en sillas rústicas o en el césped. André había sido elegido presidente y seguía hablando en un español salpicado de frases francesas. Vi aparecer a Sonia sombría, pálida, con los ojos casi blancos como los de una estatua de escayola.

»También estaba la Parca. Llamábamos así a una amiga de Nancy que miraba con ojos voluptuosos de miope a los más próximos. Yo pensaba: "¿Qué clase de espionaje será el suyo?". Yo lo veía y oía todo con la sensación de estar al margen. Nancy entraba y salía preparando vasos y botellas y de vez en cuando me decía:

»— ¿Han invitado a Javier? Están locos. Esta es una reunión sólo para miembros del partido, para altos miembros del partido. Javier no debía venir.

»Justiniano iba de grupo en grupo repitiendo que el valle de Pinarel y la ciudad eran técnicamente indefendibles. Habría que abandonarlos cuanto antes.

»A pesar de la mesa de discusión todos querían hablar al mismo tiempo. Javier cuchicheaba con Luciano, que estaba a su lado. El hecho de haber convertido los paramoscovitas la guerra civil española en una guerra imperialista — lo contrario de lo que proclamaba Marx — era claro e inequívoco y — replicaba Luciano — la explicación sería imposible desde el punto de vista de la honestidad revolucionaria. Estas frases eran muy de Luciano, que tenía una tendencia verbosa y teorizante. Javier le escuchaba pensando: "Quieren abandonar este sector porque no les parece políticamente seguro. Porque estamos yo y otros como yo".

»André presidía y lo hacía bien. Tenía soltura y además se veía que podía ser un hombre responsable y hábil.

»Los paramoscovitas franceses tomaban a veces un aire cínico en relación con Moscú que a nosotros nos resultaba agradable. Reducían los problemas a cuestiones de prestigio personal o nacional. Por otra parte podían aceptarlo todo menos que un dirigente viviera mal. Del oro español habían sacado algo más de quinientos millones de francos con los que habían comprado una línea de navegación franco-argelina y fundado un diario en París. André andaba en torno a aquel dinero como un gato alrededor de las entrañas de un pollo. No sabía por dónde meter la nariz.

»Luciano juraba en voz baja a Javier que de los rusos que había allí ni uno solo tenía la cabeza segura sobre los hombros. Todos envidiaban a los paramoscovitas franceses — decía — porque con ellos el Vodz no se atrevía. Entretanto, al lado de la presidencia un francés hablaba contra la guerra imperialista y en favor del Vodz, cuyas decisiones había que aceptar ciegamente. El orador francés decía con grandes gestos haciendo la historia de la entrevista de Munich:

»— *L'atmosphère, s'épaisissant de jour en jour dans les milieux politiques, devenait lourde...*

»Javier pensaba en otra cosa. Pensaba que en aquella reunión había alguna intención oculta. Y preguntaba a Luciano:

»— ¿Quinientos millones?

»— Sí, gracias a nosotros el partido francés tiene casa propia en París. Porque también compraron una casa.

»El orador alzaba la voz:

»— *Un violent orage aprochait...*

»Luciano contestaba a Javier, que le había hecho otra pregunta en voz baja:

»— Quinientos millones. No es ninguna broma. Y todo lo que está haciendo esta tarde André es conquistar el derecho a meter los dientes en el pastel. El derecho a hacer picos e hilachas en esa cifra redonda, tan tentadora.

»Javier pensaba: "¿Por qué no? André es un hombre culto, de buen gusto, que pasa una temporada en la Sureda para sentirse heroico oyendo sonar los cañones. Le gusta seguir aquí con Nancy, además para escribirlo un día en sus memorias. No veo por qué no han de darle dinero a André". Luego volvía a preguntarse si se proponían algo en aquella reunión. Algo en relación con él. Porque el hecho de que lo hubieran convocado sin pertenecer al partido, ese hecho que escandalizaba a Nancy, quería decir que en la reunión había algo contra él.

»Con aire profesoral el orador decía:

»— *Depuis la chute de l'empire romain semblable tempête n'a-vait menacé les hommes...*

»Javier preguntaba a Luciano otra vez cómo se había enterado de aquello de los millones.

»— Tengo un pariente diputado que intervino en el enjuague.

»Yo lo oía y pensaba: "Un enjuague de sangre".

»Junto a la mesa de la presidencia el orador alzaba la mano en el aire y seguía:

»— *Jamais depuis les temps bibliques ne s'était abattu sur nous un fléau plus dégradant que le gouvernement anglais de Monsieur Chamberlain.*

»Luciano decía a Javier:

»— ¿Qué te parece si intervenimos tú y yo haciendo algunas preguntas sobre esos millones?

540

»— Hay otras cosas más escandalosas que ésa. Tal vez saldrán a relucir. Espera y veremos.

»Pero Luciano era feliz con aquel secreto. El orador preparaba al parecer un golpe maestro. Los franceses son buenos oradores y sus trucos son menos efectistas y por otra parte más eficientes que los españoles. Y se dirigía a nosotros:

»— *On nous reprochera peut être un jour d'être les alliés des hommes qui bombardèrent Guernica, des hommes qui pilonnaient les positions du front de Madrid, mais... Ah, camarades espagnols, si vous étiez dans les secrets des pourparlers de Munich comme nous sommes aujourd'hui...*

»Javier le dijo a Luciano que él estaba bloqueado por los moscularis y sin libertad de movimientos. Luciano le dijo:

»— ¿Y me lo dices a mí?

»Él estaba en el secreto de la mayor parte de nuestras dificultades. Al ver que entre los concurrentes no estaba Berard dijo, bajando la voz, que aquella ausencia le daba mala espina en relación con nosotros, con Javier y conmigo. Lo que le despistaba era la presencia de Sonia, pálida y con los ojos claros de escayola. Que estuviera ella si no estaba Berard. Cualquiera de aquellas circunstancias podía convertirse súbitamente en un pretexto fatal, pero Javier sonreía oyendo al orador apostrofar a los españoles que se permitían discutir al Vodz. Luego gritaba:

»— *Il y avait à Munich dans la chambre de Hitler des microphones ocultés pour enregistrer les pourparlers. Et moi j'ai entendu le disque qu'on a fait avec les propositions de M. Chamberlain et de cette grue qu'on apelle Monsieur Daladier.*

»Javier pensaba: "Daladier, Chamberlain. Frivolidades. Nombres ridículos cuando suena el cañón y corre la sangre inocente". Luego Javier miraba a Sonia y pensaba: "Tiene la cara del que va a cometer una imprudencia grave". Eso no quería decir que la cometiera.

»Luciano seguía hablándole a Javier en voz baja del dinero que de un lado y otro de los Pirineos había sido garbeado por los paramoscovitas. El orador decía:

»— *Messieurs Chamberlain et Daladier offraient à Hitler carte blanche s'il voulait ataquer la Russie et laiser la France en paix. Faut l'avouer. Ça engueule. Ça pue. On voulait faire du prolétariat russe la grande victime de l'histoire.*

»Javier pensaba: "Lo es ya. Lo ha sido siempre".

541

»El orador, en la pasión del discurso, hablaba solamente francés. Y hacía alardes retóricos:

»— *Les coupables au charnier! Les chacals à l'égout!*

»Luciano se quedaba mirando a Javier y decía:

»— ¿Qué es lo que guarda esta gente escondido en la manga?

»— ¿Qué ha de ser? No pueden dar un paso sin traicionar a alguien.

»Luciano miraba alrededor precavido:

»— Chico, baja más la voz. Es peligroso.

»Javier repetía en un susurro entre dientes su frase favorita:

»— Todo es peligroso, Luciano. Aunque lo más peligroso, nacer, lo hicimos hace mucho tiempo.

»El orador parecía indignarse, todavía:

»— *Ces anglais, ces français des deux cent familles exaltent tous ses défauts, ses vices et ne tiennent plus que par ses crimes.*

»Luciano suspiró y dijo:

»— Esta gente no sabe nada de los hombres. Sólo sabe que hay que envilecerlos si son superiores a ellos y esclavizarlos si son inferiores. Una psicología de gusanos o de hormigas. No irán muy lejos. ¿Cómo hay gente que pueda tolerarlos?

»Al lado de la presidencia el orador alzaba los dos brazos y decía:

»— *Ça va finir, l'imposture! En l'air l'abomination!*

»Javier susurraba:

»— ¿Qué importa? Nosotros estamos en peligro. Lejos se oyen los cañones. Sonia está en trance capital y probablemente fatal. ¿Qué importa? Nada de lo que vemos es verdad. Toda nuestra representación de lo real es un sueño. Los españoles lo hemos sabido siempre. ¿Quieres tú que me sobresalte por oír a unos decir una cosa y a otros la contraria? ¿Por saber que me bloquean con el pretexto de los tanques perdidos o de un muerto que se llamaba Earl o de una sublevación a cuatrocientos kilómetros de distancia? Pero yo sospecho lo que esconden en la manga.

»El orador se había callado y aplaudían. Aplaudieron también Luciano y Javier. Luego André puso un gramófono encima de la mesa y un disco. Un famoso disco donde el *premier* inglés proponía al *führer* que atacara y destruyera a Rusia. Según repetía André la entrevista había sido registrada. Daladier se oía una vez diciendo a Hitler: *Votre excellence...* Pero casi todo el disco lo ocupaba el inglés. Había puesto André el sonido muy alto, lo que permitía a Javier seguir hablándole a Luciano por debajo de la voz cavernosa y opaca de Chamberlain, que decía: *You must consider, excellence, Sir Chancellor...* Javier musitaba:

»— Tú no debes intervenir pase lo que pase y digan lo que digan. ¿Oyes, Luciano?

»El disco de Chamberlain — evidentemente falso — seguía. Tenía el *premier* inglés una voz catarrosa y sin sonoridad: *Then if you go through the East we will not bother you and...* Luego se oía otra vez en francés: *La France non plus, monsieur le chancelier.* Todo aquello era falsificado. Nada más fácil que simular aquel diálogo. Pero André se exaltaba:

»— *Omineux!*

»Luciano me preguntaba:

»— Si ese discurso es auténtico, ¿cómo se han hecho con él los moscularis?

»Al terminar el disco André dijo de pronto:

»— En estos días han circulado rumores sobre la posible relación clandestina y no declarada de algunos elementos de este sector con la sublevación de Barcelona. No digo nombres, pero entre nosotros está quizá el camarada más interesado en responder y aclarar esta delicada cuestión. Sería oportuno que nos dijera él mismo lo que hay de verdad en estos rumores.

»Javier se quedó un instante sin respiración con la pipa en la mano y la boca abierta. Tuvo el feliz acuerdo de hacerse el sueco. Todos lo miraban (Sonia con sus ojos de estatua). Javier seguía impasible aunque con los nervios tensos como cuerdas de violín. Yo me decía: "Ahora van a descubrir el pastel". André preguntó:

»— ¿El camarada Baena no dice nada?

»— ¿Quién, yo? — dijo Javier con una expresión de payaso.

»Mientras se acercaba Javier a la mesa logró dominar sus nervios. Dijo volviéndose hacia el público:

»— ¿Se refieren a mí?

»Aquí repitió Javier todos los lugares comunes de la propaganda, sin sentirse en lo más mínimo acusado por nadie. Había que exterminar a los que inventaban aquellas extravagancias. Justiniano se movía en su asiento con el dedo pulgar en la sisa del chaleco — gesto habitual de Lenin —, y el tesorero del partido moscovita, una especie de diácono jesuita — *el hermano Miguel* —, me miraba, pero la luz ponía un reflejo en sus gafas y yo no podía ver su expresión. Parecían pensar todos: "Javier es un cínico. Un cínico inteligente. No conseguiremos poner nada en limpio, con él".

»Las palabras de Javier, bastante absurdas en apariencia, fueron acogidas con aplausos. Acusaba a sus acusadores sin sentirse culpable. Los únicos que no aplaudieron fueron dos o tres rusos y un argentino-italiano delegado del *komintern* que tenía las trazas de esos capadores de cerdos que aparecen periódicamente en las aldeas con la tez olivácea y un sombrero de ala ancha. Sonia estaba perpleja y su palidez me parecía alarmante. Un francés que no estaba en antecedentes de la intriga comenzó a proponer nombres para formar una comisión investigadora. Javier se opuso. Había demasiados comités investigando lo de los tanques, ya. Y los tanques — aquellos u otros, seguramente otros — disparaban en las calles de Barcelona. Como esperaba, su oposición estimuló el deseo de nombrar un nuevo comité. Quedó constituido y la reunión comenzó a disolverse. Javier estaba satisfecho porque en aquel laberinto de comisiones se perdía siempre el propósito con el que había sido organizada la primera. Aunque el *capador* de cerdos se levantó para dejar establecido de un modo concluyente que la nueva comisión se ocuparía sólo de investigar la relación del movimiento de Barcelona con la actitud de resistencia pasiva de algunos elementos del sector de Pinarel.

»Javier entró en la casa y yo lo llevé a un cuarto del piso alto y le dije:

»— Estás jugándote la cabeza.

»Javier me besaba y me impedía seguir hablando. Entonces yo me aparté y le dije lo que sucedía con el niño, repitiéndole las palabras del médico. El niño era mongoloide y sería probablemente idiota. Javier me miró como si lo hubiera insultado.

»— Cállate — dijo —. Eso es mentira.

»Yo insistí y repetí una por una las palabras que me había dicho el médico. Javier se quedó pensativo. Luego cambió de tema como si quisiera evitar el de la enfermedad del niño. No me hizo reproches por haberle hablado a André de los tanques. Yo sabía que él sabía que yo sabía... Así podría elaborarse una cadena bastante larga. Pero yo le había sugerido un día a Javier mis intenciones sin decirlas. Si las enfermedades se curan a veces por el estímulo y aumento de los elementos mórbidos — *similia similibus,* etc. —, también algunos problemas de nuestra vida social pueden llegar a resolverse también del mismo modo, pensaba yo.

»La gente entraba en la casa haciendo comentarios sobre el disco de Chamberlain. Nadie hablaba de Javier ni de los desórdenes de Barcelona. Nancy atrapó a los primeros que entraban y los hizo transportar bandejas con vasos y botellas. Lejos se oía un cañoneo cada vez más intenso. André, que tenía la manía de la iluminación, andaba encendiendo luces aunque no era de noche. Luego ponía en marcha el gramófono, naturalmente con discos negros, con tam-tams. Sonaban como proyectados por una lejanía de árboles y ríos. Tenía André una movilidad de bailarín. En alguna parte alguien decía, doctoral:

»— *La redention des races inférieures, monsieur...*

»La alemana — la Parca — entraba y salía con frutas y pasteles y entornaba sus ojos de miope. A veces se quedaba escuchando, inquieta, los cañones lejanos. Yo la veía desde la cocina, de frente o de perfil. Las líneas de la frente y de la nariz de aquella mujer eran una sola, pero así como a los griegos esa línea les daba serenidad y nobleza, a la Parca le daba un reflejo incómodo de estupidez. "Debe de tener también algo de mongoloide", me decía yo mirándola de perfil.

»En la sala los invitados formaban grupos y seguían comentando el disco de gramófono. André, que gustaba del idioma inglés, repetía la frase de Chamberlain. Nancy se asomaba a la puerta y gritaba:

»— Toman ustedes demasiado en serio la frase de Chamberlain, pero es un político de cuarto orden. Un pobre alcalde de aldea. Hay otras cosas más importantes de las que hablar.

»Dio dos palmadas, reclamó silencio e hizo una seña a André, quien salió al centro con un vaso en la mano. Después de escuchar los cañones, hacer un gesto amable y un comentario estoico, dijo:

»— Ya se han tomado medidas en el comité de guerra del partido en relación con este sector. Medidas que no estoy autorizado a hacer públicas, pero que tampoco me obligan a un silencio obtuso.

»André quería demostrarnos que a pesar de ser un paramoscovita seguía siendo un francés y era con ventaja el más sociable y el mejor educado de la reunión. Nancy lo miraba con un contento maternal. El cuarto estaba esplendente de luz. Yo veía a Sonia en un rincón. Tenía algo de figura embalsamada con una bolita de alcanfor en cada pupila. André decía contestando a alguien:

»— La reunión no está en el orden del día del partido. Por eso no se ha invitado a nadie oficialmente. Pero yo creo que es del caso anunciar que todo el sector de Pinarel y *même* la ciudad van a ser evacuados por el ejército en una fecha próxima.

»Los tam-tams seguían sonando y el eco parecía caer del techo o bajar del segundo piso por las escaleras. Alguien cortó la música.

»Entonces volvieron a oírse los cañones lejanos y Javier se puso a cerrar las ventanas porque comenzaba a oscurecer y había que evitar que la luz artificial saliera afuera. Entretanto se decía irónicamente: "¿Evacuar el valle de Pinarel? Eso lo veremos".

»Junto a una ventana estaba un hombre de cuarenta o cincuenta años, alto, fuerte y rubio. La cara redonda tenía una pasividad lunar, como debían tenerla su vientre y su trasero. Tenía manos de arzobispo.

»Era como un ángel que con la edad hubiera echado demasiadas redondeces y adiposidades. Todo era en él rubio y dorado. Yo pregunté a Nancy quién era, y ella me dijo:

»— Peter. Es Peter. ¿No lo conoces?

»Fui a decírselo a Javier y él miró al hombre rubio y dijo:

»— Mentira. Peter es flaco y moreno.

»Yo comenzaba a mirar a Nancy aquel día con recelo por haberme dicho una falsedad en relación con aquel hombre gordo y rubio.

»Le hice la misma pregunta a Justiniano y él, llevándome aparte y bajando la voz, me dijo que no era Peter, sino un alto empleado de la embajada rusa que tenía interés en conocerme a mí. Yo me di cuenta de que aquel hombre redondo y rubio evitaba hablar conmigo y comprendí que no era por indiferencia.

»En un rincón pontificaba un miembro del comité central. Javier se burlaba de él entre dientes. Yo le hacía ver que aquellas imprudencias no conducían a nada. Javier me decía una vez más, tomándome por la cintura, que los peligros mayores se desvanecen o por lo menos se atenúan cuando nos negamos a aceptarlos. ¿O era que todavía no me daba cuenta? En la ligereza de Javier había un poco de alcohol, cosa inusual.

»Bajo las luces del cuarto los últimos colores de la tarde de otoño parecían desvaídos en los corredores del segundo piso. Había comenzado a marcharse la gente — pero no el empleado de la Embajada rusa — cuando se me acercó Sonia. Comía un sandwich y miraba a las puertas de reojo. Las puertas deben tener para los rusos un valor diferente que para el resto de los hombres.

»Luego Sonia me habló:

»— Quiero darle explicaciones por mis palabras del otro día.

»Desde que supe que la reclamaban de Moscú todo lo que decía me parecía sospechoso — si la llamaban para darle algún cargo de confianza lo que era posible — o sin sentido ni valor alguno — si la llamaban para matarla. Era muy difícil hablar con ella. Yo le dije:

»— Es igual, no se preocupe.

»— ¿No me guarda rencor?

»Ella seguía comiendo, como si tal cosa. Le pregunté quién era aquel hombre alto y rubio, pero no me contestó. Aquella reserva era miedo. En cambio volvió a disculparse por las palabras ligeras — así las juzgaba ella — que me había dicho días antes.

»André seguía hablando y nos callamos para escucharle. A mí los paramoscovitas franceses me han dado siempre una impresión inteligente y cómoda. Los franceses siempre serán franceses — por fortuna. Yo veía nuevos peligros en los acontecimientos de aquella tarde. La pregunta de André sobre los tanques fantasmas me desorientaba y me decía si la respuesta de Javier habría sido suficiente. Si lo dejarían en paz de una vez. Comenzaba a comprender que no y que a partir de aquella reunión las cosas serían peores para Javier.

»André hablaba aún de Munich. André era partidario de *adelantarse* a Chamberlain y pactar con cualquiera — todos pensaban en el *führer* alemán — para ganar la partida por la mano.

»— *Pas trop de zèle, mon vieux, pas trop de zèle* — repetía alguien alarmado.

»Se oían los cañones. Nancy puso en marcha el gramófono y comenzó a hablar de arte negro. Ilustraba sus palabras con escorzos y movimientos de danza. Al darse cuenta André fue al gramófono y aumentó el volumen del sonido. A medida que los tam-tams sonaban más fuertes las conversaciones se iban apagando y Nancy parecía dispuesta a bailar. Esta intención fue más evidente cuando la vimos quitarse los zapatos. Era muy alta, Nancy. Le sobraba estatura para bailar. Además solía decir que un baile negro con zapatos es mixtificado y falso.

»Nancy bailaba. Bailaba como una negra de África, pero Nancy no era negra, sino rubia. Y no tenía nada que revelara una sensualidad natural. Era flaca, seca, vertical y tenía sólo dos dimensiones según Javier: longitud y latitud.

»A mí me gustaba oír sus pies grandes y desnudos sobre la madera del pavimento. Eran imponentes los pies de Nancy. En aquel momento parecía como si uno de ellos estuviera clavado en la tarima y Nancy con movimientos espasmódicos y rítmicos tratara de arrancarlo de allí, sin conseguirla. Entretanto los movimientos de todo el cuerpo hacían vibrar los huesos. En las bailarinas negras probablemente vibraban las opulencias carnales delante y detrás.

»Entre los paramoscovitas la mayor parte aceptaban que el entusiasmo de una inglesa rubia y millonaria por la danza de los etíopes pobres y negros revelaba un admirable desinterés de clase sobre todo en aquel momento y bajo el tronar de los cañones. Pero la danza de Nancy terminaba.

»Se cerraba la tarde al otro lado de las ventanas y en aquel momento los tam-tams callaban y se oía un brindis. André con un vaso en la mano decía ligerezas amables lleno de simpatía por sí mismo y aludía de un modo entre amistoso y amenazador a Javier y a otros jefes con tendencias individualistas. Entretanto Luciano quería marcharse. Es decir, debía volver a su puesto si Javier se quedaba conmigo aquella noche.

»Una hora después se habían ido todos incluso Nancy y André, que tenían algo que hacer en la ciudad según dijeron. Tal vez André estaba logrando meter un diente en el gran pastel de los quinientos millones usando de sus buenos oficios con Javier, es decir contra Javier.

»Era dulce la noche y lo habría sido más sin los cañones que se oían lejos. La mayor parte del tiempo el cielo estaba cubierto de nubes. Javier y yo estábamos tan placenteramente solos que creíamos seguir en nuestra casita de Pinarel. La niebla campesina era la misma. El aire parecía menos puro, pero olía a lluvia lejana. Para Javier y para mí el amor idílico tenía que estar ligado de alguna manera a la soledad en el campo y al peligro físico.

»Miraba Javier alrededor con recelo. Yo se lo hice ver y él me dijo evitando mis ojos:

548

»— Sí. Tienes razón. También a mí me alarma un poco el que no haya venido Berard después de lo que sucedió en mi trinchera la otra noche. Cuando hablé estuve tentado de recordarles que la gente de Pinarel no es fácil de convencer y que no aceptará fácilmente una resolución del comité de guerra. Pero me pareció que ellos no se descubrían bastante para que mi maniobra estuviera justificada. Sin embargo no es eso lo que me preocupa. Todo ese titirimundi político es palabrería, comadreo y confusión. Recelo más que nunca, pero es por otra causa.

»— ¿De qué? ¿De la ausencia de Berard? — pregunté yo, muy extrañada de que el hombre rubio de la embajada rusa no se nos hubiera acercado durante la fiesta.

»— Viendo lo que nos sucede, ¿no te parece natural recelar de todo? — yo le miraba pensando que aceptaba la naturaleza mongoloide del niño —. Bien. Un bebé mongoloide. Los ojos oblicuos, sin deseos ni ansiedades, la sonrisa fácil y vacía, la columna vertebral floja. Un niño idiota. No es culpa mía, según dicen. Tampoco tuya. Menos todavía del niño, a quien sólo podemos pedirle que respire, coma y duerma. Mongoloide. Pero es hermoso. Impasible y hermoso como el mármol del jardín. Hay una belleza de niños mongoloides porque la falta de inteligencia suele ser compensada como cada cosa en la creación. Como consecuencia muchos locos y muchos idiotas son hermosos. Bien, Ariadna. Yo recelo de todo, es verdad. ¿Por qué no voy a recelar también de ti y de mí mismo cuando tengo delante el fracaso en una cosa tan simple?

»— ¿Qué fracaso? — dije yo arreglando la almohada del niño en la cuna.

»— El fracaso de la naturaleza, el fracaso de Dios. ¿Tú ves que cuando el niño quiere reír hace unos gestos indecisos, agrupa sus labios, los distiende marcando los hoyuelos de las mejillas y por fin llora? O al revés. Bien, pues en esa indecisión y en esa falta de exactitud veo el esfuerzo de Dios para conseguir un mínimo de perfección en su obra. Veo el fracaso de Dios como lo había visto ya antes en el esfuerzo de los locos que quieren hablar y aúllan. O en los idiotas que quieren ser amables y son monstruosos. ¿Comprendes? Y si vemos que Dios puede fracasar, ¿no tenemos derecho a recelar de nosotros mismos?

»Yo había arreglado la almohada y lo miraba, dudando:

»— Es probable que la cosa tenga remedio — dije —. Podríamos ir a la ciudad y ver a otros médicos.

»Hablaba yo con un acento de disculpa y lamentación que a mí misma me dolió. Sentí ganas de llorar, pero me contuve. Cambiando de tema le conté lo que había sucedido con el cuerpo del hombre que un día recogimos agonizante en la carretera. Según Nancy llegaron los de la NKVD, le hicieron dos o tres fotos y lo enterraron en el parque. Las fotos para las identificaciones. Siempre las identificaciones.

»El periodista americano publicó un artículo titulado: *Un muerto en el palacio de los duques de Don Quijote.* Copió aquello de *yo soy Earl.* Entonces los moscularis le amenazaron y el buen Hymenroad dimitió su puesto de corresponsal en España y lo mandaron a Finlandia.

»El cuerpo había sido enterrado en el rincón de los manzanos que maduraban en noviembre.

»Era noche cerrada y el niño dormía. Sus funciones vegetativas eran perfectas. A veces se quedaba dormido con los ojos abiertos y no era desagradable, sino misterioso. Su risa no nos alegraba ni su llanto nos entristecía, y ni siquiera su indiferencia nos parecía una forma de calma, es decir de bienestar satisfactorio. Yo pensaba para mí: "El empleado de la embajada se fue sin tratar de verme. Sin decirme una sola palabra. Y Berard no viene nunca".

»Estábamos solos. Como hacía fresco y había leña abundante, encendimos las chimeneas de la planta baja y los cuartos de arriba no tardaron en ponerse templados. A Javier le gustaba sentarse al lado y oír las gotas de lluvia que a veces caían en los tizones y producían un rumor ligero. "Se diría que no hay guerras en el mundo." Pero los dos pensábamos en la actitud de André que sonaba a traición y en la ausencia de Berard. Sin embargo volvíamos a nuestros viejos juegos de infancia. Javier decía que las gotas de agua que caían en un tizón ardiente decían una palabra francesa: *fiançailles* y que el claxon del coche de Nancy que se oía a veces en la curva próxima del camino decía: *il l'a eu.* Como ella andaba siempre en aventuras galantes la cosa tenía gracia. Javier a veces suspiraba muy hondo, tiraba de la pipa y me confesaba que la situación de Sonia le daba la misma confusión y perplejidad que solía darle el encuentro de un muerto al lado del camino.

»Luego puntualizó como solía, a veces:

»—Una perplejidad inhibitoria. Y sin embargo Sonia está viva.

»Yo lo miraba tratando de ver lo que podía haber de amor, en aquello.

»Javier subió a la línea y quedó en volver al día siguiente para ir conmigo a la ciudad y llevar al niño a un especialista que conocía.

»Al día siguiente por la mañana, estando yo sola en casa, llegó un automóvil y desde la ventana vi entrar al hombre rubio empleado de la embajada. "Ah, vamos — pensé —. Ya sabía yo que aquel hombre tenía algo que decirme." Bastante nerviosa me dirigí al piso de abajo tratando de recoger y poner en orden mis ideas.

»Lo que pasó es difícil de explicar. Mis palabras confundirán a algunos de los que me oyen, pero les ruego que me escuchen hasta el final. Aquel hombre tenía la cortesía de los diplomáticos profesionales, un poco pasada de moda. Yo vi que en el coche quedaban otros dos rusos con armas. Al entrar el hombre rubio me besó la mano, se presentó y me dijo:

»— Ayer había demasiada gente y no me pareció discreto hablarle.

»Yo pensé: "Nancy y André sabían que este hombre iba a venir y se han quedado en la ciudad para dejarnos solos. El diplomático añadió viendo mi confusión:

»— Además, no es conmigo con quien debe usted hablar, sino con el embajador soviético, que está de paso en la ciudad y quiere verla. Yo puedo llevarla en el coche si no tiene usted inconveniente.

»Disimulando mi sorpresa le dije que no podía dejar solo a mi bebé en la casa. El diplomático hizo un ligero gesto de desaliento y añadió:

»— El embajador la conoce a usted de referencias y siente por usted verdadera admiración — se refería a mi fusilamiento y tal vez a mis revelaciones sobre los tanques fantasmas.

»Yo le dije que agradecía mucho al embajador su benévola disposición y que lamentaba no poder dejar solo al niño en la casa. Por un instante tuve la impresión de que iban a obligarme a ir por la fuerza. Pero afortunadamente no fue así. El diplomático se sentó. Yo me senté frente a él y esperé que siguiera hablando.

»— Bien, necesito hacerle algunas preguntas. Perdone si le parecen un poco impertinentes. ¿Oyó usted lo que se dijo ayer en esta casa sobre su marido?

»— Sí.

»— ¿Y qué le parece?

»— Lo que dijeron es verdad.

»— ¿Entonces hay contacto entre los rebeldes de Barcelona y los cuadros de Pinarel?

»— Sí.

»— ¿Qué clase de contacto?

»Yo mentí con una sangre fría que a mí misma me causó cierta admiración:

»— La orden de comenzar la acción en Barcelona partió de aquí.

»Había en los ojos del diplomático una luz de codicia, que disimuló:

»— Bien — dijo —. Todo lo que usted me diga lo repetiré al embajador, como usted puede suponer. Se lo digo francamente. Yo no soy ahora más que un agente. ¿Dice que la orden salió de aquí?

»— No de esta casa, pero sí del mando de la división de Pinarel.

»El diplomático estaba pálido.

»— ¿Del mismo... Baena?

»Yo no respondí. No quería ni podía ir tan lejos. Él pareció darse cuenta de que el nombre de Baena en aquel momento era inadecuado.

»— Bien — añadió —. ¿Quiere decirme usted todo lo que sepa?

»Yo estaba nerviosa también, pero no pálida, sino al revés: un rubor me iba y otro me venía. No era por mis embustes ni mis supuestas traiciones a Javier, sino por la mirada de aquel hombre, una mirada mortecina y fija como la de un perro de caza. Una mirada un poco inhumana aunque no podría definir en qué sentido, es decir sumisa o altiva, amenazadora o prometedora. Una mirada, en fin, azorante. Esperaba que hablara y yo dije:

»— Lo de Barcelona ha sido sofocado según dicen — el diplomático afirmó —, pero hay otros movimientos preparados en diferentes lugares, entre ellos Valencia. Comenzarán cuando llegue el momento. Con armas salidas de distintos frentes.

»El diplomático afirmó:

»— Lo de los tanques lo sé.

»Mal podía saberlo si no existía. Sentía la mirada de aquel

hombre sobre la mía y creía sentir, como Javier, el planeta girando bajo mis pies.

»— No puedo decir nombres — balbuceé —, pero puedo asegurar que no era una orden subversiva. Era una provocación para hacer que salieran a flote los elementos confusos y aniquilarlos. El plan parece que había nacido entre ustedes. Quiero decir, la iniciativa.

»El diplomático se asombraba:

»— ¿De nosotros?

»Sacó un lápiz y escribió algunas notas en ruso.

»— Sí, de ustedes. Creo que intervenía de un modo u otro Sonia. O Berard. Desde luego, Berard.

»— ¿Etienne Berard?

»— Sí — afirmé yo, muy segura —. Ahora lo recuerdo bien. Berard.

»El diplomático me preguntó si podía usar el teléfono y se puso al habla con alguien. Tuvo un diálogo en ruso muy largo, después del cual, con una prisa dramática y perdiendo la compostura con que había comenzado la entrevista, salió casi sin despedirse de mí.

»Yo me dejé caer en un sillón un poco asustada de mi propio atrevimiento. "Tengo que decírselo todo a Javier — pensaba. Esto es demasiado grave para conservarlo secreto, porque Javier puede hacer alguna imprudencia y descubrirlo todo sin querer. Es decir, descubrir que todo es mentira." Pero yo seguía con la impresión de estar haciendo lo que debía. Incluso si querían comprobar de dónde venía la iniciativa de la provocación — que no había existido y que yo atribuía a los rusos —, me bastaría con dar el nombre de algunas personas que según decían habían sido ejecutadas en Moscú. Y que fueran a averiguar con ellas.

»Por un momento creí sentirme yo misma en peligro. Cualquier peligro después de lo que me sucedió en la casa forestal de Pinarel me parecía menos grave y habitual y, en cierto modo, casi familiar.

»Avanzada ya la mañana llegó Javier. Como otras veces yo me hice la idea de que no había sucedido nada y por lo tanto no tenía nada que contarle. O de que había olvidado lo sucedido. Sabía que tenía que decírselo a Javier, pero esperaba el momento oportuno y suponía que no había llegado. De momento nadie podía acusarle de nada porque en la embajada tendrían la impresión de que había obedecido Javier órdenes superiores. Órdenes — precisamente — de los agentes de Moscú.

»La base de mi maniobra estaba en que al mismo tiempo que les daba a los rusos una prueba de la lealtad de Javier les hacía sentir su fuerza y su poder secreto. Las dos cosas eran falsas. Las dos falsedades eran peligrosas. Los dos peligros tenían una secreta cualidad prestigiadora y salvadora. Si había alguna víctima no era fácil que fuéramos ni él ni yo, al menos por el momento.

»Mientras nos instalábamos en el coche Javier parecía hablar consigo mismo. Decía:

»— No sé qué me pasa: hago la guerra sin odio. Soy como los enfermos que comen sin hambre y los borrachos que beben sin sed.

»— ¿También haces el amor sin... amor? — le pregunté yo.

»— No, pero estoy descubriendo que el amor es destructor. Todos los amores son destructores. Lo suponía hace tiempo, pero no lo había sentido de un modo tan convincente hasta ahora.

»Y miraba al niño.

»Salimos para la ciudad. El cielo tenía nubes intermitentes y a veces corría entre los árboles de la carretera una brisa tormentosa. Llegamos pronto. La ciudad parecía desierta. No hacía calor ni frío. Bajo las nubes claras los colores de los árboles eran más frescos y destacaban en los puestos de periódicos los carteles de propaganda política.

»Fuimos al hospital y después de un reconocimiento minucioso del especialista el niño se durmió y quedó allí al cuidado de una enfermera mientras nosotros íbamos a alguna parte a comer. Cayó un pequeño chubasco y nos refugiamos en un portal. Cuando la lluvia pasó el aire era tan limpio y tan inocente como el de Orna, la aldea montañesa. Los tejados de los edificios altos parecían negros, el ladrillo rosa se hacía rojo. Las aceras mojadas reflejaban los árboles verdes. Eran ya cerca de las dos de la tarde. Yo pensaba en el diplomático rubio y callaba. Subimos por la avenida de la Ciudadela y al doblar la esquina final Javier dijo:

»— Aquí hay un restaurante abierto a pesar de la guerra.

»Era al lado de un jardín cercado por un alto muro. Este muro estaba rebasado por macizos de rosas amarillas y rojas. Soplaba una brisa intermitente. La tormenta no se había resuelto con el chubasco y el aire era más fragante. Se oían los cañones y a veces el redoble de las ametralladoras.

»Fuimos a instalarnos en una mesa que estaba al lado de una ventana abierta protegida de la lluvia por un toldo color naranja en forma de concha. La luz de aquel rincón era una luz exquisita. Por la calle no pasaba nadie. Era aquel lugar tal vez el más alejado del frente. Yo seguía pensando en el diplomático rubio y me sentía culpable.

»Poco después de sentarnos y mientras nos traían la comida vi que la brisa huracanada arrancaba del macizo de rosas que dominaba el muro de al lado algunos pétalos y con ellos regaba la acera y parte del arroyo mojados delante de nosotros. Yo sonreía viéndolos caer y Javier me miraba pensando: "Sonríe como una madre tonta".

»La sirviente vino y habló de *la olor suave* de las rosas que llenaba la calle, pero yo pensaba en Berard, en Sonia, en la provocación, en la iniciativa de la provocación y también en mis paraísos infantiles de aquel tiempo lejano en que las calles estaban también regadas con pétalos de rosa y hojas verdes de hiedra. Era por allí cerca por donde mi paraíso infantil se había formado quince años antes. Y los cañones se oían. Javier miraba a su alrededor y decía que la guerra había ennoblecido a la ciudad. Yo me extrañaba de mi propia presencia de ánimo y de mi propia habilidad para los juegos de cautela. Ardía en deseos de decirle lo que me había sucedido con el diplomático rubio, pero me callaba. Tenía miedo a que Javier viera en mí alguna forma de irresponsabilidad.

»La ciudadela estaba casi intacta. Decía Javier que desde que comenzó la guerra las ondas afectivas de la gente de nuestra ciudad eran las más propicias del mundo. Nadie se prevenía contra nadie — exceptuados los moscularis. Todos confiaban en los desconocidos si no eran rusos y eso dejaba en el aire temperaturas secretas que no se encontraban en otras partes. A pesar de los cañones y las ametralladoras.

»Yo escuchaba a Javier. La luz a través de la botella de vino ponía una mancha luminosa color topacio en el mantel. Pensaba yo en *nosotros*. Estábamos al lado de una ventana abierta sobre una calle asfaltada y brillante con pétalos de rosa en la acera y una brisa agreste moviendo ligeramente los flecos del toldo de la ventana. En aquellos días había intrigas ligeras como juegos de niños cuyas consecuencias podían ser sangrientas. Y yo intervenía en ellas. Pensaba también en mi niño. Debía estar durmiendo. La enfermera nos había visto salir con el aire de complicidad que se tiene para las desgracias sin remedio. Y la guerra estaba en los arrabales de Mayo a tres o cuatro kilómetros. En el Kremlin tal vez seguían llamando y convocando a los rusos culpables de inocencia o de crímenes de sangre. O de estupidez.

»Mientras Javier hablaba yo miraba los pétalos de rosa en la acera oscura. La pureza de aquellas hojas ligeramente combadas acariciaba el fondo de mis ojos. A pesar de todo nadie ha conseguido cancelar esa belleza de una hoja de rosa.

»El aire era fresco, yo sentía su caricia en mis brazos desnudos. En aquel instante a mí me conmovía todo, incluso el rumor de las llantas de algún coche en el asfalto mojado. A mí, que podía ser la salvación o la ruina de Javier, padre de mi hijo mongoloide. Y me decía: "Los rusos han tenido la culpa. Primero por venir aquí. Después por tratar de separarme de Javier y de obtener acusaciones mías contra él".»

En este momento del informe de Ariadna el presidente de la OMECC golpea la mesa con el martillo y dice:

— Haga el favor de levantarse Javier Baena.

En el aire de la sala se siente la ligereza de la mañana de primavera. Ha vuelto a aparecer el búho, que está ahora posado en una vieja lámpara colgada del techo. Recuerdo que de chicos nos decían que los búhos se bebían el aceite de las lámparas. Este búho vuelve a decir en el silencio de la asamblea: *guh, guh...*

El trono de la infanta Palmatoria sigue vacío y por debajo del asiento en lugar de dos muelles rotos se ven tres. El presidente comienza a hacer sus preguntas:

— ¿Tenía usted noticia de las intrigas de Ariadna?

— Tenía sospechas y vagas noticias que no quería comprobar ni desmentir.

— ¿Sabía usted que Sonia estaba en peligro?

— Sí.

— ¿No hacía nada en su favor?

— No. Ya dije antes que he confiado siempre en la perfección de la realidad.

— ¿En caso de que a Sonia la mataran en Moscú, se habría usted alegrado?

— No, en absoluto. Su muerte me habría sido indiferente.

El presidente ojea otros papeles dudando si leerlos o no. Por fin con un aire indolente dice:
— ¿Quería usted al niño?
— Sí.
— ¿Como si fuera un niño normal?
— No sé. No he tenido nunca un niño normal.
Se queda el presidente un momento en silencio y ojeando otro papel alza la mirada — con la cabeza baja — para preguntar:
— ¿Llegó el niño a la mayor edad?
Yo no contesto. El presidente parece vacilar antes de hacer otra pregunta y por fin dice:
— ¿Los tanques fantasmas nacieron en la mente de usted?
— No. En la imaginación de Ariadna. Cuando ella y yo aludíamos a ese juego, en privado lo llamábamos el *proyecto Zopencos* por la simplicidad un poco estúpida del plan. Y por las estatuas del bosque. Pero hablábamos de eso lo menos posible. Y sólo entre nosotros. Sin embargo llegó a trascender. Alguien se enteró de que dábamos ese nombre a un plan conspiratorio.
La sala queda en silencio. Alguien pregunta si se puede hablar por teléfono con el hombre enterrado debajo de su monumento y un secretario dice que durante quince años nadie ha tratado de hacerlo, de modo que no sabe si el teléfono electrónico funciona o no.
Otra vez se hace el silencio y todos miramos a la tribuna de Ariadna, pero Ariadna no habla. El adalid está en la pantalla mirándose todavía el dorso de la mano y diciendo lentamente el nombre de la mosca. Luego lo repite, de prisa. Luego otra vez despacio, separando las sílabas.
Con la mano en el resorte para cortar el sonido de la pantalla un secretario advierte a la asamblea:
— Parece que se ha desarrollado en el llamado adalid una cierta amistad para ese insecto, y si no fuera demasiado humorístico yo diría una cierta pasión. Sí, una pasión por la mosca *Cristobalina*.
Pero Ariadna vuelve a hablar:
— Seguíamos en el restaurante. Javier hablaba de la reunión en la Sureda, de André y de los quinientos millones. Escuchándole sentía yo que encima de la calle, en lo alto, el cielo no era azul, sino color topacio. Y pensaba en mi bebé mongoloide. Ni Javier ni yo sacamos otros temas ni citamos otras personas. Yo me acordaba de los ojos de alcanfor de la pobre Sonia y

del olor a geranio de las ropas sudadas de Berard, pero no decía nada.

»Dudaba a veces si revelarle a Javier o no lo que le había dicho al diplomático rubio, pero al fin me abstenía. Le dije sin embargo que debía tomar más en serio el peligro de los moscularis. Seguíamos en el restaurante. Javier vació la copa de vino y dijo:

»— Es lo que ellos querrían, que lo tomara en serio. Pero no. Que hagan lo que quieran. Prefiero ir al muro "en broma" y ser muerto sin aceptar la gravedad de la cosa. Como una farsa absurda.

»Supuse que podría tener razón y me quedé pensando que su tranquila sensación de seguridad y de inocencia era un factor que podía ayudarle y que si la agresión se presentaba sabría defenderse como había sucedido en la trinchera con el capitán de ingenieros y su curiosa pluma estilográfica.»

XXV

—Javier siguió hablándome:

»— ¿Sabes lo que hace el pez cuando muerde el anzuelo, la mosca cuando está en la tela de araña, el ave cuando está atrapada en el lazo? Se agitan y quieren defenderse y escapar. Entonces ellos mismos se entrampillan. Hay que evitarlo, ese riesgo.

»¿Tenía razón? En todo caso decidí no decirle nada. Aunque comenzaba a incomodarme la acumulación en mi conciencia de grandes o pequeños secretos.

»Seguíamos junto a la ventana, que tenía los cristales abiertos. Por aquel lugar llovido y mojado y decorado con pétalos de rosa no pasaba nadie. La acera amplia, con el cemento negro y brillante, mantenía su fragancia floral. Yo tuve un momento de abandono femenino:

»— Dime que me quieres, Javier.

»Él puso una mano sobre la mía en el mantel:

»— ¿Para qué? Las palabras son demasiado espesas y no sirven.

»Yo recibí una impresión vaga y lisonjera como si una luz naciera en cada célula de mi cuerpo. Pero esa misma luz me impedía ver y distinguir las formas. Una voz un poco grotesca me decía: "Es verdad que las palabras son pesadas y densas. Y que es difícil hablar". Le hice otra pregunta:

»— Dime, Javier: ¿qué querías decirme cuando estábamos en la orilla del bosque de Pinarel? Digo, el día que nos separamos.

»— ¿Sabes, Ariadna? Yo sólo puedo sentir de veras las cosas que no digo. En cuanto las digo mis sentires se volatilizan. Por eso te hablo pocas veces de amor. Es como si las palabras mataran los hechos de los que nacen. Lo que no he dicho está vivo aún. Todo lo demás, muerto. Cosas, ideas, personas. Tú piensas: ¿qué idea tiene Javier de mí? ¿Me quiere o no? Bien, no tengo idea alguna ni quiero tenerla. Si pudiera decirte quién eres, mi definición te mataría. No pudieron matarte los fusiles de Pinarel, pero mi definición te mataría. No sé quién eres. Y no quiero decirte si te quiero o te odio. Ni si me eres indiferente. Ni las otras cosas (las más importantes) que estuve

a punto de decirte alguna vez en mi vida y no te dije nunca.
»Aquel día Javier veía más allá del objeto que miraba. Tal vez
veía el objeto y el sueño — el sueño del objeto — al mismo
tiempo. A veces me turbaba, como el diplomático rubio, con la
sola diferencia de que esta turbación era placentera.
»— ¿Por qué no me dices aquellas palabras que querías decirme a la orilla del bosque?
»La verdad es — como supe más tarde — que Javier el día del
bosque no había querido decirme nada. Absolutamente nada, en
la orilla del pinar. Sus confidencias las había inventado allí,
en el restaurante. Ya digo que no me extrañaba. Volvimos al
coche y Javier me dijo:
»— Bueno, Ariadna. ¿Sabes lo que quise decirte al salir de Pinarel? Quise decirte que quemaras todos los objetos que tenían
algo que ver con mis experimentos, incluidas las fotos y los
discos de gramófono. Bueno, la verdad es que en aquel momento yo te veía a ti no entre las cosas de la realidad, sino
fuera y al margen. Quería decirte que en cierto modo tu vida
me tenía sin cuidado. No te escandalices, querida. Te lo digo
en serio. Nada más dulce que tus muslos. Todo tu cuerpo era
mío. Toda tú eras mía y en cierto modo mi obra. Sin embargo,
tu vida me tenía sin cuidado. ¿Cómo es posible? Yo me separaba de ti y tal vez me separaba para siempre. ¿Comprendes?
En aquel momento de despedirnos — añadía Javier buscando
con su mirada la mía en el espejito retrovisor del coche — yo
estaba pendiente de la expresión de tus ojos, que unas veces
querían hablar del peligro en el que te quedabas y otras ocultarlo para que así fuera más evidente. Tu muerte era muy posible quedándote allí y a mí me parecía sólo un incidente curioso por su rareza. Tu muerte y tu destrucción eran para mí
cosas distintas. No sé si tú comprendes. Tal vez una mujer no
comprende estas cosas, que son sólo cosas viriles. En todo caso
yo necesitaba que tú no pudieras vivir fuera de la atmósfera
de mi propio placer, ¿comprendes? El peligro de tu muerte
me hacía la despedida más fácil. Tu muerte no iba a ser necesariamente tu aniquilación.
»— Eso es absurdo, Javier — dije yo.
»— No tanto. En el pasado remoto el hombre y la mujer han
sido un solo individuo. Al salir del mar. Como algunos crus-
táceos. Y como las células del primer origen. ¿Tú ves que los
hombres tenemos todavía pechos rudimentarios y pezones?

¿Para qué, quieres decírmelo? Bien, un tiempo en la antigüedad, cuando la tierra estaba caliente y los cerros se movían como bisontes o mamuts, éramos hombre y mujer al mismo tiempo. Yo eras tú y tú eras yo. ¿Comprendes? En otra clase de bichos, más elementales. Después tú te separaste de mí. El hombre y la mujer se separaron. Desde entonces se buscan para reintegrarse sin conseguirlo. El hombre quiere entrar por el lugar por donde salió al nacer. Y tienen necesidad de ser uno solo y lo intentan una vez y otra sin resultado. Necesita el hombre no sólo el cuerpo de la hembra, sino sus palabras, sus silencios, sus ausencias, los recónditos deseos que nunca confiesa. Lo que ignora la hembra de sí misma. Y le es indispensable esa reintegración y al mismo tiempo es absolutamente imposible. De ahí vienen las angustias, las ansiedades y algunos de los crímenes. De ahí viene también que en aquel día el peligro de la muerte en el que yo estaba lo extendiera hacia ti con cierto secreto placer. ¿Tú sabes? No creas nunca al amante que quiere *salvar a su amada* por un camino divergente del de su propia salvación. Esa magnanimidad es falsa.

»El coche caminaba despacio hacia el hospital. Y Javier parecía pensar en cosas distintas de las que decía, a pesar del carácter radical de sus palabras. Se lo dije y él me dio la razón:

»— Estoy obsesionado con la idea de que los rusos quieren abandonar el sector de Pinarel.

»— ¿Y tú?

»— Yo, no. Pero si ellos abandonan la ciudad en manos del enemigo mi división estará perdida. Habrá que defender la ciudad quieran ellos o no quieran.

»Le pedí que siguiera diciéndome aquellas palabras mágicas del día que nos separamos en Pinarel.

»Javier detuvo el coche en un cruce para dejar pasar una fila de camiones enormes cubiertos con lonas negras y embreadas. Camiones cargados de municiones. Entretanto dijo:

»— Quería decirte más. Quería decirte que la angustia de una reintegración de amante y amada, absolutamente imposible, me llevaba a aceptar sin pena la idea del peligro de tu vida y hasta la casi seguridad de tu muerte. Es una idea reintegradora en cierto modo. La fusión en el misterio de los orígenes.

»Yo dudaba. Conocía a Javier y tenía derecho a dudar.

»— Dime la verdad. ¿Todo eso lo pensabas entonces y no te atreviste a decírmelo? ¿O lo piensas sólo ahora?

»— Entonces no lo pensaba. Lo sentía nada más, de un modo nebuloso pero apremiante. Ahora lo veo con claridad. ¿Comprendes?

»— No, Javier. Una mujer nunca comprende esas cosas.

»— Oh, es posible. Es muy posible — decía él viendo pasar el último camión y poniendo otra vez el coche en marcha —. Bueno, yo quisiera que te dieras cuenta. Si hubiera llegado tu muerte la habría considerado como un lujo, pero no como un placer. Los grandes lujos no son necesariamente placenteros. ¿Tú sabes? Habrías andado tú la mitad del camino de la reintegración. Sólo faltaría que anduviera yo la otra mitad. No, no pongas esa cara. No creas que con esto quiero decir que me habría suicidado. No sé lo que habría hecho. Nunca se sabe. Pero yo me doy cuenta de la facilidad con que me separaba de ti y era una facilidad virtuosa. No me arrepiento en lo más mínimo.

»Javier cambiaba de tema, rudamente:

»— Querría saber — dijo con el entrecejo terriblemente fruncido — qué es lo que debo pensar de Nancy y de André después de lo sucedido ayer en la Sureda.

»Antes de que yo pudiera contestar llegamos al hospital, recogimos al niño y volvimos al coche. Luego salimos buscando la carretera de Pinarel. En la calle encontramos al sargento Galo, el del Cristo del Caloco, quien subió al coche y nos pidió que lo dejáramos cerca de la plaza de toros. Javier bromeaba con él:

»— Veo que no te ascienden. Eres sargento desde hace más de un año.

»— No me ascenderán porque hablo mal de los rusos. Pero tampoco yo quiero ascender. Tan bien se bate en el terreno un sargento como un coronel. Y si me apuras, un sargento se bate mejor. ¿No crees?

»Galo nos dijo que el jefe socialista de la oposición antimosculari estaba vigilado y en peligro. Otros como él andaban también con la mosca en la oreja. Se decía que los rusos al evacuar la ciudad matarían a sus discrepantes, sobre todo a los socialistas de izquierda.

»— ¿Y cuándo va a ser eso? — preguntó Javier.

»— No sé. Esta noche. Mañana. Dentro de ocho días. No sé.

»Lo dejamos en el lugar que quería y seguimos hacia Pinarel. Javier decía:

»— Es inteligente lo que hacen. Abandonar la ciudad y obligarme a mí a salir de Pinarel. Pero hay que evitarlo. Y hay que salvar a los de la oposición si es posible todavía.

»— No hagas causa común con ningún grupo, Javier.

»Él me escuchaba con atención. Me preguntó si había tenido algún incidente con Nancy y le dije que no. Se veía que Javier trataba de explicarse la actitud de André. Yo ardía en deseos de contarle mi entrevista con el ruso, pero no le dije nada.»

Al llegar Ariadna a esta parte de su informe el presidente de la OMECC la interrumpe con el deseo de hacer algunas preguntas. Escucho yo con el corazón un poco alterado porque a través de las palabras de Ariadna he ido entrando en la atmósfera emocional de aquellos tiempos. Y la atención de la gente me coarta.

La sala está en la misma penumbra que ayer, aunque por las mañanas la luz natural llega por el lado de levante y hay una vidriera alta que recoge el sol y lo pulveriza. Una vidriera sin colores, emplomada al estilo del siglo XVI.

Se ha instalado el búho en uno de los brazos de la cruz, en el tímpano de un arco monumental. Parece un dibujo de aquellos que solían acompañar a principios de siglo los poemas modernistas en las revistas de papel satinado color marfil. Cada vez que veo el búho espero oír su monótona canción, pero esta vez guarda silencio.

El presidente dice:

— Uno de los comités pregunta por qué no protestó Javier contra las acusaciones de André y la agresión de Berard.

— No habría servido de nada — digo yo —. Y además, señor presidente, ya he dicho que creo en la perfección de la realidad, de toda realidad. ¿No estaban en aquellos días, mientras André me acusaba a mí, no estaban los amigos del Vodz matando en Moscú a muchos de los culpables de lo que sucedía en España? Yo creo que lo mejor que podía hacer era limitarme a ver o a presentir cómo Ariadna conducía desde el margen una cadena de hechos vírgenes y secretos. Sin palabras. Es así como debe ser. Extraer de cada minuto su esencia y esperar. La realidad es perfecta y produce tarde o temprano reacciones perfectas, también. Es cuestión de esperar.

— Pero en otra ocasión ha dicho usted que la realidad no existe. ¿En qué quedamos?

— Existe la que yo fabrico sobre la idea que me hago del presente. Y es perfecto como soy perfecto yo mismo. Bueno, ustedes entienden. Mientras vivo tengo alguna forma de perfección indiscutible. El día que la pierda, moriré.

El presidente dice, mostrando un papel:

—Está bien. El firmante de esta proposición puede venir al estrado.

Aparece junto al arzobispo un hombre de aire sacristanesco. Cara de cera, mandíbula un poco colgante, hombros estrechos. Ojea unos papeles:

—Un momento — dice —, con la venia de la presidencia.

Esa expresión — la *venia* — ya no se decía hace cuarenta años sino en los tribunales de justicia.

—Un momento — repite —. Yo soy el firmante segundo de la histórica proposición hecha en mil novecientos cincuenta y uno sobre la asunción de Nuestra Señora al cielo en carne mortal. Ustedes saben — dice — que desde entonces es dogma de fe.

Hay rumores en la sala y el francés de mi izquierda dice:

—¿Subió de veras la Virgen al cielo en carne mortal? ¿Desnuda o vestida? ¿Y si iba vestida, con zapatos?

Bah, yo he preferido siempre la más absurda forma de fe a una evidencia acabada y exacta. Es en esa devoción por la fe y en ese desdén por la certidumbre donde reside la virginidad de lo español, que es para mí la clave del futuro. Si la virgen — cualquier virgen — no subió al cielo y se quedó en la tierra, el milagro es el mismo.

El orador se monda el pecho y alzando mucho la voz para que llegue hasta mí, dice:

—¿Volvió usted a verse a solas con Sonia?

La pregunta me parece innecesaria y me niego a contestar. El presidente invita al orador a seguir hablando, pero él dice que se reserva para otra oportunidad al final de la sesión. Entonces el presidente se dirige a mí:

—Está bien — dice —. Puede sentarse.

Parece que es Ariadna quien va a seguir hablando. Apagan el reflector. Hay un silencio profundo en la sala y en la pantalla la imagen del feto sobrealimentado trata de alzarse sobre las piernas para alcanzar con la boca el ojo electrónico.

Ariadna dice:

—El enemigo atacaba con toda su fuerza en la ciudad y los moscularis abandonaban sus posiciones y ordenaban la retirada. Pero Javier aguantaba con los suyos en Pinarel. Esto volvía tarumba a los moscularis. Yo me inquietaba, pero Javier solía

564

decir: "No te preocupes. Los moscularis me estiman porque no creo en ellos. No hay nada que desprecien más los rusos que al militante de buena fe con alguna forma de idealismo revolucionario. Ése no es mi caso y ellos lo saben. Por eso nuestra relación es sólida. Creen que vamos de pillo a pillo. En todo caso me necesitan o creen que van a necesitarme un día". A pesar de todo, yo sabía que el recelo de Javier crecía. Tal vez tenía miedo y no se atrevía a confesárselo a sí mismo. E inventaba aquellos trucos para *crearse una realidad.* Yo estuve muchas veces a punto de revelarle mis secretos, pero me callaba. "Sólo se los diré — pensaba — en último extremo si con ellos le evito alguna catástrofe." Porque la catástrofe se podía presentar. Siempre hay que contar con ella.

»De pronto apareció Justiniano en la Sureda preguntando por Javier. A mí me pareció una visita de mal agüero. Le dije ingenuamente:

»— ¿Cuándo abandonáis la ciudad?

»— Mañana. A eso venía, a decirle de parte del comité de guerra del partido que...

»Javier estaba en la línea. Yo le envié un aviso por canales indirectos. (Yo llamaba al hospital de Pinarel y desde allí iba alguien personalmente con mi recado.)

»Al día siguiente muy temprano salió Javier para la ciudad pensando que se jugaba la piel. Llevaba la pistola montada *al pelo.* Quería ponerse en contacto con el jefe de la oposición y hacer algo con él y con los suyos contra los moscularis en el momento en que éstos abandonaran la ciudad.

»Los agentes de la NKVD no estaban ya en la ciudad. Los jefes de la oposición se habían puesto a salvo y desde sus escondites dirigían la resistencia. Javier averiguó dónde tenían el estado mayor y fue allí. Le dijeron que la Gestapo alemana había entrado en el arrabal de Mayo de acuerdo con los moscularis. Escuadras paramoscovitas estaban dando una batida en el mismo arrabal para atrapar a algunos disidentes. Javier comprendió que si iba al arrabal de Mayo corría el riesgo de caer en un mal paso. Pero fue. Sucederían las cosas, ellas solas. Javier no habría hecho aparentemente nada. Si su sistema fallaba, perdería la cabeza. Ignoraba Javier que en esa misma dirección yo había hecho cosas notables. Y notablemente punibles.

»Fue Javier solo, pero sucedió algo inesperado. Cuando iba por una larga calle rectilínea de viviendas obreras vio que por un extremo entraba una escuadra de la Gestapo alemana a registrar casa por casa. (Eran las vanguardias del enemigo.) Por otro lado, una patrulla de moscularis con armas al cinto. (La extrema retaguardia nuestra.) Al parecer ayudando a la Gestapo. O siendo ayudada por la Gestapo. Javier pensó: "Si me descubren los alemanes tendré que dar difíciles explicaciones que no creerá nadie. En todo caso les daré una oportunidad para que me maten impunemente. Si son los otros tendré que mentir y comprobada la mentira descubrirán mis intenciones de resistir en la ciudad, lo que será igualmente arriesgado". Era mejor escurrir el bulto y esperar que las cosas sucedieran solas. Confiar una vez más en la perfección de la realidad.

»Viendo que la calle no tenía transversales por las que escapar, se metió Javier en una casa cualquiera y pensó: "Voy a llamar a la puerta del entresuelo. Preguntaré por mí mismo". Era la única manera de estar seguro de no caer en las trampas de un azar adverso. En aquellos lugares podría muy bien vivir un García o un Gutiérrez, pero no un Baena. Así pues llamó y salió a abrir un individuo de unos cuarenta años, de expresión inteligente y fatigada.

»— ¿Vive aquí el señor Javier Baena?

»— Para servirle. Pase usted.

»Javier se quedó congelado por la sorpresa creyendo que aquel hombre debía estar loco. Avanzó sin embargo hasta una habitación que tenía una ventana por la que se veía un patio interior y el contrapeso del ascensor contra el muro frontero. El hombre se sentó detrás de una mesa y le ofreció una silla. Javier se sentó también y se lo quedó mirando:

»— ¿Es usted de veras el señor Baena? — preguntó por cuarta vez —. Lo digo porque Javier Baena es mi nombre. Soy yo.

»Contó lo que le sucedía. El desconocido alzaba la cabeza, extrañado, pero complacido:

»— Yo lo conozco, el nombre de usted. ¿Quién no lo conoce en la ciudad? Cuando usted apareció creí que era de la policía. La policía buscando a Javier Baena. Dije que era yo para confundir a la Gestapo a la NKVD y dar lugar a escapar al verdadero Javier donde quiera que se encontrara. ¿Usted comprende? Para darle tiempo.

»Javier se puso pálido:

»— ¿Usted sabe que se exponía a que le dieran un tiro en la cabeza?

»El hombre sonreía. Javier acabó por sonreír también y le dio las gracias.

El desconocido siguió hablando:

»— ¿Usted se ha enterado de lo que sucede en el barrio? Los rusos han matado a algunos fraccionalistas. Etienne Berard es el encargado de esta operación de limpieza, como dicen ellos. ¿No sabe usted quién es ese Berard? Yo lo conozco muy bien. Pero las cosas van demasiado de prisa y parece que no le han dado tiempo para completar la sarracina. Esta mañana ha llegado a decir: "Dejemos a esos fraccionalistas que los fusilen los alemanes". Nos acusan de ser agentes del enemigo y sin embargo están seguros de que el enemigo nos fusilará cuando entre. Una contradicción. Pero además ¿no ha visto cómo se ayudan alemanes y rusos? Contradicciones como ésas son las que... Bueno, vendrán los de la Gestapo o los de la NKVD. Son los mismos. ¿Usted no lo sabía? Cuando lleguen no me quedará la solución de saltar por la ventana para escapar porque dejarán centinelas en las puertas de la casa. Ni para matarme porque es una ventana demasiado baja y no me mataría. Pues bien, esos hombres vendrán y llamarán a la puerta. ¿Cuánto tardarán en venir? Un minuto o cinco minutos o media hora, pero vendrán. Si le encuentran a usted aquí está perdido. Lo que puede hacer cuando llamen es esconderse en ese cuarto. Venga y verá.

»Javier no quería esconderse en ninguna parte. El hombre se sentó y siguió hablando:

»— Usted es joven. Yo, no. Bueno, es igual. La vida me ha dado más de lo que merecía y ahora me es lo mismo blanco que negro — lo decía jugando con un lápiz y disimulando el temblor de la mano —. Estoy solo, aquí. Mi mujer y mis hijos están camino de Francia. Yo me quedé porque era la única manera de hacer posible que ellos llegaran a la frontera. Esto está podrido. Bien, aquí estoy, sí señor. Yo soy Javier Baena. O Pedro González. O Juan Delatre — éste era su nombre verdadero —. Y estaba hace un momento tratando de salvarle a usted. Es decir, a Javier Baena. Me alegro de haberle conocido si no es demasiado tarde para alegrarse de nada.

»Seguía hablando Juan Delatre cuando se oyeron pasos en la escalera. Llamaron a la puerta. Delatre indicó a Javier que se escondiera y Javier se negó. Había en la casa un silencio tremendo en el que destacaba el tictac de un despertador. Volvieron a llamar. Delatre sacó un revólver y Javier trató de quitárselo. Pero no lo conseguía.

»— Es inútil defenderse ahora — decía Javier.

»Y Delatre se justificaba con los ojos febriles:

»— No es para defenderme. Le aseguro que no es para defenderme.

»Al parecer trataba de suicidarse. Por fin Javier consiguió quitárselo. Luego fue a abrir la puerta. No había nadie en el rellano. Ni en la escalera. Alguien había dejado en el suelo junto a la puerta un paquete. Dos o tres libros envueltos en un papel azul roto por un costado. Javier los cogió y los dejó en la mesa. Delatre seguía con los ojos febriles.

»— ¿Ve usted como no era nadie? — preguntó Javier.

»— Déme el revólver, por favor.

»Javier lo dejó sobre la mesa y Delatre lo contempló, sin tomarlo. Luego, dijo:

»— Es igual. No han venido, pero vendrán. Es cuestión de tiempo.

»Javier le propuso que se fuera con él al cuartel general de Pinarel o a otro lugar más seguro. Delatre se negó. Dijo que no se movería de allí.

»Salió Javier y cuando se vio en la calle y la encontró desierta y sin patrullas se dio cuenta de que lo único que ocupaba de lleno su mente era la siguiente reflexión: "Debo encontrar al comité clandestino y hacerme cargo de la defensa de la ciudad". Porque debía haber un comité clandestino en alguna parte.

»La parte sur del arrabal de Mayo estaba siendo ocupada por el enemigo casi sin lucha. El resto de la ciudad era nuestro aún y se levantaban barricadas por todas partes. Javier pudo encontrar al comité y entró en funciones en seguida. Lo primero que le dijeron fue que Justiniano había caído en manos del enemigo en el arrabal de Mayo. Javier no creía nada de lo que oía, en medio de la confusión de aquellos momentos.

»Subió a Pinarel a dejar los mandos en orden y a recogernos a mí y al niño. Decía que los mosculares habían desaparecido llevándose el material del estado mayor — planos y papeles cifrados — y las claves de las transmisiones militares por radio.

»Al volver se nos incorporó Michael, que tenía también algo que hacer en la ciudad. Por el camino, Javier le preguntó por Vera.

»— Déjate de historias — dijo él desgarradamente —. Tú sabes que la reclamaron de Moscú y le dieron el tiro en la nuca.

»Nosotros no replicamos y Michael hizo una especie de responso sentimental:

»— Pobre Vera. En tiempo de los zares, siendo muy pequeña, un día la echaron de la escuela diciendo que los judíos no podían estar bajo el mismo techo que las personas decentes. Ella tenía cinco años. Desde entonces todo el mundo ha querido convencerla de que es un ser inferior. También los moscularis, claro. Ella tenía la necesidad de compensar aquello y de ahí venía su manera nerviosa e inadaptada. Al fin la han convencido de que era inferior y la han metido debajo de tierra con la cabeza rota.

»Callábamos. Javier aceleraba deseando llegar cuanto antes a la ciudad. Detrás, lejos, se oían los cañones.

»— Qué miseria — dije yo.

»Después de una pausa larga, Michael dijo, refiriéndose a los moscularis:

»— Ya se han ido las ratas, pero no creo que vaya a hundirse el barco.

»— Todavía no se han ido todas las ratas — dije yo.»

Al llegar aquí el presidente de la OMECC golpea la mesa y me pide a mí, Javier Baena, que me levante. Cuando estoy de pie, dice:

— La asamblea querría oírle de nuevo a usted y no a Ariadna. Querría saber si es posible por qué Ariadna le permitió afrontar tantos riesgos sin decirle cuál era su verdadera situación con los moscularis después de su entrevista con el diplomático rubio.

Siento otra vez los reflectores en la cara. No sólo echan esos chorros de luz para que me vean los delegados, sino también para que yo no pueda verlos a ellos.

— Supongo que han adivinado — digo — que las cosas no eran tan simples como parecían. Los moscularis estaban más confusos que nunca conmigo después de haber hablado con Ariadna. Por otra parte, Ariadna y yo tenemos el pudor de lo patético. En todo caso ustedes saben que todos estamos siendo usados y abusados por el orden que rige una especie de energía latente que está en todas las cosas, lo mismo la del mundo físico que las del mundo moral. Esa energía latente entra también a veces en unos espacios que podríamos llamar *las latitudes de lo absurdo.* Todos temen a esas latitudes, pero yo las he buscado con frecuencia. Ariadna también. Además, entre Ariadna y yo estaba el niño. Un niño mongoloide con sólo una vida vegetativa y mínima. ¿Íbamos a ser víctimas de esas latitudes de lo absurdo que en aquel momento nos rodeaban y amenazaban toda nuestra vida? Ariadna no quería darme a mí esa deprimente impresión. Había que seguir dando la cara y metiéndose irresponsablemente en la boca del lobo con la seguridad de la inocencia. A veces decimos en las circunstancias ordinarias de la vida: *mi cuerpo.* O bien: *mi alma.* U otras expresiones parecidas que indican posesión. ¿Quién es el propietario? Decimos *mi* alma, *mi* cuerpo, *mi* espíritu, *mi* vida, incluso *mi* muerte. Yo creo que el propietario existe. Y se trata de salvar a ese propietario de cuya existencia estamos seguros, pero que no sabemos quién es. La mejor manera, en aquel momento, era volver a la ciudad ignorando yo mi verdadera situación con los moscularis. Mi propia ignorancia me hacía más fuerte con ellos.

El presidente de la asamblea vuelve a golpear la mesa:

—¿Puede tal vez el señor Baena tratar de definir a ese propietario?

—No sé. Es posible que tengamos todos una superconsciencia lo mismo que tenemos un subconsciente. Yo no me veo a mí mismo con claridad en esa materia, pero sé cómo salvarme de las latitudes amenazadoras de lo absurdo. El esfuerzo para salir de esas latitudes era y sigue siendo la vida. Toda la vida que nos es dada. Y no hay otra cosa. Cuanto más confusas son esas latitudes, el esfuerzo y la victoria secreta son mayores. El *propietario* queda más deslindado. Todo consiste en no querer entrar en el juego de los otros. Es muy fácil.

Recorren la sala rumores dudosos. Tengo la costumbre de ver lo que hay en esos rumores de propicio o adverso. Algunos deben creer que estoy loco. Ariadna se ha levantado el velo y lo mantiene doblado sobre su cabeza, lo que quiere decir que no va a seguir hablando. En efecto, el presidente pide que continúe yo, tomando la relación en el punto donde la dejó Ariadna. Bien. Voy a tratar de hacerlo. Todos escuchan. El arzobispo apunta algo en un papel y luego lo lee para sí. Al leerlo se lo acerca hasta la punta misma de la nariz y ladea la cabeza para mirar con un solo ojo.

El búho está sobre un capitel en el muro izquierdo. En el silencio se le oye rascarse con el pico. Es decir, se oye el castañeteo del pico sobre su pecho. El ave de Minerva debe tener los piojos que tienen también las gallinas.

Y vuelvo a hablar:

—Nuestros amigos de la calle de Mendizábal se habían ido de la ciudad como otra mucha gente y Ariadna y yo vivíamos allí. Es decir, la casa había sido rápidamente transformada en cuartel general. El parque estaba al lado y los coches y motocicletas que acudían en lugar de estacionarse en la calle podían disimularse bajo los árboles.

De las veinte o treinta habitaciones que tenía la casa, nosotros ocupábamos dos al fondo, contra un patio interior. Las otras eran oficinas.

Los teléfonos funcionaban constantemente. Iban y venían jefes y oficiales. En algunas oficinas había grandes divanes y en ellos siempre algún sargento u oficial dormitando mientras se resolvía el asunto que lo había traído. En la planta baja la guardia había levantado una barricada frente a la puerta, por si acaso.

A veces yo no podía más. Lo dejaba todo y me recluía en nuestras habitaciones con Ariadna. Había dos o tres personas — amigos íntimos — que entraban por la escalera de servicio directamente a nuestra vivienda.

Una tarde apareció Berard, con barba de tres o cuatro días. Se puso a insultarnos, pero como vi que estaba borracho no hice caso. En sus insultos decía Berard palabras en una procacidad elaborada y triste. A Ariadna no le extrañaba el aspecto de Berard. Lo creía perdido con los suyos, con los moscularis. Yo no acababa de comprender.

Ariadna se había ido al cuarto de al lado, temerosa.

Yo vigilaba a Berard y miraba las ventanas al otro lado de un patio interior, donde sucedía una pequeña comedia muda. Había un hombre asomado. Era completamente calvo y estaba apoyado en el alféizar. La ventana del piso de encima estaba abierta y había en ella una mujer con una gran tetera que al parecer estaba limpiando. La mujer de pie junto a la ventana sacaba fuera la mano, arrojaba una hojita de té mojada y volvía a retirarla. Invariablemente esa hojita caía en la calva del hombre de abajo que hacía un movimiento de sorpresa como un polichinela. Se ladeaba y miraba hacia arriba sin ver a nadie. Se frotaba la calva, sin comprender. Poco después en la ventana de arriba aparecía la misma mano arrojando otra hojita mojada. El polichinela se retiraba alarmado con el pequeño proyectil pegado a la piel. No comprendía lo que pasaba y se quedaba dudando si asomarse otra vez o no.

Era una pequeña comedia de tiempos de paz. Berard miraba también a la ventana y dándose cuenta de lo que sucedía hacía algún comentario entre dientes. Yo estaba atento a los menores movimientos de Berard.

—Dame vodka — dijo con una voz terriblemente afónica.

—No lo hay en casa.

—Pues habrá otro licor. Dame lo que haya. Anda, hermanito, no pierdas los nervios. Yo tampoco los pierdo. Estoy borracho, pero no importa. Borracho o sobrio soy ruso. Antes decía que era francés, pero al carajo la conspiración. Soy ruso. Y somos amigos. Somos tan amigos que entro por la escalera de servicio. Te lo digo en confianza porque ya lo sabes, es decir no tiene sentido conservar el secreto: como tal ruso yo maté al padre de Sonia, que era un hombre honrado. Bueno, yo no lo maté con mis manos, pero es igual. La madre era una romántica. Se suicidó. Escupo en la madre, saboteadora que robó a la sociedad soviética una vida. Pero las vidas nos sobran.

La voz de Berard carecía de timbre y de vibración. Tenía una laringitis aguda y la novedad de su falta de voz le gustaba y le hacía hablar más. Nunca le había visto yo tan locuaz.

—Sonia se ha marchado. ¿O es que se la han llevado? ¿Dónde está? ¿Y Ariadna? Que traiga vodka. No es para mí. Es para dárselo a vuestro niño. Para el niño que dirige la defensa de la ciudad. El cuartel general se ha trasladado aquí. Y tu niño manda las operaciones. Si el vodka es demasiado fuerte podemos darle otra cosa. Pero algo hay que darle. Él es quien dirige la defensa de la ciudad. Los míos han escapado. Es decir que la ciudad se defiende sola. Yo estoy borracho, pero mi padre también se emborrachaba. Era un hombre notable. Le pegaba a mi madre. Por eso no dejaba de ser un buen ciudadano y de querer a sus hijos, sobre todo a mí. "Éste", decía, "será patriarca de la gloriosa iglesia ortodoxa griega". Y aquí estoy. Era mi padre. Los sábados cuando volvía del club tocaba el acordeón. Entonces la vida era una especie de jubileo de tontos. La gente era tan inocente que quería ser buena. Yo también, no creas que yo era menos tonto. Soñábamos todos con la bondad universal. Y yo en las noches blancas del verano me quedaba horas enteras mirando el cielo con el sol grande y quieto encima del horizonte. Y suspiraba y pensaba: "Hay que hacer el bien y ser feliz". Pero aquí estamos. Ni patriarca de la iglesia ortodoxa, ni bien ninguno, ni felicidad. ¿Para qué? El mundo va a seguir girando lo mismo y los peces grandes comiéndose a los pequeños. Maté al padre de Sonia y ella está enamorada de mí. ¿Adónde se la han llevado? Tú lo has dicho. La violencia tiene sexo. Sabias palabras. El sexo es violencia. Pero tú eres razonable, ¿verdad? Bueno, escupo en el padre de Sonia, en las palabras y en el sexo. ¿Qué dices, camarada Baena? Estoy borracho y mañana me dolerá la cabeza a no ser que tome ahora un par de aspirinas o por lo menos una. ¿No tienes una miserable tableta de aspirina? Ah, ya veo. No te falta nada. Vas a ser el salvador de la ciudad. ¿Pero te hace caso la gente? No lo creo. Eres *vegetariano*. Es decir, no fusilas. El pueblo cabrón no hace caso de los jefes que no fusilan gente. La ciudad se defiende sola y los rusos que salieron de aquí pensando que todo estaba perdido no pueden entender lo que pasa. Peleáis sin bandera. Vuestra bandera es un pañal sucio del crío. El único que no se ha marchado es el jefe, el consejero del antiguo embajador jorobado. Nadie sabe dónde está. Es el presidente de los seis comités investigadores de los tanques y del origen de las escaramuzas en Barcelona y de las abejas con las alas pintadas. Así es la vida. Los seis comités investigadores han salido de la ciudad con el pelo ardiendo. Ahora bien, es lo que yo me digo: ¿lo de los tanques es verdad o es una invención? ¿Quién lo inventó? ¿Ariadna? Es una invención de mujer. Tú te haces la víctima, pero a veces pienso que Ariadna y vuestros amigos han inventado todo eso para poner una mosca en la oreja de cada uno de los rusos. Sin embargo hay un hecho concreto: Barcelona. En Moscú andan ya exigiendo responsabilidades. Unos han sido llamados por la *casa*. Otros han evacuado la ciudad voluntarios. Y aunque te haces la víctima, tú eres el único que sabe dónde están los tanques y tal vez no están más que en la fantasía de Ariadna. Ahora, es igual. Demasiado tarde. Objetivamente los tanques han disparado en Barcelona. Todos los informes serán inútiles si tratan de demostrar en Moscú que los tanques no existen. Allí dirán: estos hijos de una cerda inmunda quieren cubrirse. Demasiado tarde. Yo los conozco. Lo de Barcelona es un hecho. Lo de aquí también. La bandera rusa ha sido suprimida y habéis izado el pañal sucio de tu niño.

—Calla y toma tu aspirina —dije yo.

—Gracias, hermanito. Con la aspirina y el café puedo dormir un rato y después, hombre nuevo. En realidad tú tienes la culpa. Bueno, nunca lo habría creído. Los españoles sois animales distintos. No importa si habéis perdido una pierna o un brazo, si sois blancos o rojos o verdes o amarillos. Aquí la gente nace, vive y muere como es debido. Y se ríe. Hay crimen también, claro. ¿Dónde no lo hay? Ahora bien: escucha lo que te digo, Javier. Hay crímenes honrados.

Berard repitió esa expresión y comenzó a reír. Cuando pudo hablar otra vez dijo con su voz blanda y sin sonoridad:

—En todas partes hay crímenes, pero España huele a rosa y a tanque extraviado y a cabrón. Es la palabra que se oye más a menudo: cabrón. Eso es muy bueno, pero yo escupo en la poesía —Berard creía que ésa era una palabra poética—. Bien, Javier. Eres un hombre cabal. Ahora puedes llamar a la NKVD por teléfono y arruinarme porque me conduzco como un podrido miserable agente provocador guardia blanco. Pero no hay NKVD. Se escaparon. Ya ves. No llamas a la NKVD y en cambio me das aspirina y me proteges. Los cañones se oyen por todas partes. Bum, bum, bum, bum. España es España y alguien tiene la culpa de lo que pasa en la ciudad. No haces nada. Eso es lo increíble, que no haces nada y eres el responsable de todo. Podría matarte. Ahora mismo, podría sacar el revólver y meterte una bala en la cabeza —yo vigilaba sus movimientos con cuidado y por si acaso quité el seguro de mi pistola—. Yo. Ahora mismo. No me pasaría nada —cuando decía estas palabras parecía menos borracho—. Porque todo lo que sucede en la ciudad lo habéis hecho tú y Ariadna, y tus amigos. Pasivamente, claro. Y a vuestra manera. Tú sabes lo que haces. Mejor que yo. Es decir, Ariadna lo sabe mejor que tú y que yo juntos. El nuevo embajador ha llegado a Madrid con la herencia de todos los problemas del jorobado. ¿Y yo? ¿A qué he venido yo aquí? No sé. ¿Por qué me quedo en esta ciudad evacuada y medio abandonada en donde no acaba de entrar el enemigo? Para salvar la piel. Es todo lo que tengo. Mucho podría hacer, pero no lo hago. No hago más que beber un trago inocente y pedirte que me dejes dormir. Aquí, en el suelo. Los rusos no necesitamos cama. Y aquí me siento seguro. Me han hecho una mala partida. En el arrabal de Mayo se ha suicidado un enemigo nuestro. Bueno, eso no es nada. Escupo en él. Pero en el bolsillo del suicida alguien ha puesto un pa-

574

pel con unas líneas citándolo en alguna parte y firmadas con mi nombre conspirativo que no es Berard. ¿Un *tapette*? No, un hijo o por lo menos un sobrino de puta. Anda, abre la puerta y díselo a los secretarios de operaciones. ¿Sabes quién era ese tío? Juan Delatre — yo disimulé mi sorpresa, pero creo que él se dio cuenta muy bien —. Ésta es la última intriga. Verín, el comandante del cuerpo de ejército, ha dicho que vendría y me colgaría. Bien. Siempre está hablando de colgar gente, fusilar gente, *cargarse* gente. Pero es más blanco que la cara de mi bisabuela. Respira fuerte cuando nos tiene a nosotros detrás. Si vuelve la cabeza y ve que nos hemos ido y se siente solo, se meará en los pantalones. A ti te tiene miedo, Javier. Por no sé qué cosa que le dijiste un día. Bueno, pero ahora tiene a la NKVD detrás y está terne. Yo también sé venderme caro. ¿Y Sonia? ¿La han llamado de Moscú? Ah, Sonia la bella huerfanita estaba enamorada de mí. Y yo le decía: "Bien, haremos el amor cuando quieras, pero tiene que ser en el campanario de la catedral". Ella se enfadaba. Yo soy un poco raro, Javier. Hay que entenderme. Es que desde chico tengo esa idea de mi propia rareza porque nací en un veintinueve de febrero y sólo tenía una fiesta de aniversario cada cuatro años. Extravagancias. Todo el mundo tiene las suyas. Ya ves, ahora me da por hablar después de treinta años de silencio. Porque cuando se sirve a los moscovitas hay que callar. Escupo en todos ellos. Anda díselo a los tenientes secretarios de recuperación, de movilización, de armamento y de intendencia. Abre la puerta y se lo diré yo mismo.

— Baja la voz — le dije.

— ¿Más todavía? ¿No ves que mi voz no suena? Está rajada la campana, hermanito. Bueno aquí, en este mismo cuarto, le decía yo a la señora de Sa (¿no se llamaba así?): "Usted es muy lista. Ha organizado una vivienda colectiva para que no la echen de su casa. Pero yo... con la bandera de tu crío izada...".

Ariadna asomaba a la puerta y sonreía melancólicamente. Yo fui con ella. En el cuarto de al lado estaba el bebé con sus piernas gordezuelas al aire. Sobre una mesa había una jeringuilla de inyecciones. Habíamos quedado en que yo seguiría poniéndole al niño la inyección que le ponía el médico militar en la Sureda. Ariadna había desinfectado la aguja y cargado la jeringuilla:

575

— ¿Tú crees en la borrachera de Berard? — me dijo, extrañada.

— Sí. Es una borrachera auténtica — contesté yo tomando la jeringuilla —, y no ha ido demasiado lejos aún. Déjalo hablar. Debe ser especialista en alguna rama de la NKVD. Déjalo, a ver si lo dice.

Yo tuve la impresión de que Ariadna sabía más que yo de la situación momentánea de Berard. Eso no dejó de extrañarme un poco.

Traté de poner la inyección al niño, pero cuando la aguja llegaba a tocar su delicada piel la mano se me paralizaba. No podía clavar la aguja. Me irritaba conmigo mismo y trataba de distraerme para volver a comenzar. Era inútil, me era físicamente imposible clavar la aguja en la piel de aquel niño mongoloide que no tenía nombre aún y que era nuestro hijo. Ariadna se impacientaba:

— Déjalo — dijo —. Yo tampoco puedo, pero llamaremos a una enfermera.

Berard seguía fuera, pero debía haberse dormido porque lo oíamos roncar. Ariadna no creía que durmiera y caminaba nerviosa por el cuarto.

— ¿Está borracho? ¿Está dormido? — decía —. Es seguro que ha caído en desgracia con los moscularis. Es posible pero no me fío. Es posible también que en la situación en que está tenga un arranque de desesperación. Ten cuidado, Javier.

Yo le tapaba la boca con la mano. Berard roncaba más fuerte, en su diván. Su cartera de mano estaba en el suelo. La registré y no tardé en encontrar un pequeño revólver. Vi que tenía un número en un lado de la culata. Observé también que había un casquillo vacío — quemado — en la recámara como se suele hacer para llevar el revólver con mayor seguridad. Volví a dejar el arma en la cartera después de limpiar las huellas mías que podían haber quedado en el cañón.

— ¿Qué buscas? — preguntó Ariadna, desde la puerta.

— Me gustaría ver si es verdad que este tío ha roto de veras con los moscularis.

— Eso no lo sabrás nunca.

A mí me extrañaba que Ariadna no viniera al cuarto donde estábamos nosotros.

— Tengo miedo — me dijo.

— ¿De qué?

¿Tenía miedo de que Berard la matara? Como yo ignoraba el diálogo que Ariadna había tenido con el diplomático en la Sureda no comprendía sus temores. Por un instante llegué a pensar que el miedo de Ariadna parecía sugerir reacciones pasionales en Berard. En ese caso, ¿qué clase de relación había habido entre ellos? Esta reflexión se disipó sin dejar raíces en mis nervios, por entonces.

En aquel momento Berard abrió los ojos, se frotó las mejillas con ambas manos, se desperezó y dijo que se marchaba. Pero volvió al tema de antes:

—Es verdad. El crimen tiene sexo. En eso tenéis razón. Sonia lo sabía mejor que nadie. Pero ahora Sonia está en Moscú. O tal vez sigue en Madrid. Es posible incluso que se encuentre en el arrabal de Mayo y que se presente aquí inesperadamente. Pero la han llamado de *la casa*. ¿No lo sabías, Javier? A su padre lo mataron porque estando en París asistió a una comida diplomática en la que alguien contó un cuento contra el Vodz. En un florero de cristal había oculto un micrófono que registró el cuento y las risas. Siempre los micrófonos. Lo atraparon como a una rata. Tal vez están tratando de atraparme a mí, ahora, de la misma manera.

Berard seguía hablando, pero yo no lo escuchaba pensando en Sonia. Tal vez estaba todavía en España y podría evitar el regreso a Moscú. A no ser que ella misma lo deseara, cosa que estaba dentro de lo probable. Berard seguía:

—Ahora la NKVD tiene en su poder los papeles que la madre de Sonia envió a su hija antes de suicidarse. ¿Quién se los dio a Sonia? Alguien dirá que fui yo y que lo hice para comprometerla, para ponerla en delito con la NKVD, pero en esto yo no he tenido la menor intervención directa ni indirecta. También hay quien dice que el suicida del arrabal de Mayo tenía mi nombre en el bolsillo. Es verdad que lo tenía. ¿Quién se lo puso? Algún hijo de una cerda rusa blanca. Se habla mucho. La verdad es que Sonia no quiso subir conmigo a hacer el amor al campanario de la catedral. En lo demás, escupo.

Yo sonreía para disimular la tristeza y la repugnancia, y Berard seguía hablando:

—La infancia les dura a algunas mujeres toda la vida y eso es lo mejor. Sonia cree que tengo una inmensa fuerza secreta. Ella ve en mí al hombre del saco, al sacamantecas, al coco de la infancia. Pero lo ve como mujer adulta. El crimen entre dos

577

luces. Cuando era chico una vieja criada me contaba cómo un mal hijo había matado a su propia madre detrás de la puerta del gallinero cuando la pobre iba con un cestito a recoger los huevos. La mató y la enterró en el corral. Encima de la sepultura creció un arbusto que hablaba por la noche y decía: "¿Dónde están mis enjundias-jundias, las que me quitaste detrás de la puerta del gallinero?". Y el hijo decía: "Se las tiré a los perros-perros por la ventana del granero". Y yo temblaba. Pues bien, para Sonia yo era el hijo asesino y la madre muerta y el arbusto que habla. Y las enjundias-jundias. Todo aquello junto. Cuando Sonia estaba aquí me miraba y temblaba y esperaba que me acercara a abrazarla. Estaba enamorada de mí porque maté a su padre, pero la han llamado a Moscú. No creas que a mí me importa. No. A mí nada me va en todo esto. No me inquieta nada. Yo sé dónde está Michael y no he hecho nada para atraparlo. Yo he salvado algunas vidas de personas que no se enteraron de mi intervención ni se enterarán nunca. Bueno, estoy diciendo tonterías. Me voy. Yo sé que a ti no te gustan los moscularis, Baena.

— Hombre, yo...

— La verdad, di la verdad. Yo lo sé. Y lo saben otros muchos. Lo saben todos. ¿Oyes?

— Nunca he negado que trabajan bien y que se baten cuando llega el caso. Lo malo es que sólo obedecen a Moscú.

Ariadna me hizo señas desde la puerta, a espaldas de Berard, quien debió darse cuenta y de pronto se levantó y se fue sin decir nada. Caminaba con seguridad, como si no estuviera borracho.

Yo llamé a la guardia por teléfono mientras Berard bajaba las escaleras y di orden de que dos milicianos siguieran al ruso para ver dónde vivía.

Sus compatriotas comenzaban a volver, intrigados, cuando vieron que la ciudad no caía en manos del enemigo. No era que vinieran a pelear, es decir a defenderla, sino a tratar de comprender lo que consideraban un fracaso en la máquina del partido. Y naturalmente a recuperar la dirección y el mando si podían.

Un día apareció Verín en su uniforme nuevo con ramos de laurel bordados por todas partes. Iban con él tres rusos de aire consternado y altivo. Uno parecía el jefe. Siempre hay uno que parece el jefe. Verín me dijo:

—Tú has defendido la ciudad por tu cuenta y has hecho un buen trabajo. Pero ahora debes volver a Pinarel, donde hay una banda terrorista que se llama *los Zopencos* y que ha jurado no dejar un ruso con vida. ¿No te habías enterado?

Yo miraba a los rusos, quienes afirmaban gravemente. La gravedad venía del hecho de que a causa de aquella banda terrorista pudieran ser llamados a Moscú. Uno decía *dá* — sí —, otros alzaban y bajaban la testa. Yo hacía extremos de gravedad también para no reír. Pensaba en mi hijo mongoloide y me ponía triste. Uno de los rusos decía:

—Tanques nuevos llegan a Barcelona, pero los Zopencos intervienen en las tareas de descarga.

Pensaba yo: "Si mis amigos de Pinarel supieran que los llaman *zopencos* — por extensión del nombre dado a las esculturas modernistas — se ofenderían y con razón". Yo no sabía cómo el nombre que dábamos Ariadna y yo a nuestra conspiración había podido trascender.

—No hemos venido aquí — decía Verín — a destituirte, Baena, aunque traemos un comité de defensa que se hará cargo de las líneas. Venimos sólo a que nos digas si sabes algo de esa banda y si eres capaz de acabar con ella.

Como negar en redondo habría sido poco hábil, ensarté una serie de mentiras:

—Hombre, he oído que al jefe lo llaman el Sansirolé. Tiene dos ayudantes según dicen: el Cascarela y el Manús. Yo no sé quiénes son ni dónde andan.

Verín apuntaba:

—Nombres raros.

—Sí, muy raros. Apodos. Alias.

Pero Verín dijo a los rusos:

—No hay cuidado, yo los conozco a los tres.

Mal podía conocerlos, puesto que no existían. Luego me dijo Verín muy gravemente:

—Las investigaciones que la comisión quinta ha hecho en Pinarel sobre los tanques son la rehostia. Confusión sobre confusión. Hay hasta quince versiones diferentes de algunos hechos. ¿Cuál será la verdadera?

Yo pensaba con humor si de aquella reunión saldría un nuevo comité investigador, un comité de comités, tal vez.

Me hacía el inocente y me dedicaba a comprobar que Verín parecía crecer a medida que ascendía. De pronto me dijo que se preparaba en el norte una operación grandiosa. Yo pensaba: "Una retirada". Y Verín decía que iban a enviarlo al norte para ser *el ariete* de la operación. Pero en las retiradas no hacen falta arietes. Yo no comprendía a aquel nuevo Verín que tenía enfrente. Decía palabras como *versión* y *ariete* más cultas de lo que se podía esperar de él. Mientras hablábamos, los rusos seguían ansiosamente nuestras palabras. El que parecía jefe a veces les aclaraba a los otros algo de lo que Verín y yo decíamos. Verín me preguntó de pronto:

— ¿Sigues siendo vegetariano? ¿Sí? Haces mal. En eso como en todo la cantidad modifica la calidad — otra expresión superior a los medios mentales de Verín —. Si fusilas a dos o tres tipos la gente te odia, si fusilas a trescientos los mismos que te odian comienzan a admirarte y si fusilas cinco mil ya nadie te discute. Te aceptan como a un dios. Esa es la verdad. Pero tú serás siempre el mismo.

— ¿Dónde has aprendido tanto?

Los rusos se miraban entre sí, confusos. Verín sacó un papel del bolsillo:

— Me escriben cartas las mujeres. ¿Y a ti?

— A mí, no.

— Ahora dicen que puedo llegar a ser el mismo Vodz. ¿Qué te parece? Mira, en esta carta una mujer me dice que la cantidad modifica la calidad. Una mujer lista. Mata uno a tres y la gente..., etcétera. Pero ser el Vodz de mañana, eso es demasiado y la verdad es que no me atrevo ni siquiera a pensarlo. Esa mujer me habla aquí de las ejecuciones. Bueno, contestando a mi carta. Yo le dije un día: "Estoy disgustado porque he tenido que fusilar a seis hombres". No es que lo dijera para darme importancia, pero a las mujeres les gusta eso. Entonces ella me dijo: "Fusila a seiscientos y estarás alegre". Una mujer de luces.

Los rusos escuchaban con asombro. Verín continuaba hablando y por la escalera de servicio comenzaron a aparecer más rusos, de uno en uno. Traían otro estilo. Ahora parecían tristes y también un poco más peligrosos. Debían tener presente la suerte de sus antecesores los Fedor y los Ivanes. Ariadna no salía del cuarto ni en broma. Por su silencio yo suponía que estaba aterrorizada.

Acercábamos sillas. Los rusos hablaban en su idioma y de vez en cuando uno de ellos, que tenía ojos de pez, traducía. Ha-

580

blaban con esa sensación de esterilidad que parecían tener cuando celebraban sus reuniones bajo el fuego de los cañones enemigos.

Verín los trataba con más desenfado que antes. Era como si pensara: "A vosotros os pueden llamar a Moscú igual que a Vera y a Ivan Ivanovitch y al embajador jorobado. Pero conmigo no es tan probable. No se atreven. Soy español y necesitan respetar alguna jerarquía indígena para dar solidez a sus maniobras". Verín se volvía cínico y, como suele suceder, el cinismo le daba una apariencia inteligente.

Mientras los rusos deliberaban, Verín me hablaba aparte:

— Para llegar a ser yo tanto como el Vodz necesitaría atreverme a hacer algunas cosas que hace él. Por ejemplo, el Vodz en plena reunión del *presidium* a veces se levanta, comienza a tararear una canción y se pone a bailar con una silla. Coge una silla como si fuera su pareja y da vueltas con la pipa en los dientes, tarareando un vals. ¿Eh? Para hacer eso sin que su autoridad sufra ni mengüe, el Vodz ha tenido que ir más lejos que nadie en el mundo. Tú comprendes. Para hacer cosas como ésa sin riesgo hay que haberse echado al plato un millón de jenízaros, ¿eh? Es lo que yo digo: un millón de bujarinistas, kamenefianos, trotskistas, hijos de sus madres. Yo no he llegado a tanto. Estoy en las cantidades de cuatro cifras más o menos.

Yo le pregunté:

— ¿Cuatro cifras? ¿Mil ciento dos o nueve mil ochocientos setenta y cuatro? Hay diferencia.

— Bah, más bien una cantidad intermedia. Sólo hago esas cosas por necesidades del servicio, tú comprendes.

Había un ruso que hablaba de un modo lento y desvaído como los doctores en casa de un enfermo. Y dos o tres de cabeza estólida y gesto incontrolado, especialmente uno con perfil de calmuco. También había dos que con cabeza visionaria de tártaros — anchos pómulos y frente estrecha — o aguda silueta de semitas. Estos debían ser de origen kirguís. Yo los miraba y me decía:

«¿Es posible que toda esa gente sea necesaria para echarme a mi ciudad? Porque han venido a eso».

De que me echaban no me cabía ninguna duda después de haber oído a Verín. Éste seguía:

— También recibo cartas de Rusia. Mira ésta. Bueno, tú no

sabes ruso. Yo voy aprendiendo un poco más cada día. Tú sabes que estuve en Moscú. Allí aprendí algo. Y después me ha sido bastante útil.

Me explicaba lo que la carta de la mujer rusa decía. Yo tenía la impresión de que aquellos hombres que hablaban entre sí, esperaban todavía a alguien más.

Y así fue. Llegaron tres españoles y un francés. Éste se llamaba también André — como el amante de Nancy —, aunque era todo lo contrario: adusto, cargado de espaldas, con una silueta de traidor de melodrama. Tenía fama también de matar gente, como Verín. En cierto modo eran, pues, rivales. El único *vegetariano* entre toda aquella rara población era yo, al parecer. Esto me avergonzaba a veces un poco.

Cuando llegaron los españoles — a ninguno de ellos lo había visto antes —, Verín se acercó al grupo y se sentó en un extremo del gran rectángulo que formaban las sillas. Entre los españoles recién llegados había uno de estatura media, frente protuberante, mentón perdido, aire desenvuelto y voz un poco atiplada. El contraste resultaba chocante sobre todo cuando se ponía en facha oratoria porque entonces comenzaba a perorar con la cabeza levantada y los ojos en el techo del cuarto. Y decía cosas que estaban muy bien:

— Hay noticias y noticias. Hablando de Baena y de Ariadna unos dicen blanco y otros negro. Yo digo que un jefe militar no se fabrica por teléfono ni con una orden garrapateada por el buró. Un jefe militar se forja y templa paso a paso mediante un proceso estrecho e íntimamente vinculado a la vida, al trabajo de resistencia y a las luchas de los frentes y de la retaguardia — yo estaba de acuerdo — en el plano económico, político y militar. No es un ciudadano que se presenta un día de improviso con un carnet y una credencial en la mano diciendo: "Tal comité me ha designado jefe y conductor de masas". Los trabajadores movilizados en los frentes no lo admitirían — claro que no, pensaba yo —. Se puede decir en el caso que nos ocupa que no habla uno pensando en conductor alguno de masas, puesto que los ácratas reniegan del concepto mismo de masas y que se trata solamente de un pobre diablo ocasional — y me miró a mí. Yo me sentí de pronto como desnudo en medio de una multitud —. Sin embargo hay circunstancias que necesitan de la presencia de un pobre diablo. ¿Por qué no? La naturaleza los produce como produce la escoria al lado del diamante — la escoria, yo, y el diamante, él —. No es raro que al partido le convenga a veces estimar como una preciosa cualidad la estupidez y la tontería militantes — menos mal, pensaba yo —, pero tienen que estar estrechamente subordinadas a la dirección política. Además, viéndolo bien y de un modo realista, el pobre diablo que convence a los demás de que puede dirigirlos — y volvía a mirarme a mí —, pues tiene su mérito, algún mérito, un mérito cualquiera. Tal vez un gran mérito. Y sin embargo sigue siendo un pobre diablo. Puede haber, pues, pobres diablos de un mérito excepcional. Hay que trabajar con pertinacia para atraer a todos los que por cualquier razón sobresalgan en las filas del ejército popular por estúpidos e ignorantes que parezcan — yo miraba a Verín —. Hay que ganar a todos aquellos que descuellan por su combatividad, por su talento organizador, por su serenidad ante el peligro y aunque sólo sea por su audacia y por su viveza rampante — aquí no me miró y yo se lo agradecí —. Sobre esos elementos hay que tender un cerco de amistad, de ayuda, de presión firme y suave que no determine en ellos reacción en contra. Hay que hacerles sentir que tendrán dónde cobijarse en cualquier mal rato... contra cualquier riesgo y desafuero. Hay jefes incontrolados que han hecho insconscientemente cosas extraordinarias y no sólo en el terreno militar, sino en la conspiración política.

Sin duda se refería a mis "hazañas" a través de las confidencias que Ariadna había hecho al diplomático rubio y de las cuales entonces yo no tenía noticia alguna.

Yo encontraba aquella voz — con la que me había familiarizado ya — y las palabras que decía muy interesantes. ¿Pero adónde iría a parar? Pensaba también yo en la impresión que haría a Ariadna toda aquella gente llamándome pobre diablo. Si yo era un pobre diablo, ¿por qué venían corporativamente a decírmelo? Y, ¿qué sería Verín? El orador seguía:

— Es claro que no se trata en este caso de un hombre dudoso. Es un camarada honrado, incapaz de ser un agente enemigo — algunos rusos que entendían español se agitaban nerviosos e impacientes en sus sillas porque debían pensar lo contrario —. No es un pobre diablo en toda la extensión del término — yo respiraba tranquilo —, puesto que evita el llevarse mal con los soldados incontrolados y crearse dificultades con los sargentos y oficiales. No es tan pobre diablo como se cree. En todo caso es un pobre diablo admirable. Es tutelar, conciliador, y por su misma suavidad de procedimientos se hará más difícil minarle el terreno. Se puede minar una roca, pero no un muro de arena movediza en el que cuanto más se ahonda más arena cae para cegar el paso detrás. Yo diría que se trata de un pobre diablo genial.

Decididamente aquel tipo era simpático y tenía una especie de agudeza poética. A veces me miraba Verín — que no sabía disimular — como diciendo: "¿Qué te parece?". Yo comenzaba a sentirme irritado de que se atrevieran a hablar de aquel modo delante de mí. Porque aquel *pobre diablo* era yo, sin duda. Pero el orador seguía:

— Atención a los mandos superiores, camaradas rusos y españoles. La manera operativa de nuestra *cocina de generales* no es la de atender exclusivamente a los intereses del problema español, sino la de producir jefes que puedan vincularse en el plano internacional a los organismos de clase de los trabajadores y de la humanidad progresiva. He aquí, pues, que incluso un pobre diablo con habilidades naturales puede llegar a convertirse en un general internacional — ¿era un ofrecimiento para mí? — con todas sus prerrogativas. En ese caso se puede estar seguro de que esos generales o comandantes (el nombre es lo de menos) serán disciplinados y responderán a una misión de conjunto. Esto sucederá con camaradas estúpidos y también si es necesario con esos pobres diablos de la actividad elusiva que a veces nos vuelven tarumba. Sólo así se podrá evitar que se produzca, como sucede ahora, una provocación de un género indiscernible como la de Barcelona con armas escamoteadas de los frentes. Tanques que se pierden antes de llegar a la línea. Ametralladoras que se recuperan y que desaparecen. Morteros que con un origen incierto aparecen de pronto en las calles disparando contra nosotros. ¿De dónde ha nacido esa provocación que así está comenzando a crear perspectivas nuevas dentro y fuera de nuestras fronteras? Todos hemos visto que ha habido un conato de *putsch,* un conato lamentable desprovisto de fuerza material que no llegó a tomar los contornos de un movimiento verdaderamente popular. Pero detrás de él han quedado las raíces de otros *putsch* posibles.

El orador se volvió de pronto hacia mí:

— ¿Dónde están esas raíces?

Me tomaba de improviso. Estaba yo de pie con la espalda contra una esquina de un armario. La esquina tenía una pequeña moldura saliente que me hurgaba entre las vértebras. Aquella presión de la moldura me daba una sensación justa de presencia.

— Está claro — dije — que ha habido una provocación y que habría que tomar medidas contra los que la concibieron y pusieron en marcha. Ya en otras ocasiones me he ofrecido para aclarar el caso en el sector donde tengo mando militar. Existen cinco comisiones autónomas pero relacionadas naturalmente con el comité de control. La primera...

El orador me miraba impaciente y me interrumpió:

— En esa acción investigadora y depuradora, ¿comenzaría usted por declarar dónde están las raíces de los nuevos y posibles *putschs*?

Detrás de mí se oyó una risita de conejo. Me volví a mirar y vi a otro ruso que había llegado no sé por dónde. Era grande, de cara juanetuda. Verín se inclinó sobre mi hombro al ver mi perplejidad:

— Ése es muy importante — dijo —. Lo llamamos los íntimos X2.

Aquel ruso gigantesco miró alrededor y dijo:

— Demasiado tarde.

Todos callaron sobrecogidos. X2 llevaba barba de una semana. Algunas mechas de pelo le caían sobre la oreja izquierda. Yo creo que me miraba con una mezcla de cinismo y de amistad. Y repetía:

— Demasiado tarde.

Los otros callaban. El gigante me preguntó:

— ¿Usted conoció a Sonia?

— Sí — dije yo.

— Bueno, es igual ya si la conoció o no. Demasiado tarde. ¿Y Berard? ¿Qué me dice usted de Berard?

Yo no respondía. ¿Qué podía responder? ¿Qué era lo que él quería saber de Berard? El ruso gigantesco dejó caer las siguientes palabras:

— Bueno, usted tiene razón. Con tanques y sin ellos. Usted tiene razón. Sí, camaradas, los españoles tienen razón. ¿Oyen lo que les digo? Con tanques y sin ellos. Pero es ya demasiado tarde para aprovecharse del hecho de tener razón. Ariadna y Javier tienen razón como tienen razón las piedras y los árboles. Ellos, de pie, callados, escuchando, despiertos o dormidos tienen razón. Las paredes, las losas de la calle, los árboles, las ruinas tienen razón. Pero es demasiado tarde.

Alguien le dijo algo en ruso y X2 contestó con una tanda de frases moscovitas como una ráfaga de ametralladora. Después se hizo otra vez el silencio. Un largo silencio difícil.

Hubo una sorpresa. En medio del silencio, Verín se levantó tarareando un vals. Cambiaba la posición de la silla y volvía a sentarse a caballo con el respaldo por delante. Yo pensaba: "Quiere ensayar a bailar como el Vodz y no se atreve". No tenía bastante número de víctimas para que la cantidad modificara el sentido moral de lo que hacía. Podía beber, emborracharse, decir alguna tontería. Pero para bailar un vals con una silla delante durante una reunión política necesitaba un millón de muertos. En aquel momento yo dudé de que el discurso del hombre de la voz atiplada se refiriera a mí. No creo que pensara en mí al decir que "los pobres diablos tontos o geniales" podrían ser útiles en un momento dado, etcétera. Debían estar pensando en algún otro. Aunque la alusión a los tanques venía derecha como un tiro, eso sí. Como he dicho antes, yo ignoraba la entrevista de Ariadna con el diplomático ruso.

— Demasiado tarde — repitió X2.

Entre los rusos el que tenía un aspecto más tártaro se hurgaba las narices con una reflexiva obstinación. Dos de los kirguises tomaban un aire altanero tal vez para compensar el efecto del tártaro. El que parecía un doctor en visita de enfermos apuntaba algo en un papel. A veces alzaba la cabeza y para evitar mirarme a mí se ponía a examinar la lámpara que colgaba del techo. "Lástima — pensaba yo observando de reojo el ángulo de incidencia de su mirada —. Hay rusos inteligentes. Hay rusos admirables. ¿Por qué en su conjunto no hacen más que tonterías?" Aquel ruso que miraba a la lámpara podría ser un ciudadano de primer orden en cualquier tiempo y lugar. Yo veía a Verín todavía indeciso en su silla haciendo pesar sobre el respaldo el cuerpo entero de modo que a veces la silla comenzaba a bascular. Y el orador español seguía:

— No se separa a un hombre de las masas tan fácilmente como el buró piensa. Aunque sea un pobre diablo de base idealista y libertaria — "¡ah, vamos!", me dije yo; "eso va por mí" —. Supongamos que aquí hemos ganado la guerra y que el partido ejerce el poder. ¿Cuál sería la actitud de los ácratas? Sí, a usted le pregunto, camarada Baena.

— Oh, yo no sé — dije —. No puedo hablar por ellos. Yo no soy exactamente un ácrata. Pero mi actitud sería la misma de hoy. Colaboración frente al enemigo y discrepancia leal después.

Todos me miraban apasionados y curiosos.

— ¿Colaboración frente al enemigo?

— Sin duda — dije yo, como ofendido —. Es lo que hacemos ahora — y añadí con intención en medio del silencio general —: Entre la gente de mis unidades abundan los soldados contrarios a ustedes. Mientras ustedes ataquen sólo al enemigo común, yo respondo de la lealtad de las tropas. Ahora bien, si ustedes rompen ese pacto, es decir si tratan de imponernos sus normas, en ese caso ni yo ni nadie podrá responder de la gente.

— Demasiado tarde — repitió X2 tanteando la solidez del muro con la mano.

Los rusos miraron a Verín como preguntándole: "¿Es posible que eso suceda dentro de tu cuerpo de ejército?". Verín tosió con suficiencia como pensando: "Si él no responde de su gente, respondo yo". Pero vi que mis palabras habían hecho impresión en los rusos, a quienes la idea del escándalo político aterrorizaba más que nunca. Y yo pensaba: "No hay duda de que me dejarán en paz. No se atreverán a arriesgar demasiado y me dejarán en paz. Un escándalo nuevo podría costarles la vida a todos ellos en la Lubianka".

— Entonces — concretó el orador mirando al techo y alzando la cara y la voz de un modo innecesario —, ¿el camarada Baena estaría dispuesto a abandonar el puesto de comandante militar de la ciudad? — yo miré a Verín y el orador continuó —: No, no sería para dejarlo en manos de una persona, sino de un comité con representantes de todos los partidos existentes en el actual momento y en la ciudad donde estamos.

— Desde luego — repetí yo —. En realidad mi puesto está en Pinarel. Prefiero volver allí. Pero me gustaría saber que la ciudad no va a ser entregada al enemigo sin combate, como le fueron entregados los arrabales de Mayo.

— Baena tiene razón — repitió X2, no sé si en broma.

El tártaro seguía hurgándose la nariz y sin dejar de hacerlo pidió que le tradujeran mis palabras. Cuando se las tradujeron me miró como si pensara: "Esto lo arreglaría yo pronto por el sistema A". (El tiro en la nuca.) La expresión del ruso era tan concreta y localizaba de tal modo los hechos que sin darme cuenta me llevé la mano al occipucio y me lo froté. X2 soltó a reír. El tártaro desvió la mirada. Luego sacó un portafolio y extrajo de él algunos papeles, entre ellos la foto de un hombre muerto. El hombre a quien recogí en la carretera y que poco después murió en la cama del cuarto de Sonia, en la Sureda.

— ¿Quién es éste? — preguntó. — ¿Puede decir quién es?

La foto circuló de mano en mano y Verín me la pasó sin mirarla. Cuando la estaba contemplando, el ruso atareado con sus narices me repitió:

— Esperamos que nos diga si sabe quién es.

Yo dije tranquilamente:

— Ése es Carlos.

Todos me miraban, X2 soltó a reír y el tártaro preguntó:

— ¿Carlos o Earl?

Oí toser a Ariadna en el cuarto de al lado. Aquella tos quería decir: "Cuidado con Earl. No digas nada. Tú no sabes nada de Earl".

— ¿Por qué había de ser Earl? — dije yo —. ¿Quién es Earl?

Nadie respondió. Verín se mostraba despistado y yo pensé: "No sabe nada de Earl. Ni siquiera a él le han dicho nada".

El ruso que parecía inteligente dijo mirando al suelo y con el acento del que recita un padrenuestro entre dientes sin creer en Dios:

— Bien, camarada. Nosotros también somos humanitarios. Los únicos verdaderamente humanitarios, ya que ustedes gozan subjetivamente de su propio humanitarismo, lo que puede resultar egoísta. Usted es algo más que un soldado de filas. Un jefe. Pero hay que salir de los linderos estrechos de su mundo subjetivo. Hay algo más. La humanidad tiene una experiencia viva, concreta y objetiva en la que se apoya nuestro humanitarismo y debe apoyarse el suyo: la URSS — yo pensaba: "Sí, con veinte millones de subproletarios sometidos a una esclavitud sin esperanza" —. Fuera de ella todo es falso. Dentro de ella, todo es verdad — "sobre todo la mentira", pensaba yo —. Cuando nosotros hablamos de humanitarismo — seguía el ruso — lo hacemos contando las pilas de trigo y maíz de los koljoses y las bayonetas de nuestras fábricas de guerra. Podemos ser objetivos incluso al hablar de vaguedades y abstracciones como ésa de la humanidad. El humanitarismo consiste en aumentar el número de personas que nos sirven. No importa el motivo ni el estímulo. Pueden servirnos por codicia, por interés, por sentimiento de inferioridad, por venganza. El que nos sirve puede ser miserable, vil, estar desacreditado y encanallado: un truhán, un desecho, un pícaro, un infame, oprobio e ignominia del mundo. Un tuno, un puerco, un rufián, un pillo de la peor ralea — yo escuchaba aquello pensando: "Es un hombre de mucho léxico, aunque a veces le falta la palabra española y la dice en francés" —. Puede ser un tunante, un marrano, un verdadero guiñapo. Siempre encontraremos un uso para él en nombre de la humanidad, es decir de la URSS y del Vodz. Pongamos que todo lo que se dice es verdad, que somos ruines, mezquinos, bellacos, verdaderas prostitutas enfangadas — yo pensaba: "Sí, eso podría ser muy maquiavélico, pero da la casualidad de que esa gente no se bate cuando llega la crisis. Sólo se baten los honrados" —. El mayor golfo se purifica en el acto por su amor a la humanidad representada únicamente por la URSS. Ahora aceptemos que ese hombre de la fotografía, muerto al lado de un camino, era virtuoso y edificante, prudente, benigno, inteligente, generoso, austero, heroico, impecable, incorruptible — "mucho léxico", me decía yo —. Si ese hombre no creía en nosotros, el camarada Baena debía haber seguido su camino sin tratar de ayudarle. Su gesto llevándolo a una cama en la casa de reposo de la Sureda no tenía nada de humanitario. Así como suena. Iré más lejos. A esos tipos hay que destruirlos sin reparar en los procedimientos. ¿Qué más da el puñal, el veneno, el hacha o la pistola? Lo único humanitario es hacerlos desaparecer. Eso debemos tenerlo presente cada día y cada hora. Naturalmente, yo no soy sanguinario. Ninguno de nosotros lo es. Tampoco soy un idealista magnánimo. ¿Se ha hecho algo con la magnanimidad? ¿Se ha descubierto el motor de explosión o la electricidad con eso? No. Quiero decir, sin embargo, que no siempre es necesario matar. Basta a veces con envolver al individuo en inmundicia y dejarlo en un rincón sin contacto con nadie. Eso creo yo. Pero en una guerra civil no hay tiempo para reflexionar sobre lo que hacemos y decidir si es justo o injusto, cruel o incruento. ¿Usted sabe lo que es una guerra civil? — yo pensaba: "Debo saber un poco de eso". Pero él seguía —: No hay que olvidar que las circunstancias de una guerra civil no son las de la paz — en eso habría que darle la razón —. Bien, yo creo que la ayuda que Baena prestó a ese sujeto se puede comprender teniendo en cuenta la naturaleza idealista de algunos españoles para quienes esta guerra es como un acto de edificación religiosa. Pero a nosotros nos interesa sólo el lado objetivo de la cuestión y he aquí que le pregunto amistosa y honradamente... — el ruso alzó la cabeza, alzó los ojos, alzó la voz y alzó el pie que tenía colgado en el vacío, con las piernas cruzadas —: ¿quién era ese pobre hombre? ¿Era Carlos? ¿Qué Carlos? Hay muchos Carlos en España y en el mundo. ¿O no es Carlos y es en cambio Earl? ¿Qué clase de Earl? ¿Un americano, un inglés? Digo, camarada Baena: ¿qué clase de Earl?

Verín creyó que la voz era demasiado patética y dijo:

— Como ves, Javier, se trata sólo de una identificación.

— Demasiado tarde — repitió X2 con una insistencia extraña.

El calmuco sorbió aire por la nariz ruidosamente y dijo:

— Lo que hay que hacer es machacarles las liendres a los tipos confusos.

Yo oía toser a Ariadna en el cuarto de al lado. Quería yo toser también para indicarle que la había oído y que debía callarse, pero no me atreví. Luego me encogí de hombros, alcé los brazos, chasqueé la lengua contra el paladar y bajando la cabeza dije:

— Yo no he conocido a ningún Earl.

Entonces el tártaro dejó de explorar su nariz y empezó a repasarse la oreja izquierda. Con la otra mano sacó un papel grande de su portafolio y lo extendió. Allí estaba escrita con carbón la frase: *Yo soy Earl*. Expliqué por qué razón se leía Earl y no Carlos. Lo aceptaron casi todos. Todavía me preguntaban qué necesidad había de escribir que aquel hombre era Carlos y yo les dije que se lo había prometido antes de su muerte. Es decir, le había dicho que haría todo lo posible por dejar sentado que él no era Rafael sino Carlos. El agonizante estaba todo el tiempo repitiendo que era Carlos y que la policía buscaba a su hermano Rafael. Verín cabeceaba como diciendo: "Comprendo. No te molestes en explicar más". Pero había un kirguís que dudaba y me miraba de reojo con la mandíbula colgante y la boca entreabierta. Ese mismo kirguís me dijo:

— ¿El Carlos que nos ocupa era... Carlos Hernández?

— No — me apresuré a decir —, es decir no lo sé. Ya digo que no conozco el apellido de ese hombre.

— ¿Sería Carlos Armijo?

— No sé.

— A ese Carlos, cualquiera que fuera, ya le machacaron las liendres — dijo el calmuco.

X2 soltó a reír. Era otra vez una risita de conejo que resultaba rara en un hombre tan grande. Entonces el ruso inteligente sacó del bolsillo un recorte de periódico americano donde había un artículo y un párrafo subrayado en rojo. El artículo era del novelista Hymenroad y el párrafo decía:

"*Let's see. Earl is an American name in which I see the key to a mystery. Earl has been executed. Without a sentence. A man down on his back with mortal wounds in his head and youthful chest. Executed without a trial. I have been sleeping in his bed, beside him. Five hours, six hours. And I say to myself...*".

El ruso superior volvió a guardárselo y dijo:

— Este americano sabe algo o al menos lo sospecha. ¿Cómo lo sabe? ¿Quién se lo ha dicho? ¿Qué es lo que sospecha?

Volviendo a alzar la cara, los ojos, la voz y el pie — esta vez el pie contrario — preguntó:

— ¿Es Carlos o Earl? Y si es Earl, ¿es el americano?

De nuevo me alcé de hombros. Iba ensayando actitudes hostiles. No comprendía que aquella gente, con los informes de Ariadna y sin saber a qué carta quedarse conmigo, necesitaran aclarar el equívoco terrible de Earl. Ver *si yo sabía* o no. Y me decía: "¿Por qué ha venido a mi casa toda esta patulea de grajos eslavos? ¿Por qué se atreven a hablarme así?". Alcé la voz un poco más que el ruso inteligente y dije indignado.

— ¿Son ustedes sordos? ¿Cómo quieren que les diga que no conozco a ningún Earl? Ustedes quieren aclarar algo conmigo, pero yo no sé de qué se trata. Aquel hombre muerto no era Rafael ni Earl, sino Carlos. Suponiendo que existe algún Earl en el mundo y que le haya sucedido algo bueno o malo aquí o en Madrid o en Moscú, ni sé lo que es ni me importa lo más mínimo. Ése de la foto no es Rafael, sino Carlos. Eso es todo y de ahí no podrá sacarme nadie.

Verín intervenía conciliador:

— Ya te digo que se trata sólo de una identificación.

Y el gigantesco X2 volvía a decir que yo tenía razón, pero no sabía si lo decía en serio o en broma. Les dije que les sería mejor desconfiar de aquellos *quidproquos* y dejarlos a un lado, aunque sólo fuera por prudencia. Solían tener consecuencias en la Lubianka, añadí con una disimulada perfidia. Vi, mientras hablaba, que una brisa fría recorría los rostros de los rusos. Menos el de X2, que parecía secretamente divertido.

Me miraban intrigados, todavía. Parecían pensar que yo era más listo de lo que esperaban. Entonces dijo el ruso superior algo al tártaro y éste miró por el suelo con la expresión del que ha perdido alguna cosa. El que tenía perfil de calmuco alcanzó una maleta negra que estaba contra el muro y yo vi que se trataba de una especie de dictáfono. Desde mi sitio observé que tenía una marca de fábrica americana y que alguien había tratado de borrarla con un cuchillo. Entretanto yo pensaba: "Verín está comenzando a jurar como los rusos". El *hijo de una cerda sarnosa* es un insulto moscovita. Lo había dicho dos veces en poco tiempo. Pero el tártaro y el calmuco andaban maniobrando en el dictáfono, donde de pronto se oyó la voz de Berard con una de las frases que había dicho días antes en aquella misma habitación. Quitaron el sonido apresuradamente como si hubieran sido sorprendidos en delito y entretanto yo pensaba en algunas opiniones de Ariadna y que me parecían adecuadas al momento. Solía ella decirme:

"Los moscovitas ignoran que cuando se recela de un tipo se le obliga a él a recelar también — y ellos recelan de todo el mundo — y que cuando ofenden a alguien le dan al mismo tiempo las armas para defenderse, es decir para combatir. La ofensa, pues arma al dudoso y le invita a contraatacar. Cualquier ofensa. Todas las ofensas. Es inevitable."

Yo veía un ejemplo típico en la reacción primera de Ariadna un año antes cuando tuvo noticia de que me acusaban de haber hecho desaparecer el primer tanque y de estar en relación con el enemigo.

Verín alzaba la nariz mientras el calmuco y el kirguís maniobraban en el dictáfono:

— ¿Quién dices que es el jefe del complot?

— ¿De qué complot?

— De ese que llaman *de los Zopencos*.

— Ah — y yo concentraba mi fatiga, mi tristeza y mi amargura para evitar la risa —: el Sansirolé.

Verín repetía:

— Lo conozco, a ése.

Pero quería repetir el nombre y no podía pronunciarlo porque aunque estaba sereno y sin alcohol en la sangre, se le trababa la lengua.

592

Ariadna, en el cuarto de al lado, pasados los primeros sobresaltos, no sabía si llorar o reír.

El dictáfono funcionaba. Pero la voz — una voz de mujer — estaba turbia y se entendía mal. Hablaba en francés y en español mezclando palabras de ambos idiomas. Tardé un poco en reconocer que era la de Sonia. Todo mi interés consistía en identificar en mi recuerdo el lugar donde ella había dicho aquellas cosas, que no eran en realidad demasiado culpables ni peligrosas. Volvía a referirse a los botones de la blusa de su madre tal como había hecho aquella noche en la Sureda, pero con otras palabras. Cuando ella decía estas cosas yo no estaba allí. "¿Quién estaría? — me preguntaba —. ¿A quién le haría confidencias iguales que las que me hacía a mí?". Naturalmente, aunque eran reflexiones codiciosamente viriles, no eran de celos.

Pero sobre todo, ¿qué habría sido de Sonia? ¿Por qué llevavan su voz en una caja, por el mundo? El ruso inteligente me preguntaba:

— El *putsch* de Barcelona no era el único que tenían preparado, ¿verdad?

— No sé.

— Yo sé que existen armas escondidas con vistas a una nueva aventura.

Era probable. Era más que probable. Era tal vez seguro. Yo tenía ganas de reír, pero en aquel momento comenzó a llorar el hombrecito — el bebé — en el cuarto de al lado. Aquel llanto me puso en guardia. Había observado que aquel animalito pasivo y blando como una oruga tenía una misteriosa sensibilidad afectiva. Cuando yo me enfadaba, antes de llegar a mostrarlo con palabras, voces o gestos, él se daba cuenta. Y lloraba. Con Ariadna no solía llorar porque ella no perdía la paciencia. No se enfadaba nunca desde que era madre. En aquel instante el hombrecito se daba cuenta quizá de la malevolencia de los rusos conmigo. Sospechaba yo que había llegado el momento de alzar la voz y mostrar los dientes. Suele dar resultado con los moscovitas, porque como creo haber dicho tiemblan ante el riesgo del escándalo político. Y las instrucciones que tenían en relación conmigo debían ser confusas.

— Demasiado tarde — decía una vez más X2 como si hablara consigo mismo.

El dictáfono funcionaba mal. Volvieron a pasar la cinta hacia atrás y produjeron una masa de sonidos muy raros, como si una multitud de ratones estuvieran riñendo y chillando. Entre tanto yo pensaba: "¿Por qué no se le ocurre venir a alguno de mis ayudantes?". Yo quería salir del cuarto, pero no me atrevía porque era posible qua alguien me lo prohibiera. Eso representaría que estaba arrestado. Mi gesto podría precipitar una decisión que tal vez no estaba formada todavía.

Me acerqué al dictáfono. Con el pretexto de que conocía aquellas máquinas — desde mis experiencias en Pinarel con las voces del bosque —, saqué el rollo de cinta de la bobina y lo dejé caer al suelo donde formó un helicoide confuso. Para poner aquello en orden otra vez iban a necesitar una hora larga. Me disculpé y por hacer algo apreté dos tornillos y limpié la grasa de un eje. El calmuco estaba a cuatro manos blasfemando y afanándose por devolver la cinta a la bobina. Cada vuelta del rollo — y tenía más de mil — formaba una garreta en la cinta, que había que deshacer.

Luego me erguí y dije:

— Compañeros, se ha hablado mucho en esta reunión. Se va a hablar más. Me han dicho que debo liberarme de mi subjetivismo y también...

Por fortuna la puerta que daba a las oficinas se abrió y apareció el teniente secretario de operaciones. Yo dije:

— Un momento, compañeros — y al teniente —: ¿Qué sucede?

El teniente dijo que pedían de Pinarel la orden del día siguiente. Yo le dije:

— Contesta con la clave 5x diciendo que si en las próximas diez horas no tienen órdenes personales mías, saquen los tanques y desarrollen el plan R9 hasta el fin.

Se daba cuenta el teniente de que aquello era un galimatías sin sentido. Su perplejidad, con la que yo contaba, la entendieron los rusos como sorpresa y alarma. Lejos sonaban los teléfonos. Más lejos, las ametralladoras. Todavía más lejos, los cañones.

Cuando se fue el teniente hubo un momento de expectación. Nadie hablaba. Yo pensaba: "Tal vez he ganado la batalla, una batalla que no se habían atrevido a presentar". Los rusos se fueron a otro cuarto a deliberar y los españoles se quedaron. Verín me decía, preocupado:

— ¿El Sansirolé?

Yo afirmaba.

En aquel momento llegó Justiniano. Yo había oído decir que lo habían matado o tomado prisionero en las escaramuzas del arrabal de Mayo. Me sorprendió verlo allí. Su presencia me extrañaba y me ofendía. "Si alguno ha de matarme — pensaba — será ése." X2 al verlo soltó la carcajada, le dio un golpe en la espalda y se fue.

— Ese hombre es importante — dijo Justiniano.

Estábamos solos Verín, Justiniano y yo. Era casi de noche. Verín, rascándose la palma de la mano, me dijo con aire misterioso:

— Haces mal, Baena. Tú sabes dónde están concentradas las armas de los Zopencos.

Me quedé un momento vacilando, miré a Justiniano y dije:

— Bien, lo sé y estoy dispuesto a decirlo.

Verín muy excitado iba a llamar a los rusos, pero yo lo atajé con la mano:

— Si llamas a alguien no diré una palabra. Son cosas que no deben salir de entre nosotros los españoles.

— ¿Es que vas a volverte atrás?

En aquel momento alguien apareció en la puerta y llamó a Justiniano. Cuando Verín y yo nos quedamos solos sentí encenderse un relámpago rojo en mi alma o en mi conciencia. En la excitación de aquellos días se le ocurrían a uno cosas raras, pero en mi caso esas cosas raras tenían siempre — creo yo — un fondo de lógica.

Al quedarme a solas con Verín le dije:

— Te lo voy a decir todo, ¿oyes? Absolutamente todo, y caiga el que caiga. Pero hay una dificultad.

— ¿Cuál?

— El secreto. No debe saberlo nadie.

— Te juro que nadie lo sabrá. Si es por eso puedes hablar.

— Hay alguien que lo sabrá. Justiniano estaba aquí cuando te dije que iba a confesarlo todo.

Verín no comprendía. Siempre era el último en comprender las cosas. Seguía rascándose la palma de la mano:

— Justiniano es un hombre seguro — repetía.

Me senté en la esquina de la mesa y me puse a comprobar que una de las hebillas de mi bota estaba casi desprendida.

— No — dije —. No es seguro. Nadie es seguro. Justiniano me ha oído y sabrá el día de mañana que he sido yo quien os ha dado el soplo.

En el cuarto de Ariadna había un silencio un poco irreal. Verín se mojaba el labio superior:

— Entonces...

— El día que Justiniano desaparezca del mapa, ese día lo diré todo. Suprimidlo y hablaré.

— ¿Suprimirlo? Es mucho lo que pides, Baena — dijo Verín satisfecho en el fondo de mi proposición, según la cual al parecer yo dejaba de ser *vegetariano*.

Al día siguiente mataron a Justiniano. La cosa la hicieron rápidamente y delante de mí. Yo quise verlo. Fue la única ejecución que presencié y me pareció un acto de justicia natural. Me habría opuesto a que un tribunal lo juzgara. Pero Justiniano hacía tiempo que no merecía vivir. Al saber que lo iban a matar, se condujo con una cobardía miserable. Cuando vio que no había solución tomó un aire enloquecido pero resignado:

— Está bien — decía —. Debo morir. Lo que hice hay que pagarlo. No digo que no. Lo voy a pagar. Comprendo que necesitaría cuatro vidas para pagarlo. Lo único que querría sería poder sentirme a gusto dentro de mi conciencia una vez que haya sucedido todo. Es decir, poder darme cuenta de que he saldado la vieja deuda. Cuatro vidas necesitaría, no importa.

Lo mataron. Con sus polainas resplandecientes como espejos. Con su uniforme nuevo. Era el único uniforme nuevo que había en toda la ciudad. Lo mató a tiros un soldado de la guardia con una ametralladora de mano y el cuerpo quedó algunas horas en el patio de la casa, de tal forma que se podía ver desde las ventanas del cuarto de Ariadna.

Muerto Justiniano, salió Verín y poco después volvió, muy excitado, oliendo a coñac:

— Ya puedes hablar sin cuidado, Javier.

Yo tenía calculadas mis palabras:

— Los tanques existen. Y los morteros. Fueron concentrados en la plaza de toros, en el interior de la plaza. Unos en el mismo redondel, otros en los establos y toriles y hasta en los pasadizos que hay debajo de las gradas y tendidos.

Verín se aseguró el cinturón:

— Vamos allá — dijo.

— Pero...

— Ahora mismo. Vamos allá.

Al pasar por las oficinas vi a dos de los rusos hablando con las mecanógrafas y los ayudantes. Por la mirada del teniente ayudante de operaciones comprendí que mis oficiales estaban en guardia y que no cometerían imprudencias. Ese teniente era un hombre frío y agudo.

En el coche de Verín fuimos a la plaza de toros. Por fuera la plaza era de ladrillo rojizo, con adornos moriscos. Recordé que en aquel lugar había dispuesto días pasados que concentraran a todos los moros que habíamos hecho prisioneros. Serían cerca de cien y no sabíamos qué hacer con ellos. Durante los combates en el arrabal de Mayo habían perdido el contacto con sus mandos y fueron copados fácilmente. Eran mozos yebalas y rifeños, de Marruecos. Pobres diablos hirsutos y animalizados. Muchos de ellos no hablaban una palabra de español.

Sabía yo que en la plaza no encontraríamos un solo tanque. Comprendía sin embargo que debía seguir manteniendo el embuste si quería salvar la piel. Yo ignoraba los planes de Ariadna y cometí con aquel incidente una imprudencia muy grave.

Cuando entramos en la plaza de toros me encontré con que el sargento de guardia era nada menos que Galo, el del Cristo del Caloco. Nos abrazamos. Luego me dijo:

— ¿Van a ver a los *mohameds*? Ahí están.

— ¿Qué hacen?

— Matar piojos y bailar.

Entramos. La entrada en aquel recinto — en los corredores con pavimento de tierra, bajo las gradas y tendidos — fue sensacional. Los marroquíes que estaban más cerca se levantaron, mirándonos de un modo huraño. Otros siguieron sentados en corros. Un poco más lejos había dos con panderos y otro más joven, bailando. Un grupo de viejos cantaba con el mismo ritmo de los panderos:

> *K'il beidá*
> *ah, Muley Shiriguá*
> *hasso mlej*
> *ah, Muley Shiriguá*

Verín miraba alrededor:

— ¿Dónde están los tanques?

Yo me había olvidado de los tanques. Seguía mirando a los moros, quienes viendo que no había rencor en mi actitud cantaban:

K'il zupó
ah, Muley Shiriguá
Tibarkani Fátima
ah, Muley Shiriguá

—Eh, Baena, ¿dónde están los tanques?
El bailarín seguía el ritmo con la cabeza baja moviendo los hombros y sacudiendo a un lado y otro el fleco del fez:

Dar el Djin
ah, Muley Shiriguá

El sargento Galo preguntaba:
—¿Qué van a hacer con este ganado?
—No sé. Lo mejor sería educarlos políticamente y devolverlos a sus tierras.
Galo creía que no:
—Con esta gente es perder el tiempo. Yo los conozco bien de cuando estuve en Marruecos. Yo sé lo que habría que hacer y lo haría pronto.
Luego dijo que había tres o cuatro españoles con ellos. Españoles vestidos con chilaba. Verín insistía:
—¿Y los tanques?
Yo dudaba. No sabía si sería mejor tratar a Verín en amigo o en enemigo. Por fin encontré un camino. Diría lo que me proponía decir con un acento ni amistoso ni contrario. Pero lo que me proponía decir era muy grave.
—No hay tanque ninguno, aquí. ¿No ves que no hay tanque ninguno?
—Vamos, hombre, ¿estás chalao? ¿Dónde están esos tanques?
Tomé un aire indiferente y dije después de encender la pipa y echar el humo al aire:
—Habéis matado a Justiniano, ¿no es eso? Bien. Justiniano era la única persona que sabía dónde estaban esos tanques. Es decir, también lo sé yo. Él y yo éramos los únicos que lo sabíamos. A él lo habéis matado y no hablará. Eso era lo que quería. Que lo matarais para que no hablara. Ahora podéis matarme a mí si queréis. Por mí no sabrá nadie dónde están esos tanques.
Verín estaba deslumbrado por mi firmeza y desolado por su

propio fracaso. Los moros seguían cantando y el bailarín alzaba los hombros con movimientos epilépticos y volvía a sacudir el fleco del fez:

Ah, ah, ah
ah, Muley Shiriguá

Yo me volví sobre el sargento como si no existiera Verín:
— ¿Dónde están esos españoles?
— Viven al otro lado de los establos. Es decir, verdaderos españoles yo creo que sólo hay uno, pero con él están tres o cuatro moros decentes, oficiales de la policía indígena. Estos oficiales hablan español muy bien. Tan bien como usted y yo. Los demás, yo sé lo que haría con ellos.

El sargento y yo echamos a andar. No tardamos en llegar al otro lado de la plaza. Me di cuenta de que Verín se había quedado cerca del cuerpo de guardia, solo e indeciso. Yo pensaba: "Ahora se marchará con el coche y me dejará aquí. Yo tendré que ir a pie al cuartel general". Pero también podía pedir yo mi coche por el teléfono de la guardia.

Al vernos llegar los oficiales moros y el español — que vestía realmente una chilaba — nos miraron inquietos. Tal vez pensaban que íbamos a fusilarlos. Antes de que yo preguntara nada el español comenzó a hablar:
— Pueden matarnos cuando quieran. Pero en mi caso harán una injusticia porque yo no he llevado nunca armas ni he combatido. Yo no soy un prisionero, sino un desertor de los nacionales. Yo no soy soldado ni soy político. Yo escribo versos, ¿sabe? Y me vestí esta chilaba y me mezclé con las vanguardias moras para desertar y pasarme al campo de ustedes. Los de la guardia no lo creen y dicen que soy *un moranco*. Mentira. Nací en Valladolid en el año de gracia de mil novecientos quince.

Llevaba barba y tenía la piel de la frente a medias desprendida por la intemperie. Mientras hablaba, yo no atendía más que al acento de su voz, que era implorante. No podía percibir bien el sentido de lo que decía porque estaba pensando en Verín y en la terrible *revelación* que acababa de hacerle. Pensaba también en los rusos que vinieron a verme el día anterior y en Ariadna. Estaba inquieto por todo aquello y trataba de contener mis nervios. El poeta mozárabe — la expresión me parecía a mí de una cierta delicadeza sin saber por qué — insistía:

— Usted parece persona responsable y educada. Usted debe saber que yo no soy un combatiente y que he venido voluntario al campo de la libertad. Estos oficiales lo dirán por mí.

Dos de los árabes afirmaban gravemente. Yo no sabía qué pensar de aquel llamado poeta, quien quería cubrir mis dudas y reflexiones con palabras y gestos nerviosos:

— Tengo conmigo papeles que me acreditan.

Y sacaba un cuaderno mojado por el sudor o la lluvia o la orina de los caballos. Yo miraba a los oficiales:

— ¿Y ustedes?

Me dijeron cuáles eran sus grados y en qué unidades habían estado. Les pregunté si tendrían inconveniente en entrar en nuestras filas y combatir a nuestro lado. Hablaron entre sí en árabe pero repitiendo de vez en cuando una palabra española: *rojillos*. No nos llamaban *republicanos, sino rojillos*. El diminutivo me molestaba. El poeta mozárabe hablaba del peligro de ser fusilado por la guardia o por fuerzas incontroladas. Yo le escuchaba pensando: "Tal vez me fusilarán a mí también, contigo". Entretanto ojeaba el cuaderno. Pregunté:

— ¿Puedo quedarme con él?

— Sí, señor. Y no olvide que yo no soy un prisionero, sino un desertor. Cuando lea mis versos verá que podrían haberme costado la vida en el caso de ser descubiertos por los nacionales. No creo que necesite más pruebas de mi lealtad.

Cuando me marchaba decidí de pronto quedarme en la plaza un rato más y me senté en una grada de acceso a los tendidos, cerca de la guardia. Estaba seguro de que Verín se había marchado y pedí al sargento que llamara al estado mayor para que me enviaran el coche. Entretanto me decía: "Los rusos no se atreverán. Sólo respetan la fuerza bruta o el misterio". Yo ignoraba — repito — lo que Ariadna le había dicho al rubio diplomático. Mi reacción brutal con Justiniano y el secreto heroísmo que representaba mi "revelación" debía sin duda impresionarles. Sin embargo, si yo no tuviera una división detrás, en Pinarel, esa impresión lo bastaría para salvarme la vida. No sería una impresión bastante fuerte ni bastante contradictoria para darles a los rusos esa perplejidad inhibitoria en la que yo confusamente confiaba.

Sentado en aquellas gradas que asomaban por arriba hacia un

cielo gris de invierno, oía por un lado los atabales moriscos y suponía en el lado contrario de la plaza al *poeta* mozárabe. La expresión *poeta mozárabe* me parecía entonces afectada y sospechosa. "Ese poeta será —pensaba yo— uno de esos jóvenes decadentes con tendencia *urania* o *uranista* como ellos suelen decir. Uno de esos jóvenes tocados de lirismo que admiran a los pueblos donde los hombres practican la heterosexualidad y la homosexualidad indistintamente. Hay entre ellos el homosexual *helénico* y el *africano*. Y para decirlo con palabras cultas y pedantes el homosexual *apolíneo* y el *dionisíaco*. Estos últimos debían ser los que admiraban a los árabes.

Pero tal vez estaba calumniando al poeta mozárabe. Todo dependería de los versos que al parecer me había dado en aquel cuaderno. Si me gustaban me inclinaría a pensar bien del autor. Si no me gustaban, lo contrario. ¿Era posible que en aquel momento, con el cadáver de Justiniano todavía sin enterrar y las amenazas de los moscovitas en el aire, pudiera yo abstraerme y pensar en los versos de un desconocido? Pero así es. A veces cuanto más crítica es nuestra situación lo mejor que podemos hacer es abstraernos sobre un tema que no sea la base de nuestra inquietud. Es decir, buscar nuestro centro de gravedad por otro lado.

Frente a mí, en el ancho corredor con suelo de tierra, vi un ratón. Me puse a observarlo, inmóvil, conteniendo el aliento. Estaba el animalito mordisqueando un trozo de pan seco. Pero de pronto se asustó y se fue. Yo volví a mis reflexiones. Los rusos. Los conocía: "Sólo respetan al hombre que puede amenazarlos con algún poder más o menos aparente pero cuya existencia se puede sospechar. No se atreverán". En cuanto a Verín estaba más deslumbrado conmigo que indignado. Era como si yo le hubiera dicho: "Habéis matado a Justiniano. ¿Por qué no me matáis ahora a mí?".

Sentado en aquella grada me puse a ojear el cuaderno cuyas manchas de humedad ya secas le daban un aire lamentable y un olor que podría llamarse *muladí*. Olía al pergamino de los panderos de los moros. "Voy a esperar aquí lo más posible —me dije— para dar tiempo a que entierren a Justiniano y a que formen su composición de lugar en relación conmigo." Quería evitar el tomar una actitud agresiva o defensiva, abiertamente. Verín estaría contándolo todo al tártaro o al camulco, a sus jefes moscovitas y tal vez a los del partido español. Verín se daba cuenta de que todas aquellas diligencias suyas eran dignas de un hombre que aspiraba a ser un día el Vodz de España. Había en el fondo de la irritabilidad de aquel hombre como una satisfacción de los problemas que lo molestaban. Cuando yo pensaba en eso sentía ganas de reír y calculaba si al final todo aquello sería fausto o infausto.

Pensaba que podría muy bien ser fusilado, pero por donde había pasado una criatura delicada y noble como Ariadna podría pasar yo también. Esta reflexión tenía otro extremo en Justiniano. Por donde había pasado un pobre diablo como Justiniano — cuya muerte comenzaba a envolver su nombre en un aura de respeto — podría pasar yo también sin miedo.

No tenía miedo sino a las formas de imprevista perplejidad que a última hora podrían interferir en mi disposición a la muerte. Claro es que podía evitarla, pero para eso necesitaba salir de la ciudad, subir a Pinarel, ponerme en contacto otra vez con mi división.

Esperando el coche leía el cuaderno. Parecía un largo poema en forma dramática. Su título general era:

MOROS EN COVADONGA

El título me parecía bien. El epígono había llevado moros a Covadonga, donde el árabe no había puesto jamás sus plantas.

LUGAR DEL TRANCE

La basílica entre pinadas de verde perenne y en un claro la silueta de Muley Shiriguá — el diablo semita — proyectando una sombra engrandecida sobre la niebla. Peregrinos del Tajo llegan por la canal con cirios encendidos y pendones. Del cementerio románico abandonado sale un clamor de algarabía morisca.

Yo pensaba: "Esto comienza bien. Shiriguá es el diablo. ¿El diablo de los judíos? ¿El de los árabes? Bueno, es el mismo, pero parece — yo ojeaba el manuscrito — que este diablo no se toma a sí mismo muy en serio". En otro lugar de la plaza de toros, hacia mi izquierda, se oían los panderos otra vez. El pandero y la flauta de pastor de los tiempos más viejos del Antiguo Testamento. Los judíos y los árabes eran entonces los mismos: gente de viajes por caminos polvorientos y de sedes extenuantes. Gente de jumentos y camellos. Y los camellos y los jumentos usaban enjalmas. Entre los objetos que caracterizan a una cultura suele haber uno que la representa mejor que los demás. El de los moros era la enjalma. La enjalma es mozárabe. O mudéjar. Es asiento, es trono, es protección, es almohada, es un objeto grande, trabado de piel y madera, opaco y sordo y por decirlo así cuneiforme, como las escrituras más viejas del Asia Menor. Tierra de enjalmas, gente de enjalmas. Ellos mismos parecen llevar arneses y enjalmas para ir al combate y hacen con sus zapatillas sueltas sobre la tierra y con la culata del rifle sobre las cartucheras y con el tahalí del cuchillo sobre el cinto, ruido de enjalmas. Gente enjalmada y trotadora. Y habían estado en Covadonga matando cristianos. Matando cristianos en nombre del representante de Cristo en la tierra. La religión estaría bien a pesar de todo si no fuera por la iglesia. La iglesia es un falso Jesús que ha aceptado las tentaciones del diablo en el desierto. Roma se decide a llevar moros a Covadonga para que maten a sus hijos, a los propios hijos de Roma, y ya todo es posible en el camino de la perversión. Moros en Covadonga. Tal vez a mí me va a llevar el diablo, pero no será Muley Shiriguá. Mi diablo lo invento yo para mi uso. No importa. No tengo miedo. Nunca he tenido miedo a la muerte. Sólo tengo miedo a que la violencia de las condiciones de mi muerte me impida darme cuenta de lo que me pase al morir, porque yo quiero gozar mi muerte como cada cual y si es posible un poco más. Yo he sido un buen gozador. Sobre todo quiero tener conciencia porque yo — que no creo en una supervivencia personal, es decir, individualizada — creo sin embargo que nosotros tenemos nuestro premio. Nuestro gran premio. Al quitarnos Dios la última esencia de nuestro ser en forma de la esperanza, esa esperanza con la cual se engrandece y enriquece Él mismo, nos retribuye de alguna forma. Los médicos hablan de las voluptuosidades de la agonía. Bien. Pero hay algo más que voluptuosidades. En el hombre que va a morir, que muere, y que nadie va a salvar en ningún caso y bajo ningún pretexto, en ese hombre hay antes de morir la evidencia del sentido de la vida que en estado de salud no habíamos podido alcanzar. Esa evidencia nos la da Dios a todos, cuando morimos. ¿Cuánto dura el placer de esa evidencia? Yo creo que dura desde el instante en que nos ha sido revelada hasta el de morir. ¿Y la revelación en qué consiste? ¿Es sólo un instante de luz? ¿O una palabra? ¿O una presencia? Yo creo que ese fenómeno de la revelación está fuera de nuestras medidas. Podrá parecernos un minuto o una eternidad. Pero desde luego en ese instante y antes de morir lo averiguamos y sabemos y comprendemos todo. Después de lo que acaba de sucederme con el pobre diablo de Verín es posible que mis etapas se aceleren. No importa. Sólo querría conservar bastante lucidez para que ese instante de la revelación sea claro, diáfano, lleno de esa superior congruencia de las fuerzas de lo absoluto. No creo en el cielo ni en el infierno. Creo en el diablo — la iglesia — a quien los berberiscos llaman Muley Shiriguá. Y creo como digo que ese justiciero y benigno Dios — que no es el barbado presidente del consejo de administración que pintan los curas — antes de morir nos premia y compensa del espanto con una perspectiva de formas, luces y nociones, que nos explica el sentido oculto de la realidad de vivir y la naturaleza verdadera de la muerte. Es posible que en ese instante todos vean la eternidad sin nombre y sin límites de Dios y el valor que en esa eternidad ha tenido este paréntesis vital nuestro de nutrición, exasperación sensual, lucha por la preeminencia, esta vida de estómago, sexo y estatura moral. Estoy seguro de que antes de morir, en la laboriosa faena de la agonía esos secretos nos son revelados. Bien, pues lo único que quiero es que los demás no me perturben ni dificulten esa percepción. Los únicos que pueden intentarlo son los kirguises, los calmucos los tártaros. Es posible que me maten si me hallan en la ciudad, de improviso y por sorpresa. Y yo no quiero hacer nada por evitarlo. No quiero huir. Nunca he huido, en mi vida. Pero si me matan yo quiero que me den tiempo para sentir todos los grados y matices de la revelación. De la esperanza de esa revelación gozo ya ahora.

En esto pensaba ojeando aquel cuaderno cuando se presentó Galo, el sargento:

— Eh — me dijo, confianzudo —, ya sé que le han *dao pal pelo* a Justiniano.

Yo me sobresalté. No le entendía. Para mí aquel hombre era siempre el del Cristo del Caloco, el del romance de la madre inmolada al Cristo barbudo de las Castillas. Y me hablaba de Justiniano. Yo cerré el cuaderno.

— ¿Qué dices, Galo?

604

—Que me han dicho que le han *dao mulé* al abogado inspector. Vamos, hombre, ¿es que estás sordo?

Galo trataba así no sólo a mí y a sus antiguos amigos, sino también a los generales profesionales. Para él uno de los atractivos de la guerra consistía en poder tutear a todo el mundo.

Vio que su presencia no me daba ningún contento y al oír que el cabo lo llamaba salió otra vez a grandes zancadas. También sus cartucheras hacían ruidos de enjalmas. Yo me puse de pie y me asomé a las gradas de la plaza de toros. El redondel amarillo estaba vacío y tomaba un color friolento de otoño.

Volví a sentarme y abrí otra vez el cuaderno. Moros en Covadonga. Era una buena idea el título. Me puse a leer algunas líneas de prosa descriptiva que había antes de comenzar los versos. Estos se presentaban en forma de diálogo. Decían aquellas líneas descriptivas: *La mehalla acampa en los exedras entre la gruta y la plana donde los peregrinos bailaban otros tiempos la danza prima en la noche del Señor San Juan. El ave del Corán se afila el pico en la retejera, el vándalo Blacksen preside el corro de desalmados que se llama a sí mismo la escuadra del piojo. Va y viene la epígona recogida la falda con la izquierda y abanicándose con la derecha. El santero sacude la caja de los cobres y canturrea su salmo. Un currito uniformado junta los pies y alza el brazo en ángulo de cuarenta y cinco grados. El Diantre cristiano pulsea con Muley Shiriguá. El peregrino se rasca la espalda contra una esquina de la basílica y la almea baila sola en un rincón. Un navegador tímido pasa por el aire haciendo fotos y el mehallí da inicio con su pandero a la mojiganga de Ceuta. La prelada discreta mea detrás de un árbol y el kader se prepara a hacer justicia.*

Aquí terminaba la prosa descriptiva y luego comenzaba el verso:

EL DIANTRE

Acechaba esa cosa que los curas
por eufemismo llaman aún el diantre
y entre el clamor alzaban sus impuras
letanías el diácono y el chantre.
Voces de azul romero bendecidas
ayer, oh Dios de los nocturnos calmos,

iban cayendo reamortecidas
en la luz sin motivo de los salmos.
Por la sangre de ayer vivía todo
y con la arena de los himeneos
la luna modelaba sobre el lodo
los perfiles de los altivos reos.
Íbamos hacia el orbe de los fines
donde aguardan cloróticas las damas
del pecado azulino. Querubines
sostobaban las colchas de las camas.
Por veces escuchábase un rumor
de tablas secas a mi alrededor,
(los escolanos muertos y enterrados
salían tanteando de la caja
con los vientres cristianos disecados
llenos de naftalina y rubia paja).

EL PÁJARO DEL CORÁN

De un ala impar así yo ladeado
— la otra se ha disuelto en sangre y oro —
dejadme aún y probaré a volar.
Impar vuelo por el norte combado
voy mensajero del aduar del moro
al manto de la Virgen del Pilar.
Dejadme solo en mi canción rezar
el rosario de cuentas musulmanas
y entre ambos los boscajes que colindan
por uno — el de los pinos — retenido,
antes que los paneles se nos rindan,
mirad cómo la boira gris del lago
nos salva poco a poco del estrago.

Frente a la puerta de la basílica los moros se ponen a marcar el ritmo de la danza batiendo palmas con las manos. Baila Blaksen, nieto de vándalos marroquíes, y preside el corro el alma del Cura Santa Cruz:

EL VÁNDALO BLAKSEN

Cara al sol
de Muley Shiriguá
Tibarkani Fátima
ah, Muley Shiriguá
cofa Abd-el-Kebir
ah, Muley Shiriguá
Dar el Djin
Ah, Muley Shiriguá
al-ru-mí
ah, Muley Shiriguá
'n Tcha-pá
Ah, Muley Shiriguá.

LA EPÍGONA

(Después de templar y escupir)

Se escucharon varios
tiros de fusil
pero luego vino
la guardia civil.
Guitón, guitón,
guitón, guitón, guitón
tíguiri, tíguiri, tíguiri,
tíguiri, tíguiri, ton.
A los moros moros
de la morería
que los ha traído
la Virgen María.
Guitón, guitón,
guitón, guitón, guitón
tíguiri, tíguiri, tíguiri,
tíguiri, tíguiri, ton.

EL VÁNDALO BLAKSEN

K'l jashó
Ah, Muley Shiriguá.

Ben el farruquí
ah, Muley Shiriguá.
Cor-du-ba
ah, Muley Shiriguá.

EL CARAJETA

*(De uniforme, alzando la voz y tratando en vano
de hacer oír algo que parece un himno)*

España, país psicológico
terror del bárbaro anglicano
perla fina del orbe católico
y hacha invicta del fascio romano
con el gesto mitad visigótico
y por tercios neocastellano
se cimbrea en el atrio apostólico
de la ilustre ciudad de Santiago
con desplante viril e hiperbólico
y la espada de fuego en la mano.

EL SANTERO

Oh, pies míos del campesino gozo
hablad, que la sonrisa de las uñas
os ilumina y aunque la certeza
del cadáver me traiga a la aspereza
del erial, hay caminos descubiertos.
Todo se cumplió ya, ved cómo ordeno
en miradas sin llanto cuidadosas
y en nociones de peregrinos muertos
— tan vivas en la niebla y tan hermosas
como esa faz donde la razón duerme —
la flámula del día y los drenajes.
Ved los labios de las doncellas nuevas
por los que nos alcanza la salada
linfa espumosa de los homenajes.

EL DIANTRE

Levantando las cruces de las lomas
paso la noche, y entretengo el día
ungiendo las cervices de las monas.
Me ennoblece la burla de las masas
y hasta registran mi anatomía
las crónicas timbradas con coronas,
pero a las horas que llamamos nonas
se arrastra por los patios del convento
aquella sombra que parece viva
mientras que ensarto los pecados nuevos
— eran ya viejos en los medioevos —
y miro una por una las veredas
llenas de fuegos fatuos y de gredas.

Es en los alrededores al mismo tiempo de noche y de día y la luna toma a veces un tono dorado. Las sombras se extienden arbitrariamente sin tener en cuenta las antiguas leyes. En su hornacina la Virgen de Covadonga llora perlas negras, según dice el poeta local.

EVOLUCIONA EN ÁMBITO DEL PATIO
EL ECO AZUL CON LA BRUÑIDA RUDA
Y EN EL PELIGRO, *OH MORS ULTIMA RATIO*
CORTEJA EL PAISÁ A LA BEATA VIUDA.

CONFIDENCIAL

Todo va a incorporarse a las grandezas
de una litografía de ocasión
y el cinturón colgado de cabezas
se tuerce bajo el ritmo del danzón.
Canta el sochantre enfermo los milagros
del santoral y en la extremaunción
de la luna sobre los santos agros
el Islam aprovecha la ocasión.
La mudanza tercera de los salios
la intentarán cuando los saturnalios

del solsticio con sus dagas se hieran
y las hembras del rito que prefieran
el alma al cuerpo vivo irán saliendo
al centro con sus ramos de olivera.
Entonces la de las piernas de cera
se moverá despacio aquiesciendo
y las viragos nobles una a una
imitarán el celo de la funa
mientras Adb-el-Selam llegado el trance
entrará por sus pasos en el dance.

ANTIFONARIO

Ana a quien Pedro proclamaba
abuela del Niño Jesús
lava en el río mi chilaba
y pon la sal en el cus-cus.
Tú que cubrías con ceniza
las humedades de Belén
mira cómo el verdugo riza
la palma de Jerusalén.
Santa cuyos combados pechos
dieron sus jugos a María
prepara vuestros blandos lechos
para el infiel y su orgía.
Llorosa abuela con tu nieto
sangrando por las cinco llagas
bendice el bárbaro amuleto
que Shiriguá lleva en las bragas.
Tú que tejías el sudario
del hombre al lado del madero
da tu sonrisa al sanguinario
silencio rojo del acero.
Vieja del rostro palestino
besa a tu hija sacrosanta
cuando entre los ramos del pino
la luna mora se levanta.
Arco de la iglesia de Pablo
madre de la hembra sin mancilla
con el incienso del retablo

ve a los burdeles de la villa.
En la noche de Covadonga
discúlpalos, Santa Ana, a todos
cuando la risa de la conga
vibre en la flauta de los godos.
Ama a sus fieles en camisa
por voluntaria penitencia
y a los priores en la misa
de un Ramadán sin abstinencia.
Tres veces, tres, por los tres clavos
del Señor dales tu perdón
a los sacrílegos esclavos
y a Barrabás y al mal ladrón.
Pero condena en las alturas
de hoy y mañana al campesino
que con las vides prematuras
hace su generoso vino.
Sin saber cómo ni por qué
deja en el atrio las mazorcas
y con tu yerno San José
planta los postes de las horcas.
En el nombre de Abd-el-Selam
y de Mahoma su profeta
bailen al ritmo del tam-tam
con la priora recoleta.
Jesús salido de la tumba
se rinde al trono del califa
y aguanta la morisma zumba
desnudo sobre la alcatifa.

Entre los peregrinos del Ramadán hay una bailarina — una almea de Almería — que baila o canta según los cuartos de la luna. Alrededor, en sus capas pluviales, los prebostes ríen bonachones con las manos cruzadas sobre el vientre.

LA ALMEA
(Cantando)

Dejadme a mí llevar a los estrados
formas de ayer tan peligrosas como

los hongos uno a uno insinuados
— falos o gineceos — en la alfombra
y esos seres que crecen delicados
sin ruidos ni perfiles en la sombra.
Nadie podrá alterar la ley sabida
que en los espacios de mi entendimiento
— duda o verdad — o intuición vivida
han sido siempre un solo tormento.
Déjame, hermana, yo sé que me pierdo
y acabado el lugar de las albricias
nadie nunca vendrá loco ni cuerdo
a llamar a la puerta con noticias
de aquel que se marchó por el recuerdo.

CON AMBOS PIES DESCALZOS EN ALARDE
¿VEIS EL SUELO ENCENDIDO? ¿VEIS LA HUELLA
DACTILAR EN EL PECHO DE LA TARDE?
¿NO VEIS — DESMEDULADA — LA CENTELLA?

LETANÍA BERBERISCA

Llega por las alturas doradas de Canaán
la caravana roja de los atardeceres
y por las faldas del azul Yebel Alán
un balar de corderos y un gemir de mujeres.
            Stella matutina
            muñeca mandarina,
            del verdugo madrina
tráenos a Covadonga los humildes quehaceres.
Al acercarse al nublo barranco de las Polas
voy bajando por los caminos de la mar,
los cántabros lejanos suenan sus caracolas
y en Covadonga el eco no se quiere apagar.
            Virgo Mater Regina
            capitana interina,
            teologal danzarina
danos en tus dos senos la leche del cantar.
Viéndose en las alturas del peludo Pelayo
descienden por sus luces carmesí a la pradera,
los berberiscos llevan un pardo capisayo

y los godos el oro y el azul de la esfera.
                    Mater purísima,
                    novia amantísima,
                    generalísima
unge con solimanes la usurpada bandera.
Desde el valle la danza de los rifeños prende
luces de estambre en los lenzuelos de María
y el alcalde se quita su capa y la extiende
ofreciendo una alfombra a la bellaquería.
                    Federis arca
                    dorada marca
                    de la alba parca,
muéstranos los secretos de tu epifanía.
Mira cómo en el corazón de la heredad
pues que mi España es mía, se agita la morisma
y entre muertes y estupros tu cándida verdad
en el nombre de Dios nos estimula al cisma.
                    Turis ebúrnea
                    noche satúrnea
                    planta cotúrnea
siete veces te invoco en la gama del prisma.
Pero la caravana penetra en los collados
donde los criminales de la fe se atarean
y Muley Shiriguá roba a los fusilados
la ilusión de esos cielos que hacia el mar se clarean.
                    Domus áurea
                    corona láurea
                    princesa máurea,
mira cómo las muertes párvulas se cimbrean.
Salen del bosque donde viven hace milenios
los druidas de las barbas de estopa, fluviales,
y detrás de la ermita los ángeles armenios
los invitan a nuevos gozos sacramentales.
                    Rosa mística
                    turis davídica
                    fémina angélica
señala por tus pasos las sendas veniales.
Moros de Covadonga donde naciera el rayo
del prestigio civil y la caballería
ocultaos a la sombra de don Pelayo
que profanáis aún con vuestra algarabía.

Regina sanctorum
omnium et pecatorum
sed salus infirmorum,

princesa de los ecos y la carnicería.
Santiago y don Pelayo celebran con los moros
en una misma danza la sangre derramada
de aquellos españoles que escribían los foros
de Avilés entre una y otra cabalgada.

Mater sacratísima
Virgo prudentísima
Fémina dulcísima

mirad la prez del ara, en sangre profanada.
Muley el Djin de los burdeles coloniales
sentado sobre el mármol de los hijos de Fruela
bebe la sangre de los ruiseñores reales
bajo el signo de cáncer y de la par gemela.

Virgo fideli
Ara coeli
Luceat Dei

convoca los aceros sobre la ciudadela.
Con enjalmas de asno y pieles del impuro
animal cuyo nombre reserva el beduíno
fundan en la basílica de España un futuro
de escarnio bajo el signo del Señor Uno y Trino.

Regina Martirum
regina virginum
mater sine labe concepta

tus labios verticales huelen a verde pino.
Los berberiscos en su danza se enardecen
coronan a la Virgen con lascivas cerezas
y las dominaciones del altar descaecen
y van iluminando las cortadas cabezas.

Dios de las Siones
y las comuniones
y las violaciones

devuelve a la leyenda sus líricas purezas.

Llega sobre la ermita un avión ligero de reconocimiento. En mi sangre mozárabe envidio a los que acarician a la almea. En mi sangre visigoda los aborrezco y en mi sangre ibérica quisiera extenderme sobre la tierra y propiciar las canciones de esos hombres extraños que han de nacer aún.

YO

Vago al azar de los malos cometas
locas ya las abejas del sepulcro
trepando algunas, mansas, por mi nombre.

EL NAVEGADOR TÍMIDO

Contenidas las voces van los nobles
faltos de puente vadeando ríos
y por la oscura selva de los robles
caminando les siguen sus abríos.
Cuando nací miré la luz del día
entreabriendo los ojos con cuidado
y los volví a cerrar con indolencia.
Aquella sombra de donde venía
me llamaba otra vez, pero a mi lado
se me ofrecía el árbol de la ciencia
lleno de vanos frutos. Coincidencia
del saber sin origen y el amar
desde lejos me vuelven a llamar
por la voz apremiante del destino.
Esas voces me invitan monitoras
a discernir las metas y el camino
pero yo no respondo, sólo quiero
la muerte limpia del arquero etrusco
y entretanto en la ausencia sin reproche
ser como el genio mudo de la noche.

MOJIGANGA DEL MEHALLI

No hay cosa más gustosa
para pasar el rato.
Que estar en la mehalla
Muley Abd-el-Selam

que estar en el mehalla
y en territorio hispano.
Aunque huele a camello
Muley Abd-el-Selam
aunque huele a camello
y a meados de gato.
Todo es baracalaufi
Muley Abd-el-Selam
todo es baracalaufi
quiero decir que es franco.
En los días de paga
Muley Abd-el-Selam
en los días de paga
voy al economato.
Venga del jaluf dulce
Muley Abd-el-Selam
venga del jaluf dulce
y de hígado de pato.
Cuando voy a pagar
Muley Abd-el-Selam
cuando voy a pagar
me dicen que es regalo.
El vino y lo que cuelga
Muley Abd-el-Selam
el vino y lo que cuelga
se entiende sin nombrarlo.
De balde nos resulta
Muley Abd-el-Selam
de balde nos resulta
a los moros cruzados.
No hay cosa más gustosa
Muley Abd-el-Selam
no hay cosa más gustosa
para pasar el rato.
Si alguno se confiesa
Muley Abd-el-Selam
si alguno se confiesa
publican su retrato.
Las fátimas de viso
Muley Abd-el-Selam
las fátimas de viso

le hacen escapularios.
Y nos nombran sobrinos
Muley Abd-el-Selam
y nos nombran sobrinos
del apóstol Santiago.
A algunos les colocan
Muley Abd-el-Selam
a algunos les colocan
la cruz de San Fernando.
Dicen que hay que salvar
Muley Abd-el-Selam
dicen que hay que salvar
el honor castellano.
Y degollar infieles
Muley Abd-el-Selam
y degollar infieles
en el Ebro y el Tajo.
Uno hace lo que puede
Muley Abd-el-Selam
uno hace lo que puede
no hay por qué pregonarlo.
Las niñas de los jefes
Muley Abd-el-Selam
las niñas de los jefes
de algunos sindicatos.
Se nos quedan tendidas
Muley Abd-el-Selam
se nos quedan tendidas
después del sobresalto.
Y el adalid chivani
Muley Abd-el-Selam
y el adalid chivani
nos llama sus jabatos.
Si estamos indispuestos
Muley Abd-el-Selam
si estamos indispuestos
nos viene a ver el amo.
Y haciéndose el valiente
Muley Abd-el-Selam
y haciéndose el valiente
hasta nos da la mano.

Entre los dedos pone
Muley Abd-el-Selam
entre los dedos pone
un billete doblado.
Y nos dice que España
Muley Abd-el-Selam
y nos dice que España
confía en nuestro brazo.
No hay cosa más gustosa
Muley Abd-el-Selam
no hay cosa más gustosa
para pasar el rato.

Desciende rasante el avión que suele hacer las fotografías militares. Entre ellas hay una de la Virgen de Covadonga en la cual estoy yo arrodillado a sus pies con una banda blanca de raso en bandolera y al costado una pistola de mazapán. (Yo nunca he llevado verdaderas armas.)

YO

Cuando sea de día a Covadonga
con las voces cautivas volveremos
— escucha y llora tú, escucha y ríe —
y cuando la mañana se deslíe
propiciando el amor, nos hallaremos.
Tú escucharás y yo te besaré
y si ríes también yo reiré,
pero si lloras — no te pido tanto —
despertará mi sexo con tu llanto.

EL NAVEGADOR

Por mi sueño pasaban los agentes
de la lluvia y de las bellaquerías
y en lo alto de las ripas otras gentes
repetían: "Has de morir muy lejos"
con la voz de las cándidas porfías

— ¿lejos?, ¿dónde?, ¿por qué? —.
El cometa de los advenimientos
se presentaba en el horizonte.
Era la noche de los violentos
estampidos y del Jano bifronte.

EL CARAJETA
(Cantando)

España, país psicológico,
redime al orbe decadente
si se resiste con el católico
hisopo ábrele la frente.

SON TIMBRES DEL ESCUDO EN SUS CUARTELES
EL CRIMEN, EL ESTUPRO Y LA BLASFEMIA
Y ESPAÑA ENSANGRENTADA SIGUE AUSENTE
O EN EL CORRAL DE DIOS SE DESINTEGRA.

LA PRELADA DISCRETA

Moros del maxilar encanecido
buscan el alcohol y el aldehído
de los venenos dulces y los hombres
se repiten aún: "Morirá lejos".
En la media mañana de la ermita,
paz en los bosques, los enamorados
rompiendo con la frente entre los olmos
los hilos de la araña carmelita
hacen al mismo tiempo, apresurado,
el gesto de borrarse los perfiles
y como siempre olvidan a los moros.
Dejad fuera la verde primavera,
no la traigáis aún a mis estancias
pero acercadme las demás fragancias
(las de la voz y de la carne en celo).
Dejad vuestro sacrílego martelo
en la alcazaba del parral umbrío
venid de vuestros brazos precedidas

619

anunciadas tan sólo por el suave
perfil flotante de la dulce ave,
presurosas llegad y comedidas
vírgenes de una en una hacia la muerte.
(A ti, bien mío, yo sabré ponerte
mi sudario, oh esposa marinera
yo, de Mitilene la cancionera.)

EL KADER

El genio antiguo entre disimulado
en la propicia cal de los postigos
se mostraba por veces alarmado
por la pasividad de los testigos.
Persisten las aldeas blasonadas
y entre ciudades, ríos y pantanos
el cometa de la era venidera
grita sobre los aires espaciados:
"Morirás lejos de la Val de Onsera".

MULEY ABD-EL-SELAM

Yo deslumbrado miraré a los lados
y te hallaré entre moros disfrazada
engrasando en la sombra tu pistola.

Interrumpí la lectura. Muley Abd-el-Selam era un santo marro-
quí. Un verdadero santo con tardes ascéticas y noches místicas.
Los santos son a menudo agentes del mal, es decir, de la nada,
como les pasó a algunos del catolicismo, pero no nos toca a
nosotros discriminar. Con la ignorancia nuestra sobre el sentido
secreto de la existencia — ¿y para qué queremos conocerlo? —
no podemos nunca determinar exactamente — ¿y qué más nos
da? — la virtud o el vicio. Yo sé que la Iglesia de Roma es el
cuerpo del diablo, es decir, Muley Shiriguá. Bueno, este poema
no está mal y el autor puede ser urano a saturnino, lunático o
marcial, dionisíaco o apolíneo. Me es lo mismo. De todas formas
lo van a matar. Si no lo mata Galo en un amanecer inspirado lo
matarán los otros cuando entren. Yo he visto que Galo tiene la

obsesión de la carta blanca para acabar con la morisma, como él dice. A todos los moros les ha puesto apodos y a ninguno lo llama por su nombre. Al que calienta el pandero sobre las brasas del té — para templarlo antes de comenzar a tocar — lo llama el *moro Marmita*. A los otros dos les ha dado nombres también de cocina, de establo o de retrete, siempre precedidos por Mohamed. Todos son *mohameds*. Ha vuelto otra vez y me ha preguntado por Ariadna. Se había olvidado de ese requisito de cortesía. El sargento es un campesino modoso. Como me ve todavía con el libro debe creer que estoy resolviendo problemas de administración y vuelve a dejarme solo. En todo su cuerpo grave y aplomado hay una impaciencia agresiva. Él sabe cómo acabar con el problema de la morisma. Yo también lo sé. Todo el mundo lo sabe. Pero matando gente no se resuelve nada. Queda siempre otra gente — que es la misma — dispuesta a seguir con los mismos problemas. La mayor parte de la gente mora o castellana, o de no importa dónde, nos molesta por el solo hecho de vivir. ¿Y qué va uno a hacer? No hay que matar a nadie. He matado a Justiniano, es verdad. Debía confesarme a mí mismo que si no volvía antes a la comandancia era porque estaba dando tiempo — con el pretexto del coche y del cuaderno del prisionero mozárabe — a que sacaran el cuerpo de allí. Me molestaba también la idea de que pudiera verlo Ariadna desde la ventana. Antes de salir dije a los soldados de la guardia: "¿Todavía no se han llevado *eso?*". El oficial me dijo: "No". Entonces yo les dije que sería bueno que lo cubrieran con una manta. Nadie quería ceder la suya. El contacto con un muerto da a los objetos porosos una especie de aire intersticial frío y maléfico. Igual que se comunica a una manta el calor de un cuerpo humano, se le comunica también el frío de un muerto. Nadie quiso ceder su manta. Y un cabo encontró no sé dónde unas tablas llovidas y medio podridas y las llevó al patizuelo. Allí se las puso a Justiniano encima de modo que lo cubrían casi del todo, pero una de ellas resbaló de lado y quedó el rostro de Justiniano asomándose por el hueco. Bueno, aquello era peor y lo siento por Ariadna, que seguramente no pudo menos de verlo. La necesidad de defenderse de aquella sugestión del muerto la haría asomarse a la ventana y fisgar. Esa es la palabra: fisgar. No fisgonear. Esto sería inadecuado a lo patético de la situación. Ella no fisgonea. Sólo fisga. Entretanto yo estoy aquí pensando en ella y con el cuaderno del poeta mozárabe en las rodillas. Bueno, yo estaba en las gradas frías de la plaza de toros y volvía a pensar en mi propia muerte. La percibía exteriormente bastante parecida a la de Justiniano. Era probable si yo no llegaba pronto a mi posición de Pinarel, que la guardia de otro cuartel o la policía de los moscularis con su boina y sus zapatos crujidores — todos llevaban zapatos nuevos cuyas suelas crujían al andar — me matara como yo había visto matar a Justiniano. Pero mi caso era otro. Yo no había rematado soldado alguno en los frentes. Yo no me había refugiado después con los hijos del padre infernal. Yo era todavía un ser humano merecedor. Merecedor de mí mismo, claro. Tampoco quería más. No quería sino pertenecerme a mí mismo en el último instante para tener completa la conciencia de mi recompensa. (Esa revelación súbita y plena del sentido de nuestra vida y nuestra muerte.) Era todo lo que necesitaba y no pedía más. ¿Para qué? ¿Quién podría darme más? Pensaba, como digo, en Justiniano y trataba de recordar el instante en el cual el pobre hombre había tenido aquella revelación. Su revelación. Aunque el soldado que lo mató con una ametralladora máuser de mano — sin apoyarse el arma en el hombro — le hizo cuatro o cinco disparos seguidos y éstos le regaron el pecho y el estómago, tardó en morir un rato. Tres o cuatro minutos. Tal vez cinco. Durante ellos parecía Justiniano *gozar de su muerte* como cualquier hombre honrado. Supongo que ya no nos veía. No hablaba. Verín en la puerta decía: "Lo siento, pero ha sido la condición que has puesto tú y todos los camaradas han aceptado". No me lo decía acusándome, sino con cierta complacencia, como si pensara: "Por fin comprendes que el *vegetarianismo* no conduce a nada". Y al salir recuerdo que junto a la guardia ocurrió algo ligeramente desairado para Verín. En la puerta había un reportero fotográfico que al vernos se llevó su máquina a la cara y dijo: "Con permiso, camaradas". Yo pensé: "Una foto con Verín. ¿Para qué?". Seguramente Verín pensó lo mismo en relación conmigo. Y en el momento de ir a hacer la foto Verín se separó de mí dando un par de pasos de costado. El reportero vaciló un momento y enfocándome a mí solo disparó, me dio las gracias y se fue. Con lo vanidoso que era Verín, aquel hecho trivial lo puso de un humor agrio. Pero a mí me reveló algo más. "Verín — me decía yo — no quiere estar en la misma foto conmigo. Suponiendo que es una foto para los periódicos, esto significa que mi suerte está echada entre los moscularis. Una foto conmigo — con el condenado — no podía favorecer al futuro padre infernal de ambas Castillas, al futuro Vodz carpetovetónico. Las cosas iban más de prisa de lo que creía. Otra vez me hice el propósito de subir cuanto antes a Pinarel con Ariadna o solo. Pero no como el que huye. Yo no huyo. Antes pensaba hacerme visible en todas partes. Después, si me dejaban libre, me iría. Entretanto volví al cuaderno y leí la última parte del poema, que era tal vez la menos mala. El urano-saturnino-marcial poeta mozárabe decía:

JACULATORIA

Voy dejando mi sangre al lado del camino
como las ovejas su lana
no es que sea precisamente un peregrino
pero me acerco a la fontana
de la fe de los míos con una sed antigua.
En ella encuentro a los chacales berberiscos
roncos de tanta algarabía
también ellos regaron con su sangre los riscos
dicen que por la patria mía,
pero si ésa es mi patria la niego con sus dioses.
Virgen de Covadonga, no es preciso que digas
nada para ayudarme a comprender,
no siento yo la vida como usan las hormigas
que a la semilla del saber
le cortan por prudencia la fibra germinable.
También soy yo capaz de ir a los Ramadanes
puro, con mi verso seglar
y de entregarme igual que ellos a los afanes
locos del riesgo de matar,
por descuido, mi imagen proyectada en los otros.
Pero no es que me considere como ellos
ciego de sangres promiscuadas
ni que acostumbre a dar a mis nobles camellos
las aguas de tus consagradas
aras ni de los mármoles benditos del bautismo . . .
Sé que los sacrilegios son un juego de infantes
llenos de peligrosidad

y que en la fe talar de nuestros comulgantes
reside la antigua verdad
del milagro de un orbe salido de la nada.
Puedo ir a donde vayan los viejos asesinos
— yo no me considero puro —
pero ni ayer ni hoy rigieron mis destinos
— ni lo han de hacer en el futuro —
las normas del provecho en cuestiones de sangre.
Virgen de nuestra fe — cualquiera fe es divina
siempre que sea creadora —
sálvame del peligro de una estéril inquina
y de la idea roedora
de que mis odios puedan ser nobles en su base.
Todos somos culpables y yo no soy mejor
— aunque no di fuego a las naos —
lo que me salva es que siguiendo al Creador
huyo del espantoso caos
al que con sus venenos y preces nos empujan.
Ni siquiera pretendo que los que hacen la herida
con mi daga de siete filos
la hagan — es un decir — en nombre de la vida
ni que la luz de los berilos
del gavilán contenga un símbolo más alto.
Sé que después de herir a los que nos atacan
— moros del sur o arios septentrionales —
y al ángel de los sueños de Dios y a veces matan
mi fe en tus altos barandales,
después de herirlos duermo como nunca en mi vida.
Virgen de amor, vigila mis nocturnos y enciende
otra vez nuestra fe ofendida
y perdona a la horda de los moros que prende
fuego a la urbe prometida
con la tea del sacrilegio y los escándalos.

Aquí terminaba el poema del poeta mozárabe. De todo eso a mí me quedaban en los oídos algunas frases, sobre todo la de "morirás lejos". Y me preguntaba si ese "lejos" del poeta sería nuestra ciudad. Si sería aquel rincón de la plaza de toros de nuestra ciudad.
Fui a devolverle el cuaderno.

— ¿Ya lo ha leído? — me preguntó con un acento de profunda decepción.

Estaba solo. Los oficiales se habían ido con la tropa, que seguía cantando y haciendo sonar los panderos. Al lado del poeta mozárabe ardía en el suelo entre dos piedras un fuego mezquino y encima había una tetera mugrienta por cuyo pico salía el vapor.

— ¿Ya lo ha leído? — me preguntaba.

Yo le dije que sí, y que aquella expresión "morirás lejos" me quedaba en la memoria como una musiquilla obscena.

— ¿Qué es "lejos"? — le pregunté.

El otro se encogió de hombros y me miró como si estuviera loco. Le prometí hacer algo por él y cuando me disponía a salir comenzó un bombardeo de aviación muy denso y concentrado sobre el centro de la ciudad. Tenía la impresión de que caían las bombas en el barrio donde estaba mi cuartel general. De allí se alzaban columnas de humo y de polvo. Eran dos escuadrones de veintiuna unidades que pasaban y volvían a pasar para arrojar su carga otra vez sobre el mismo sitio. Comencé a inquietarme por Ariadna. El sargento Galo llegó corriendo.

— Los morancos — dijo con mala sangre — se alegran cada vez que nos pega la aviación. Yo sé lo que habría que hacer con ellos.

Seguíamos viendo desde el umbral de los corrales las nubes de humo y de polvo que el viento extendía sobre la ciudad. Galo me preguntó:

— Baena, ¿es verdad que la guerra está perdida?

No contesté. En aquel momento llegó el coche y di al conductor la dirección del cuartel general. El chófer dudó un momento y por fin dijo:

— No sé si se podrá pasar. Las calles están llenas de escombros.

— Si no se puede daremos un rodeo, pero tú trata de llegar al cuartel general por el camino más corto.

Y llegamos. Tuvimos que dejar paso a dos camiones de bomberos que acudían al lugar más dañado haciendo sonar sus sirenas. La prontitud y la eficacia de los servicios de bomberos era un espectáculo confortador porque podíamos ver que en medio del caos había siempre una organización de ayuda y de defensa civil en funciones.

Por esas casualidades frecuentes en la guerra los edificios que rodeaban a mi cuartel general fueron destruidos y sin embargo el cuartel general quedó intacto, aunque como se puede suponer sin un solo cristal en las ventanas. Brigadas de auxilio desescombraban los lugares donde se sabía que había heridos.

Yo subí a ver a Ariadna — a quien suponía llena de angustiosas incertidumbres —, pero estaba tranquila. Ella y yo teníamos en medio de los grandes problemas otros problemas menores, esos problemas de insecto que se incrustan a veces entre los grandes conflictos y nos invalidan para afrontarlos o nos ayudan o tal vez nos insensibilizan. Este último era nuestro caso, creo yo. Al menos aquel día.

— ¿Dónde está Verín? — le pregunté.

Me dijo que había salido con los demás rusos. Se habían ido de la ciudad. Yo le dije entonces lo que me había sucedido con Verín. Mi "revelación" falsa y la nueva revelación igualmente fraudulenta en la plaza de toros. Ariadna entonces me dijo lo que había hablado con el diplomático ruso en la Sureda. Lo uno y lo otro se contradecían escandalosamente. Ariadna — como si ella sola tuviera derecho a mentir y yo no — me preguntaba:

— ¿Por qué dijiste eso de los tanques, por qué dijiste lo de la plaza de toros si era tan fácil de comprobar?

— Quería precisamente que comprobaran que era mentira.

— ¿Pero para qué?

Yo miraba su pecho, sus labios, sus ojos:

— No sé. El caso es que no podía dejar de decirlo.

Ella parecía pensar: "Y sin embargo no está loco. No estamos locos". Yo adivinaba aquella reflexión y contestaba también con mi silencio: "Quién sabe".

Nadie me había destituido formalmente y, por lo tanto, seguía dirigiendo las operaciones en el sector. Aquella noche apenas dormimos. Ariadna me hablaba de la muerte de Justiniano, a quien recordaba caído en el patizuelo. Sabía que el culpable de aquello era yo. Y repetía:

— Le pusieron unas tablas encima. Las tablas eran viejas puertas de armarios que tenían amontonadas en alguna parte. Pero ¿qué importa? ¿Qué necesidad hay de hablar de eso?

No se veía un ruso por ninguna parte y yo no acababa de comprender. Tampoco sabíamos dónde estaba Nancy. Tal vez André había conseguido meter los dientes en el gran pastel y estaban los dos lejos en algún lugar tranquilo, tal vez en París.

Al día siguiente vinieron a decirme que Berard había aparecido entre las ruinas de la casa inmediata, vivo aún, pero con la columna vertebral rota y otras lesiones graves. Yo corrí a verlo y lo encontré en un sótano en ruinas. Le habían puesto almohadas debajo de la cabeza y de las rodillas pero no permitía que lo tocaran, porque sentía grandes dolores con el más pequeño movimiento. En cuanto lo vi comprendí que estaba herido de muerte. Él lo sabía, también. Tenía una máscara de horror y de honradez. Me preguntó por los rusos y le dije que se habían marchado todos de la ciudad. Berard, cuya nariz parecía más aguileña y sus ojos más redondos y hundidos, tenía varias costillas rotas y una herida en la cabeza. A veces el solo hecho de respirar le producía dolores en el pecho.

—Dame tabaco — dijo —. Los rusos se han ido a preparar la operación *de prestigio*. El Vodz quiere cincuenta mil muertos para valorar la guerra española y poderos vender a buen precio. También porque cincuenta mil muertos le dan a él una aureola histórica mayor. Sí, no me mires así, Baena. Yo no soy un traidor, sino un hombre que se muere. No creas que traiciono. Soy el de siempre. No te hagas ilusiones, que tú también caerás. Tú y Ariadna.

Me contó algunas de las intrigas en las cuales había aparecido mi nombre. No es necesario que yo hable de eso aquí ante la asamblea de la OMECC, entre otras razones porque esas intrigas son de un romanticismo idiota, como suelen ser las de la policía rusa. Baste decir que la NKVD iba matando de uno en uno a los jefes militares o políticos que hablaban de mí con entusiasmo. O simplemente con amistad. Aunque sólo fuera con una mínima simpatía. Porque los había.

—¿Para qué? — pregunté yo.

—Para evitar el caudillismo, según decían.

Berard sabía que se moría y tenía una tranquila desesperación:

—Ya suponía yo que iba a caer aquí, con vosotros. No me importa. Tal vez es mejor aquí que en Moscú. Acércate, Javier. Aquello también se hunde. No sé cómo, pero se hundirá. Allí, cuando no entendemos una cosa, se levanta un pequeño misterio y ese misterio es parte de la máquina. Yo he estado dentro de la máquina. Pero se acabó. Y aquí falla el plan. Aquí la gente no responde con otros misterios entre bromas y veras. Y como en Moscú no lo entienden nos van llamando y vamos

627

cayendo uno detrás de otro. Sigue la concentración en Novo Devichi. Acércate. Mi caso...

Hablaba con dificultad. Por una ventana sin cristales ni maderas la luz de la mañana era cruda e inmisericordiosa.

—Acércate. Se está preparando un ataque frontal con cien mil hombres. El Vodz quiere cincuenta mil muertos. Quiere una catástrofe para producir un movimiento de prestigio y levantar el papel español de modo que pueda maniobrar con él y cotizarlo en Berlín o en Londres. Es decir, para poder venderos a vosotros. Puedo hablar, ahora, porque todo esto se lo lleva el diablo. Esto se acaba, Javier. Yo he visto cómo pelean, caen y mueren los españoles. La idea de que van a caer cincuenta mil más creyendo que dan su vida por la libertad, cuando la dan por la libertad de trapicheo del Vodz, rebasa todas las medidas, pero así y todo yo no hablaría si no supiera que esto se acaba. Me voy, Baena. No importa. Prefiero morir aquí. Es más humano y más fácil. Yo no podría volver a Moscú, en todo caso. ¿Sabes por qué? Voy a decírtelo. Yo estaba en la escolta personal del Vodz cuando mató a su mujer, la hermosa Nadia. Éramos dos agentes especiales que no lo dejábamos de día ni de noche cuando salía del Kremlin. Y una noche fue al cementerio de Novo Devichi el Vodz, y el otro guardián y yo lo acompañamos en su coche. Eran las dos de la mañana en invierno. El Vodz no duerme de noche, sino de día. No se acuesta hasta que comienza a amanecer, porque tiene miedo a la noche. Y a las dos de la madrugada llegamos allí, a Novo Devichi, y el Vodz bajó y entró a pie por la nieve, entre las tumbas.

Berard se interrumpió e hizo un gesto de dolor. Yo fui a arreglarle las almohadas y él blasfemó en ruso, me miró amenazador y luego dijo suplicante:

—No me toques. Que no me toque nadie. Las chicas de la asistencia me traen té cada media hora. Es todo lo que necesito.

Luego siguió hablando:

—Tardaba en volver el Vodz y como nosotros éramos responsables de su vida yo bajé del coche y me acerqué, despacio. Detrás venía mi amigo. Y el Vodz frente a la tumba nevada de Nadia estaba llorando. No como un hombre cuidadoso de su dignidad, sino como un gañán. Como una mujer histérica, como una vieja prostituta borracha. Y hablaba. Yo no lo entendía porque hablaba *gruzino,* es decir georgiano. Nos estu-

628

vimos quedos, esperando. Y el Vodz hablaba entre las lágrimas: "Nadia — decía —, palomita, ¿tienes frío? Yo no sabía lo que hacía aquella noche y te maté, pero te maté porque estaba loco por ti. Yo quiero dormir contigo aquí mismo debajo de la misma nieve... Dormir contigo para siempre, venadita del bosque".

Berard seguía hablando. Me tomó una mano. Yo no había podido imaginar nunca que aquel hombre se sintiera tan amigo mío. Y volvía a hablar:

— ¿Me oyes, Javier? Déjame que hable porque me hace bien y no sé hasta cuándo podré hablar. Mi cabeza está clara todavía. El Vodz se puso a recitar versos entre sollozos y lágrimas, versos de Lermontov. Decía:

> *Oh, nieve indecisa, argentada,*
> *deja el sudario sobre su tumba fría,*
> *conserva sus cenizas para siempre...*

Berard recitaba con una sonrisa irónica. Luego dijo:

— De pronto el Vodz se dio cuenta de que alguien estaba detrás de él aunque nosotros no hacíamos ruido. Se sobresaltó y volviendo la cabeza dijo: ¿*Puchemú?* Volviendo la cabeza a medias amenazador y diciendo aquella palabra parecía un toro viejo, el Uro encornado del monte.

— ¿Qué quiere decir *puchemú?*

— Es lo mismo que decir ¿*qué pasa?* o ¿*quién va ahí?* Y seguía llorando. Nosotros volvimos al coche, despacio y a grandes zancadas. Yo no respondí. El que respondió fue el otro. Y eso le costó la vida pocos días después, porque la voz de mi compañero sobre la tumba nevada de Nadia debió encontrarla el Vodz sacrílega. Y lo mató él a mi compañero con sus propias manos. Lo mató al día siguiente, cortando su cuerpo en trozos, en pequeños trozos que daba a comer a dos perros allí, delante de mi compañero todavía vivo. El Vodz estaba imitando a Iván VI, que solía hacer aquello también. Y mi compañero murió y yo conseguí una misión en París y salí corriendo. Al parecer el Vodz se olvidaba de mí. Sólo al parecer. Porque no podía tolerar que alguien lo hubiera visto llorando sobre la tumba de la pobre Nadia. Y pensaba en mí de vez en cuando. "¿Dónde está Berard?", preguntaba a veces. Yo siempre estaba lejos. Pero sabía cuándo preguntaba por mí.

En aquel momento se oyó un ruido fuera, como si llegara alguien. Berard se asustó y quedamos escuchando. Era un trozo de hule que colgaba de una reja rota y retorcida y se sacudía con la brisa.

De pronto Berard gruñía:

—No he desertado. Hablo con toda libertad, pero no he desertado.

Nadie le acusaba. Se oyeron pasos fuera. Esta vez se acercaba alguien. Eran dos personas, al menos. Los pasos se detuvieron y apareció en la puerta Michael con sus barbas borrascosas. Parecía un hombre diferente.

—Aquí fuera está ese a quien llaman X2. El ruso que manda en toda la *razvedka*. Dice que le quites el revólver a Berard, si lo tiene.

Yo lo hice. Llevaba todavía Berard su revólver — con una cápsula quemada — en el bolsillo de la chaqueta. Cuando estuvo el revólver en mi mano penetró X2, flaco, largo y un poco desarticulado de movimientos. Se acercó a Berard sin decir palabra, se inclinó, le registró los bolsillos y le sacó algunos papeles y un pequeño cuadernito de tapas duras que debía ser la clave para alguna clase de comunicaciones secretas. Esos movimientos incomodaban a Berard, que con los ojos cerrados mugía sordamente. Luego X2 se marchó sin decir una palabra. Ya en la puerta preguntó si Berard tenía té abundante. Y sin aguardar la respuesta desapareció.

—Tiene miedo — dijo Berard —. Todo el mundo tiene miedo en Rusia. No quería entrar porque yo tenía un revólver y cuando uno de nosotros agoniza es peligroso. Lo mismo que un caballo moribundo tira coces, nosotros a veces queremos despedirnos de la vida con un acto de justicia. X2 tenía miedo de que yo lo matara y por eso pidió que me quitaras el revólver.

Michael se había quedado en el cuarto cerca de la puerta y miraba sin decir nada.

—No me muero todavía — decía Berard —. Tengo aún el faro piloto encendido. ¿*Puchemú?*

Michael, sorprendido por la pregunta, se encogió de hombros y dijo:

—Nada.

Pero Berard siguió:

—Siempre tengo en la puerca imaginación esa estampa. La tumba de Nadia, la nieve, las botas de mi compañero haciendo crujir la nieve y la cabeza del Vodz volviéndose hacia nosotros, mojada de lágrimas. *¿Puchemú?* Luego preguntaba por mí: "¿Dónde está Berard?".

Repitió el herido esa pregunta dos veces mirando a Michael y éste volvió a encogerse de hombros sin comprender. Berard seguía hablando:

— Aguardábamos al viejo Vodz y mi compañero estaba temblando. Allí se quedó el Vodz todavía más de media hora. Por fin regresó. Parecía borracho caminando despacio sobre la nieve. Mi compañero y yo bajamos del coche. Al llegar a nuestro lado el Vodz le dio una patada en el trasero a mi compañero y le dijo: "¿Has oído lo que yo decía delante de la tumba, hijo de perra?". Mi amigo dijo que no y el Vodz le dio otra patada. Luego me preguntó a mí si lo había oído y yo dije que sí. Ya en el coche vi que el Vodz tenía en los ojos y en el bigote cristales de hielo. Encendía una pipa y repetía: "¡Hijo de una cerda sarnosa, aprieta el acelerador! ¡Más de prisa!". Nosotros callábamos. El Vodz sacó un pañuelo y volvió a llorar. Nosotros mirábamos el paisaje nevado, por las ventanillas. El Vodz seguía llorando. El conductor dijo algo y entre las lágrimas el Vodz repitió la misma pregunta: *¿Puchemú?* Yo tenía miedo. Aquel día comencé a tener más miedo que nunca y me ha durado hasta hoy.

Me oprimía la mano, Berard. Luego pidió un trago de té y Michael y yo salimos a buscarlo. Teníamos en las cocinas de la guardia del cuartel general lo preciso para auxiliar a los heridos desahuciados. Una enfermera les inyectaba de vez en cuando morfina. Había otros dos como Berard, esperando la muerte.

No volvimos a verlo a Berard. Yo subí a mis habitaciones por la escalera de servicio para evitar las oficinas y los problemas con los que siempre me esperaban los ayudantes. Encontré a Ariadna dormida y la besé suavemente para no despertarla. Tal vez soñaba con Ramón. Algunas noches le había oído decir aquel nombre dormida. Yo sé que no soñamos precisamente con las personas a quienes amamos. Soñamos más a menudo con nuestros enemigos. Una de las amenazas de los rufianes del siglo XVI a sus rivales era: "Me vais a soñar". Pero el nombre de Ramón en los labios de Ariadna dormida o despierta me contrariaba todavía. ¡Qué extraña es la vida! Yo esperé a que despertara Ariadna y luego le dije:

— Tus planes iban por caminos diferentes de los míos pero me han salvado de situaciones complejas y de peligros. Por fin nos han atrapado en una contradicción. Iremos al valle. No sé qué sucederá. Al parecer no se atreven a subir al valle los paramoscovitas.

— ¿Y si suben?

— No es fácil.

Ella, con sueño todavía en su voz, dijo:

— Lo que suceda me tiene sin cuidado. ¿Y a ti?

Acabé por confesar que tampoco a mí me importaba. Me daba igual morir de un modo u otro, quiero decir a manos del enemigo de enfrente o de atrás. Al mismo tiempo pensaba: "Si yo matara esta noche a X2 diciendo que le había oído hablar bien de Trotsky, por ejemplo, y llevara su cabeza y la pusiera a los pies del nuevo embajador, me declararían héroe nacional, me llevarían a Rusia, me darían un uniforme y un sueldo de general y todo estaría resuelto para Ariadna, para el niño y para mí". En broma y como por inercia mi imaginación seguía trabajando. ¿Cómo llevaría la cabeza de X2? ¿Colgada de los pelos? ¿De las barbas? No. En una cesta. En una de esas cestas con doble tapa que usan las mujeres que se cambian de casa para llevar al gato. Ariadna repetía:

— En lo sucesivo será mejor que ninguno de los dos dé un paso sin consultar al otro.

Así lo acordamos. Pero ¿había tiempo todavía para hacer planes o establecer acuerdos? Lo dudo mucho.

Estas palabras mías en la sala del abadiado del Campo de Marte son seguidas con atención, aunque yo no sé sujetar ni ceñir mi narración a los hechos fundamentales como Ariadna. Para mí lo importante en la vida no es el amor ni el odio ni lo que siente un hombre o una mujer, sino la vida proyectada en sus formas esenciales, es decir la idea de la vida. Me extrañaba hacía tiempo que el presidente no me llamara la atención. Y he aquí que golpea la mesa y dice:

— Más preguntas de las comisiones especiales.

El presidente va leyéndolas para sí, en medio de un gran silencio. El búho hace en lo alto ruido con las alas. Es un ruido como el roce de las sedas antiguas.

— Alguna vez habrá sentido usted envidia a lo largo de la vida, ¿no es eso? — me pregunta el presidente de un modo inesperado.

— Ciertamente.

— ¿Por qué personas tenía usted envidia?

— Por algunos héroes de la guerra cuyos nombres tal vez no recordaré ahora. Todos habían muerto en acción.

Se levantan rumores. El presidente pregunta como si estuviera enfadado:

— ¿Se llevó a cabo la operación magna?

— Sí. La operación de prestigio.

— ¿Hubo cincuenta mil bajas?

— No. Hubo setenta mil. Los españoles son generosos.

— ¿Y el Vodz les vendió a ustedes?

— Sí, a buen precio. Pero no nos vendió a todos, claro. Sólo vendió a los *culpables de inocencia*.

Hay risas en la sala. Esas risas me ofenden. ¿Cómo pueden reír de una cosa así? (Quiero decir de las setenta mil bajas.)

El presidente se vuelve hacia la tribuna de Ariadna y pregunta:

— ¿Diría usted que Berard era un criminal?

— Bueno — dice ella buscando atenuantes —. Un criminal político.

El secretario de organización habla en voz baja al presidente y éste hace pequeñas afirmaciones mientras escucha. Después, dice:

— Está bien. Dejaremos estos detalles para después si las comisiones especiales para dictaminar, no exigen antes una explicación.

El presidente se interrumpe porque hay una novedad en la sala. Una de las ujieres o pajes femeninos ha dado un grito y se ha desmayado en el pasillo central, cerca de donde estoy yo. Al principio no puedo imaginar de qué se trata. Luego, cuando vuelve en sí, oigo decir a mi alrededor que la muchacha ha visto a alguien sentarse en el trono de la infanta Palmatoria. Era alguien cuya cara no ha podido ver. No estaba segura de que fuera un ser humano, eso no.

Algunos fotógrafos comienzan a enfocar sus cámaras al trono. Un haz de luz entra por las altas vidrieras. El francés de mi izquierda me pregunta:

— ¿Usted ve algo? ¿No? Yo tampoco veo nada.

Y mira fijamente al trono. Fijamente, sin parpadear. El presidente llama al orden a los fotógrafos, quienes siguen disparando sus cámaras con la esperanza de que las lentes de los objetivos adaptadas a los rayos infrarrojos o ultravioleta, vean más, mucho más de lo que vemos nosotros con los ojos. En este momento... Bueno, nada. Este momento es todos los momentos. Un momento cualquiera es toda la vida. O toda la muerte. No es nada. O tal vez — quién sabe — lo es todo.

Índice

Randall Library – UNCW
PQ6635.E65 A7 1977   NXWW
Sender / Los cinco libros de Ariadna

304900241022R